MIŁOŚCI NIE OGRANICZA ODLEGŁOŚĆ
ANI ŻADEN KONTYNENT,
OCZYMA SIĘGA GWIAZD.

Lucinda Riley

Urodziła się w Irlandii. We wczesnej młodości próbowała swoich sił jako aktorka, grała zarówno na deskach teatru, jak i w filmach, pracowała też w telewizji. Pierwszą powieść napisała w wieku 24 lat. Jej książki zostały przetłumaczone na ponad 30 języków i sprzedane w ponad 15 milionach egzemplarzy na całym świecie. Wielokrotnie trafiały na listy bestsellerów „Sunday Timesa" i „New York Timesa".

Autorka obecnie pracuje nad kolejnymi tomami z fantastycznie przyjętej serii *Siedem Sióstr*. Inspiracją do jej powstania były opowieści mitologiczne o siedmiu siostrach – Plejadach – zamienionych po śmierci w gwiazdy. Każda z bohaterek – adoptowanych sióstr – nosi imię jednej z nich.

Pierwszych pięć książek – *Siedem Sióstr, Siostra Burzy, Siostra Cienia, Siostra Perły* i *Siostra Księżyca* – stało się europejskimi bestsellerami. Prawa do serialu na ich podstawie zostały kupione niemal natychmiast przez hollywoodzką firmę producencką!

LUCINDARILEY.COM

SIEDEM SIÓSTR

LUCINDA RILEY

Z angielskiego przełożyły
Marzenna Rączkowska
Maria Pstrągowska

ALBATROS

Tytuł oryginału:
THE SEVEN SISTERS

Polish edition copyright © Wydawnictwo Albatros Sp. z o.o. 2017

Polish translation copyright © Marzenna Rączkowska & Maria Pstrągowska 2017

Redakcja: Marta Gral

Zdjęcia na okładce: Shutterstock

Projekt graficzny okładki: Pan Macmillan

Opracowanie graficzne okładki polskiej: Katarzyna Meszka

Skład: Laguna

ISBN 978-83-7985-943-6

Książka dostępna także jako e-book

Dystrybutor
Firma Księgarska Olesiejuk sp. z o.o.
Poznańska 91, 05-850 Ożarów Mazowiecki
tel. (22) 721 30 00, faks (22) 721 30 01
www.olesiejuk.pl

Wydawca
Wydawnictwo Albatros Sp. z o.o.
Hlonda 2A/25, 02-972 Warszawa
www.wydawnictwoalbatros.com
Facebook.com/WydawnictwoAlbatros | Instagram.com/wydawnictwoalbatros

ALBATROS

2019. Wydanie I
Druk: Abedik S.A., Poznań

Książkę wydrukowano na papierze Ecco Book Cream 60 g, vol. 2.0
z oferty Antalis Poland

Dla mojej córki, Isabelli Rose

*…wszyscy leżymy w błocie, ale niektórzy spośród nas
sięgają po gwiazdy.*

Oscar Wilde, *Wachlarz Lady Windermere*, akt III
Przełożył Teofil Trzciński

Dramatis personae

ATLANTIS

Pa Salt – adopcyjny ojciec sióstr
Marina (mama) – opiekunka sióstr
Claudia – gospodyni w Atlantis
Georg Hoffman – prawnik Pa Salta
Christian – szyper

SIOSTRY D'APLIÈSE

Maja
Ally (Alkione)
Star (Asterope)
CeCe (Celaeno)
Tiggy (Tajgete)
Elektra
Merope (nieodnaleziona)

Maja

Czerwiec 2007

Pierwsza kwadra

13:16:21

1

Zawsze będę dokładnie pamiętać, gdzie dowiedziałam się o śmierci ojca i co wtedy robiłam.

Siedziałam w ślicznym ogródku londyńskiego domu Jenny, mojej przyjaciółki ze szkoły. Na kolanach miałam otwarty egzemplarz *Penelopiady*, ale zamiast czytać, rozkoszowałam się czerwcowym słońcem. Jenny wyszła, by odebrać z przedszkola synka.

Ogarnął mnie błogi spokój i gratulowałam sobie, że zdecydowałam się wyjechać. Właśnie podziwiałam wypuszczający nowe pędy powojnik, który za zachętą życiodajnego słońca buchał feerią kolorów, kiedy zadzwonił telefon. Spojrzałam na ekran i zobaczyłam, że to Marina.

– Cześć, mamo, co słychać? – Miałam nadzieję, że w moim głosie wyczuje, jak tu pięknie i ciepło.

– Maju, no więc…

Na chwilę zamilkła i natychmiast zrozumiałam, że stało się coś strasznego.

– Co takiego?

– Maju, niełatwo jest mi o tym mówić… ale wczoraj po południu ojciec miał tu, w domu, zawał, a dziś wcześnie rano… odszedł.

Milczałam, a przez głowę przemykały mi miliony najróżniejszych, zwariowanych myśli. Przede wszystkim wydawało mi się, że mama z niewiadomego powodu postanowiła zrobić mi kiepski kawał.

– Jesteś pierwszą z sióstr, której o tym powiedziałam, Maju... jako najstarszej. Chciałabym cię zapytać, czy wolisz sama zawiadomić pozostałe dziewczęta, czy ja mam to zrobić.

– Hm...

Nadal nie byłam w stanie sklecić kilku sensownych słów. Powoli docierało do mnie, że Marina, dobra, kochana Marina, kobieta, która pełniła w moim życiu rolę matki, nigdy by mi czegoś takiego nie powiedziała, gdyby nie było to prawdą. Więc to nie był głupi dowcip. I w tej chwili cały mój świat stanął na głowie.

– Maju, powiedz, proszę, że nic ci nie jest. To naprawdę najgorszy telefon, jaki musiałam w życiu wykonać... Ale co miałam zrobić? Nie mam pojęcia, jak to przyjmą pozostałe dziewczęta.

W jej głosie usłyszałam cierpienie i zrozumiałam, że zadzwoniła najpierw do mnie w równym stopniu ze względu na siebie, co na mnie. Dzięki temu mogłam się zająć tym, co wychodziło mi najlepiej, czyli pocieszaniem innych.

– Oczywiście, jeśli tak wolisz, powiadomię siostry, chociaż nie jestem pewna, gdzie się akurat podziewają. Ally przygotowuje się chyba do regat?

Wspólnie zastanawiałyśmy się, gdzie może być każda z moich sióstr, jakbyśmy miały je zaprosić na przyjęcie urodzinowe, a nie powiadomić o śmierci ojca, i coraz silniej czułam, że nasza rozmowa nabiera jakiegoś surrealistycznego wymiaru.

– Na kiedy, twoim zdaniem, możemy zaplanować pogrzeb? – spytałam. – Elektra jest w Los Angeles, Ally gdzieś na otwartym morzu, więc najwcześniej chyba w przyszłym tygodniu?

– Cóż... – Usłyszałam wahanie w głosie Mariny. – Tę sprawę omówimy, kiedy przyjedziesz do domu. Na razie nie ma pośpiechu, więc jeśli chcesz, możesz jeszcze kilka dni pobyć na wakacjach w Londynie. Tutaj już nic nie możemy dla niego zrobić...

– Natychmiast złapię najbliższy samolot do Genewy, mamo. Zaraz zadzwonię do linii lotniczej, a potem postaram się ze wszystkimi skontaktować.

– Jest mi tak przykro, *chérie* – rzuciła ze smutkiem. – Wiem, jak go uwielbiałaś.

– Tak… – Czułam, że niesamowity spokój, który ogarnął mnie, gdy ustalałyśmy, co dalej robić, nagle rozpływa się w powietrzu niczym cisza przed gwałtowną burzą. – Zadzwonię do ciebie, jak będę wiedziała, kiedy przylecę.

– Uważaj na siebie, Maju. Przeżyłaś straszny szok.

Nacisnęłam przycisk, by zakończyć rozmowę. Chciałam jak najszybciej uprzedzić burzowe chmury, które za chwilę wypełnią moje serce, więc weszłam na górę po swój bilet na samolot. Wybrałam numer linii lotniczych i czekając w kolejce dzwoniących, zerknęłam na łóżko, na którym rano obudziłam się, aby przeżyć następny zwykły dzień, i podziękowałam Bogu, że ludzie nie potrafią zajrzeć w przyszłość.

Operatorka, która w końcu odebrała telefon, nie była nazbyt miła. Kiedy wyliczała przeszkody – brak miejsc w samolocie, dopłata za zmianę rezerwacji – i prosiła o dane karty kredytowej, czułam, że tama powstrzymująca wybuch moich emocji za chwilę się przerwie. W końcu kobieta z wielkim oporem wyszukała mi miejsce w samolocie, który odlatywał do Genewy o czwartej, co oznaczało, że natychmiast muszę wrzucić swoje rzeczy do torby podróżnej i wsiąść do taksówki, by na czas dojechać na Heathrow. Usiadłam na łóżku i tak długo wpatrywałam się w tapetę, że jej drobny wzór zaczął mi tańczyć przed oczami.

– Odszedł – szepnęłam. – Na zawsze. Nigdy więcej go nie zobaczę.

Spodziewałam się, że wypowiedziane na głos słowa wywołają u mnie dziki potok łez, lecz ze zdziwieniem stwierdziłam, że nic takiego się nie stało. Siedziałam tylko w odrętwieniu z głową przepełnioną praktycznymi drobiazgami. Myśl, że muszę zawiadomić siostry – i to całą piątkę – przerażała mnie. Przeszukałam rejestr swoich emocji, aby zadecydować, do której zadzwonić najpierw. Oczywiście padło na przedostatnią pod względem wieku, Tiggy, która zawsze była mi najbliższa. Drżącymi palcami przejrzałam listę kontaktów, odnalazłam jej numer i wybrałam go. Kiedy usłyszałam pocztę głosową, nie wiedziałam, co powiedzieć, więc wykrztusiłam prośbę, żeby do mnie jak najszybciej oddzwoniła. Była

15

właśnie gdzieś w szkockich górach; pracowała w ośrodku dla osieroconych i chorych dzikich jeleni.

Co do pozostałych sióstr... wiedziałam, że każda z nich, przynajmniej na zewnątrz, zareaguje inaczej – od pozornej obojętności po dramatyczne eksplozje emocji.

Pomyślałam, że nie jestem pewna swojego zachowania podczas rozmowy z siostrami, bo nie wiem, gdzie mogę się znaleźć na mojej skali odczuwania bólu, więc stchórzyłam i napisałam do wszystkich SMS-y z prośbą, by jak najszybciej się ze mną skontaktowały. Następnie błyskawicznie spakowałam torbę, zeszłam po wąskich schodach do kuchni i napisałam list do Jenny, w którym wyjaśniłam, dlaczego muszę w takim pośpiechu wyjechać.

Postanowiłam spróbować szczęścia i zatrzymać czarną londyńską taksówkę na ulicy. Idąc szybkim krokiem, opuściłam spowity zielenią zakątek Chelsea i stojące w kształcie półksiężyca szeregowce. Szłam jak najzwyklejsza osoba pod słońcem w najzwyklejszy dzień. Wydaje mi się, że po drodze nawet przywitałam się z kimś, kto wyprowadzał psa na spacer, i zdobyłam się na uśmiech.

Nikt się nie zorientuje, co mnie spotkało, pomyślałam, zatrzymując taksówkę przy ruchliwej King's Road. Wsiadłam i poprosiłam kierowcę, aby zawiózł mnie na Heathrow.

Nikt niczego się nie domyśli.

*

Pięć godzin później, kiedy słońce leniwie zachodziło nad Jeziorem Genewskim, dotarłam do naszej prywatnej przystani na wybrzeżu, skąd miałam odbyć ostatni etap podróży do domu.

Christian czekał już na mnie w należącej do rodziny ekskluzywnej łodzi motorowej marki Riva. Z jego wyrazu twarzy wyczytałam, że wie, co się stało.

– Jak się pani czuje, mademoiselle? – zapytał, pomagając mi wejść na pokład, a w jego oczach malowało się współczucie.

– Cóż... cieszę się, że już tu jestem – odparłam i przeszłam na tył łodzi. Usiadłam na wyściełanej kremowym skórzanym obiciem ławce, która biegła wokół rufy. Przeważnie siadałam koło

Christiana z przodu, na siedzeniu dla pasażerów, i tam spędzałam dwadzieścia pięć minut, podczas gdy łódź mknęła po gładkiej tafli jeziora. Dzisiaj czułam jednak potrzebę samotności. Christian uruchomił potężny silnik, a ja patrzyłam, jak słońce odbija się od szyb bajecznych domów okalających brzegi. Pływając po Jeziorze Genewskim, czułam się tak, jakbym znalazła się u wrót oderwanego od rzeczywistości niebiańskiego świata.

Świata Pa Salta.

Na wspomnienie przezwiska, które jako dziecko wymyśliłam dla ojca, tworząc niepełny anagram od słowa „atlas", po raz pierwszy poczułam w oczach pieczenie łez. Zawsze kochał żeglarstwo, więc często, kiedy wracał do mnie i do naszego domu nad jeziorem, pachniał świeżym powietrzem i morzem. Przezwisko Pa Salt do niego przylgnęło i z czasem mówiły tak o tacie również moje młodsze siostry.

Motorówka nabierała prędkości, wiatr rozwiewał mi włosy, a ja wspominałam setki swoich podróży do Atlantis – bajkowego zamku Pa Salta. Z powodu usytuowania na prywatnym półwyspie, od lądu ograniczanego łukiem stromych gór, zamek był dostępny tylko drogą wodną. Od najbliższych sąsiadów dzieliły go kilometry nabrzeża. Atlantis był więc naszym, odgrodzonym od reszty świata, prywatnym królestwem. Wszystko było tam magiczne... a mieszkańcy – Pa Salt i my, jego córki – żyli w krainie czarów.

Każdą z nas wybrał, gdy byłyśmy w wieku niemowlęcym. Adoptował nas w różnych częściach świata i przywiózł do domu, pod swoją opiekę. I każda z nas – jak lubił mówić – była szczególna, każda inna... Byłyśmy jego córeczkami. Każdej nadał imię jednej z Siedmiu Sióstr, jego ulubionej gromady gwiazd. Maja była pierwszą i najstarszą.

Kiedy byłam dzieckiem, zabierał mnie do szklanej kopuły obserwatorium na szczycie naszego domu, czyli zameczku, brał na swoje silne, duże ręce i podnosił, abym mogła popatrzeć przez teleskop na nocne niebo.

– Jest tam – mówił, odpowiednio ustawiwszy soczewkę. – Popatrz, Maju. O, tam świeci piękna gwiazda. To jej imię nosisz.

I naprawdę ją widziałam. Opowiadał legendy, które były źródłem mojego imienia i imion moich sióstr, ale prawie go nie słuchałam – tak bardzo rozkoszowałam się uściskiem jego ramion, chłonąc niezwykłe, rzadkie chwile, kiedy miałam go tylko dla siebie.

Z czasem zrozumiałam, że Marina, którą początkowo uważałam za matkę – a nawet tak ją nazywałam – naprawdę była opiekunką, którą tata zatrudnił, ponieważ często opuszczał dom. Dla nas, dziewczynek, była kimś znacznie ważniejszym niż zwykła opiekunka. To ona ocierała nam łzy, zwracała uwagę, jeśli źle zachowałyśmy się przy stole, i ze spokojem przeprowadziła nas przez trudny okres między dzieciństwem a dorosłością.

Zawsze przy nas była i nawet gdyby mnie urodziła, nie mogłabym kochać jej bardziej.

Przez pierwsze trzy lata mojego dzieciństwa mieszkałyśmy z Mariną w naszym magicznym zamku na brzegu Jeziora Genewskiego, a Pa Salt podróżował po siedmiu morzach w interesach. A potem, jedna po drugiej, przybyły moje siostry.

Kiedy tata wracał do domu, zwykle przywoził mi prezent. Słyszałam, że do brzegu przybija motorówka, więc biegłam przez rozległe trawniki i pośród drzew aż do mola, aby go przywitać. Jak każde dziecko, chciałam się dowiedzieć, co ukrył w swoich magicznych kieszeniach, żeby sprawić mi przyjemność. Pewnego razu jednak, po tym, jak dał mi pięknie wyrzeźbionego drewnianego reniferka, pochodzącego – tak mnie tata zapewniał – prosto z warsztatu Świętego Mikołaja na biegunie północnym, zza jego pleców wyłoniła się kobieta w mundurku, która trzymała opatulone w szal poruszające się zawiniątko.

– Tym razem, Maju, przywiozłem ci coś nadzwyczajnego. Masz siostrę. – Uśmiechnął się, wziął mnie w ramiona i podniósł wysoko. – Już nie będziesz się czuła samotna, kiedy będę musiał wyjechać.

Po tym dniu wszystko się zmieniło. Opiekunka, którą tata przywiózł, po kilku miesiącach zniknęła i moją małą siostrą zajęła się Marina. Nie potrafiłam zrozumieć, jak ta czerwona rozwrzeszczana istota, która często śmierdziała i odwracała ode mnie uwagę

Mariny, może być prezentem. Aż pewnego dnia przy śniadaniu, Alkione – której dano imię drugiej gwiazdy spośród Siedmiu Sióstr – uśmiechnęła się do mnie z wysokiego dziecięcego krzesełka.

– Ona mnie poznaje – ze zdziwieniem powiedziałam do karmiącej ją Mariny.

– Oczywiście. Jesteś jej starszą siostrą i będziesz jej dawała przykład. Od ciebie zależy, czy nauczysz ją mnóstwa rzeczy, które ty umiesz, a ona nie.

W miarę jak Ally dorastała, stała się moim cieniem. Wszędzie za mną chodziła, co w takim samym stopniu mi się podobało, jak mnie irytowało. Mimo że początkowo Ally – bo tak ją nazwałam – nie była chcianym dodatkiem do mojej bajkowej egzystencji w Atlantis, to potem nie mogłabym sobie wymarzyć słodszego, bardziej kochanego towarzystwa. Rzadko, jeśli w ogóle, płakała i właściwie nie trafiały jej się tak typowe dla maluchów w jej wieku wybuchy złości. Miała długie złotorude loki i ogromne niebieskie oczy, a wdzięk i charakter zjednywały jej ludzi – także naszego ojca. Kiedy Pa Salt bywał w domu po powrocie ze swoich długich podróży za granicę, podziwiałam, jak na jej widok pojawiają mu się w oczach iskry, których – moim zdaniem – ja w nim nie wywoływałam. Podczas gdy ja byłam nieśmiała i powściągliwa, Ally miała w sobie otwartość i ufność, dzięki którym zaskarbiała sobie sympatię otoczenia.

Należała do dzieci, które są we wszystkim dobre. Szczególnie utalentowana okazała się w muzyce i we wszelkich sportach wodnych. Pamiętam, jak tata uczył ją pływać w naszym ogromnym basenie. Ja z wielkim trudem utrzymywałam się na wodzie i nie znosiłam zanurzać głowy, a moja siostra polubiła wodę jak syrenka. Ja nie potrafiłam odnaleźć się w żeglarstwie nawet na *Tytanie*, czyli ogromnym jachcie oceanicznym taty, Ally natomiast błagała go, by popływał z nią po Jeziorze Genewskim małym *Laserem*, przycumowanym do naszego prywatnego mola. Gdy mknęliśmy po szklistej tafli jeziora, ja kucałam na ciasnej rufie łodzi, a tata i Ally sterowali. Wspólna pasja żeglarska stworzyła między nimi więź, jakiej mnie nigdy nie udało się osiągnąć.

Chociaż Ally studiowała muzykę na Conservatoire de Musique w Genewie i była bardzo utalentowaną flecistką, która mogłaby pracować w profesjonalnej orkiestrze, po skończeniu konserwatorium wybrała życie zawodowego żeglarza. Regularnie ścigała się na regatach i kilka razy reprezentowała narodową drużynę Szwajcarii.

Kiedy miała prawie trzy lata, tata wrócił do domu z naszą następną siostrą; nadał jej imię trzeciej z Siedmiu Sióstr, Asterope.

– Będziemy na nią mówić Star – powiedział, uśmiechając się do Mariny, Ally i do mnie, gdy z uwagą przyglądałyśmy się leżącej w łóżeczku dla noworodka nowej osóbce w rodzinie.

W tym czasie miałam już lekcje z prywatną nauczycielką, więc przybycie najmłodszej siostry mniej zmieniło moje życie niż pojawienie się Ally. Zaledwie sześć miesięcy później dołączyło do nas kolejne niemowlę: dwunastotygodniowa dziewczynka, Celaeno, której imię Ally natychmiast skróciła do CeCe.

Między Star a CeCe były tylko trzy miesiące różnicy i jak sięgam pamięcią, łączyła je niezwykle silna więź. Przypominały bliźniaczki. Miały własny niemowlęcy język, z którego częściowo korzystają po dziś dzień. Żyły w swoim świecie, z którego wykluczyły resztę sióstr. Nawet teraz, kiedy są już po dwudziestce, nic się nie zmieniło. Młodsza z dwójki, CeCe, zawsze dowodziła. Jej przysadzista postura i brązowe jak skóra włosy ostro kontrastowały z bladą, szczupłą niczym chart Star.

W następnym roku dołączyło do nas kolejne maleństwo – Tajgete, którą nazwałam Tiggy, bo miała krótkie ciemne włosy sterczące we wszystkie strony pod dziwnymi kątami, co skojarzyło mi się z jeżem ze słynnej opowieści Beatrix Potter.

Miałam już wtedy siedem lat i od pierwszego wejrzenia poczułam, że z Tiggy łączy mnie niezwykła więź. Była najbardziej wątła z nas wszystkich. Co rusz zapadała na jakąś dziecięcą chorobę, ale nawet jako niemowlę okazywała stoicki spokój i nie była wymagająca. Kiedy kilka miesięcy później tata przywiózł do domu następne niemowlę – znów dziewczynkę, którą nazwał Elektra – Marina bywała tak wyczerpana, że często prosiła mnie, abym posiedziała z Tiggy, która ciągle miała albo gorączkę, albo kaszel. W końcu rozpoznano u niej astmę, więc rzadko opuszczała pokój dziecięcy; nie wożono jej na spacery z obawy, że zimne powietrze i gęsta mgła genewskiej zimy zaszkodzą jej płucom.

Elektra była najmłodszą z moich sióstr. To imię znakomicie do niej pasowało. Przyzwyczaiłam się już do niemowląt i ich żądań, ale ona niewątpliwie okazała się dla nas największym wyzwaniem. Była w stu procentach naładowana elektrycznością; miała wrodzoną zdolność, by w jednej chwili światło zmienić na ciemność i odwrotnie. Oznaczało to, że nasz dom, który do tej pory był spokojny, co dzień rozbrzmiewał jej przenikliwym krzykiem. Wybuchy złości Elektry wciąż rezonowały w mojej dziecięcej świadomości, a gorący temperament najmłodszej siostry wcale z wiekiem nie łagodniał.

Ally, Tiggy i ja wymyśliłyśmy dla niej przezwisko i między sobą nazywałyśmy ją Kłopotką. Chodziłyśmy koło niej na palcach, żeby nie sprowokować nagłej zmiany nastroju. Szczerze mówiąc, były chwile, gdy nienawidziłam jej za niepokój, jaki wniosła do Atlantis.

Kiedy jednak Elektra dowiadywała się, że któraś z nas ma kłopoty, zjawiała się pierwsza, by udzielić pomocy i wsparcia. Stać ją było na ogromny egoizm, lecz kiedy indziej potrafiła okazać niezwykłą wielkoduszność.

Po niej wszyscy w domu oczekiwali przybycia siódmej siostry. W końcu otrzymałyśmy imiona ulubionej gwiezdnej gromady Pa Salta, więc bez niej nie stanowiłyśmy całości. Znałyśmy nawet jej imię – Merope – i zastanawiałyśmy się, kto to będzie. Ale minął rok, potem następny i następny, a tata nie przywiózł już żadnego niemowlęcia.

Doskonale pamiętam, jak kiedyś byłam z nim w obserwatorium. Miałam czternaście lat i byłam prawie kobietą. Czekaliśmy na zaćmienie Słońca, które, jak mnie poinformował, jest dla ludzkości brzemienne w skutki i przeważnie przynosi jakieś zmiany.

– Tata, czy kiedyś przywieziesz do domu naszą siódmą siostrę? – zapytałam.

Na to jego silne, opiekuńcze ciało na kilka sekund zastygło w bezruchu. Wyglądał, jakby na jego barkach nagle spoczął ciężar całego świata. Chociaż się nie odwrócił, bo nadal był skupiony na tym, by skierować teleskop na nadchodzące zaćmienie, instynktownie wiedziałam, że moje słowa bardzo go dotknęły.

– Nie, Maju. Bo nie udało mi się jej odnaleźć.

*

Kiedy wreszcie ujrzałam dobrze mi znany żywopłot ze świerków, które osłaniały nasz nadwodny zameczek przed wścibskimi oczami, zobaczyłam, że na molu stoi Marina, i nareszcie do końca dotarła do mnie straszna prawda, że tata na zawsze odszedł.

Zrozumiałam, że twórca królestwa, w którym byłyśmy jego księżniczkami, nie może już dopilnować, by kraina czarów była taka, jak trzeba.

2

Kiedy zeszłam z motorówki na molo, Marina objęła mnie delikatnie. W milczeniu przeszłyśmy między drzewami na rozległy trawnik, który piął się w górę aż do zamku. Był czerwiec, miesiąc, kiedy jest tam najpiękniej. Ozdobne ogrody były pełne kwiatów i zachęcały mieszkańców do szukania ukrytych ścieżek i tajemnych pieczar.

Nasz dom, a właściwie zameczek, zbudowany pod koniec osiemnastego wieku w stylu Ludwika XV, zachwycał dostojną elegancją. Miał cztery piętra, a jego jasnoróżową fasadę zdobiły wysokie okna dzielone szprosami. Całość wieńczył czerwony stromy dach z wieżyczkami w każdym rogu. Wnętrze wyposażono w najbardziej wyszukane nowoczesne sprzęty. Grube dywany i miękkie kanapy dawały poczucie bezpieczeństwa i komfortu każdemu, kto tam mieszkał. Kiedy dorastałyśmy, spałyśmy na najwyższym piętrze, z którego roztaczał się ponad drzewami zjawiskowy, niczym niezmącony widok na jezioro. Marina zajmowała kilkupokojowy apartament obok nas.

Spojrzałam na nią teraz i pomyślałam, że sprawia wrażenie kompletnie wyczerpanej. Jej brązowe oczy przyćmiło zmęczenie, a zazwyczaj uśmiechnięte usta ściśnięte były napięciem. Miała pewnie około sześćdziesięciu pięciu lat, ale nie wyglądała na swój wiek. Była wysoką, przystojną kobietą o wyrazistych, orlich rysach twarzy, zawsze elegancko ubraną, w typowo francuskim, swobodnym stylu, który odzwierciedlał jej pochodzenie. Kiedy

23

byłam dzieckiem, nosiła rozpuszczone jedwabiste kasztanowe włosy; teraz upinała je w kok na karku.

W głowie kłębiły mi się tysiące najróżniejszych myśli, ale tylko jedną musiałam wyrazić, i to natychmiast.

– Dlaczego nie zawiadomiłaś mnie zaraz po tym, jak tata miał zawał? – zapytałam, gdy weszłyśmy do wysokiego salonu, z którego wychodziło się na duży kamienny taras, otoczony donicami pełnymi złotych i czerwonych nasturcji.

– Wierz mi, Maju, błagałam go, żeby pozwolił mi zawiadomić ciebie i pozostałe dziewczęta, ale tak się zdenerwował, kiedy o tym wspomniałam, że musiałam zrobić, jak chciał.

Wiedziałam, że jeśli zabronił jej się z nami skontaktować, nie miała wyboru. To on był królem, a Marina w najlepszym razie jego zaufaną dwórką, a w najgorszym służącą, która musiała robić dokładnie to, co jej kazał.

– Gdzie on teraz jest? – zapytałam. – Nadal na górze w swojej sypialni? Czy powinnam iść go zobaczyć?

– Nie, *chérie*, nie ma go na górze. Może napijesz się herbaty, zanim wszystko ci opowiem? – zaproponowała.

– Szczerze mówiąc, chyba lepiej zrobiłby mi mocny gin z tonikiem – przyznałam i opadłam na jedną z ogromnych kanap.

– Poproszę o to Claudię. I też się chyba z tobą napiję.

Przyglądałam się, jak Marina wychodzi z pokoju, by poszukać Claudii, która pracowała w Atlantis równie długo jak ona. Claudia była Niemką; pod pozorną surowością ukrywała szczerozłote serce. Jak my wszystkie, uwielbiała swego pana. Nagle zastanowiło mnie, co się teraz stanie z nią i z Mariną. A właściwie, jaki los spotka Atlantis, kiedy zabrakło taty.

Te słowa wydały mi się mało adekwatne do sytuacji. Przecież jego ciągle tu nie było – wyjeżdżał dokądś i coś robił, chociaż nikt z obsługi ani z rodziny nie wiedział, jak właściwie zarabia na życie. Raz go o to zapytałam, kiedy moja przyjaciółka Jenny spędzała u nas szkolne wakacje, i najwyraźniej oszołomił ją nasz luksusowy styl życia.

– Twój ojciec musi być bajecznie bogaty – szepnęła, gdy wysiadłyśmy z prywatnego odrzutowca taty, który właśnie wylądował na La Môle niedaleko Saint-Tropez. Na płycie lotniska czekał już szofer, aby zawieźć nas do portu, gdzie miałyśmy wsiąść na pokład *Tytana*, naszego wspaniałego jachtu z dziesięcioma kajutami, i wypłynąć na doroczną wycieczkę po Morzu Śródziemnym, według planu, który opracował dla nas Pa Salt.

Jak każde dziecko, czy to bogate, czy biedne, dorastałam, nie znając innego życia, więc nigdy nie przyszło mi do głowy, że w tym, jak żyjemy, jest coś niezwykłego. We wczesnym dzieciństwie wszystkie miałyśmy w domu lekcje z prywatnymi nauczycielami, więc dopiero gdy w wieku lat trzynastu poszłam do szkoły z internatem, zaczęłam zdawać sobie sprawę, jak bardzo nasze życie odbiega od tego, które prowadzi większość ludzi.

Kiedyś zapytałam tatę, co dokładnie robi, by zapewnić nam wszelkie wyobrażalne luksusy, a on uśmiechnął się w ten swój tajemniczy sposób.

– W pewnym sensie jestem czarodziejem.

Co, zgodnie z jego zamierzeniem, nic mi nie wyjaśniło.

Gdy nieco podrosłam, zaczęłam zdawać sobie sprawę, że Pa Salt jest mistrzem iluzji i nic nie jest takie, jak się początkowo wydaje.

Marina wróciła do salonu i przyniosła tacę z dwiema szklaneczkami ginu z tonikiem. Nagle uświadomiłam sobie, że po trzydziestu trzech latach tak naprawdę nie mam pojęcia, kim ojciec był w świecie poza granicami Atlantis. Ciekawe, czy teraz wreszcie się tego dowiem.

– Proszę bardzo. – Marina postawiła przede mną szklaneczkę. – Za twojego ojca. Niech Bóg da odpoczynek jego duszy.

– Tak, za Pa Salta. Niech odpoczywa w pokoju.

Wypiła spory łyk, odstawiła szklankę na stół i wzięła moje dłonie w swoje.

– Maju, zanim zaczniemy rozmowę o czymkolwiek innym, muszę ci coś powiedzieć.

– Co takiego? – zapytałam, przyglądając się jej zmęczonemu, zmarszczonemu z niepokoju czołu.

– Zapytałaś mnie, czy ojciec jest nadal tutaj, w domu. Prawda jest taka, że został już pochowany. Życzył sobie, żeby zrobiono to natychmiast i żeby nie było przy tym żadnej z jego córek.

Zmierzyłam ją takim wzrokiem, jakby postradała zmysły.

– Ależ, mamo, zaledwie kilka godzin temu powiedziałaś mi, że zmarł dziś wczesnym rankiem! Jak to możliwe, by tak szybko zorganizowano pogrzeb? I dlaczego?

– Twój ojciec stanowczo nakazał, by jego ciało natychmiast zabrano odrzutowcem na jacht. Kazał złożyć je do ołowianej trumny, która najwyraźniej od lat znajdowała się w schowku na *Tytanie* i była przygotowana na wypadek jego śmierci. *Tytan* wypłynął z portu, bo twój ojciec tak kochał morze, że pragnął być pochowany w głębinach. I nie chciał narażać córek na ból, jaki sprawiłoby wam przyglądanie się temu.

– O mój Boże! – Poczułam, że ciało przeszywa mi dreszcz przerażenia. – Ale na pewno wiedział, że chciałybyśmy się z nim odpowiednio pożegnać? Jak mógł nam to zrobić? Co powiem pozostałym dziewczętom?

– *Chérie*, ja i ty mieszkamy tu najdłużej i wiemy, że nigdy nie wolno nam było kwestionować woli twojego ojca. Mam głębokie przekonanie, że chciał być pochowany tak, jak żył: w odosobnieniu.

– I wszystkim sam zarządzić – dodałam, bo nagle rozgorzała we mnie złość. – Jakby nie wierzył, że ludzie, którzy go kochają, wszystko zrobią tak, jak trzeba.

– Niezależnie od tego, z jakich działał pobudek, pozostaje mi ufać, że z czasem będziecie w stanie wspominać go jako kochającego ojca. Bo nim był. Jednego jestem pewna: byłyście całym jego światem.

– Ale która z nas go znała? – zapytałam ze łzami frustracji w oczach. – Czy lekarz potwierdził jego śmierć? Na pewno masz przecież akt zgonu? Mogę go zobaczyć?

– Lekarz pytał mnie o jego dane osobowe, na przykład o datę i miejsce urodzenia. Powiedziałam, że jestem tutaj tylko pracownicą i nie mam pewności co do takich rzeczy. Skontaktowałam go z Georgiem Hoffmanem, prawnikiem, który załatwia wszystkie sprawy ojca.

– Ale dlaczego on był taki skryty, mamo? W samolocie roz-myślałam o tym, że nie pamiętam, by kiedykolwiek przywiózł do Atlantis jakichś znajomych.

Od czasu do czasu, gdy byliśmy na jachcie, spotykał się z nim jakiś partner od interesów i znikali na dole w gabinecie taty, ale nigdy nie prowadził życia towarzyskiego.

– Chciał oddzielić życie rodzinne od interesów, żeby w domu móc się w pełni skupić na córkach.

– Córkach, które adoptował i przywiózł tu ze wszystkich stron świata. Dlaczego, mamo, dlaczego?

Marina w milczeniu odwzajemniła moje spojrzenie. Jej mądre, spokojne oczy w żaden sposób nie zdradzały, czy zna odpowiedź na to pytanie, czy nie.

– Chodzi mi o to – ciągnęłam – że kiedy dzieci dorastają, ak-ceptują swoje życie. Ale obie wiemy, jakie to niezwykłe, a wręcz dziwne, by samotny mężczyzna w średnim wieku adoptował sześć nowo narodzonych dziewczynek i przywiózł je do Szwajcarii, by wychowywały się pod tym samym dachem.

– Twój ojciec na pewno był niezwykłym człowiekiem – zgodzi-ła się ze mną Marina. – Ale przecież trudno uznać, że dając sie-rotom w potrzebie szansę na lepsze życie pod jego opieką, zrobił coś złego? – wykręciła się od odpowiedzi. – Wielu bogatych ludzi adoptuje dzieci, jeśli nie ma własnych.

– Tylko że przeważnie robią to małżeństwa – odparowałam. – Czy on kiedykolwiek miał jakąś przyjaciółkę? Kogoś, kogo ko-chał? Znałam go trzydzieści trzy lata i ani razu nie widziałam go z kobietą.

– Wiem, że kiedy odszedł, zrozumiałaś, że wiele pytań, które chciałaś mu zadać, pozostanie bez odpowiedzi, ale ja naprawdę nie potrafię ci pomóc. A poza tym to nie jest odpowiednia chwila. Na razie musimy złożyć hołd temu, jaki był i kim był dla nas wszyst-kich i dla każdego z osobna, a także wspominać go jako dobrego, kochającego człowieka, którego wszyscy znaliśmy tu, w murach Atlantis. Weź pod uwagę to, że był dobrze po osiemdziesiątce. Miał długie i spełnione życie.

– Zaledwie trzy tygodnie temu żeglował po jeziorze na *Laserze* i radził sobie na łodzi jak człowiek o połowę młodszy – przypomniałam jej. – Taki obraz trudno pogodzić z umieraniem.

– Tak. Dziękujmy Bogu, że w odróżnieniu od wielu ludzi w jego wieku nie musiał długo umierać w cierpieniu. Cudownie, że ty i pozostałe córki zapamiętacie go jako człowieka sprawnego, szczęśliwego i zdrowego – pocieszyła mnie Marina. – Na pewno właśnie tego chciał.

– Mam nadzieję, że nie cierpiał w swoich ostatnich chwilach? – zapytałam ostrożnie, choć w głębi serca wiedziałam, że nawet jeśli tak nie było, Marina i tak by mi nie powiedziała.

– Nie. Wiedział, co się zbliża, Maju, i ufam, że pogodził się z Bogiem. Tak naprawdę mam wrażenie, że przeszedł na drugą stronę z radością.

– Jak właściwie mam powiedzieć siostrom, że odszedł? I nie zostało nawet ciało, które mogą pochować? Tak jak ja, będą miały wrażenie, że po prostu rozpłynął się w powietrzu.

– Pomyślał o tym przed śmiercią, a jego prawnik, Georg Hoffman, już się ze mną dzisiaj skontaktował. Zapewniam cię, że każda z was będzie w stanie z nim się pożegnać.

– Tata nad wszystkim czuwa. Nawet po śmierci. – Westchnęłam zrozpaczona.

– Georg Hoffman czeka i przyjedzie tutaj, kiedy tylko wszystkie się zbierzecie. I proszę cię, Maju, nie pytaj mnie, co wam powie, bo nie mam zielonego pojęcia. Poprosiłam Claudię, żeby ugotowała dla ciebie zupę. Wolisz zabrać ją do pawilonu, czy chcesz dzisiaj spać tu, w domu?

– Jeśli nie masz nic przeciwko temu, zupę zjem tutaj, a potem pójdę do siebie. Chyba potrzebuję pobyć sama.

– Oczywiście. – Marina podeszła i uścisnęła mnie. – Rozumiem, jaki to dla ciebie straszny szok. I przykro mi, że znów ponosisz ciężar odpowiedzialności za pozostałe dziewczęta, ale twój ojciec prosił, żebyś to ty pierwsza się dowiedziała. Pójdę powiedzieć Claudii, żeby zagrzała zupę. Chyba obu dobrze nam zrobi, jeśli zjemy coś smacznego.

Kiedy skończyłyśmy posiłek, powiedziałam Marinie, żeby szła spać, i pocałowałam ją na dobranoc, bo widziałam, że podobnie jak ja jest wykończona. Zanim wyszłam z zameczku, wspięłam się po licznych schodach na ostatnie piętro i zajrzałam do każdego z pokoi moich sióstr. Wszystko było tam takie jak wtedy, zanim ich mieszkanki opuściły dom, by podążać wybranymi przez siebie ścieżkami. Wracały tu jak gołąbki do swego gniazda nad wodą, ale żadna nie miała najmniejszej ochoty czegokolwiek zmieniać. Ja też.

Otworzyłam drzwi do swojego dawnego pokoju i podeszłam do półki; trzymałam na niej najcenniejsze skarby z dzieciństwa. Zdjęłam porcelanową lalkę, którą tata dał mi, gdy byłam bardzo mała. Jak zawsze spowił ją w magiczną historię, o tym, że kiedyś należała do rosyjskiej hrabianki, gdy jednak dziewczynka dorosła i o niej zapomniała, lalka poczuła się samotna w swym pokrytym śniegiem moskiewskim pałacu. Powiedział, że nazywa się Leonora i potrzebuje, by przytuliły ją kochające ramiona nowej właścicielki.

Odłożyłam lalkę na półkę i sięgnęłam po pudełko z prezentem, który podarował mi na szesnaste urodziny. Otworzyłam je i wyjęłam znajdujący się w środku naszyjnik.

„To kamień księżycowy, Maju – powiedział mi, kiedy wpatrywałam się w dziwny, opalizujący klejnot otoczony maleńkimi brylantami. – Naszyjnik jest starszy ode mnie i ma bardzo ciekawą historię. – Pamiętam, że zawahał się, jakby o czymś rozmyślał. – Może kiedyś ci ją opowiem. Pewnie na razie jest dla ciebie zbyt dorosły, ale w przyszłości będzie świetnie do ciebie pasował".

Miał rację. W tamtym czasie, podobnie jak wszystkie szkolne koleżanki, chodziłam obwieszona tanimi srebrnymi bransoletkami w kształcie kółek, a na szyi nosiłam duże krzyże na rzemieniach. Naszyjnika z kamieniem księżycowym nigdy dotąd nie włożyłam i leżał zapomniany na półce.

Ale teraz zacznę go nosić.

Podeszłam do lustra, zapięłam maleńką sprzączkę na delikatnym złotym łańcuszku i dobrze przyjrzałam się kamieniowi. Może tylko tak mi się zdawało, ale jakby świecił na mojej skórze.

Podeszłam do okna i przyglądając się migotliwym światłom nad Jeziorem Genewskim, instynktownie dotknęłam go palcami.

– Odpoczywaj w pokoju, Pa Salt – szepnęłam.

Zanim dopadły mnie następne wspomnienia, szybko wyszłam z pokoju i z zameczku i ruszyłam ścieżką prowadzącą do domu, w którym mieszkałam jako dorosła, zbudowanego jakieś dwieście metrów dalej.

Drzwi wejściowe do pawilonu były zawsze otwarte. Naszej posiadłości strzegł sprzęt elektroniczny najnowszej generacji, więc prawdopodobieństwo, że ktoś rozkradnie mój skromny dobytek, wydawało się bardzo niewielkie.

Weszłam do środka i zobaczyłam, że była tu już przede mną Claudia, która zapaliła lampy w salonie. Osunęłam się na kanapę i dopadła mnie rozpacz.

Jako jedyna z sióstr nigdy stąd nie wyjechałam.

3

O drugiej w nocy zadzwonił mój telefon komórkowy. Leżałam w łóżku i nie spałam, zastanawiając się, dlaczego nie potrafię się rozluźnić i opłakiwać śmierci taty. Kiedy zobaczyłam, że to Tiggy, mój żołądek nagle wykonał woltę o sto osiemdziesiąt stopni.

– Halo?

– Maju, przepraszam, że dzwonię tak późno, ale dopiero odebrałam twoją wiadomość. Tu, w górach, jest bardzo słaby sygnał. Z twojego głosu zorientowałam się, że coś się stało. Dobrze się czujesz?

Dźwięk słodkiego głosu Tiggy stopił wierzchołek góry lodowej, w którą przeobraziło się moje serce.

– Tak, ale…

– Chodzi o Pa Salta?

– Tak… – Ze zdenerwowania z trudem łapałam powietrze. – Skąd wiedziałaś?

– Nie wiedziałam… to znaczy nic nie wiem… ale dziś rano miałam bardzo dziwne przeczucie. Chodziłam po wrzosowiskach w poszukiwaniu jednej z łań, które oznakowaliśmy kilka tygodni temu. Kiedy ją znalazłam, nie żyła, a ja, nie wiadomo dlaczego, pomyślałam o tacie. Odgoniłam od siebie smutek, tłumacząc sobie, że dopadł mnie tylko z powodu łani. Czy on…?

– Tiggy, strasznie mi przykro, ale… muszę ci to powiedzieć… Tata zmarł dziś rano. Teraz powinnam już właściwie powiedzieć, że stało się to wczoraj – poprawiłam się.

– Nie! Nie mogę w to uwierzyć. Miał wypadek na żaglówce? Kiedy widziałam się z nim ostatnim razem, mówiłam mu, że nie powinien już wybierać się na samotne rejsy *Laserem*.

– Nie, umarł tu, w zameczku. Miał zawał.

– Byłaś przy nim? Cierpiał? – Głos Tiggy się załamał. – Nie zniosłabym myśli, że cierpiał.

– Nie, Tiggy, nie było mnie tu. Wyjechałam na kilka dni do Londynu w odwiedziny do mojej przyjaciółki Jenny. Tak naprawdę – na myśl o tym zaparło mi dech – to on namówił mnie, żebym tam poleciała. Powiedział, że dobrze mi zrobi, jeśli wyjadę z Atlantis i trochę odpocznę.

– Och, Maju, to musi być dla ciebie okropne. To znaczy... tak rzadko opuszczasz dom i kiedy tylko się ruszyłaś...

– Wiem.

– Nie przyszło ci do głowy, że to przeczuwał? I chciał cię oszczędzić?

Tiggy na głos powiedziała to, co od kilku godzin chodziło mi po głowie.

– Nie. Zadziałały pewnie prawa Murphy'ego. Tak czy inaczej, nie martw się o mnie. Kiedy już przekazałam ci tę wiadomość, znacznie bardziej martwię się o ciebie. Jak się czujesz? Szkoda, że nie mogę być przy tobie i cię przytulić.

– Szczerze mówiąc, trudno mi powiedzieć, jak się czuję, bo jeszcze do mnie nie dotarło, że to prawda. I może tak już będzie, dopóki nie znajdę się w domu. Spróbuję jutro przylecieć. Powiedziałaś reszcie sióstr?

– Wysłałam im SMS-y z prośbą o pilny telefon.

– Przyjadę jak najszybciej, żeby ci pomóc. Na pewno przed pogrzebem będzie mnóstwo załatwiania.

Nie potrafiłam zdobyć się na to, by jej powiedzieć, że ojciec został już pochowany.

– Cieszę się, że będziesz ze mną. A teraz, jeśli tylko ci się uda, spróbuj zasnąć. I gdybyś kiedykolwiek potrzebowała porozmawiać, pamiętaj o mnie.

– Dziękuję. – Głos Tiggy zadrżał; najwyraźniej zaczęło do niej docierać, co się stało, i z trudem powstrzymywała łzy. – Wiesz, że on nie odszedł? Dusza nigdy nie umiera, przechodzi tylko w inny wymiar.

– Mam nadzieję, że to prawda. Dobranoc, kochanie.

– Trzymaj się. Jutro się zobaczymy.

Kiedy nacisnęłam przycisk, by zakończyć rozmowę, z wyczerpania opadłam na łóżko. Żałowałam, że nie podzielam gorącej wiary Tiggy w życie pozagrobowe. Ale przynajmniej w tej chwili nie przychodził mi do głowy ani jeden karmiczny powód, dla którego Pa Salt opuścił ziemię.

Dawno, dawno temu może i wierzyłam w Boga, a przynajmniej w moc, która przekracza ludzkie rozumienie. Z czasem jednak to przekonanie jakoś się we mnie zatarło.

Prawdę mówiąc, wiedziałam dokładnie, kiedy to się stało.

Gdybym tylko mogła znowu coś odczuwać, zamiast być automatem, który jedynie na zewnątrz wydaje się spokojnym, normalnie funkcjonującym człowiekiem. Fakt, że na wieść o śmierci taty nie byłam w stanie wykrzesać z siebie emocji, bardziej niż cokolwiek dotąd świadczył o tym, jak głęboko zakorzenione są moje problemy.

A mimo to, rozmyślałam, z łatwością potrafię pocieszać innych. Wiedziałam, że wszystkie siostry uważają mnie za opokę rodziny, za osobę, która w razie potrzeby każdej z nich pomoże. Maja – zawsze praktyczna, rozsądna i, jak to ujęła Marina, pozornie ta „silna".

Tak naprawdę miałam więcej lęków niż którakolwiek z nich. Siostry rozpostarły skrzydła i wyfrunęły z gniazda, a ja zostałam, ukryłam się – niby po to, by opiekować się coraz starszym ojcem. Dodatkowo tłumaczyłam się tym, że takie życie znakomicie pasuje do zawodu, jaki wybrałam; pracowałam w samotności.

Paradoksalnie, mimo pustki w życiu osobistym, całe dnie spędzałam w świecie fikcji, a często romansu, gdyż tłumaczyłam powieści z języka rosyjskiego lub portugalskiego na francuski, który jest moim językiem ojczystym.

Tata pierwszy zauważył mój talent, umiejętność papugowania każdego języka, w którym się do mnie odezwał. Sam świetnie znał kilka języków, więc lubił przechodzić z jednego na inny i sprawdzał, czy potrafię powtórzyć, co mówi. Kiedy miałam dwanaście lat, byłam trójjęzyczna. Znałam francuski, niemiecki i włoski – w Szwajcarii posługiwano się tymi językami – mówiłam także płynnie po angielsku, rosyjsku i portugalsku. Znałam łacinę i grekę.

Języki były moją prawdziwą pasją, wyzwaniem, które nie miało kresu, gdyż niezależnie od tego, jaka byłam dobra, zawsze mogłam być jeszcze lepsza. Pochłaniały mnie słowa i ich prawidłowe wykorzystanie, więc kiedy nadszedł czas, by zastanowić się, co chcę studiować, wybór był dla mnie oczywisty.

Poprosiłam tatę, żeby mi poradził, na jakich językach powinnam się skupić.

Popatrzył na mnie w zamyśleniu.

– Sama musisz dokonać wyboru, ale może nie powinny to być te, w których jesteś najlepsza, bo na studiach będziesz miała trzy lub cztery lata na naukę i szlifowanie swoich umiejętności.

– Naprawdę nie wiem. – Westchnęłam. – Uwielbiam je wszystkie. Dlatego proszę cię o radę.

– W takim razie popatrzmy na to logicznie. Moim zdaniem, w ciągu następnych trzydziestu lat nastąpi radykalne przesunięcie ośrodków potęgi gospodarczej świata. Więc na twoim miejscu, biorąc pod uwagę, że już znakomicie znasz trzy języki zachodnie, skupiłbym się na jakichś dalszych terenach.

– Chodzi ci o takie kraje jak Chiny czy Rosja?

– Tak. I oczywiście także Indie i Brazylia. Te kraje mają niewykorzystane zasoby, a w dodatku fascynujące kultury.

– Zawsze bardzo mi się podobał rosyjski, no i portugalski. Jest to język ogromnie – pamiętam, że szukałam odpowiedniego słowa – ekspresyjny.

– Masz zatem odpowiedź. – Uśmiechnął się i widziałam, że jest ze mnie zadowolony. – Może będziesz studiowała oba te języki? Masz naturalny dar lingwistyczny, więc łatwo sobie z tym poradzisz. I zapewniam cię, Maju: mając do dyspozycji jeden z nich albo obydwa, świat będziesz miała u stóp. Teraz niewielu ludzi zdaje sobie sprawę, co nadchodzi. Świat się zmienia, a ty będziesz w awangardzie tego rozwoju.

*

Miałam spieczone, suche gardło, więc wygrzebałam się z łóżka i poczłapałam do kuchni po szklankę wody. Rozmyślałam o nadziei ojca, że wyposażona w swoje rzadkie umiejętności, pewnie ruszę na spotkanie świtających przemian, co do których nie miał wątpliwości. W tamtym okresie ja również byłam niemal przekonana, że tak zrobię. Przede wszystkim rozpaczliwie pragnęłam, aby był ze mnie dumny.

Ale jak w przypadku wielu innych ludzi, życie wzięło mnie w swoje obroty i z impetem zepchnęło z zaplanowanej drogi. A nabyte przeze mnie umiejętności, zamiast stać się wyrzutnią na szeroki świat, pozwoliły mi umościć sobie kryjówkę w domu, w którym dorastałam.

Za każdym razem, gdy siostry, odrywając się od życia, które każda uwiła sobie w różnych zakątkach świata, sfruwały w odwiedziny, drwiły z mojego życia samotnicy. Mówiły, że grozi mi staropanieństwo, bo jak mam kogokolwiek poznać, jeśli nie wyściubiam nosa poza Atlantis.

– Jesteś taka piękna, Maju. Mówi to każdy, kto cię pozna, ale siedzisz tutaj sama i marnujesz się – zbeształa mnie Ally, kiedy ostatnio się z nią widziałam.

Prawdopodobnie mój wygląd rzeczywiście sprawiał, że wyróżniałam się w tłumie. Jak to bywa w rodzinach z wieloma siostrami, każda z nas miała swoją etykietkę, która odzwierciedlała jej najważniejszą cechę.

Maja – piękność, Ally – liderka, Star – rozjemczyni, CeCe – pragmatyczka, Tiggy – opiekunka. I Elektra – piorun kulisty.

Najważniejsze było jednak pytanie, czy dary, które każda z nas otrzymała, przyniosły nam sukces i szczęście.

Niektóre z moich sióstr były jeszcze bardzo młode i żyły zbyt krótko, by się o tym przekonać albo bym ja mogła to osądzić. Jeśli chodzi o mnie, to wiem, że dar urody doprowadził do największego bólu, jakiego doświadczyłam. Po prostu dlatego, że w czasie

35

mojej próby byłam zbyt naiwna, by zdać sobie sprawę, jak wielką ma moc. Więc teraz skrzętnie go ukrywałam, co znaczyło, że ukrywam siebie.

Ostatnio, kiedy ojciec odwiedzał mnie w pawilonie, często pytał, czy jestem szczęśliwa.

– Oczywiście – odpowiadałam. W zasadzie nie miałam przecież powodu, aby nie być szczęśliwą. Żyłam w luksusie i o rzut beretem miałam parę kochających mnie ramion. W teorii miałam świat u stóp. Żadnych więzów, żadnych obowiązków… a jednak bardzo do nich tęskniłam.

Uśmiechnęłam się na wspomnienie, jak zaledwie kilka tygodni temu tata zachęcał mnie, żebym pojechała do Londynu odwiedzić starą przyjaciółkę ze szkoły. A ponieważ był to jego pomysł, a ja przez całe dorosłe życie uważałam, że sprawiłam mu zawód, zgodziłam się. Choć nie potrafiłam być „normalna", miałam nadzieję, że jeśli polecę do Londynu, uzna, że wszystko ze mną w porządku.

Tak więc znalazłam się w Londynie… i wróciłam, a kiedy wróciłam, jego już nie było. I już nigdy go nie będzie.

Tymczasem zrobiła się czwarta rano. Wróciłam do sypialni, położyłam się i rozpaczliwie usiłowałam zasnąć. Sen jednak nie nadchodził. Serce mocniej zabiło mi w piersi, kiedy zdałam sobie sprawę, że skoro taty nie ma, nie mogę się już wykręcać koniecznością opieki nad nim, aby się tu ukrywać. Możliwe nawet, że Atlantis zostanie sprzedane. W każdym razie on nigdy mi nie wspominał, co stanie się po jego śmierci. I o ile wiedziałam, żadnej z moich sióstr też nic nie mówił.

Zaledwie kilka godzin temu Pa Salt był wszechpotężny, wszechobecny. Był żywiołem, który zapewniał nam bezpieczne utrzymywanie się na powierzchni świata.

Kiedyś nazwał nas swoimi złotymi jabłkami. Dojrzałe i idealnie okrągłe, tylko czekałyśmy, aż ktoś nas zerwie. Lecz teraz gałąź się zatrzęsła, wszystkie gwałtownie spadłyśmy na ziemię i nie było zdecydowanej ręki, która by nas złapała.

*

Usłyszałam, że ktoś puka do drzwi wejściowych, więc zwlokłam się z łóżka i z trudem, na chwiejnych nogach, poszłam je otworzyć. Kilka godzin przedtem, gdy już świtało, z rozpaczy poszukałam tabletek nasennych, które przepisano mi lata temu, i łyknęłam jedną. Teraz zerknęłam na zegar w holu, zobaczyłam, że jest po jedenastej, i pożałowałam tej decyzji.

Kiedy otworzyłam drzwi, ujrzałam zmartwioną twarz Mariny.

– Dzień dobry, Maju. Próbowałam się do ciebie dodzwonić na telefon stacjonarny i na komórkę, ale nie odbierałaś, więc przyszłam sprawdzić, czy nic ci nie jest.

– Przepraszam, wzięłam tabletkę na sen i całkiem mnie zamroczyła – wyjaśniłam ze wstydem. – Wejdź.

– Nie. Lepiej porządnie się obudź, a kiedy weźmiesz już prysznic i ubierzesz się, może przyjdziesz do zameczku? Dzwoniła Tiggy i powiedziała, że przyjedzie dzisiaj około piątej. Udało jej się skontaktować ze Star, CeCe i Elektrą. One także są już w drodze. A Ally? Odezwała się do ciebie?

– Sprawdzę na komórce. Jeśli nie zostawiła wiadomości, jeszcze raz do niej zadzwonię.

– Nic ci nie jest? Nie wyglądasz zbyt dobrze – zauważyła Marina.

– Wszystko w porządku, mamo. Naprawdę. Niedługo przyjdę.

Zamknęłam drzwi i popędziłam do łazienki, żeby oblać twarz zimną wodą i na dobre się obudzić. Kiedy popatrzyłam w lustro, zrozumiałam, dlaczego Marina zapytała, czy nic mi nie jest. Z dnia na dzień wokół moich oczu pojawiły się zmarszczki, a pod oczami miałam wielkie sińce. Zazwyczaj błyszczące ciemne włosy zwisały przy twarzy w przetłuszczonych strąkach. Zwykle piękna cera o miodowej barwie, tak nieskazitelna, że nie potrzebowałam makijażu, była blada, a twarz – opuchnięta.

– Dzisiaj rano chyba trudno nazwać mnie rodzinną pięknością – mruknęłam do swojego odbicia, po czym zaczęłam grzebać w skłębionej pościeli, szukając komórki. W końcu znalazłam ją pod kołdrą i zobaczyłam osiem nieodebranych połączeń. Wysłuchałam, jak siostry przekazują mi wyrazy niedowierzania i szoku – każda na swój sposób. Jedyną, która nadal nie odpowiedziała na mój SMS, była Ally. Nagrałam się na jej pocztę głosową i poprosiłam, żeby pilnie oddzwoniła.

Na górze, w zameczku, odnalazłam Marinę i Claudię. Były na ostatnim piętrze; zmieniały pościel i wietrzyły pokoje moich sióstr. Widziałam, że mimo żałoby Marina cieszy się, że jej stadko dziewcząt sfrunie do domu. Od pewnego czasu rzadko się trafiało, żebyśmy były razem pod jednym dachem. Ostatnio zdarzyło się to przed jedenastoma miesiącami, w lipcu, kiedy pływaliśmy po greckich wyspach na jachcie taty. Na Boże Narodzenie zebrałyśmy się w domu tylko we cztery, ponieważ Star i CeCe podróżowały po Dalekim Wschodzie.

– Wysłałam Christiana, żeby popłynął motorówką po zapasy, które zamówiłam – powiedziała Marina, kiedy zeszłam za nią na parter. – Wszystkie twoje siostry są teraz strasznie wybredne. Tiggy jest weganką, a Elektra pewnie przeszła na jakąś modną dietę – narzekała, choć wiedziałam, że w pewnym sensie cieszy się z każdej sekundy niespodziewanego chaosu, który przypominał jej czasy, kiedy wszystkie byłyśmy pod jej opieką. – Claudia od rana siedzi w kuchni, ale pomyślałam, że dzisiaj zrobimy coś prostego: tylko spaghetti i sałatę.

– Wiesz, o której przyjedzie Elektra? – zapytałam, gdy dotarłyśmy do kuchni wypełnionej smakowitym zapachem wypieków Claudii, który wywołał u mnie falę wspomnień z dzieciństwa.

– Pewnie dopiero nad ranem. Udało jej się zdobyć miejsce w samolocie z Los Angeles do Paryża, a stamtąd poleci do Genewy.

– Jak przyjęła wiadomość?

– Płakała – odparła Marina. – Histerycznie.

– A Star i CeCe?

– Jak zwykle to CeCe podjęła decyzję za nie obie. Ze Star nie rozmawiałam. CeCe sprawiała wrażenie kompletnie zszokowanej. Biedactwo... Jakby zabrakło jej wiatru w żaglach. Dopiero dziesięć dni temu wróciły do domu z Wietnamu. Weź sobie kawałek świeżego chleba, Maju. Na pewno jeszcze dzisiaj nic nie jadłaś.

Marina położyła przede mną kromkę grubo posmarowaną masłem i dżemem.

– Wolę nie myśleć, w jakim wszystkie będą stanie – mruknęłam, odgryzając kawałek.

– Każda przyjmie to na swój specyficzny sposób – odrzekła mądrze.

– Wszystkie oczywiście myślą, że wracają do domu na pogrzeb ojca. – Westchnęłam ciężko. – Chociaż byłoby to trudne przeżycie, przynajmniej doświadczyłybyśmy obrzędu przejścia, miałybyśmy szansę uczcić jego życie, pochować go na wieczny spoczynek, a potem... taką mam nadzieję... żyć dalej. A tymczasem przyjadą tylko po to, żeby dowiedzieć się, że ojca nie ma.

– Wiem, Maju, ale co się stało, to się nie odstanie – stwierdziła ze smutkiem.

– Na pewno są jacyś przyjaciele czy partnerzy w interesach, których powinnyśmy zawiadomić.

– Georg Hoffman powiedział, że on to wszystko załatwi. Dzisiaj rano znowu do mnie zadzwonił, żeby się dowiedzieć, kiedy wszystkie będziecie, bo chce się z wami umówić na spotkanie. Obiecałam, że go zawiadomię, jak tylko uda nam się skontaktować z Ally. Być może on będzie w stanie rzucić światło na te tajemnicze i zawiłe pomysły ojca.

– Mam nadzieję, że ktoś to wreszcie zrobi – mruknęłam ponuro.

– Mogę zostawić cię samą przy jedzeniu? Przed przyjazdem twoich sióstr mam jeszcze do zrobienia z tysiąc rzeczy.

– Oczywiście. Dziękuję ci, mamo. Nie wiem, co bym bez ciebie zrobiła.

– A ja bez ciebie. – Poklepała mnie po plecach i wyszła z kuchni.

4

Popołudnie zeszło mi na bezcelowym przechadzaniu się po ogrodzie, a potem usiłowałam zabrać się do tłumaczenia, by oderwać myśli od Pa Salta. Tuż po piątej usłyszałam motorówkę przybijającą do mola. Z ulgą pomyślałam, że przybyła Tiggy, więc z impetem otworzyłam drzwi i pobiegłam przez trawnik, by ją przywitać.

Przyglądałam się, jak z gracją schodzi z łodzi. Kiedy była młodsza, tata często proponował jej lekcje baletu, bo Tiggy nie chodziła, tylko unosiła się, przemieszczając swoje gibkie, szczupłe ciało tak lekko, jak gdyby jej stopy nie dotykały ziemi. Miała w sobie coś niemal pozaziemskiego, a jej ogromne, jakby płynne oczy obramowane gęstymi rzęsami zdominowały twarz w kształcie serca. Nagle przyszło mi do głowy, że przypomina kruche młode jelonki, którymi tak żarliwie się opiekuje.

– Maju! – Wyciągnęła do mnie ramiona.

Przez chwilę w milczeniu stałyśmy w objęciach. Kiedy oderwała się ode mnie, zobaczyłam, że oczy ma pełne łez.

– Jak się czujesz? – zapytała.

– Jestem wstrząśnięta, odrętwiała… A ty?

– Tak samo. Nadal to do mnie nie dociera – odparła, gdy mocno objęte ruszyłyśmy w kierunku domu.

Na tarasie raptem zatrzymała się i odwróciła w moją stronę.

– Czy tata…? – Spojrzała w stronę zamku. – Czy jest, no… Chcę się tylko przez chwilę przygotować.

– Nie, Tiggy, nie ma go już w domu.

– Pewnie zabrali go do… – Głos się jej załamał na myśl o tym, gdzie tata może być.

– Wejdźmy do środka, napijmy się herbaty i wszystko ci wyjaśnię.

– Wiesz, chciałam go poczuć… to znaczy jego duszę. – Tiggy westchnęła. – Ale nic tam nie ma, tylko pustka.

– Może minęło zbyt mało czasu, żeby coś poczuć – pocieszyłam ją, przyzwyczajona do dziwnych poglądów Tiggy. Nie chciałam ich miażdżyć swoim surowym pragmatyzmem. – W każdym razie ja nie potrafię nic takiego wyczuć.

Claudia stała przy zlewie. Kiedy odwróciła się – zawsze podejrzewałam, że to Tiggy jest jej ulubienicą – zobaczyłam w jej oczach współczucie.

– Prawda, że to straszne – odezwała się Tiggy i uścisnęła ją. Jako jedyna spośród nas potrafiła przytulić się do Claudii.

– Tak, to prawda. Idźcie z Mają do salonu. Przyniosę wam herbatę.

– Gdzie jest mama? – zapytała moja siostra, kiedy szłyśmy przez dom.

– Na górze, kończy szykowanie waszych pokoi. A poza tym chciała pewnie, żebyśmy najpierw mogły trochę pobyć ze sobą – wyjaśniłam, gdy siadałyśmy.

– Była tutaj? To znaczy… czy do końca była z tatą?

– Tak.

– Ale dlaczego nie zawiadomiła nas wcześniej? – Tiggy powtórzyła pytanie, które zadałam i ja.

Przez następne pół godziny odpowiadałam jej na te same pytania, którymi poprzedniego dnia bombardowałam Marinę. Powiedziałam jej, że ciało ojca zostało już złożone do ołowianej trumny i pochowane na dnie morza. Spodziewałam się, że będzie równie oburzona jak ja, ale uśmiechnęła się tylko ze zrozumieniem.

– Chciał wrócić do miejsca, które kochał, i pragnął, żeby jego ciało spoczęło tam na zawsze. W pewnym sensie cieszę się, że nie zobaczyłam go… bez życia, bo teraz mogę go na zawsze zapamiętać takiego, jaki był.

Ze zdziwieniem przyglądałam się siostrze. Przecież była z nas najbardziej wrażliwa, a jednak – przynajmniej na zewnątrz – wiadomość o śmierci taty nie wpłynęła na nią tak silnie, jak się spodziewałam. Gęste kasztanowe włosy połyskiwały wokół jej twarzy jak błyszcząca grzywa, a ogromne brązowe oczy, które zawsze wyglądały na niewinne, prawie zdziwione, były wręcz roziskrzone. Spokojne podejście Tiggy dało mi nadzieję, że pozostałe siostry chociaż pozornie okażą się tak zrównoważone, czego, niestety, nie mogłam powiedzieć o sobie.

– To dziwne, ale świetnie wyglądasz, Tiggy – szczerze wyraziłam swoje myśli. – Pewnie dobrze ci służy świeże szkockie powietrze.

– Zdecydowanie tak. Po długich latach dzieciństwa, które musiałam spędzić w murach, mam poczucie, jakbym wreszcie wyrwała się na wolność, w dziką przyrodę. Absolutnie uwielbiam moją pracę, chociaż jest ciężka, a chata, w której mieszkam, niewiarygodnie prosta. Wewnątrz nie ma nawet toalety.

– Coś takiego! – Westchnęłam z podziwem, że dla pasji jest w stanie wyrzec się wygód. – Rozumiem, że sprawia ci to większą satysfakcję niż praca w laboratorium Ogrodu Zoologicznego w Servion?

– O mój Boże, oczywiście! – Tiggy zmarszczyła czoło. – Szczerze mówiąc, nie znosiłam tamtej pracy, bo nie przebywałam ze zwierzętami, tylko analizowałam ich geny. Pewnie myślisz, że zwariowałam, rezygnując ze wspaniałej kariery po to, by dniami i nocami włóczyć się po górach za prawie zerową pensję, ale sprawia mi to znacznie większą satysfakcję.

Podniosła wzrok i uśmiechnęła się, bo do salonu weszła Claudia z tacą z herbatą. Postawiła ją na niskim stoliku i wyszła.

– Wcale nie uważam, że zwariowałaś, Tiggy. Naprawdę w pełni cię rozumiem.

– Przyznam ci się, że do czasu, kiedy wczoraj rozmawiałyśmy przez telefon, nigdy w życiu nie byłam szczęśliwsza.

– Na pewno dlatego, że znalazłaś swoje powołanie. – Uśmiechnęłam się.

– Tak… ale jest jeszcze jeden powód… – Na jej delikatnych kościach policzkowych pojawił się lekki rumieniec. – Ale o tym opowiem ci innym razem. Kiedy przyjedzie reszta?

– CeCe i Star gdzieś przed siódmą, a Elektra bardzo wcześnie rano – odparłam i nalałam herbaty do dwóch filiżanek.

– Jak Elektra odebrała wiadomość? – zapytała Tiggy. – A właściwie nie musisz mi odpowiadać. Wyobrażam to sobie.

– Rozmawiała z nią mama. Podobno się zapłakiwała.

– Jak to ona. – Tiggy łyknęła herbaty. Potem nagle westchnęła i zamgliły jej się oczy. – Tak tu dziwnie. Ciągle czekam, że lada chwila wejdzie tata. Ale to oczywiście już nigdy się nie stanie.

– Nigdy.

– Nie powinnyśmy czegoś robić? – zapytała, po czym nagle wstała z kanapy, podeszła do okna i wyjrzała na zewnątrz. – Mam wrażenie, że powinnam… czymś się zająć.

– Podobno kiedy wszystkie już będziemy, spotka się tu z nami prawnik ojca i coś nam powyjaśnia, ale na razie pozostaje nam czekać na siostry. – Wzruszyłam ramionami.

– Pewnie masz rację.

Patrzyłam, jak Tiggy przyciska czoło do szyby.

– Żadna z nas właściwie go nie znała – odezwała się cicho.

– To prawda.

– Mogę zadać ci pytanie?

– Jasne.

– Czy czasem zastanawiasz się, skąd pochodzisz? To znaczy kim byli twoi prawdziwi rodzice?

– Przychodziło mi to do głowy, ale tata był dla mnie wszystkim. Czułam, że jest moim prawdziwym ojcem. Więc nigdy nie musiałam… a może nie chciałam… się nad tym zastanawiać.

– Miałabyś poczucie winy, gdybyś starała się tego dowiedzieć?

– Może – odparłam. – Ale on mi wystarczał. Nie wyobrażam sobie bardziej kochającego i opiekuńczego rodzica.

– Rozumiem cię. Zawsze była między wami szczególna więź. Może tak zwykle bywa z pierwszym dzieckiem.

– Przecież każda z nas miała z nim nadzwyczajne relacje. Kochał nas wszystkie.

– Tak. Wiem, że mnie kochał – spokojnie przyznała Tiggy. – Co nie powstrzymuje mnie od rozmyślania nad swoim pochodzeniem. Miałam chęć go o to zapytać, ale nie chciałam, żeby się zdenerwował. Więc nigdy tego nie zrobiłam. A teraz już za późno. – Stłumiła ziewnięcie. – Nie obrazisz się, jeśli pójdę na górę do swojego pokoju trochę odpocząć? Może to opóźniona reakcja na szok, a może czuję się tak dlatego, że od paru tygodni nie miałam ani dnia wolnego i jestem strasznie zmęczona.

– Oczywiście. Idź się położyć, Tiggy.

Patrzyłam, jak z gracją przemierza pokój, idąc do drzwi.

– To na razie – rzuciła.

– Śpij dobrze! – zawołałam i znów znalazłam się w pokoju sama.

Byłam dziwnie poirytowana. Może coś się we mnie zmieniło, ale odniosłam wrażenie, że Tiggy jeszcze bardziej niż kiedyś jest jak nie z tego świata, jakby odgrodzona od wszystkiego, co się wokół niej dzieje. Nie byłam pewna, czego się po niej spodziewałam. Przecież bałam się reakcji sióstr na wiadomość o śmierci ojca. Powinnam być zadowolona, że Tiggy, przynajmniej pozornie, tak dobrze sobie radzi.

A może tak naprawdę czułam się wytrącona z równowagi, ponieważ każda z moich sióstr ma własne życie, niezależne od Pa Salta i rodzinnego domu, podczas gdy dla mnie on i Atlantis były całym światem?

*

Tuż po siódmej z motorówki wysiadły Star i CeCe. Przywitałam je przy molu. CeCe nigdy nie kwapiła się do fizycznego kontaktu, ale pozwoliła mi się na chwilę przytulić.

– Straszna wiadomość, Maju – skomentowała. – Star jest wstrząśnięta.

– Na pewno – odparłam, przyglądając się Star, która stała za siostrą. Była jeszcze bledsza niż zazwyczaj.

– Jak się czujesz? – zapytałam, wyciągając do niej ramię.

– Jestem załamana – szepnęła Star i na kilka sekund położyła mi głowę na ramieniu. Miała cudowne włosy koloru księżycowego światła.

– Przynajmniej jesteśmy razem – powiedziałam, kiedy odsunęła się ode mnie w stronę CeCe, a ta natychmiast objęła ją swym protekcjonalnym, silnym ramieniem.

– Co jest do zrobienia? – zapytała CeCe, kiedy we trzy szłyśmy w stronę zameczku.

Zabrałam je do salonu i posadziłam na kanapie. Jeszcze raz powtórzyłam, w jakich okolicznościach zmarł ojciec, i powiedziałam, że zgodnie ze swoim życzeniem został pochowany bez naszego udziału.

– Więc kto w sumie opuścił trumnę z ojcem za burtę? – zapytała CeCe, która myślała tak logicznie, jak tylko ona potrafiła.

Rozumiałam, że jej słowa nie wynikają z braku wrażliwości, ale z silnej potrzeby faktów.

– Szczerze mówiąc, nie zadałam takiego pytania, ale na pewno możemy się tego dowiedzieć. Pewnie ktoś z załogi *Tytana*.

– A gdzie go pochowano? To znaczy niedaleko Saint-Tropez, gdzie zacumowany był jacht, czy wypłynęli na morze? Pewnie to drugie – domyśliła się.

Obie ze Star zadrżałyśmy.

– Mama mówi, że ciało zamknięto w ołowianej trumnie, która od dawna była na *Tytanie*. Nie mam pojęcia o dokładnym miejscu pochówku – odparłam z nadzieją, że na tym skończy się dociekliwość CeCe.

– Prawnik chyba powie nam, co jest w jego testamencie? – nie poddawała się.

– Tak to sobie wyobrażam.

– Niewykluczone, że jesteśmy bez grosza. – Wzruszyła ramionami. – Pamiętacie, jak tata obsesyjnie pilnował, żebyśmy wszystkie były w stanie na siebie zarobić? Wcale bym się nie zdziwiła, gdyby cały swój majątek zapisał na cele dobroczynne – dodała.

Chociaż wiedziałam, że brak taktu jest dla CeCe czymś wrodzonym i że konieczność radzenia sobie z cierpieniem mogła to jeszcze zaostrzyć, to w tej chwili doszłam do kresu swojej wytrzymałości. Nie zareagowałam więc na jej uwagę, lecz zwróciłam się do Star, która cichutko siedziała na kanapie obok siostry.

– Jak się czujesz? – zapytałam delikatnie.

– No więc…

– Jest w szoku, jak my wszystkie – wtrąciła się CeCe, zanim Star zdążyła się odezwać. – Ale razem damy sobie jakoś radę, prawda? – Wyciągnęła do siostry silną brązową rękę i mocno ścisnęła szczupłe blade palce Star. – Wielka szkoda, bo właśnie miałam przekazać tacie wspaniałą wiadomość.

– Jaką? – zapytałam.

– Dostałam się na roczny kurs przygotowawczy w Royal College of Art w Londynie.

– Fantastycznie! – Chociaż nigdy nie rozumiałam sensu jej dziwnych „instalacji", bo tak nazywała swoje dzieła, i bardziej odpowiadał mi tradycyjny nurt sztuki współczesnej, wiedziałam, że twórczość jest jej pasją, i szczerze się ucieszyłam.

– Jesteśmy zachwycone, prawda, Star?

– Tak – posłusznie zgodziła się Star, chociaż wcale nie było tego po niej widać. Zauważyłam, że drży jej dolna warga.

– Zamieszkamy w Londynie. To znaczy, jeśli po spotkaniu z prawnikiem taty okaże się, że będziemy miały na to fundusze.

– No wiesz, CeCe! – Moja cierpliwość całkiem już się wyczerpała. – To nie jest odpowiednia chwila, żeby myśleć o takich rzeczach.

– Przepraszam cię, Maju. Wiesz, że taka po prostu jestem. Bardzo kochałam tatę. Był wspaniałym człowiekiem i zawsze wspierał mnie w tym, co robię.

Zobaczyłam, jak na kilka sekund w jej nakrapianych piwnych oczach pojawiła się bezbronność, a nawet odrobina lęku.

– Tak, był jedyny w swoim rodzaju – potwierdziłam.

– Chodźmy na górę się rozpakować, co, Star? – zaproponowała CeCe. – O której jest kolacja? Obie chętnie byśmy coś zjadły.

– Powiem Claudii, żeby przygotowała ją jak najszybciej. Elektra będzie dopiero za kilka godzin, a Ally jeszcze się nie odezwała.

– No to do zobaczenia wkrótce – rzuciła CeCe i wstała, a Star poszła w jej ślady. – Pamiętaj, że chętnie w czymś pomożemy, wystarczy nam powiedzieć. – Przy tych słowach CeCe uśmiechnęła się do mnie ze smutkiem. Wiem, że choć brakowało jej wrażliwości, miała szczere intencje.

Gdy wyszły, zamyśliłam się nad tajemniczą relacją między moją trzecią i czwartą siostrą. Często rozmawiałyśmy o tym z Mariną. Kiedy dorastały, martwiłyśmy się, że Star ukrywa się za silną osobowością CeCe.

– Zupełnie jakby Star nie potrafiła samodzielnie myśleć – powtarzałam często. – Nie mam pojęcia, czy ma jakiekolwiek własne poglądy. To nie może być zdrowe.

Marina całkowicie zgadzała się ze mną, ale kiedy wspomniałam o tym tacie, uśmiechnął się, jak to on, tajemniczo i powiedział, żebym się nie martwiła.

– Pewnego dnia Star rozpostrze skrzydła i pofrunie jak anioł. Bo jest aniołem. Poczekaj tylko. Zobaczysz.

Wcale mnie to nie pocieszyło, bo było dla mnie oczywiste, że mimo dominacji CeCe zależność między siostrami jest obopólna. Więc jeśli Star zrobi tak, jak przepowiedział ojciec, będzie to zgubne dla CeCe.

Tego wieczoru kolacja przebiegała w smutnej atmosferze. Do moich trzech sióstr dotarło, że wszystko w Atlantis przypomina nam ogrom naszej straty. Marina starała się, jak mogła, żeby podnieść nas na duchu, ale nie bardzo jej to wychodziło. Pytała, co słychać w życiu jej najdroższych dziewcząt, ale w naszych oczach co rusz pojawiały się łzy z powodu niewypowiedzianych wspomnień o tacie. W końcu przestałyśmy się starać podtrzymywać rozmowę i zapadła cisza.

– Nie mogę się doczekać, kiedy zlokalizujemy Ally i wreszcie się dowiemy, co tata chciał nam przekazać. – Tiggy westchnęła głęboko. – Przepraszam, ale ja idę spać.

Pocałowała nas wszystkie i wyszła z pokoju, a kilka minut potem w jej ślady podążyły CeCe i Star.

– Ojej – odezwała się Marina, kiedy przy stole zostałyśmy tylko we dwie. – Są kompletnie zdruzgotane. Zgadzam się z Tiggy, że im szybciej znajdziemy Ally i wreszcie tu przyjedzie, tym szybciej będziemy mogły jakoś się pozbierać.

– Najwyraźniej jest poza zasięgiem telefonu komórkowego – powiedziałam. – Na pewno jesteś wyczerpana, Marino. Idź spać, a ja zaczekam na Elektrę.

– Jesteś pewna, *chérie*?

– Absolutnie. – Wiedziałam, że Marina zawsze miała trudności w relacjach z moją najmłodszą siostrą.

– Dziękuję – zgodziła się bez dalszych protestów. Wstała od stołu, ucałowała mnie delikatnie w czubek głowy i wyszła z kuchni.

Przez następne pół godziny pomagałam Claudii sprzątnąć po kolacji. Uparłam się, żeby to robić, i byłam wdzięczna, że czekając na siostrę, mogę czymś się zająć. Zdążyłam się przyzwyczaić do tego, że Claudia nie lubi gadać. Dziś wieczorem byłam za to wdzięczna, a jej spokojna, milcząca obecność stanowiła dla mnie szczególnie cenne wsparcie.

– Mam zamknąć drzwi na klucz, panno Maju? – zapytała.

– Nie. Ty też miałaś ciężki dzień. Idź spać. Ja tego dopilnuję.

– Jak pani chce. *Gute Nacht* – powiedziała i wyszła z kuchni.

Wiedząc, że Elektra przypłynie najwcześniej za kilka godzin, po prostu chodziłam sobie po domu. Wstałam przed południem, więc ani trochę nie chciało mi się spać. Gdy doszłam do gabinetu Pa Salta, zapragnęłam wejść do środka, by poczuć tam jego obecność. Przekręciłam gałkę, lecz stwierdziłam, że drzwi zamknięte są na klucz.

Zdziwiło mnie to i zaniepokoiło. Kiedy tata był w domu, całymi godzinami pracował w gabinecie, ale dla nas, dziewczynek, drzwi zawsze były otwarte. Nigdy nie był zbyt zajęty, by w odpowiedzi na moje nieśmiałe pukanie nie obdarować mnie powitalnym uśmiechem, a ja zawsze uwielbiałam siedzieć w jego gabinecie; czułam tam kwintesencję jego fizycznej obecności. Choć na biurku miał rząd komputerów, a na ścianie wisiał ekran przygotowany do wideokonferencji, moją uwagę zawsze przyciągały jego osobiste skarby, które były na chybił trafił poustawiane na półkach za biurkiem.

Wyglądały na zwykłe przedmioty. Opowiadał mi, że zebrał je podczas swych ciągłych podróży po świecie. Między innymi były tam: mieszcząca mi się w dłoni delikatna miniatura Madonny w pozłacanej oprawie, dziwne skrzypki, zniszczona skórzana sakiewka i postrzępiony tomik poezji autorstwa angielskiego poety, o którym nigdy nie słyszałam.

Nic rzadkiego, nic szczególnie drogocennego, po prostu przedmioty, które coś dla niego znaczyły.

Byłam pewna, że gdyby ktoś taki jak tata chciał, mógłby wypełnić dom bezcennymi dziełami sztuki i wspaniałymi antykami, posiadaliśmy jednak niewiele kosztownych przedmiotów. Odnosiłam wrażenie, że miał wręcz awersję do zbyt drogich rzeczy. Kiedy słyszał, ile współcześni bogacze płacą czasem za słynne dzieła sztuki, otwarcie z nich drwił. Mówił mi też, że większość z nich zamyka swoje arcydzieła w sejfach ze strachu, że ktoś je ukradnie.

– Sztuka powinna być udostępniana wszystkim – powiedział. – To dar malarza dla duszy. Obraz, który trzeba ukryć, jest bezwartościowy.

Kiedy odważyłam się wspomnieć, że i on ma prywatny odrzutowiec i duży, luksusowy jacht, spojrzał na mnie ze zdziwieniem.

– Ależ, Maju, nie rozumiesz, że obie te rzeczy służą po prostu do transportu? Mają zastosowanie praktyczne, są środkami do celu. A gdyby jutro stanęły w płomieniach, z łatwością zastąpiłbym je innymi. Mnie wystarczy, że mam sześć ludzkich dzieł sztuki: moje córki. Tylko to na świecie warto traktować jak skarby, bo wszystkie jesteście nie do zastąpienia. Nie da się zastąpić ukochanych ludzi, Maju. Zapamiętaj to sobie, dobrze?

Słowa te powiedział do mnie wiele lat temu i nigdy mnie nie opuściły. Każdą cząstką ciała żałowałam jednak, że nie pamiętałam o nich wtedy, kiedy powinnam.

Odeszłam spod drzwi gabinetu zawiedziona. Idąc do salonu, zastanawiałam się, dlaczego gabinet jest zamknięty na klucz. Jutro zapytam o to Marinę, pomyślałam. Podeszłam do najbliższego stolika i wzięłam do rąk zdjęcie, które na nim stało. Zrobiono je kilka lat temu na *Tytanie*. Był na nim tata w otoczeniu wszystkich swoich córek. Opierał się o reling i uśmiechał szeroko. Jego przystojna twarz wydawała się zrelaksowana, nadal wysportowane, muskularne ciało było pięknie opalone, a siwiejące włosy rozwiewał wiatr.

– Kim byłeś? – zapytałam, karcąc zdjęcie wzrokiem.

Nie miałam nic lepszego do roboty, więc włączyłam telewizor i skakałam po kanałach, aż trafiłam na wiadomości. Jak zwykle były pełne informacji o wojnach, bólu i zniszczeniu, więc już miałam zmienić kanał, kiedy spiker oznajmił, że znaleziono ciało słynnego rekina przemysłu, który zarządzał międzynarodową firmą telekomunikacyjną. Morze wyrzuciło je w zatoce jednej z greckich wysp.

Słuchałam w napięciu. Prezenter wyjaśniał, że według komunikatu wydanego przez rodzinę Kreega, niedawno zdiagnozowano u niego raka i był w stanie terminalnym. Wnioskowano zatem, że po otrzymaniu diagnozy postanowił odebrać sobie życie.

Serce zabiło mi szybciej. Nie tylko dlatego, że także mój ojciec ostatnio postanowił na wieczność spocząć na dnie morza, ale ponieważ ta wiadomość miała bezpośredni związek ze mną...

Prezenter podał, że syn Kreega, Zed, który od kilku lat pracował u boku ojca, w trybie natychmiastowym przejmie funkcję prezesa zarządu Athenian Holdings. Na ekranie na chwilę pojawiło się zdjęcie Zeda, a ja instynktownie zamknęłam oczy.

– O Boże – jęknęłam, zastanawiając się, dlaczego los postanowił wybrać tę chwilę, by przypomnieć mi mężczyznę, o którym od czternastu lat rozpaczliwie usiłuję zapomnieć.

Wyglądało na to, że w przeciągu kilku godzin oboje straciliśmy ojców, a w dodatku jeden i drugi znalazł grób w wodzie.

Wstałam i zaczęłam nerwowo chodzić po pokoju, usiłując wymazać z myśli obraz twarzy Zeda, który zresztą wydał mi się jeszcze przystojniejszy niż kiedyś.

Pomyśl o bólu, który ci sprawił, powiedziałam do siebie. Tamto minęło, skończyło się wiele lat temu. Cokolwiek zrobisz, nigdy do tego nie wracaj.

Westchnęłam i całkiem pozbawiona energii opadłam na kanapę. Oczywiście wiedziałam, że tak naprawdę jest to coś, co nigdy się nie skończy.

5

Kilka godzin później usłyszałam cichy warkot motorówki zapowiadający przybycie Elektry. Wzięłam głęboki oddech, żeby jakoś się pozbierać. Idąc przez skąpane w księżycowym blasku ogrody, pod bosymi stopami czułam ciepłą rosę. Zobaczyłam, że Elektra już przecina trawnik, zmierzając w moją stronę. Jej nieprawdopodobnie długie nogi z łatwością radziły sobie z odległością, jaka nas dzieliła, a piękna hebanowa skóra promieniała w świetle księżyca.

Elektra ma dobrze ponad metr osiemdziesiąt wzrostu, więc stojąc przy niej, zawsze czułam się maleńka i nieważna, zwłaszcza w zderzeniu z jej niewymuszoną, posągową elegancją. Mocno mnie przytuliła. Moja głowa bezpiecznie wpasowała się akurat między jej piersi.

– Och, Maju! – jęknęła. – Proszę, powiedz mi, że to nieprawda. To niemożliwe, że on odszedł, po prostu niemożliwe...

Głośno szlochała, więc żeby nie przeszkadzać śpiącym w zameczku siostrom, postanowiłam zabrać ją do pawilonu. Delikatnie poprowadziłam ją w tę stronę. Kiedy zamknęłam za nami drzwi, nadal żałośnie łkała. Poszłyśmy do salonu i posadziłam ją na kanapie.

– Co my bez niego zrobimy? – zapytała, a jej błyszczące bursztynowe oczy błagały mnie o odpowiedź.

– Nic nie zdoła uśmierzyć bólu po jego stracie, ale mam nadzieję, że będąc razem, przynajmniej możemy się wzajemnie pocieszać – odparłam pośpiesznie, po czym szybko wzięłam z półki paczkę chusteczek i położyłam je koło niej na kanapie.

Wzięła jedną i wytarła sobie oczy.

– Od chwili kiedy mama mi powiedziała, bez przerwy płaczę. Nie mogę tego znieść, Maju, po prostu nie mogę.

– Żadna z nas nie może.

Gdy patrzyłam, jak rozpływa się w żalu, pomyślałam, że atrakcyjny, zmysłowy wygląd kompletnie nie pasuje do tej bezbronnej małej dziewczynki, która mieszka w jej duszy. Często widywałam w czasopismach zdjęcia, na których szła pod rękę z jakimś gwiazdorem filmowym albo bogatym playboyem i wyglądała nie tylko bajecznie pięknie, ale sprawiała wrażenie w pełni opanowanej. Zastanawiałam się wtedy, czy to na pewno moja emocjonalnie niestabilna siostra. Doszłam do wniosku, że Elektra pragnie, by ostentacyjnie okazywano jej miłość i zwracano na nią uwagę, aby uspokoić jakieś głęboko ukryte lęki.

– Napijesz się czegoś? – zapytałam w przerwie między jej jednym a drugim chlipnięciem. – Może brandy? Pomogłaby ci się uspokoić.

– Nie. Już od miesięcy nie piję alkoholu. Mitch też jest abstynentem.

Mitch, czyli aktualny chłopak Elektry. Dla reszty świata był to Michael Duggan, światowej sławy amerykański piosenkarz, który właśnie odbywał międzynarodowe tournée. Występował w ogromnych, wypełnionych po brzegi rozwrzeszczanymi fanami salach koncertowych, do których wyprzedano wszystkie bilety.

– Gdzie on teraz jest? – zapytałam z nadzieją, że może rozmowa o Mitchu powstrzyma ją od wybuchów płaczu.

– W Chicago, a w przyszłym tygodniu w Madison Square Garden. Możesz mi powiedzieć, jak zmarł ojciec? Muszę się natychmiast dowiedzieć.

– Jesteś pewna, Elektro? To naturalne, że bardzo się zdenerwowałaś, a w dodatku długo leciałaś samolotem. Może będziesz spokojniejsza po przespanej nocy?

– Nie. – Pokręciła głową i widać było, jak bardzo stara się uspokoić.

Tak więc po raz trzeci powtórzyłam to, co usłyszałam od Mariny. Zrelacjonowałam, jak najwięcej się dało. Elektra siedziała cichutko i w napięciu słuchała każdego mojego słowa.

– Ustaliłyście już coś w sprawie pogrzebu? Mitch powiedział, że jeśli miałby się odbyć w przyszłym tygodniu, może uda mu się przylecieć, żeby pomóc mi to przetrwać.

Po raz pierwszy poczułam ulgę, że tata postanowił, by pochowano go bez naszej obecności. Myśl o medialnym cyrku, który by się rozpętał, gdyby na jego pogrzebie pojawił się megagwiazdor, przyprawiła mnie o dreszcze.

– Elektro – zaczęłam – obie jesteśmy zmęczone i...

– O co chodzi? – Wychwyciła moje wahanie. – Proszę, powiedz.

– Dobrze, ale przyrzeknij, że już nie będziesz się denerwowała.

– Obiecuję, że się postaram.

Powiedziałam jej więc, że swego rodzaju pogrzeb już się odbył. Trzeba przyznać, że choć widziałam, jak bieleją jej knykcie, kiedy z nerwów zaciska dłonie w pięści, już się nie rozpłakała.

– Ale dlaczego to zrobił? To okrutne, że odebrał nam możliwość, żebyśmy godnie go pożegnały. Wiesz co? – Żółtozłote oczy Elektry rzucały pioruny złości. – To dla niego typowe. Zrobił coś bardzo samolubnego.

– Zaufajmy, że był przeciwnego zdania i uważał, że oszczędza nam bólu pożegnania.

– Ale jak mam poczuć, że odszedł? Czy którakolwiek z nas? W Los Angeles ciągle mówią o tym, jakie to ważne, żeby relacje z ludźmi doprowadzać do końca. Jak mamy to zrobić w tej sytuacji?

– Szczerze mówiąc, chyba nie da się zakończyć relacji po stracie ukochanej osoby.

– Może i nie, ale brak pogrzebu wcale w tym nie pomaga. – Wlepiła we mnie wzrok. – Na większość spraw mieliśmy z Pa Saltem całkiem inne spojrzenie. I był chyba jedyną osobą, która uważała, że w ogóle mam jakieś szare komórki. Pamiętasz, jak się wściekał, kiedy okazało się, że w szkole oblałam wszystkie egzaminy?

To prawda. Dokładnie pamiętałam odgłosy dzikich awantur, które dochodziły z jego gabinetu z powodu tragicznych świadectw

Elektry i pomysłów na życie, które miała w okresie dorastania. Dla niej przepisy i regulaminy istniały tylko po to, żeby je łamać. Jako jedyna z nas potrafiła przeciwstawić się tacie i kłócić się z nim. Kiedy jednak mówił o swojej narowistej najmłodszej córce, widziałam w jego oczach błysk podziwu.

„Nie ma co, ma temperament, a to na pewno zawsze wyróżni ją z tłumu" – mawiał do mnie nieraz.

– Uwielbiał cię, Elektro – pocieszyłam ją. – I to prawda, chciał, żebyś się dobrze uczyła, ale który ojciec tego nie chce? I spójrzmy prawdzie w oczy: odniosłaś większy sukces, jesteś sławniejsza niż którakolwiek z nas. Porównaj swoje życie z moim. Masz wszystko.

– Nieprawda. – Westchnęła. – To wszystko jest oszustwem i ułudą. Jestem bardzo zmęczona, Maju. Mogę dzisiaj spać tu u ciebie w pawilonie?

– Oczywiście. Łóżko dla gości jest pościelone. Możesz spać, jak długo zechcesz, bo dopóki nie skontaktujemy się z Ally, jedyne, co mamy do roboty, to czekać.

– Dziękuję. I przepraszam, że tak mnie poniosło. Mitch skontaktował mnie z terapeutą, który usiłuje mi pomóc opanowywać emocje – wyznała. – Przytul mnie – poprosiła, wstając.

Przytuliłam ją mocno. Potem wzięła swoją walizkę z rzeczami do spania i skierowała się ku drzwiom. Przed wyjściem z salonu na chwilę się zatrzymała.

– Strasznie boli mnie głowa. Masz może przypadkiem trochę kodeiny?

– Niestety, nie. Ale mam kilka tabletek paracetamolu.

– Nie ma sprawy. – Na pożegnanie obdarowała mnie zmęczonym uśmiechem. – Do jutra.

Zgasiłam światła w pawilonie i poszłam do swojej sypialni. Myślałam o tym, że podobnie jak nadmierny spokój Tiggy, zaniepokoiło mnie także zachowanie Elektry. Czułam w niej wewnętrzną rozpacz, która bardzo mnie zastanawiała.

Umościłam się w pościeli, którą Claudia pięknie wygładziła po mojej wczorajszej niespokojnej nocy, i pomyślałam, że śmierć Pa

Salta może się dla nas wszystkich okazać przełomowym punktem w życiu.

*

Następnego dnia rano, kiedy poszłam zobaczyć się z Mariną, by zapytać, czy ma jakąś wiadomość od Ally, wszystkie moje siostry jeszcze spały. Marina bezradnie rozłożyła ramiona.

– Nie – odparła.

– Tata wiedziałby, co robić. Zawsze wiedział.

– Tak – zgodziła się Marina. – A jak tam Elektra?

– Zszokowana, zrozpaczona i strasznie zła, że nie może się odpowiednio pożegnać z tatą. Ale udało jej się opanować emocje... No, prawie.

– To dobrze. Znowu dzwonił do mnie Georg Hoffman, by zapytać, czy znalazłyśmy Ally, i musiałam mu powiedzieć, że nie. Co mamy robić?

– Uzbroić się w cierpliwość. A właśnie! Wczoraj wieczorem chciałam wejść do gabinetu ojca i stwierdziłam, że drzwi są zamknięte na klucz. Wiesz dlaczego? – zapytałam, robiąc sobie herbatę.

– Ponieważ tuż przed śmiercią kazał mi je zamknąć. Zaraz potem stanowczo poprosił mnie o klucz. Nie mam pojęcia, gdzie go położył, a szczerze mówiąc, wszystko, co się potem działo, było takie... trudne, że całkiem o tym zapomniałam.

– Trzeba go znaleźć. Jestem przekonana, że Georg Hoffman będzie musiał tam wejść. Tata prawie na pewno trzymał tam swoje dokumenty.

– Masz rację. Żadna z twoich sióstr jeszcze nie wstała, a jest już prawie południe. Claudia powinna chyba przygotować coś pomiędzy śniadaniem a obiadem – powiedziała Marina.

– Dobry pomysł. Wrócę do pawilonu i zobaczę, czy Elektra już się obudziła.

– Dobrze, *chérie*. – Marina uśmiechnęła się do mnie wspierająco. – To czekanie wkrótce się skończy.

– Wiem.

Kiedy wyszłam z domu i ruszyłam w stronę pawilonu, przez prześwity między drzewami zauważyłam, że na molu siedzi jakaś samotna postać. Zbliżyłam się do niej i delikatnie popukałam ją w ramię, tak aby się nie spłoszyła.

– Wszystko w porządku, Star?

– Tak, chyba tak – odparła, wzruszając ramionami.

– Mogę koło ciebie usiąść?

Prawie niezauważalnie skinęła głową, więc usiadłam i spuściłam nogi z mola. Spojrzałam na nią i zobaczyłam, że jej twarz zalana jest łzami.

– Gdzie jest CeCe? – zapytałam.

– Jeszcze śpi. Lubi przesypiać denerwujące sytuacje. Za to ja w ogóle nie mogłam zasnąć.

– Ja też mam z tym kłopoty – przyznałam się.

– Nie mogę uwierzyć, że go nie ma, Maju.

Siedziałam koło niej cichutko, bo wiedziałam, jak rzadko otwarcie opowiada o swoich uczuciach komukolwiek poza CeCe. Nie chciałam palnąć czegoś, przez co znów zamknęłaby się w swojej skorupie.

– Czuję się... zagubiona – wykrztusiła w końcu. – Nie wiem dlaczego, ale zawsze wiedziałam, że tata jest jedyną osobą, która mnie rozumie. To znaczy... naprawdę mnie rozumie.

Odwróciła się twarzą do mnie, a jej niezwykłe, delikatne prawie jak u ducha rysy zastygły w rozpaczy.

– Wiesz, o co mi chodzi?

– Tak – odpowiedziałam wolno. – Chyba tak. Ale proszę cię, Star, gdybyś potrzebowała z kimś porozmawiać, zawsze pamiętaj o mnie. Dobrze?

– Tak.

– O, tu jesteś!

Obie instynktownie podskoczyłyśmy i odwróciłyśmy się w stronę głosu. Po molu dużymi krokami szła w naszym kierunku CeCe. Być może tylko mi się zdawało, ale w opalizujących, niebieskich oczach Star prawie na pewno przez krótką chwilę gościł lekki cień irytacji.

– Wyszłam się przewietrzyć, bo spałaś. – Star podniosła się.

– Już się obudziłam. Tiggy też. Przyjechała w nocy Elektra? Przed chwilą zajrzałam do jej sypialni i nie zauważyłam śladu, żeby ktoś tam spał.

– Przyjechała i została ze mną w pawilonie. Pójdę zobaczyć, czy się obudziła. – Wstałam i ruszyłam za siostrami przez trawnik.

– Pewnie ciężko ci było opanować histerię Elektry, co? – odezwała się CeCe.

– Trzeba przyznać, że jak na swoje możliwości była dość spokojna – odparłam, wiedząc, że ona i Elektra niespecjalnie za sobą przepadają. Jedna stanowiła dokładne przeciwieństwo drugiej. CeCe była praktyczna i nie znosiła okazywać jakichkolwiek emocji, za to Elektra była bardzo wybuchowa.

– Jestem pewna, że długo to nie potrwa – fuknęła CeCe. – To na razie.

W drodze do pawilonu rozmyślałam nad przygnębieniem Star. Chociaż nic właściwie nie powiedziała, po raz pierwszy odniosłam wrażenie, że z trudem znosi dominację CeCe. Kiedy weszłam do pawilonu, usłyszałam, że ktoś jest w kuchni.

To Elektra nalewała wodę do czajnika. Miała na sobie długą szafirową szatę, w której wyglądała oszałamiająco pięknie.

– Jak spałaś? – zapytałam.

– Jak niemowlę. Przecież wiesz, że zawsze dobrze sypiam. Masz ochotę na herbatę?

Nieufnie popatrzyłam na jej torebkę z herbatą.

– Co to jest?

– Czysta zielona. W Kalifornii wszyscy to teraz piją. Mitch mówi, że jest bardzo zdrowa.

– Ale przecież wiesz, że jestem uzależniona od naszej dobrej tradycyjnej English Breakfast, w której jest mnóstwo kofeiny. – Usiadłam z uśmiechem. – Więc za tę raczej dziękuję.

– Wszyscy jesteśmy od czegoś uzależnieni, ale herbatą zanadto bym się nie martwiła. Czy Ally już się odezwała?

Powiedziałam jej dokładnie to samo, co w zameczku usłyszałam od Mariny.

– Wiesz, że nie bardzo mogę się pochwalić cnotą cierpliwości. Terapeuta ciągle mi to powtarza. Ale chyba nie będziemy tu tak po prostu tkwić do przyjazdu Ally? Jeśli wypłynęła gdzieś daleko, może to potrwać nawet parę tygodni.

Przyglądałam się, jak posuwistym krokiem przemieszcza się po kuchni. Choć to mnie uważano za najpiękniejszą w rodzinie, zawsze uważałam, że ten tytuł należy się Elektrze. Dopiero wstała z łóżka, więc na ramiona opadały jej drobne loczki jak zmierzwiona grzywa. Nie potrzebowała ani trochę makijażu, by uwypuklić niewiarygodnie piękne kości policzkowe i pełne usta. Do tego dochodziło wysportowane, lecz bardzo kobiece ciało. Przypominała mi królową Amazonek.

– Masz tu coś, co nie jest pełne konserwantów? – zapytała, otwierając lodówkę i krytycznie przeglądając jej zawartość.

– Przepraszam, ale tacy zwykli śmiertelnicy jak ja nie czytają drobnego druczku na nalepkach opakowań z żywnością – odparowałam, mając nadzieję, że zrozumie mój żart.

– Spójrzmy prawdzie w oczy, Maju. Dla ciebie nie ma znaczenia, jak wyglądasz, skoro prawie nikogo tu nie widujesz.

– Tak – zgodziłam się, bo przecież była to prawda.

Elektra w końcu postanowiła, że na śniadanie zje banana. Obrała go i ugryzła ze smutną miną.

– Za trzy dni czeka mnie ważna sesja zdjęciowa do „Vogue'a". Mam nadzieję, że nie będę musiała jej odwoływać.

– Też mam taką nadzieję, ale kto wie, kiedy Ally tu dotrze? Wczoraj wieczorem przeszukałam Google'a, żeby dowiedzieć się, jakie odbywają się teraz regaty żeglarskie. Niestety, niczego nie znalazłam. Nie możemy więc nawet wysłać wiadomości do organizacji żeglarskich, żeby pomogły nam się z nią skontaktować. W każdym razie pozostałe dziewczyny już się obudziły i są w zameczku. Może pójdziemy się z nimi spotkać, kiedy się ubierzesz? – zaproponowałam.

– Jeśli to konieczne – nonszalancko rzuciła Elektra.

– Wiesz co? Za chwilę tu do ciebie przyjdę. – Wstałam od stołu, wiedząc, że kiedy jest w takim humorze, najlepiej zostawić ją samą.

Poszłam do swojego gabinetu, usiadłam za biurkiem i włączyłam komputer. Zobaczyłam, że przyszedł do mnie przemiły mail od brazylijskiego pisarza, który nazywał się Floriano Quintelas. Kilka miesięcy temu przetłumaczyłam z portugalskiego jego piękną powieść *Cichy wodospad*. W trakcie pracy napisałam do niego, kiedy miałam kłopot z przetłumaczeniem pewnego zwrotu; chciałam z jak największym autentyzmem przekazać poetycki, ulotny nastrój jego prozy. Od tamtej pory od czasu do czasu korespondowaliśmy ze sobą.

Napisał, że w lipcu przylatuje do Paryża w związku z publikacją francuskiego wydania książki, i zapraszał mnie na organizowane z tej okazji przyjęcie. Oprócz tego załączył kilka pierwszych rozdziałów nowej książki z prośbą, żebym je przeczytała, jeśli znajdę na to czas.

Jego mail bardzo podniósł mnie na duchu, gdyż tłumaczenie to zajęcie anonimowe i w związku z tym bywa niewdzięczne. Ceniłam więc sobie rzadkie okazje, kiedy jakiś pisarz kontaktował się ze mną i mogłam poczuć z nim więź.

Nagle moją uwagę oderwał od komputera widok znajomej postaci biegnącej przez trawnik od strony mola.

– Ally! – Ze zdziwienia zaparło mi dech. Błyskawicznie wstałam od biurka. – Elektro, przyjechała Ally! – zawołałam i czym prędzej wypadłam z pawilonu, żeby ją przywitać.

Pozostałe siostry też ją najwyraźniej zobaczyły i zanim udało mi się dotrzeć do tarasu zameczku, wokół Ally już skupiły się CeCe, Star i Tiggy.

– Maju – zwróciła się do mnie Ally, kiedy tylko mnie zobaczyła. – Prawda, że to straszne?

– Tak, okropne. Ale skąd się dowiedziałaś? Od dwóch dni wszystkie usiłujemy się z tobą skontaktować.

– Może lepiej wejdźmy do środka – poprosiła. – Wtedy wszystko wam opowiem.

Zostałam nieco z tyłu, a cała reszta obległa Ally i razem szły do zameczku. Chociaż to ja byłam najstarsza i gdy któraś z nich miała jakiś kłopot, indywidualnie zwracały się do mnie, to kiedy byłyśmy w grupie, przewodnictwo obejmowała Ally. Teraz też jej na to pozwoliłam.

Marina czekała już z rozpostartymi ramionami na dole schodów. Gdy Ally ją wyściskała, mama zaproponowała, żebyśmy wszystkie poszły do kuchni.

– Świetny pomysł. Koniecznie muszę napić się kawy – oznajmiła Ally. – Mam za sobą długą podróż.

Claudia przygotowywała duży dzbanek kawy, kiedy do kuchni niepostrzeżenie weszła Elektra. Wszystkie siostry przywitały ją serdecznie – z wyjątkiem CeCe, która ostentacyjnie zaledwie raczyła w jej stronę kiwnąć głową.

– A teraz opowiem wam, co mi się przydarzyło, bo szczerze mówiąc, nadal tego nie rozumiem – powiedziała Ally, gdy usiadłyśmy wokół stołu. – Mamo – zwróciła się do Mariny, która krążyła w pobliżu. – Ty też powinnaś to usłyszeć. Może będziesz w stanie coś wyjaśnić.

Marina usiadła z nami przy stole.

– Byłam nad Morzem Egejskim i trenowałam przed regatami na Cykladach, które są w przyszłym tygodniu. Znajomy z żaglówki zaproponował, żebym kilka dni spędziła z nim na jego jachcie motorowym. Pogoda była fantastyczna, więc cieszyliśmy się, że dla odmiany możemy po prostu odpoczywać na wodzie. – Ally uśmiechnęła się ze skruchą.

– Na czyim byłaś jachcie? – zapytała Elektra.

– Już mówiłam, że mojego znajomego – odpowiedziała nieco zniecierpliwiona Ally i każda z nas z powątpiewaniem uniosła brwi.

– W każdym razie – ciągnęła – kilka dni temu ten znajomy powiedział, że jego kumpel, też żeglarz, powiadomił go przez radio, że niedaleko wybrzeża Delos zauważył zakotwiczonego *Tytana*. Mój znajomy oczywiście wiedział, że to jacht taty, więc oboje stwierdziliśmy, że będzie miło, jeśli zrobimy mu niespodziankę i go odwiedzimy. Wiedzieliśmy, że jeśli się pośpieszymy, dopłyniemy do niego w jakąś godzinę, więc podnieśliśmy kotwicę i czym prędzej wyruszyliśmy.

Łyknęła kawy i opowiadała dalej:

– Kiedy byliśmy już blisko, zobaczyłam *Tytana* przez lornetkę, więc przez radio odezwaliśmy się do Hansa, kapitana taty, i zawiadomiliśmy go, że jesteśmy w okolicy. Niestety – Ally westchnęła – z przyczyn, których wtedy w ogóle nie rozumiałam, nikt nam nie odpowiedział. W dodatku jacht najwyraźniej zaczął się od nas oddalać. Robiliśmy, co się dało, żeby go dogonić, ale same wiecie, że jeśli trzeba, jacht taty może być szybki.

Przyglądałam się skupionym twarzom sióstr. Wszystkie najwyraźniej zaintrygowała historia Ally.

– Moja komórka miała strasznie słaby zasięg i dopiero wczoraj udało mi się odsłuchać wasze wiadomości z prośbą o szybki kontakt. A także tę od ciebie, CeCe, w której powiedziałaś, co się stało.

– Przepraszam cię, Ally. – CeCe ze wstydem opuściła wzrok. – Uznałam, że nie ma sensu owijać w bawełnę. Byłaś jak najszybciej potrzebna tu, w domu.

– No więc przyjechałam. Ale teraz bardzo was proszę... może któraś mi wyjaśni, co tu się właściwie dzieje? I dlaczego jacht taty był przy wybrzeżu Grecji, kiedy on już... nie żył?

Oczy wszystkich osób przy stole zwróciły się ku mnie. Ally także. Jak najwięźlej potrafiłam, powiedziałam jej, co się stało, od czasu do czasu prosząc Marinę o potwierdzenie. Twarz Ally kompletnie zbladła, kiedy wyjaśniłam, gdzie i w jakich okolicznościach nasz ojciec pragnął zostać pochowany.

– O mój Boże – szepnęła. – Być może niechcący byłam świadkiem jego pogrzebu. Nic dziwnego, że jacht tak szybko się od nas oddalił.

Oparła głowę na dłoniach, a pozostałe dziewczęta wstały i otoczyły Ally. Obie z Mariną rozpaczliwie na siebie patrzyłyśmy z przeciwległych końców stołu. Wreszcie moja siostra się uspokoiła i przeprosiła nas za to, że tak się załamała.

– Przeżyłaś straszny szok, kiedy się o wszystkim dowiedziałaś – odezwała się Tiggy. – Bardzo nam przykro.

– Dziękuję za wsparcie. – Ally kiwnęła dłonią. – Gdy teraz o tym myślę, przypominam sobie, że kiedyś na jachcie tata powiedział mi, że chce być pochowany w morzu. Więc to wszystko ma sens.

– Oprócz tego, że nie zaproszono nas do uczestniczenia w tym – buntowniczo zaoponowała Elektra.

– To prawda. – Ally westchnęła. – A jednak, całkiem przez przypadek, ja tam byłam. Słuchajcie, czy bardzo byście się obraziły, gdybym trochę pobyła teraz sama?

Wszystkie zgodziłyśmy się, że to dobry pomysł, więc wyszła z kuchni żegnana przez nas wyrazami wsparcia.

– To dla niej ciężkie przeżycie – odezwała się Marina.

– Przynajmniej w przybliżeniu wiemy, gdzie Pa Salt został pochowany – stwierdziła CeCe.

– Jezu, nie potrafisz myśleć o czymś innym? – syknęła Elektra.

– Przepraszam, ale taka już jestem, na wszystko patrzę praktycznie – niewzruszenie odpowiedziała CeCe.

– Ja też się chyba cieszę, że wiemy, gdzie tata jest pochowany – poparła ją Tiggy. – Uwielbiał greckie wyspy, a zwłaszcza Cyklady. Może latem popłyniemy tam jego jachtem i złożymy wieniec w miejscu, które Ally widziała na radarze.

– Tak – wyrwała się Star. – To piękny pomysł, Tiggy.

– A teraz, dziewczęta, macie ochotę zjeść coś konkretnego? – zapytała Marina.

– Ja nie – rzuciła Elektra. – Jeśli macie w domu coś zielonego, to poproszę o sałatę.

– Na pewno znajdzie się coś odpowiedniego dla ciebie – cierpliwie zapewniła ją Marina i dała Claudii znak, że czas szykować jedzenie. – A skoro Ally jest już w domu, to czy mam zadzwonić to Georga Hoffmana i poprosić go, żeby przyjechał?

– Oczywiście! – zawołała CeCe, zanim zdążyłam się odezwać. – Lepiej będzie, jeśli jak najszybciej usłyszymy to, co Pa Salt chciał nam powiedzieć… cokolwiek to jest.

– Czy waszym zdaniem Ally sobie z tym poradzi? – zapytała Marina. – Przeżyła dzisiaj straszny szok.

– Szczerze mówiąc, wydaje mi się, że jak większość z nas będzie chciała jak najszybciej mieć to za sobą – wyraziłam swoje zdanie. – Więc tak, mamo, zadzwoń to Georga.

6

Ally nie przyszła na lunch, więc wiedząc, że potrzebuje czasu, aby zrozumieć, co się stało, postanowiłyśmy zostawić ją w spokoju. Kiedy Claudia sprzątała talerze, do kuchni weszła Marina.

– Rozmawiałam z Georgiem. Przyjedzie tuż przed zachodem słońca. Podobno wasz ojciec dał mu dokładne wskazówki, o jakiej porze dnia ma się z wami spotkać.

– Dobrze – rzuciła CeCe. – Po tak ogromnym posiłku przydałoby mi się trochę świeżego powietrza. Ma któraś ochotę na krótki rejs po jeziorze?

Reszta sióstr zgodziła się do niej dołączyć, być może, aby rozładować rosnące napięcie.

– Przepraszam, ale ja z wami nie popłynę – powiedziałam. – Jedna z nas powinna zostać ze względu na Ally.

Kiedy we czwórkę odpłynęły z Christianem motorówką, powiedziałam Marinie, że wracam do pawilonu, więc gdyby Ally mnie potrzebowała, to tam będę. Skuliłam się na kanapie z laptopem i zaczęłam czytać pierwsze rozdziały nowej książki Floriana Quintelasa. Tak jak jego pierwsza powieść, była pięknie napisana – dokładnie taka proza, jaką lubiłam. Akcja rozgrywała się sto lat temu w pobliżu wodospadu Iguazú. Opowiadała o afrykańskim chłopcu, którego wyswobodzono z tyranii niewolnictwa. Tak mnie pochłonęła, że pewnie za bardzo się rozluźniłam, bo zapadłam w drzemkę. Nagle poczułam, że laptop osunął mi się na podłogę, i usłyszałam, że ktoś mnie woła.

Kiedy ocknęłam się spłoszona, zobaczyłam, że to Ally.

– Przepraszam cię, Maju. Zasnęłaś, prawda?

– Chyba tak. – Nie wiadomo, dlaczego miałam poczucie winy.

– Mama powiedziała, że reszta dziewcząt wypłynęła na jezioro, więc pomyślałam, że przyjdę z tobą porozmawiać. Masz coś przeciwko temu?

– Ależ skąd. – Próbowałam otrząsnąć się ze snu po niezaplanowanej popołudniowej drzemce.

– Może zrobię nam obu herbaty? – zaproponowała Ally.

– Dobrze, proszę. Dla mnie jak zwykle English Breakfast.

– Wiem. – Uśmiechnęła się i wychodząc, lekko uniosła brwi.

Po chwili wróciła z dwiema parującymi filiżankami i usiadła. Kiedy unosiła swoją do ust, zauważyłam, że drżą jej ręce.

– Maju, muszę ci coś powiedzieć. – Nagle odstawiła filiżankę na spodeczek. – Dam sobie spokój z tą herbatą. Masz coś mocniejszego?

– W lodówce jest białe wino. – Poszłam do kuchni, żeby przynieść butelkę i kieliszek. Ally rzadko piła, więc wiedziałam, że ma mi do powiedzenia coś ważnego.

– Dziękuję – rzuciła, gdy podałam jej kieliszek. – Pewnie to nic takiego – łyknęła trochę wina – ale kiedy dopłynęliśmy do miejsca, gdzie chwilę przedtem był *Tytan*, i zobaczyliśmy, że czym prędzej ucieka w dal, w pobliżu był jeszcze jeden duży jacht, który nadal stał na kotwicy.

– Chyba nie ma w tym nic dziwnego. Mamy koniec czerwca, więc na Morzu Egejskim jest pełno urlopowiczów.

– Tak, ale… oboje z moim znajomym rozpoznaliśmy ten jacht. To był *Olympus*.

Kiedy to powiedziała, moja filiżanka, która znajdowała się w połowie drogi do ust, z brzękiem opadła na spodeczek.

– Na pewno słyszałaś, co się stało na *Olympusie*. Podczas lotu przeczytałam o tym w gazecie. – Ally zagryzła wargę.

– Tak, oglądałam relację w wiadomościach.

– Nie dziwi cię, że tata wybrał akurat to miejsce na wieczny odpoczynek? A w pobliżu Kreeg Eszu prawdopodobnie w tym samym czasie postanowił odebrać sobie życie?

64

Oczywiście, że mnie dziwi, pomyślałam, i to z wielu powodów, o których nigdy nie mogłabym powiedzieć Ally. Zaszedł wręcz nieprzyzwoicie groteskowy zbieg okoliczności. Ale czy mogło się kryć za tym coś więcej? Niemożliwe.

– Nawet bardzo – powiedziałam na głos, z całych sił starając się ukryć wzburzenie. – Ale jestem pewna, że między tymi dwoma wydarzeniami nie ma związku. Chyba nawet się nie znali, co?

– O ile wiem, to nie – przyznała Ally. – Ale co właściwie wiedziałyśmy o życiu taty poza naszym domem i jego jachtem? Poznałyśmy bardzo niewiele osób, z którymi się przyjaźnił albo współpracował. A jest przecież całkiem logiczne, że ci dwaj mogli gdzieś się zetknąć. W końcu obaj byli niezwykle bogatymi ludźmi sukcesu.

– Tak, Ally, jestem jednak pewna, że to był zwykły przypadek. W końcu ty też pływałaś w pobliżu na jachcie. Delos to przepiękna wyspa i wiele łodzi tam zmierza.

– Wiem. Mimo to nie mogę przestać myśleć o tym, że tata spoczywa w samotności na dnie morza. Kiedy tam byłam, nie wiedziałam nawet, że już nie żyje. Nie mówiąc o tym, że leży pod tą nieprawdopodobnie błękitną wodą.

Wstałam, podeszłam do niej i otoczyłam ją ramieniem.

– Ally, bardzo cię proszę, zapomnij, że tam był ten drugi jacht. To nie ma znaczenia. Właściwie dobrze, że wiemy, gdzie ojciec postanowił zostać pochowany. Może w lecie popłyniemy tam razem i złożymy na wodzie wieniec, tak jak proponowała Tiggy.

– Najgorzej, że mam straszne poczucie winy. – Ally się rozszlochała.

– Dlaczego?

– Bo... przez te kilka dni na żaglówce przeżyłam coś pięknego. Byłam szczęśliwa, szczęśliwsza niż kiedykolwiek w życiu. No i prawda jest taka, że nie chciałam, żeby ktokolwiek do mnie dzwonił, więc wyłączyłam telefon. A w tym czasie tata umierał! Akurat, kiedy mnie potrzebował, byłam niedostępna!

– Ally, Ally! – Odgarnęłam jej włosy z twarzy i delikatnie ją pokołysałam. – Naprawdę uważam, że tata chciał, żeby tak było. Zwróć uwagę na to, że tu mieszkam, i nawet ja wyfrunęłam z gniazda, kiedy to się stało. Z tego, co mówiła mama, wynika, że nic nie dało się zrobić. Musimy w to uwierzyć.

– Wiem. Ale mam wrażenie, że jest tyle rzeczy, o które chciałam go zapytać, tyle mu powiedzieć, a teraz już go nie ma.

– Chyba wszystkie tak to odczuwamy. – Westchnęłam ze smutkiem. – Przynajmniej mamy siebie nawzajem.

– Tak, to prawda. Dziękuję ci, Maju. – W jej głosie usłyszałam wdzięczność. – Czy to nie dziwne, jak w ciągu kilku godzin nasze życie może zostać postawione na głowie? – Teraz ona westchnęła.

– Tak – przytaknęłam żarliwie. – Kiedyś chciałabym się dowiedzieć, dlaczego byłaś taka szczęśliwa.

– Przyjdzie taka chwila, że ci opowiem. Obiecuję. Ale jeszcze nie teraz. A tobie jak się żyje, Maju? – zapytała, nagle zmieniając temat.

– W porządku. – Wzruszyłam ramionami. – Nadal jestem w szoku, jak wszyscy.

– Oczywiście. Zawiadamianie nas na pewno nie było łatwe. Przepraszam, że mnie nie było, żeby ci pomóc.

– Ale już przyjechałaś i dzięki temu możemy przynajmniej spotkać się z Georgiem Hoffmanem, a potem jakoś poukładamy sobie życie.

– No tak. Zapomniałam ci powiedzieć, że mama prosiła, żebyśmy za jakąś godzinę były w zameczku. Lada chwila przypłynie Georg Hoffman, ale podobno najpierw chce porozmawiać z Mariną – oznajmiła. – Więc skoro musimy czekać, to czy mogę jeszcze prosić o kieliszek wina?

*

O siódmej wieczorem wróciłyśmy z Ally do zameczku. Nasze siostry siedziały na tarasie w przedwieczornym słońcu.

– Czy jest już Georg Hoffman? – zapytałam, kiedy obie usiadłyśmy.

– Tak, ale mamy tu na niego czekać. Oboje z mamą gdzieś zniknęli. Cały Pa Salt, do końca tajemniczy. – Elektra nie powstrzymała się od zgryźliwego komentarza.

Wszystkie czekałyśmy w napięciu, aż w końcu na tarasie pojawił się Georg z Mariną.

– Przepraszam, że to trwało tak długo, dziewczęta, ale musieliśmy coś zorganizować. Chciałbym wam wszystkim złożyć kondolencje – powiedział sztywno, po czym sięgając przez stół w typowo szwajcarski, oficjalny sposób, podał rękę każdej z nas. – Czy mogę usiąść?

– Oczywiście. – Wskazałam krzesło obok mnie. Przyjrzałam się Georgowi dokładnie. Był nieskazitelnie elegancko ubrany w ciemny garnitur. Po zmarszczkach na twarzy i łysinie, która zrobiła spory wyłom w jego srebrzystosiwych włosach nad czołem, zgadywałam, że jest nieco po sześćdziesiątce.

– W razie potrzeby będę w domu – powiedziała Marina, po czym skinęła głową i odeszła w kierunku zameczku.

– No cóż, dziewczęta – odezwał się Georg. – Bardzo mi przykro, że nasze pierwsze spotkanie odbywa się w tak tragicznych okolicznościach. Oczywiście mam wrażenie, że każdą z was bardzo dobrze znam z opowieści ojca. Po pierwsze, muszę wam powiedzieć, że was wszystkie bardzo kochał. Nie tylko kochał, był niezmiernie dumny z tego, kim jesteście. Rozmawiałem z nim tuż przed jego... odejściem i prosił, żebym wam to przekazał.

Ze zdumieniem dojrzałam, że jego oczy zaszkliły się od łez. Wiedziałam, jak niezwykłe jest okazywanie emocji u ludzi jego zawodu, i pomyślałam o nim nieco cieplej.

– Przede wszystkim musimy omówić sprawę finansów. Pragnę was zapewnić, że w pewnym zakresie będziecie zabezpieczone do końca życia. Niemniej jednak ojciec był niezłomny w swoim postanowieniu, że nie powinnyście prowadzić życia leniwych księżniczek. Tak więc każda z was dostanie comiesięczną pensję, która wystarczy na zabezpieczenie podstawowych potrzeb, ale nie pozwoli na życie w luksusie. W rozmowie ze mną ojciec stanowczo podkreślał, że na zbytki każda musi zarobić sama, tak jak on w przeszłości. Majątek waszego ojca znajdzie się w funduszu powierniczym, którym, zgodnie z jego życzeniem, będę miał zaszczyt zarządzać. Od mojej decyzji będzie zależało, czy przyznać dodatkową pomoc finansową, jeśli któraś z was przyjdzie do mnie z jakąś propozycją bądź kłopotem.

Nadal milczałyśmy, w skupieniu wsłuchując się w słowa Georga.

– Zameczek wejdzie w skład funduszu powierniczego. Zarówno Claudia, jak i Marina zgodziły się tu zostać i opiekować się nim. W dniu śmierci ostatniej siostry fundusz powierniczy zostanie rozwiązany, a Atlantis będzie można sprzedać. Dochód ze sprzedaży zostanie rozdzielony między wszystkie dzieci, które może będziecie miały. Jeśli ich nie będzie, pieniądze zostaną przekazane organizacji charytatywnej, którą wyznaczył wasz ojciec. Uważam, że bardzo mądrze to wymyślił. Zapewnił, że dopóki żyjecie, będziecie mogły korzystać z rodzinnego domu i zawsze mieć świadomość, że jest bezpieczne miejsce, do którego możecie wrócić. Ale oczywiście największym życzeniem ojca było, aby każda z was wyfrunęła z gniazda i sama uwiła dla siebie przyszłość.

Przyglądałam się, jak siostry wymieniają między sobą spojrzenia, ale nie mogłam się zorientować, czy spodobała im się decyzja ojca, czy nie. Jeśli chodzi o mnie, to stwierdziłam, że ani pod względem praktycznym, ani finansowym wiele w moim życiu się nie zmieni. Nadal miałam pawilon, za który płaciłam tacie nominalny czynsz, a dochody z pracy z powodzeniem wystarczą mi na bieżące potrzeby.

– Jest jeszcze coś, co ojciec wam zostawił, ale żeby to zobaczyć, muszę poprosić, żebyście poszły ze mną. Proszę, tędy.

Georg wstał, ale zamiast iść w stronę drzwi wejściowych do zameczku, obszedł budynek bokiem. Poszłyśmy za nim przez ogrody jak owieczki za pasterzem. W końcu doszliśmy do zakątka, który był ukryty za ścianą nienagannie przyciętych cisów. Wychodził prosto na jezioro. Rozciągał się z niego niczym niezmącony, malowniczy widok na zachód słońca i góry po drugiej stronie jeziora.

Pośrodku tego ogrodu znajdował się taras, z którego prowadziły schody w dół do zatoczki z kamienistą plażą. Latem często pływałyśmy tam w przejrzystej, chłodnej wodzie. Wiedziałam także, że było to ulubione miejsce taty. Jeśli nie mogłam znaleźć go w domu, przeważnie siedział tutaj – wśród zapachu lawendy i róż, które rosły na zadbanych kwietnikach.

– Jesteśmy na miejscu – powiedział Georg. – Oto, co chciałem wam pokazać.

Wskazał taras i wszystkie wlepiłyśmy wzrok w dziwną, ale piękną rzeźbę, która się na nim pojawiła.

Stanęłyśmy dookoła niej zafascynowane. Składała się z cokołu, który wznosił się prawie na wysokość biodra, i ustawionej na nim niezwykłej, kulistej konstrukcji. Kiedy jej się przyjrzałam, stwierdziłam, że zbudowana jest z misternie złożonych, nakładających się na siebie obręczy otaczających maleńką złotą kulę, która znajdowała się w środku. Po bliższych oględzinach stwierdziłam, że to globus, na którym wyryto zarysy kontynentów. Był przebity cienkim metalowym prętem ze strzałą na końcu. Obwód stawiła obręcz z dwunastoma znakami zodiaku.

– Co to jest? – zapytała CeCe.

– Sfera armilarna – odparł Georg.

Widząc, że nic nam to nie mówi, tłumaczył dalej:

– Sfera armilarna to przyrząd, który znany jest od tysięcy lat. Starożytni Grecy pierwotnie korzystali z takich sfer, by określić pozycję gwiazd, a w ciągu dnia czas. Te obręcze – wskazał złote koła opasujące globus – określają układ współrzędnych równikowych oraz linie południków i równoleżników Ziemi. A południk niebieski, który obejmuje wszystkie obręcze, i na którym wyryte są znaki zodiaku, przebiega z północy na południe. Pręt pośrodku skierowany jest dokładnie na Polaris, Gwiazdę Polarną.

– Jest piękna – powiedziała Star i nachyliła się, żeby dokładniej jej się przyjrzeć.

– Tak, ale jaki to ma związek z nami? – zapytała Elektra.

– Nie zostałem upoważniony, aby to wyjaśniać – odparł Georg. – Chociaż jeśli przyjrzycie się dokładniej, zobaczycie, że na obręczach, które przed chwilą pokazywałem, znajdują się wasze imiona.

Przysunęłyśmy się bliżej i stwierdziłyśmy, że Georg ma rację.

– O, jest twoje imię, Maju – odezwała się Ally i wskazała je palcem. – Dalej widzę jakieś liczby, które wyglądają na współrzędne geograficzne – dodała, po czym popatrzyła na swoje imię i dokładnie przyjrzała się cyfrom. – Tak, to są na pewno współrzędne. W nawigacji morskiej cały czas się nimi posługujemy.

– Są też napisy, ale w jakimś innym języku – zauważyła Elektra.

– W grece. – Natychmiast rozpoznałam, jakie to litery.

– A co znaczą? – zapytała Tiggy.

– Muszę wziąć kartkę i długopis, żeby je zapisać, to je rozszyfruję – powiedziałam, dokładnie przyglądając się mojemu napisowi.

– No dobrze, bardzo ładna ta rzeźba i stoi na tarasie. Ale w sumie jakie to ma znaczenie? – zapytała niecierpliwie CeCe.

– Jeszcze raz powtarzam: nie mogę wam tego powiedzieć – odparł Georg. – A teraz zgodnie z instrukcjami waszego ojca Marina przygotowała szampana na głównym tarasie. Chciał, żebyście wszystkie wzniosły toast na cześć jego odejścia. A potem każdej z was dam od niego kopertę. Mam nadzieję, że znajdziecie w niej znacznie lepsze wyjaśnienie niż to, którym ja jestem wam w stanie służyć.

Znów poszłyśmy za nim przez ogrody. Byłyśmy tak oszołomione, że całkiem zamilkłyśmy. Kiedy dotarłyśmy do tarasu, zobaczyłyśmy dwie butelki schłodzonego szampana Armand de Brignac i tacę z wysmukłymi kryształowymi kieliszkami. Rozsiedliśmy się, a Marina krzątała się przy nas i każdemu nalała trunku.

Georg podniósł swój kieliszek.

– Uczcijmy wspólnie niezwykłe życie waszego ojca. Powiem tylko tyle: właśnie taki chciał mieć pogrzeb. Pragnął, aby wszystkie jego córki zebrały się w Atlantis, w domu, który miał zaszczyt przez tyle lat z wami dzielić.

Jak roboty podniosłyśmy kieliszki.

– Za Pa Salta – powiedziałam.

Czułyśmy się nieswojo, ale łyknęłyśmy nieco szampana. Spojrzałam w niebo, a potem na nasze jezioro i góry za wodą, i powiedziałam tacie w myślach, że go kocham.

– Więc kiedy dostaniemy te listy? – w końcu zapytała Ally.

– Zaraz po nie pójdę. – Georg wstał od stołu.

– To na pewno najdziwniejsza stypa, w jakiej kiedykolwiek brałam udział – odezwała się CeCe.

– Ja zwykle u Pa Salta. – Elektra uśmiechnęła się blado.

– Mogę prosić o więcej szampana? – zapytała Ally.

– Marina zauważyła, że wszystkie mamy puste kieliszki, więc każdej wlała następną porcję trunku.

– Rozumiesz coś z tego, mamo? – nerwowo odezwała się Star.

– Wiem tyle samo co ty, *chérie*. – Marina jak zwykle była tajemnicza.

– Tak bardzo chciałabym, żeby tu był i wszystko sam nam wyjaśnił – powiedziała Tiggy i jej oczy wypełniły się łzami.

– Ale go nie ma – cichutko przypomniała jej Ally. – Ja tam czuję, że wszystko jest tak, jak trzeba. Tata sprawił, żebyśmy przeszły przez to straszne doświadczenie tak łagodnie, jak to tylko możliwe. A teraz musimy się nawzajem wspierać.

– Masz rację – zgodziła się Elektra.

Spojrzałam na Ally i żałowałam, że nie umiem tak jak ona znaleźć odpowiednich słów, żeby wesprzeć i zmobilizować siostry.

Zanim wrócił Georg, szampan sprawił, że nieco się rozluźniłyśmy. Prawnik usiadł i położył na stole sześć grubych, kremowych welinowych kopert.

– Te listy dostałem mniej więcej sześć tygodni temu z poleceniem, że gdyby wasz ojciec umarł, każdej z was mam wręczyć kopertę.

Wszystkie spojrzałyśmy na niego z zainteresowaniem zmieszanym z podejrzliwością.

– Czy i ja mogę prosić o dolanie szampana? – Jego głos wydał mi się zmęczony.

Zrozumiałam, że także dla niego musi być to bardzo trudne. Poinformowanie sześciu dziewcząt w żałobie o niezwykłym testamencie ich ojca na pewno było wyzwaniem nawet dla kogoś nadzwyczaj pragmatycznego.

– Oczywiście – rzuciła Marina i napełniła mu kieliszek.

– Czy mamy je otworzyć teraz, czy potem, w samotności? – zapytała Ally.

– Ojciec nie postawił tu żadnych warunków – odparł Georg. –
Powiedział tylko, żeby każda z was otworzyła swoją kopertę, kiedy
poczuje, że jest do tego gotowa i może zrobić to w spokoju.

Przyjrzałam się swojemu listowi. Widniało na nim moje imię
napisane pięknym, dobrze mi znanym charakterem pisma ojca.
Na ten widok zachciało mi się płakać.

Popatrzyłyśmy jedna na drugą, usiłując rozpoznać, jak się która
czuje.

– Ja swój wolałabym przeczytać na osobności – postanowiła
Ally.

Odpowiedział jej ogólny pomruk zgody. Jak zwykle Ally instynktownie znakomicie wyczuła nastrój wszystkich sióstr.

– A więc moja praca jest na dziś skończona. – Georg opróżnił
kieliszek, sięgnął do kieszeni. Wyjął sześć wizytówek i rozdał je
nam. – Proszę, kontaktujcie się ze mną, gdybyście potrzebowały mojej pomocy. I pamiętajcie, że jestem do waszej dyspozycji
w dzień i w nocy. Chociaż znając waszego ojca, jestem pewny, że
przewidział, czego każdej z was potrzeba. A teraz na mnie już
czas. Jeszcze raz składam wam, dziewczęta, kondolencje.

– Dziękujemy panu, Georg – odpowiedziałam. – Jesteśmy panu
wdzięczne za pomoc.

– Do widzenia. – Wstał i skinął do nas wszystkich głową. – Je-
ślibyście mnie potrzebowały, wiecie, gdzie jestem. Nie ma potrzeby mnie odprowadzać.

Patrzyłyśmy, jak schodzi z tarasu, a potem od stołu wstała także
Marina.

– Chyba dobrze by nam zrobiło, gdybyśmy coś zjadły. Powiem
Claudii, żeby kolację przyniosła tutaj – rzekła i zniknęła wewnątrz
domu.

– Prawie boję się to otwierać – odezwała się Tiggy, macając swoją kopertę. – Nie mam pojęcia, co tam może być.

– Mogłabyś wrócić do sfery armilarnej, Maju, i przetłumaczyć
napisy, które są na niej wyryte? – poprosiła Ally.

– Oczywiście – zgodziłam się, ale zobaczyłam, że Marina i Claudia idą do nas z talerzami pełnymi jedzenia. – Zaraz po kolacji.

– Mam nadzieję, że się nie obrazicie, ale nie jestem głodna. – Elektra wstała od stołu. – Do zobaczenia.

Kiedy wychodziła, zrozumiałam, że każda z nas ma ochotę zrobić to samo, ale brakuje nam odwagi. Wszystkie potrzebowałyśmy pobyć w samotności.

– Głodna jesteś, Star? – zapytała CeCe.

– Chyba powinnyśmy coś zjeść – cicho odpowiedziała Star. W dłoniach mocno ściskała swoją kopertę.

– Dobrze – zgodziła się CeCe.

Dzielnie zmuszałyśmy się do jedzenia, które z taką troską przygotowała Claudia. A potem, jedna po drugiej, moje siostry zaczęły wstawać i w ciszy odchodzić od stołu, aż zostałyśmy tylko we dwie z Ally.

– Nie obrazisz się, Maju, jeśli i ja sobie pójdę? Jestem strasznie zmęczona.

– Ależ skąd – zapewniłam ją. – Ostatnia dowiedziałaś się o wszystkim i nie zdążyłaś otrząsnąć się z szoku.

– Pewnie tak – zgodziła się ze mną i wstała. – Dobranoc, kochana.

– Dobranoc.

Jeszcze kiedy była na tarasie, zacisnęłam w palcach kopertę, która od godziny leżała koło mojego talerza. Po pewnym czasie wstałam i poszłam do pawilonu. W sypialni wcisnęłam kopertę pod poduszkę, a potem wzięłam z gabinetu papier i pióro.

Uzbrojona w latarkę, jeszcze raz przemierzyłam ogrody, by dokładnie przyjrzeć się sferze armilarnej. Na dobre zapadała noc i na niebie pojawiały się pierwsze gwiazdy. Pa Salt wielokrotnie pokazywał mi Siedem Sióstr w swoim obserwatorium, kiedy między listopadem a kwietniem wisiały dokładnie nad jeziorem.

– Brak mi ciebie – szepnęłam w stronę nieba. – I mam nadzieję, że kiedyś wszystko zrozumiem.

Następnie skupiłam się na złotych obręczach okalających globus. Trzymając w lewej ręce latarkę, najdokładniej, jak umiałam, skopiowałam greckie słowa. Stwierdziłam, że jutro muszę jeszcze tu wrócić, żeby sprawdzić, czy na pewno wszystko dobrze przepisałam. Policzyłam, ile mam napisów.

Było ich sześć.

Została jedna obręcz, której jeszcze się nie przyjrzałam. Skierowałam na nią światło latarki w poszukiwaniu napisu. Widniało na niej tylko imię: Merope.

7

Było już dobrze po północy, a ja nadal tłumaczyłam napisy ze sfery armilarnej. Nie oceniałam, czy ich treść pasuje do moich sióstr, gdyż uznałam, że to nie moja sprawa. Mój zostawiłam na koniec – chyba dlatego, że bardzo się bałam, co odkryję. Kiedy skończyłam tłumaczenie, wzięłam głęboki oddech i przeczytałam:

Nigdy nie pozwól, aby twoim losem rządził strach.

Zrozumiałam, że nie można trafniej określić mojej sytuacji niż w ośmiu słowach, które zostawił mi papa.

*

Następnego ranka zrobiłam sobie obowiązkową filiżankę herbaty, wróciłam do sypialni, z wahaniem wyjęłam spod poduszki kopertę i zaniosłam ją do salonu. Pijąc wolno herbatę, przez chwilę przyglądałam się kopercie.

Kilka razy głęboko odetchnęłam, po czym podniosłam ją i rozerwałam. Wewnątrz był list, ale i coś jeszcze. Włożyłam rękę do środka i poczułam pod palcami lity, a jednocześnie na swój sposób miękki przedmiot. Kiedy go wyjęłam, zobaczyłam trójkątny kafelek w kolorze kremowym z odcieniami zieleni. Odwróciłam go i zobaczyłam nieczytelny, zatarty napis.

Nie byłam w stanie nic z niego odszyfrować, więc odłożyłam kafelek, drżącymi rękami rozłożyłam list od papy i zaczęłam czytać:

Moja najdroższa Maju,

jestem pewny, że kiedy usiadłaś, żeby to przeczytać, czujesz się zdezorientowana i smutna. Moja ukochana, pierworodna córko, mogę Ci tylko powiedzieć, że byłaś dla mnie wielką radością. Choć nie mam prawa twierdzić, że jestem Twoim naturalnym ojcem, błagam, uwierz, że zawsze kochałem Cię tak, jakbym nim był. Muszę Ci zdradzić, że to Ty zainspirowałaś mnie do adoptowania Twoich pięknych młodszych sióstr, a wszystkie sprawiłyście mi większą przyjemność niż cokolwiek innego w całym moim życiu.

Nigdy nie prosiłaś mnie, żebym Ci opowiedział o Twoim prawdziwym pochodzeniu, o tym, gdzie Cię znalazłem, i okolicznościach, które doprowadziły do adopcji. Zapewniam Cię, że gdybyś mnie o to poprosiła, wszystko bym Ci opowiedział, tak jak zdarzyło się to kilka lat temu z jedną z Twoich sióstr. Skoro jednak opuszczam ten świat, uważam za słuszne umożliwić Ci odkrycie prawdy, jeśli w przyszłości tego zapragniesz.

Żadna z Was nie przyszła do mnie z aktem urodzenia, ale jak wiesz, wszystkie jesteście oficjalnie zarejestrowane jako moje córki. Nikt nie może Wam tego odebrać.

Niemniej czuję się w obowiązku przynajmniej wskazać Ci kierunek poszukiwań. Potem tylko od Ciebie będzie zależało, czy zechcesz podjąć podróż w przeszłość.

Na sferze armilarnej, którą już widziałaś, są współrzędne wskazujące dokładnie, gdzie zaczęła się historia Twojego życia. W kopercie jest dodatkowa wskazówka, która Ci pomoże.

Maju, nie potrafię Ci powiedzieć, co znajdziesz, jeśli postanowisz wrócić do kraju, gdzie się urodziłaś. Zapewniam jednak, że Twoja biologiczna rodzina i historia, która jest z nią związana, miała wpływ na moje życie.

Przykro mi, że zabrakło czasu, abym opowiedział Ci moją własną historię. Być może czasami uważałaś, że miałem zbyt wiele tajemnic. Zrobiłem to, by Was ochronić. Ale żaden mężczyzna ani żadna kobieta nie jest samotną wyspą. Gdy dorosłyście, musiałem Wam pozwolić odfrunąć z gniazda.

Każdy ma swoje tajemnice, ale... proszę, uwierz mi, kiedy mówię, że rodzina jest wszystkim. A miłość rodzica do dziecka to najpotężniejsza siła na ziemi.

Maju, jest rzeczą zrozumiałą, że gdy wspominam, co przeżyłem, żałuję wielu decyzji, które kiedyś podjąłem. Oczywiście popełnianie błędów jest ludzkie; dzięki nim uczymy się i wzrastamy. Ale najbardziej na świecie chciałbym moim najdroższym córkom przekazać mądrość, którą dzięki temu zdobyłem.

Mam wrażenie, że Twoje dotychczasowe doświadczenia tak Cię zraniły, że utraciłaś wiarę w człowieka. Najdroższa Maju, wiedz, że przeżyłem takie samo nieszczęście i czasami podcinało mi ono skrzydła. Mimo to długie lata życia nauczyły mnie, że na każdą zakałę można znaleźć tysiące ludzi o złotych sercach. Musisz uwierzyć we wrodzoną dobroć każdego z nas. Tylko wtedy będziesz mogła w pełni żyć i kochać.

Teraz już Cię zostawię, najdroższa. Jestem pewny, że dałem wiele do myślenia Tobie i Twoim siostrom.

Cały czas czuwam nad Tobą z nieba.

Ucałowania.

Twój kochający ojciec
Pa Salt

Siedziałam z listem w rękach, aż zauważyłam, że mi się trzęsą. Wiedziałam, że muszę go przeczytać jeszcze raz, a potem pewnie trzeci, ale w pamięci utkwiło mi głównie jedno zdanie.

Czy ojciec wiedział?

Zadzwoniłam na komórkę Mariny i poprosiłam ją, żeby przyszła do mnie do pawilonu. Pięć minut później już u mnie była i po mojej twarzy zorientowała się, jak bardzo się zdenerwowałam.

Poszła za mną do salonu i spojrzała na otwarty list, który leżał na stoliku do kawy.

– Och, Maju… – Rozłożyła przede mną ramiona. – Na pewno bardzo się zdenerwowałaś, kiedy usłyszałaś głos ojca zza grobu.

Przez chwilę nie poruszałam się w jej objęciach.

– Proszę, powiedz mi, mamo, czy kiedykolwiek powiedziałaś ojcu o naszej… tajemnicy?

– Oczywiście, że nie! Błagam, uwierz mi, że nigdy bym cię nie zdradziła!

– Więc nie dowiedział się o tym?

– Nie. Jak mógłby się dowiedzieć?

– W liście napisał coś takiego, jakby wiedział.

– Mogę na to spojrzeć?

– Oczywiście. Proszę. – Podniosłam list i podałam go Marinie, po czym uważnie przyglądałam się, jak go czyta.

W końcu podniosła na mnie wzrok. Sprawiała wrażenie spokojniejszej. Ze zrozumieniem pokiwała głową.

– Teraz wiem, dlaczego tak zareagowałaś, ale szczerze mówiąc, uważam, że ojciec po prostu chciał się z tobą podzielić prawdą o sobie.

Usiadłam na kanapie i schowałam twarz w dłoniach.

– Maju… – Marina pokręciła głową i westchnęła. – Tak jak ojciec pisze w swoim liście, wszyscy popełniamy błędy. Po prostu robimy to, co w danej chwili wydaje nam się słuszne. A ty najbardziej ze wszystkich sióstr zawsze przedkładałaś potrzeby innych ponad swoje. Zwłaszcza potrzeby ojca.

– Nie chciałam sprawić mu zawodu.

– Wiem, *chérie,* ale on pragnął dla was wszystkich tylko szczęścia, poczucia bezpieczeństwa i miłości. Nie zapominaj o tym, a już zwłaszcza dzisiaj. Ale teraz, kiedy go nie ma, może czas, abyś pomyślała o sobie i o tym, czego ty chcesz. – Marina otrząsnęła się i wstała. – Elektra powiedziała, że wyjeżdża. Tiggy też. CeCe rano zadzwoniła do Georga Hoffmana i razem ze Star pojechały spotkać się z nim w jego biurze w Genewie. Natomiast Ally robi coś na laptopie w kuchni.

– Wiesz, czy któraś z nich przeczytała już swój list? – zapytałam, starając się wziąć się w garść.

– Nawet jeśli tak, nic mi o tym nie mówiły. Może zjesz z nami lunch, zanim wyjadą Elektra i Tiggy?

– Oczywiście. I przepraszam, że w ciebie zwątpiłam.

– Biorąc pod uwagę, co jest w liście, to absolutnie zrozumiałe. A teraz pobądź trochę sama, żeby się uspokoić. No i przyjdź do domu o pierwszej.

– Dziękuję – szepnęłam, kiedy Marina wychodziła z pokoju. Zanim dotarła do drzwi, przystanęła i odwróciła się.

– Maju, jesteś taką córką, jaką zawsze chciałam mieć. I, podobnie jak ojciec, kocham cię tak mocno, jakbyś naprawdę nią była.

*

Kiedy wyszła, rozpłakałam się na dobre – jakby pękła tama powstrzymująca od dawna gromadzone w ukryciu emocje. Wstydziłam się tego, ale straciłam nad sobą kontrolę i dałam się pochłonąć gigantycznej fali żalu.

Wiedziałam, że płaczę nad sobą. Nie nad Pa Saltem, jego nieprzewidzianą śmiercią i bólem, który musiał towarzyszyć odejściu, ale nad własnym bólem spowodowanym stratą taty i wstrząsającym poczuciem, że okazałam się go niegodna – nie zaufałam mu na tyle, by powiedzieć prawdę.

Co ze mnie za człowiek?! Zrobiłam coś strasznego!

Tylko dlaczego takie myśli ogarnęły mnie teraz? Przecież wcale nie miały bezpośredniego związku ze śmiercią taty.

Zachowuję się jak Elektra, powiedziałam sobie, mając nadzieję, że ukróci to moją histerię. Tak się jednak nie stało. Łzy nie przestawały płynąć. Straciłam rachubę czasu, a kiedy w końcu się ocknęłam, zobaczyłam, że stoi przede mną Tiggy. Na jej twarzy malował się niepokój.

– Och, Maju, przyszłam ci tylko powiedzieć, że Elektra i ja niedługo wyjeżdżamy i chciałybyśmy się z tobą pożegnać. Ale nie mogę zostawić cię w takim stanie...

– Nie przejmuj się. Nic mi nie jest. – Siąknęłam nosem. – Przepraszam.

– Nie masz za co przepraszać. – Usiadła koło mnie i ujęła moje dłonie. – Ty też jesteś człowiekiem. A czasem chyba o tym zapominasz.

Zobaczyłam, że zerka na list, który nadal leżał tam, gdzie go odłożyłam. Zazdrośnie zabrałam go ze stolika.

– Bardzo cię zdenerwował?

– Tak... i nie...

Nie mogłam jej niczego wyjaśnić. Ze wszystkich sióstr Tiggy była tą, której najbardziej matkowałam; polegała na mnie i zawsze ją wspierałam. Nie umknęło mojej uwadze, że teraz role się odwróciły.

– A tak w ogóle to nie przyszłaś na obiad – odezwała się.

– Przepraszam.

– Proszę, przestań wreszcie przepraszać. Wszystkie cię rozumiemy, wszystkie cię kochamy. Wiemy, jak bardzo dotknęła cię śmierć ojca.

– Ale popatrz na mnie! Zawsze byłam tą, która sobie ze wszystkim radzi i pomaga innym. A teraz się załamałam. Otworzyłaś już swój list?

– Jeszcze nie. Słyszę wewnętrzny głos, który mówi mi, żeby zabrać go do Szkocji. Stanąć na wrzosowiskach w moim sekretnym miejscu i tam go przeczytać.

– Mój dom i moje miejsce jest tutaj, więc tu go otworzyłam. Ale mam straszne wyrzuty sumienia, Tiggy.

– Dlaczego?

– Bo... płakałam nad sobą. Nie nad tatą, ale nad sobą.

– Maju... – Tiggy westchnęła ciężko. – Naprawdę myślisz, że po śmierci kogoś ukochanego ludzie płaczą z jakiegoś innego powodu?

– Oczywiście. Płaczą, że zostało przerwane czyjeś życie, opłakują ból, który ta osoba wycierpiała.

– Wiem, że trudno ci uwierzyć w to, w co ja wierzę, ale zapewniam cię, że istnieje życie po śmierci, a dusze nie umierają. – Uśmiechnęła się leciutko. – Wyobrażam sobie, że tata jest teraz gdzieś we wszechświecie, uwolniony z ograniczeń ludzkiego ciała, po raz pierwszy wolny. W jego oczach często widziałam, że wiele w życiu wycierpiał. Mogę tylko powiedzieć, że kiedy umiera jeden z moich jeleni i wyzwala się z bólu życia, wiem, że opłakuję swoją własną stratę, bo tak bardzo za nim tęsknię. Maju, proszę cię, nawet jeśli nie możesz uwierzyć w nic poza naszym światem, postaraj się zrozumieć, że żałoba dotyczy tych, którzy zostali. Nas. Opłakujemy siebie i naszą stratę. I nie ma powodu, żebyś w związku z tym miała poczucie winy.

Patrząc na siostrę, poczułam jej spokojną akceptację. W milczeniu przyznałam, że tę część mnie, którą ona nazwała „duszą", lata temu świadomie pogrzebałam gdzieś głęboko.

– Dziękuję ci, Tiggy. Przepraszam, że nie przyszłam na obiad.

– Niewiele straciłaś. W rezultacie byłyśmy tylko we dwie z Ally. Elektra pakowała się, a zresztą powiedziała, że i tak już zjadła za dużo śmieci, a CeCe i Star nadal są w Genewie. Pojechały tam rano, żeby spotkać się z Georgiem Hoffmanem.

– Mama powiedziała mi o tym. Pewnie CeCe chodziło o pieniądze?

– Prawdopodobnie. Chyba wiesz, że dostała się na swój wymarzony kurs sztuk pięknych. Będą musiały gdzieś mieszkać, a to kosztuje.

– Tak.

– Oczywiście śmierć ojca ma największy wpływ na twoje życie. Wszystkie wiemy, że zostałaś tutaj, żeby mu towarzyszyć.

– Szczerze mówiąc, to nieprawda. Zostałam, bo nie miałam dokąd pójść – przyznałam się szczerze.

– Jak zwykle jesteś dla siebie niewiarygodnie surowa. Jednym z powodów, dla których tu zostałaś, na pewno był tata. Ale teraz, kiedy go nie ma, świat leży u twoich stóp. Masz pracę, którą możesz wykonywać gdziekolwiek, możesz jechać, dokąd tylko chcesz. – Tiggy spojrzała na zegarek. – Teraz już naprawdę muszę iść się pakować. Do widzenia, kochanie – powiedziała i mocno mnie objęła. – Proszę cię, dbaj o siebie. A w razie potrzeby, wiesz, że zawsze możesz do mnie zadzwonić. No i kiedyś odwiedź mnie w Szkocji. Krajobraz jest przepiękny, a wokół panuje niewiarygodna cisza.

– Może przyjadę, Tiggy. Dziękuję.

Po jej wyjściu zmobilizowałam się, żeby iść pożegnać się z Elektrą. Ale kiedy szłam przez ogrody w stronę mola, Elektra pojawiła się przede mną.

– Wyjeżdżam – oznajmiła. – Agencja nastraszyła mnie, że jeżeli jutro nie stawię się na zdjęcia, pozwą mnie do sądu.

– W takim razie musisz jechać.

– A z tobą wszystko w porządku? – Elektra przechyliła głowę w bok.

– Tak.

– Skoro nie musisz już opiekować się ojcem, wpadnij do fabryki snów w Los Angeles i pobądź trochę ze mną i z Mitchem. W ogrodzie mamy śliczny domek dla gości. Możesz z niego korzystać, kiedy tylko zechcesz.

– Dziękuję ci, Elektro. Bądźmy w kontakcie, dobrze?

– Jasne. Do szybkiego zobaczenia.

Gdy doszłyśmy do mola, zobaczyłyśmy, że z motorówki wysiadają właśnie CeCe i Star.

– Cześć, dziewczyny! – przywitała nas CeCe. Po jej uśmiechu poznałam, że wyprawa do Genewy przyniosła pożądane skutki.

– Wyjeżdżasz, Elektro? – zapytała Star.

– Wracam do LA. Niektórzy muszą zarabiać na życie – powiedziała z naciskiem Elektra, wyraźnie kierując ten komentarz do CeCe.

– Niektórzy posługują się w tym celu głową, a nie ciałem – odwarknęła CeCe. W tym czasie na molu pojawiła się Ally.

– Hej, dziewczyny – rzuciła. – W takim czasie powinnyśmy się chyba wspierać? Cześć, Elektro. – Podeszła do siostry i ucałowała ją w oba policzki. – Spróbujmy tak się zorganizować, żeby wkrótce urządzić jakieś spotkanie.

– Jasne – zgodziła się Elektra i pocałowała Star, pominąwszy CeCe. – Jesteś gotowa, Tiggy?

– Tak. – Tiggy już wyściskała prawie wszystkie siostry. Ostatnią, do której podeszła, była Star. Widziałam, że kiedy ją przytulała, szepnęła jej coś do ucha, a Star coś odszepnęła.

– No dobrze, chodźmy – zakomenderowała Elektra. – Nie mogę się spóźnić na samolot.

Weszła z Tiggy na motorówkę, a kiedy zawarkotał silnik, pomachałyśmy im we czwórkę, a potem odwróciłyśmy się i poszłyśmy w stronę domu.

– Star i ja też już chyba wyruszymy – oznajmiła CeCe.

– Naprawdę? Nie możemy jeszcze trochę zostać? – z żalem odezwała się Star.

– A po co? Taty nie ma, widziałyśmy się z prawnikiem, a teraz jak najszybciej musimy znaleźć się w Londynie, żeby poszukać mieszkania.

– Masz rację – zgodziła się Star.

– Co zamierzasz robić, kiedy CeCe będzie na zajęciach? – zapytała Ally.

– Jeszcze nie wiem – odparła Star.

– Przecież planowałaś zapisać się na kurs w Le Cordon Bleu, prawda, Star? – przypomniała jej CeCe. – Znakomicie gotuje – zwróciła się do mnie. – No dobrze, idę sprawdzić godziny odlotów. Wiem, że jest jakiś samolot z Genewy na Heathrow, który odlatuje o ósmej. Świetnie by nam pasował. To do zobaczenia.

Razem z Ally przyglądałyśmy się, jak CeCe i Star wchodzą do domu.

– Nic nie mów – rzuciłam i westchnęłam. – Wiem, o czym myślisz.

– Kiedy dorastały, zawsze wydawało mi się, że to dobrze, że są ze sobą tak blisko. Są środkowymi siostrami i świetnie, że miały siebie nawzajem.

– Pamiętam, jak tata proponował, żeby poszły do innych szkół, ale Star histerycznie się rozpłakała i błagała, żeby pozwolił jej być z CeCe – wspominałam.

– Trudność polega między innymi na tym, że ze Star nigdy nie da się porozmawiać na osobności. Może coś jej dolega? Od samego przyjazdu wygląda okropnie.

– Nie mam pojęcia, Ally. Czasami wydaje mi się, że prawie jej nie znam – przyznałam.

– Jeśli CeCe będzie zajęta swoimi studiami, a Star postanowi robić coś sama, może uda im się trochę od siebie oddzielić. Chodź, usiądziemy na tarasie i poproszę Claudię, żeby zrobiła ci kanapki. Dobrze? Jesteś blada, Maju, i nie jadłaś obiadu. A ja chciałabym z tobą o czymś porozmawiać.

Zgodziłam się i usiadłam na słońcu. Jego ciepło pieściło mi twarz i trochę się rozluźniłam. Ally zaraz wróciła i usiadła koło mnie.

– Claudia za chwilę przyniesie ci coś do jedzenia – oznajmiła. – Maju, nie chcę być wścibska, ale czy otworzyłaś wczoraj swój list?

– Tak. A właściwie dzisiaj rano – wyznałam.

– Najwyraźniej cię zdenerwował.

– Najpierw tak, ale wszystko jest już dobrze – odpowiedziałam, bo nie chciałam o tym więcej rozmawiać. Choć troskliwość Tiggy uspokoiła mnie, wiedziałam, że uwagi Ally mogę odebrać jako protekcjonalne. – A ty?

– Tak, otworzyłam. Był piękny i rozpłakałam się, ale także podniósł mnie na duchu. Cały ranek szukałam w internecie współrzędnych. Teraz dokładnie wiem, skąd każda z nas pochodzi. A mówię ci, było kilka niespodzianek – dodała.

Claudia tymczasem przyniosła talerz z kanapkami i postawiła je przede mną.

– Wiesz dokładnie, gdzie się urodziłyśmy? Gdzie ja się urodziłam? – doprecyzowałam.

– Tak, a przynajmniej mam wskazówkę, gdzie tata nas znalazł. Chcesz się tego dowiedzieć, Maju? Chyba że sama chcesz to sprawdzić.

84

– N... nie jestem pewna – bąknęłam. Czułam, jak z nerwów trzepocze mi coś w żołądku.

Patrząc na nią, zazdrościłam jej, że w tym pomieszaniu śmierci z narodzinami nie potrafię być tak spokojna jak ona.

– Więc wiesz, skąd pochodzisz? – rzuciłam.

– Tak, ale na razie nie ma to sensu.

– A pozostałe dziewczyny? Powiedziałaś im, że wiesz, gdzie się urodziły?

– Nie, ale wyjaśniłam im, jak odnaleźć współrzędne na Google Earth. Tobie też to wytłumaczyć? Czy po prostu ci powiedzieć? – Ally wlepiła we mnie swoje piękne niebieskie oczy.

– W tej chwili naprawdę jeszcze nie wiem.

– W każdym razie łatwo je wyszukać.

– Pewnie zrobię to, kiedy będę gotowa – oświadczyłam stanowczo. Znowu czułam, że nie nadążam za siostrą.

– W razie czego zapiszę ci dokładnie, jak szuka się współrzędnych. A udało ci się przetłumaczyć te grecki napisy, które są wyryte na sferze armilarnej?

– Tak, mam już wszystkie.

– Bardzo chciałabym się dowiedzieć, co tata wybrał dla mnie – powiedziała Ally. – Możesz mi to zdradzić?

– Dokładnie nie pamiętam, ale mogę iść do pawilonu i ci to zapisać.

– Dziękuję.

Ugryzłam jedną z kanapek, które postawiła przede mną Claudia, i po raz tysięczny żałowałam, że nie jestem taka jak Ally, która brała życie takie, jakie jest, i nigdy nie bała się trudności. Wybrała niebezpieczny zawód; często była całkiem sama. Zmaganie się z falami mogącymi w jednej chwili przewrócić kruchą łódkę, na której żeglowała, było świetną metaforą jej charakteru. Z nas wszystkich była najbardziej pogodzona ze sobą. Ally nigdy nie poddawała się negatywnemu myśleniu, a niepowodzenia uważała za cenne lekcje życia, po których najzwyczajniej szła dalej.

– Wspólnie jesteśmy w stanie przekazać siostrom informacje,

które, jeśli zechcą, pozwolą im zbadać ich przeszłość. – Ally się zadumała.

– Tak, ale może minęło zbyt mało czasu, żeby którakolwiek z nas zdążyła się zastanowić, czy to zrobimy i pójdziemy za wskazówkami, które dał nam tata.

– Może i tak. – Ally westchnęła ciężko. – Poza tym zaczynają się regaty na Cykladach i wkrótce będę musiała wyjechać, żeby dołączyć do mojej załogi. Szczerze mówiąc, po tym, co widziałam kilka dni temu, powrót na wodę będzie dla mnie trudny.

– Wyobrażam sobie. – Jej słowa przeczyły temu, co przed chwilą o niej myślałam. Zdziwiła mnie ta nagła wrażliwość siostry. – Ale jestem pewna, że sobie poradzisz.

– Mam nadzieję. Po raz pierwszy, od kiedy zaczęłam brać udział w profesjonalnych regatach, poczułam strach, mówię ci szczerze.

– Od lat wkładasz w żeglarstwo całą siebie, Ally. Nie pozwól, żeby to, co się stało, zmieniło twoje plany.

– Masz rację. Zrobię wszystko, żeby przyłożyć się do zwycięstwa. Ale wiesz, rozmyślałam o tym, jak bardzo żeglowanie zdominowało moje życie. A pamiętasz, że gdy byłam młodsza, koniecznie chciałam zostać profesjonalną flecistką? Kiedy jednak poszłam do konserwatorium, żeglarstwo przeważyło.

– Oczywiście, że pamiętam. – Uśmiechnęłam się. – Masz wiele talentów, Ally, i muszę przyznać, że brak mi twojej gry na flecie.

– To śmieszne, ale właśnie zaczyna do mnie docierać, że i ja za tym tęsknię. Tak czy inaczej… dasz sobie tu radę sama?

– Oczywiście. Nie martw się o mnie. Mam mamę i swoją pracę. Będzie dobrze.

– Może tego lata popływasz ze mną parę dni po morzu? Możemy pożeglować, dokąd zechcesz: na przykład w pobliżu Amalfi. Jest tam tak pięknie, to jedno z moich ulubionych miejsc. I może na pokład wezmę ze sobą flet – dorzuciła z lekkim uśmiechem.

– Wspaniały pomysł. Ale jeszcze zobaczymy. W tej chwili jestem bardzo zajęta tłumaczeniem.

– Udało nam się zdobyć dwa miejsca na Heathrow – zaszczebiotała CeCe, wpadając na taras. – Christian za godzinę zabiera nas na lotnisko.

– W takim razie może i mnie uda się w ostatniej chwili znaleźć miejsce do Nicei – powiedziała Ally. – Pojechałabym z wami. Nie zapomnij zapisać dla mnie mój tekst, Maju. – Wstała od stołu i zniknęła wewnątrz domu.

– Czy wszystko dobrze wam poszło u Georga? – zwróciłam się do CeCe.

– Tak. – Kiwnęła głową. – Podobno przetłumaczyłaś napisy? – Przysunęła sobie krzesło i usiadła.

– Owszem.

– Ally mówiła, że ma też nasze współrzędne.

– Otworzyłaś już swój list? – zapytałam.

– Postanowiłyśmy ze Star, że znajdziemy jakąś spokojną chwilę tylko we dwie i wtedy otworzymy listy. Ale byłoby dobrze, gdybyś zapisała i nasze teksty, włożyła je do koperty i dała mi je, zanim wyjedziemy. Poprosiłam Ally, żeby to samo zrobiła ze współrzędnymi.

– Mogę dać ci twój napis, ale w liście do mnie tata poprosił, żebym przetłumaczone teksty dawała tylko tej siostrze, której dany tekst dotyczy. Więc napis Star dam jej – odparłam, sama się dziwiąc, jak łatwo przyszło mi kłamstwo.

– Dobra. – CeCe wzruszyła ramionami. – Oczywiście i tak je sobie nawzajem pokażemy. – Nagle przyjrzała mi się badawczo. – Dasz sobie tu radę po odejściu taty? Co masz zamiar robić?

– Mam dość pracy, żeby się nie nudzić – powtórzyłam już po raz któryś.

– Tak, ale wszystkie wiemy, że mieszkałaś tu ze względu na niego. W każdym razie byłoby cudownie, gdybyś mogła nas odwiedzić w Londynie, kiedy znajdziemy mieszkanie. Skontaktowałam się już z kilkoma agencjami. Obie bardzo byśmy się ucieszyły z twojego przyjazdu.

– Dziękuję, CeCe. Dam wam znać.

– Maju… czy mogę cię o coś zapytać?

– Oczywiście.

– Czy, twoim zdaniem, tata mnie lubił?

– Co za dziwne pytanie! Oczywiście. Kochał nas wszystkie tak samo.

– No bo…

CeCe przebierała palcami po stole jak pianistka.

– O co chodzi? – zapytałam.

– Szczerze mówiąc, boję się otworzyć ten list. Jak wiesz, nie umiem okazywać uczuć i, według mnie, nasze relacje z ojcem nigdy nie były bliskie. Nie jestem głupia, wiem, że ludzie uważają mnie za obcesową i zbyt praktyczną. Oczywiście poza Star. Ale w środku wszystko czuję. Rozumiesz?

Po tym niespodziewanym wyznaniu instynktownie wyciągnęłam rękę i dotknęłam jej dłoni.

– Doskonale cię rozumiem. Ale pamiętam, jak się tu pojawiłaś jako niemowlę. Mama była zszokowana, więc zapytała, dlaczego tak szybko mamy następne dziecko, a tata odpowiedział, że byłaś tak niezwykła, że po prostu musiał zabrać cię ze sobą do domu. Mówił prawdę.

– Serio?

– Tak.

Po raz pierwszy, od kiedy ją znałam, moja czwarta siostra wyglądała, jakby za chwilę miała się rozpłakać.

– Dziękuję ci, Maju – odezwała się z wdzięcznością. – Muszę poszukać Star i powiedzieć jej, że niedługo wyjeżdżamy.

Gdy patrzyłam, jak wstaje i wchodzi do domu, pomyślałam, że śmierć taty odmieniła nas wszystkie.

*

Godzinę później, kiedy każdej z sióstr dałam już kartkę z przetłumaczonym napisem, znów stałam na molu, żeby pożegnać Ally, CeCe i Star. Patrzyłam, jak mkną motorówką po jeziorze i wracają do siebie. W pawilonie nalałam sobie do kieliszka wina i rozmyślałam o tym, że każda z moich sióstr zaoferowała mi miejsce w swoim życiu. Gdybym chciała, dosłownie przez cały następny rok mogłabym przemierzać ziemski glob i mieszkać w ich tak różniących się od siebie światach.

Ja tymczasem nadal mieszkam w domu swojego dzieciństwa. A jednak, pomyślałam, jest miejsce, w którym byłam wcześniej. Życie, którego nie pamiętam i o którym nic nie wiem. Z determinacją skierowałam się do gabinetu i włączyłam laptop. Może nadszedł czas, bym dowiedziała się, kim jestem. Skąd pochodzę. I gdzie przynależę.

Kiedy weszłam na Google Earth, drżały mi ręce. Uważnie wpisałam współrzędne według instrukcji Ally i wstrzymałam oddech, czekając, aż komputer powie mi, gdzie mam szukać swego dziedzictwa. Małe kółeczko całą wieczność kręciło się na ekranie jak globus na osi – aż zobaczyłam przed sobą zdjęcie. Odsłoniło się przede mną miejsce moich narodzin.

8

Ku mojemu zaskoczeniu tej nocy spałam głębokim snem, nic mi się nie śniło, a rano obudziłam się wypoczęta. Leżałam na łóżku i gapiłam się w sufit. Starałam się poukładać w głowie to, czego się wczoraj dowiedziałam. O dziwo, informacja o moim pochodzeniu mnie nie zszokowała, jakbym od zawsze wiedziała, skąd jestem. Właściwie, całkowicie przypadkowo, było to już częścią mojego życia. Nie mogłam uwierzyć, że rzeczywiście widziałam dom, w którym prawdopodobnie przyszłam na świat. Zdjęcia satelitarne na Google Earth świadczyły o tym, że posiadłość jest ogromna i bardzo wytworna. Zaczęłam się zatem zastanawiać, dlaczego jako niemowlę zostałam zabrana przez Pa Salta z miejsca, które wyraźnie emanowało bogactwem.

Gdy wstałam z łóżka, zadzwoniła komórka. Złapałam ją najszybciej, jak mogłam, żeby zdążyć, zanim ktoś się rozłączy, ale mi się nie udało. Na ekranie wyświetlił się nieznany numer, więc uznałam, że prawdopodobnie dzwonił jakiś akwizytor. Odłożyłam telefon i poszłam do kuchni, aby jak co rano obudzić się przy pomocy kubka herbaty English Breakfast.

Popijałam ją i rozmyślałam. To naprawdę niezwykłe, że jeśli tylko bym chciała, mogłabym choćby jutro wsiąść na pokład samolotu i dwadzieścia cztery godziny później pukać do drzwi mojej przeszłości.

Casa das Orquídeas, Laranjeiras, Rio de Janeiro, Brazylia.
Myślami wróciłam do rozmowy, którą odbyłam z Pa Saltem tuż przed wyborem studiów. Wyraźnie mnie zachęcał, abym jako jeden z języków wybrała portugalski. Pamiętam, że uczyłam się go z taką samą łatwością, z jaką przyswoiłam sobie francuski, czyli mój język ojczysty. Poszłam do salonu i wyjęłam z koperty mały trójkątny kafelek. Dokładnie go obejrzałam i usiłowałam odcyfrować wyblakły napis na odwrocie.

Tym razem miało to większy sens, ponieważ zdałam sobie sprawę, że jest po portugalsku. Udało mi się odczytać kilka liter i datę – 1929 – ale pozostałe znaki nadal były niemożliwe do odcyfrowania.

Przez moje ciało przeszedł nagły dreszcz podniecenia, który jednak bardzo szybko stłumiłam. Przecież to całkiem niedorzeczne, aby, ot po prostu, wstać i pojechać do Brazylii.

Ale czy na pewno?

Zdecydowałam się na drugi kubek herbaty. Gdy nareszcie udało mi się uspokoić, postanowiłam, że kiedyś w przyszłości odbędę tę podróż. Ostatecznie tłumaczyłam utwory brazylijskich pisarzy na francuski, co dawało mi istotny powód, aby się tam wybrać. Mogłabym zaaranżować spotkanie z brazylijskim wydawcą Floriana Quintelasa – autora, który niedawno się ze mną skontaktował – i spytać, czy nie mogliby zarekomendować moich usług innym pisarzom.

Ponownie rozległ się dźwięk komórki. Wzięłam ją z szafki nocnej i okazało się, że ktoś nagrał się na pocztę głosową. Przyłożyłam słuchawkę do ucha, poszłam z powrotem do kuchni i usłyszałam aż nadto znajomy głos.

„Maju, cześć, to ja, Zed. Mam nadzieję, że mnie pamiętasz – powiedział, śmiejąc się nonszalancko. – Słuchaj, nie wiem, czy dotarła do ciebie tragiczna wiadomość o moim ojcu. Prawdę mówiąc, wszyscy usiłujemy dojść do siebie po tym, co się stało. Nie dzwoniłbym, ale wczoraj mój znajomy żeglarz przekazał mi wiadomość o twoim ojcu, który podobno również nie żyje. Tak czy inaczej, za kilka dni muszę przyjechać do Genewy i pomyślałem, że wspa-

niale byłoby się z tobą zobaczyć. Moglibyśmy się wspólnie wypłakać. Życie jest dziwne, nie sądzisz? Nie mam pojęcia, czy nadal
mieszkasz w Genewie, ale powinienem gdzieś mieć twój domowy
numer telefonu. Zanim przyjadę, dam ci znać, a jeśli po odsłucha-
niu mojej wiadomości się nie odezwiesz, może spróbuję szczęścia
i wpadnę na słynny półwysep Atlantis. Bardzo mi przykro z powodu śmierci twojego ojca. Trzymaj się".

Rozległ się sygnał informujący o zakończeniu wiadomości, a ja
stałam zszokowana, z nogami wbitymi w ziemię. Pierwszy raz od
czternastu lat usłyszałam dźwięk jego głosu. Nie mogłam się ruszyć.

– O mój Boże – westchnęłam na myśl o tym, że już za kilka
dni Zed może pojawić się na moim progu. Poczułam się jak za-
jąc, który stoi tuż przed światłami samochodu. Miałam ochotę
wpełznąć pod łóżko i schować się, na wypadek gdyby się okazało, że Zed jest już w Genewie, za chwilę przyjedzie i mnie
odnajdzie.

Zdałam sobie sprawę, że telefon w zameczku może odebrać Marina lub Claudia i prostodusznie potwierdzić, że jestem w domu.
Ta szokująca myśl przeszyła całe moje ciało. Musiałam jak najszybciej pójść do zameczku i je przestrzec, aby nikomu, kto zadzwoni,
nie mówiły, że tu jestem.

Ale co się stanie, jeśli Zed po prostu pojawi się na progu? Dokładnie wie, gdzie znajduje się Atlantis, ponieważ sama opisałam
mu kiedyś szczegółowo jego położenie.

– Muszę uciekać – wyszeptałam, a nogi nareszcie okazały się
posłuszne i zaprowadziły mnie do salonu. Chodziłam nerwowo po
pokoju i zastanawiałam się, z której propozycji moich sióstr powinnam skorzystać.

Na żadną z nich nie miałam jednak ochoty, więc pomyślałam,
że może powinnam udać się do Londynu i do czasu, aż będę mogła
bezpiecznie wrócić do domu, zaszyć się u Jenny.

Ale na jak długo? Zed może spędzić w Genewie więcej czasu.
Jestem gotowa się założyć, że ogromny majątek jego ojca jest w rękach i skarbcach szwajcarskich banków.

– Dlaczego właśnie teraz? – rzuciłam płaczliwym głosem, zwracając wzrok do nieba. Właśnie teraz, gdy potrzebowałam czasu, żeby pozbierać myśli i uspokoić się, okazało się, że muszę wyjechać. Byłam pewna, że spotkanie z Zedem kompletnie by mnie załamało, zwłaszcza w moim obecnym stanie emocjonalnym.

Spojrzałam w dół na stolik, a moje palce instynktownie dotknęły gładkiej powierzchni trójkątnego kafelka. Wpatrywałam się w niego, a mój mózg zaczął przetwarzać myśl, która właśnie pojawiła się w głowie.

Jeśli chciałam znaleźć się od niego jak najdalej, tak aby nikt nie wiedział, gdzie jestem, to Brazylia nadawała się do tego idealnie. Mogłabym wziąć laptop i pracować tam nad tłumaczeniem. Dlaczego nie?

– Tak, Maju. Dlaczego nie? – rzuciłam głośno.

*

Godzinę później weszłam do kuchni i zapytałam Claudię o Marinę.

– Pojechała do Genewy załatwić jakieś sprawy. Przekazać jej coś, jak wróci?

– Tak. – Próbowałam znaleźć w sobie odwagę, żeby to z siebie wydusić. – Przekaż jej, że dziś wieczorem wyjeżdżam, przynajmniej na kilka tygodni. A jeśli ktoś będzie mnie szukał, telefonicznie lub osobiście, powiedz, że przez jakiś czas mnie nie będzie.

Na twarzy zazwyczaj opanowanej Claudii malowało się zdziwienie.

– Dokąd jedziesz, Maju?

– Po prostu wyjeżdżam – odparłam obojętnie.

– W porządku.

Czekałam, aż zacznie mówić dalej, ale milczała.

– Idę do pawilonu, żeby się spakować – odezwałam się w końcu. – Kiedy wróci Christian, daj mu znać, że około trzeciej potrzebuję transportu do Genewy.

– Przygotować coś na lunch?

– Nie, dziękuję. – Żołądek i tak podchodził mi do gardła. – Zanim wyjadę, wpadnę się pożegnać. I pamiętaj, Claudio, ktokolwiek by dzwonił, od tej chwili mnie tu nie ma.

– Wiem, Maju, już to mówiłaś.

Dwie godziny później, po zarezerwowaniu lotów i hotelu, z naprędce spakowaną walizką, opuściłam Atlantis. Motorówka gładko płynęła po wodzie do Genewy. Nagle dotarło do mnie, że nie mam pojęcia, czy podążam w kierunku swojej przeszłości, czy przed nią uciekam.

9

Na brazylijskiej ziemi znalazłam się następnego dnia o szóstej rano. Po wyjściu z samolotu spodziewałam się oślepiającego blasku południowoamerykańskiego słońca, a tymczasem przywitało mnie zachmurzone niebo. Dotarło do mnie, że jest środek brazylijskiej zimy i mimo że temperatura nadal przekraczała dwadzieścia stopni, oznaczało to brak tropikalnych upałów, na które tak bardzo liczyłam. W hali przylotów zobaczyłam mężczyznę trzymającego tabliczkę z moim nazwiskiem.

– *Olá, eu sou senhorita D'Aplièse. Como você está?* – spytałam po portugalsku, kiedy podeszłam do kierowcy, i poczułam satysfakcję, gdy zobaczyłam zdziwienie na jego twarzy.

Zaprowadził mnie do auta i kiedy wyjechaliśmy z lotniska w kierunku Rio, wyglądałam podekscytowana przez okno. Prawdopodobnie właśnie w tym mieście przyszłam na świat. Co prawda na drugim roku studiów byłam w Brazylii, ale siedzibą programu wymiany studentów był uniwersytet w São Paulo, a moje podróże po tym kraju ograniczyły się do odwiedzenia Salvadoru, dawnej stolicy Brazylii. Dużo się mówiło o przestępstwach, biedzie i szalonym nocnym życiu Rio, więc jako samotna kobieta postanowiłam tu nie przyjeżdżać. Ale teraz tu jestem i jeśli informacje Pa Salta są prawdziwe, stanowię część DNA tego miasta, a ono część mojego.

Kierowca, szczęśliwy, że nareszcie wiezie zagranicznego gościa, który płynnie mówi po portugalsku, spytał mnie, skąd jestem.

– Stąd. Urodziłam się tutaj – odpowiedziałam.

Spojrzał na mnie w lusterku wstecznym.

– No jasne! Teraz widzę, że wygląda pani jak Brazylijka! Ale ma pani na nazwisko D'Aplièse, więc sądziłem, że jest pani Francuzką. Przyjechała pani odwiedzić krewnych?

– Tak. Myślę, że tak – odparłam, i zadrżałam, gdy zdałam sobie sprawę, że mówię prawdę.

– Proszę spojrzeć. – Kierowca wskazał na wysoką górę, na której stał biały posąg z rozpostartymi ramionami obejmującymi całe miasto. – To nasz Cristo Redentor. Zawsze gdy Go widzę, wiem, że jestem w domu.

Spojrzałam na bladą, misternie wyrzeźbioną figurę, która wyglądała, jakby unosiła się pomiędzy chmurami, niczym anielska zjawa. Choć, tak jak reszta ludzi na świecie, wielokrotnie widziałam ten pomnik w mediach, w realu robił jeszcze większe wrażenie i był dziwnie poruszający.

– Była pani na górze, żeby Go zobaczyć? – spytał kierowca.

– Nie, nie byłam.

– To znaczy, że jest pani autentyczną mieszkanką Rio. Prawdziwa z pani *carioca*! – dodał z uśmiechem. – Mimo że Cristo jest jednym z siedmiu nowych cudów świata, my w Rio uważamy Go za oczywisty element krajobrazu. To turyści masowo do Niego pielgrzymują.

– Na pewno tam pójdę – obiecałam, gdy wjechaliśmy do tunelu i Chrystus Odkupiciel zniknął z naszego pola widzenia.

Czterdzieści minut później zajechaliśmy pod drzwi hotelu Caesar Park. Po drugiej stronie szerokiej jezdni znajdowała się plaża Ipanema, o tej porze dnia pusta, ale absolutnie cudowna i rozciągająca się dalej, niż sięgał wzrok.

– Tu jest moja wizytówka, senhorita D'Aplièse. Mam na imię Pietro i jestem na każde pani zawołanie, kiedy tylko zechce pani zwiedzać miasto.

– *Obrigada* – podziękowałam mu, wręczyłam kilka reali napiwku i poszłam za portierem do recepcji, żeby się zameldować.

Parę minut później znalazłam się w przestronnym apartamencie ze wspaniałym widokiem na plażę. Pokój był niewiarygodnie drogi, ale jedyny, jaki był dostępny przy rezerwacji z tak krótkim wyprzedzeniem. Nie czułam się winna, ponieważ rzadko wydawałam zarobione przez siebie pieniądze. Zobaczę, co się wydarzy w najbliższych dniach, a jeśli postanowię zostać dłużej, wynajmę mieszkanie.

Tylko co się może wydarzyć w ciągu najbliższych kilku dni? Ostatnie pełne zawirowań dwadzieścia cztery godziny były wypełnione jedynie paniką i desperacką chęcią wyjazdu ze Szwajcarii. Nie miałam nawet czasu dobrze się zastanowić, co zrobię, gdy już znajdę się w Brazylii. Tymczasem po nieprzespanym locie i zmęczeniu wywołanym traumą kilku ostatnich dni postanowiłam zawiesić na drzwiach tabliczkę „Nie przeszkadzać", wsunąć się w świeżą, pachnącą pościel i zasnąć.

*

Obudziłam się parę godzin później. Byłam głodna, ale pragnęłam zobaczyć miasto, więc pojechałam windą na ostatnie piętro, gdzie znajdowała się restauracja. Siedziałam na tarasie, skąd roztaczał się wspaniały widok na góry i morze. Zamówiłam sałatkę Cezar i kieliszek białego wina. Zachmurzone niebo było już tylko wspomnieniem, a plażę wypełniły tłumy opalonych ludzi zażywających słońca.

Gdy zaspokoiłam głód, nareszcie zaczęłam jasno myśleć o tym, co powinnam zrobić. Przestudiowałam adres wytyczony przez współrzędne, które przekopiowałam do telefonu, i zdałam sobie sprawę, że nie mam najmniejszej gwarancji, że moja rodzina nadal mieszka w tym domu. Nic o nich nie wiedziałam, nie znałam nawet ich nazwiska. Nerwowo się zaśmiałam, gdy wyobraziłam sobie, że pojawiam się na progu ich domu i oznajmiam, że szukam mojej zaginionej rodziny.

Po chwili przyszło mi jednak do głowy, że muszę uszanować pozostawiony na sferze armilarnej cytat Pa Salta. Doszłam do wniosku, że w najgorszym wypadku zatrzasną przede mną drzwi. Być może połączenie wina ze zmęczeniem wynikającym z różnicy czasu sprawiło, że poczułam w sobie niezwykłą odwagę. Postanowiłam wrócić do apartamentu i zanim zmienię zdanie, zadzwonić do recepcji, żeby dowiedzieć się, czy Pietro, czyli kierowca, który odebrał mnie z lotniska, ma czas.

– Nie ma problemu – powiedział concierge. – Czy samochód ma podjechać od razu?

– Tak.

Zaledwie dziesięć minut później siedziałam z tyłu auta Pietra i powoli wyjeżdżaliśmy z centrum miasta.

– Wydaje mi się, że znam dom Casa das Orquídeas – odezwał się Pietro.

– Ja nie – przyznałam się.

– Jeśli to ten, o którym myślę, jest niezwykle ciekawy i stary. Należał do bardzo bogatej portugalskiej rodziny – poinformował mnie, gdy po raz któryś już zatrzymaliśmy się w korku, co według Pietra było w Rio normą.

– Może mieć nowych właścicieli – rzuciłam z zadumą.

– To prawda. – Spojrzał na mnie w lusterku wstecznym i najwyraźniej wyczuł moje napięcie. – Szuka pani krewnych?

– Tak – odpowiedziałam szczerze. Popatrzyłam w górę i od razu zobaczyłam unoszącego się nade mną Chrystusa Odkupiciela.

Nigdy nie byłam zbyt religijna, ale w tym momencie poczułam wsparcie płynące z Jego rozpostartych ramion.

– Za parę minut będziemy na miejscu – oznajmił Pietro kwadrans później. – Wątpię, żeby mogła pani coś dostrzec z samochodu, ponieważ posiadłość otoczona jest wysokim żywopłotem. Kiedyś była to bardzo ekskluzywna dzielnica, ale obecnie została, niestety, zabudowana przez deweloperów.

Rzeczywiście przy drodze stało wiele nowoczesnych budynków użytkowych i bloków mieszkalnych.

– Dom jest tam, senhorita.

Spojrzałam w kierunku, który wskazał Pietro, i zobaczyłam długi przerośnięty żywopłot i dzikie kwiaty wystawiające z liści swoje piękne, choć zaniedbane główki. W porównaniu z naszym perfekcyjnie wypielęgnowanym ogrodem w Genewie ten wyglądał, jakby od bardzo dawna nie widział troskliwych rąk, które by o niego zadbały.

Nad żywopłotem dostrzegłam jedynie kilka starych kominów. Ich pierwotny ceglasty kolor wyblakł i poczerniał od sadzy.

– Może dom jest niezamieszkany. – Pietro, który podobnie jak ja ocenił jego zapuszczony wygląd, wzruszył ramionami.

– Być może – zgodziłam się.

– Czy mam tu zaparkować? – spytał. Zwolnił i zjechał na pobocze kilka metrów za posiadłością.

– Tak, proszę.

Zatrzymał samochód, zgasił silnik i odwrócił się w moją stronę.

– Zaczekam tu na panią. Powodzenia, senhorita D'Aplièse.

– Dziękuję.

Wysiadłam z samochodu i mocniej, niż to było konieczne, trzasnęłam drzwiami – jakbym przygotowywała się do nieprzewidzianych wypadków. Gdy szłam chodnikiem, pomyślałam, że to, co może się za chwilę stać, nie ma większego znaczenia dla mojego obecnego życia. Zawsze miałam kochającego ojca i w gruncie rzeczy także mamę i siostry. Tak naprawdę byłam tu nie z powodu tego, co mogę znaleźć za żywopłotem, ale raczej tego, przed czym instynktownie uciekłam.

Ta myśl umocniła we mnie bardzo mi teraz potrzebną pewność siebie. Przez wielką otwartą bramę z kutego żelaza wyszłam wprost na podjazd i po raz pierwszy spojrzałam na dom, który według współrzędnych był miejscem, gdzie zaczęła się moja historia.

Była to elegancka osiemnastowieczna rezydencja. Zbudowana na planie kwadratu, miała białe ściany z misternie rzeźbionymi gipsowymi krokształtami i sztukaterią, co wskazywało na kolonialną przeszłość. Gdy podeszłam bliżej, zauważyłam jednak, że tynk jest odrapany i popękany, a z kilkudziesięciu wysokich okien schodzi farba, odkrywając surowe drewno.

Zebrałam się na odwagę i ruszyłam w stronę wejścia. Minęłam marmurową fontannę, z której kiedyś zapewne tryskała woda. Większość okiennic była zamknięta i zaczęłam się zastanawiać, czy w domu ktokolwiek mieszka.

Po szerokich frontowych schodach weszłam pod drzwi i nacisnęłam zabytkowy dzwonek, z którego nie wydobył się, niestety, żaden dźwięk. Spróbowałam jeszcze dwa razy i najpewniej, jak potrafiłam, zapukałam. Czekałam na reakcję, ale zza drzwi nie dochodziły odgłosy kroków. Zapukałam jeszcze raz, tym razem głośniej.

Przez kilka minut stałam na progu, aż zdałam sobie sprawę, że to bez sensu, ponieważ nikt mi nie otworzy. Spojrzałam w górę i ponownie zobaczyłam zamknięte okiennice. Zrozumiałam, że prawdopodobnie nikt tu nie mieszka.

Zeszłam po schodach. Nie mogłam się zdecydować, czy powinnam wrócić prosto do Pietra i zapomnieć o całym pomyśle, czy przejść dookoła, żeby sprawdzić, czy nie uda mi się przynajmniej zajrzeć do środka przez szparę w okiennicy. W końcu zdecydowałam się na to drugie i przemknęłam się do bocznej ściany domu.

Uświadomiłam sobie, że nie jest on jednak zbudowany na planie kwadratu. Boczna ściana była znacznie dłuższa niż frontowa i idąc wzdłuż niej, widziałam coś, co niegdyś musiało być pięknym ogrodem. Ku swojemu rozczarowaniu po drodze nie znalazłam szczeliny, przez którą mogłabym spojrzeć do środka. Kiedy dotarłam do końca ściany, moim oczom ukazał się omszały taras.

Wzrok od razu powędrował mi w kierunku przeciwległego rogu, gdzie pomiędzy popękanymi donicami z terakoty stała kamienna rzeźba przedstawiająca młodą kobietę. Uwieczniona w pozycji siedzącej patrzyła prosto przed siebie. Gdy podeszłam bliżej, spostrzegłam, że ma ułamany kawałek nosa, a mimo to niewinna, prosta linia jej ciała wydała mi się zdumiewająco piękna.

Już się prawie odwracałam, żeby zobaczyć, co znajduje się z tyłu domu, gdy spostrzegłam, że w ogrodzie pod drzewem obok tarasu siedzi kobieta.

Usłyszałam głośne bicie swojego serca. Przywarłam do ściany, żeby się ukryć, i zerkałam zza rogu, aby dokładniej przyjrzeć się postaci. Z tej odległości trudno było precyzyjnie ocenić jej wygląd. Wiedziałam jedynie, że jest kobietą, a ze sposobu siedzenia mogłam wywnioskować, że w podeszłym wieku.

Na jej widok mózg zaczął mi pracować na przyśpieszonych obrotach, w mojej głowie kotłowały się tysiące myśli. Nigdy nie byłam dobra w podejmowaniu szybkich decyzji. Stałam skulona ze strachu i jednym okiem zerkałam w kierunku starszej kobiety, która być może była ze mną spokrewniona.

Spojrzałam w niebo i instynktownie wiedziałam, że w takich momentach jak ten Pa Salt nigdy nie panikował. A teraz, po raz pierwszy w moim dorosłym życiu, ja też nie mogłam poddać się nerwom. Wyszłam zza rogu na tyle daleko, aby kobieta mogła mnie dostrzec, i ruszyłam w jej kierunku. Nie odwróciła głowy nawet wtedy, kiedy podeszłam bliżej. A gdy byłam już tak blisko, żeby móc jej się przyjrzeć, dostrzegłam, że ma zamknięte oczy i prawdopodobnie śpi.

Dało mi to możliwość dokładniejszego przyjrzenia się jej twarzy. Zastanawiałam się, czy uda mi się w niej rozpoznać jakiekolwiek podobieństwo do mnie, choć zdawałam sobie sprawę, że być może jest dla mnie kimś zupełnie obcym. Kimś, kto mieszkał w tym domu przez ostatnie trzydzieści trzy lata, kiedy mnie tu nie było.

– *Desculpe?* Czy mogę pani w czymś pomóc, senhorita?

O mało nie podskoczyłam, gdy usłyszałam za sobą łagodny głos. Odwróciłam się w kierunku, z którego dochodził. Podejrzliwym wzrokiem patrzyła na mnie starsza, chuda jak patyk czarnoskóra kobieta z szorstkimi siwiejącymi włosami, ubrana w staromodny mundurek gosposi.

– Bardzo przepraszam – odpowiedziałam natychmiast. – Pukałam do drzwi, ale nikt nie otwierał…

Przyłożyła palec do ust.

– Cicho. Starsza pani śpi. A co pani tutaj robi?

– Przyszłam, bo… – Jak, u licha, miałabym jej wyszeptać w kilku słowach całą prawdę? – Dowiedziałam się, że jestem związana z tym domem, i chciałabym porozmawiać z właścicielem.

Taksowała mnie wzrokiem. Kiedy doszła do szyi, zadrgała jej powieka.

– Senhora Carvalho nie przyjmuje żadnych gości. Jest bardzo chora i cierpiąca.

– Cóż, być może mogłaby jej pani przekazać, że tu byłam. – Otworzyłam torbę, znalazłam wizytówkę i podałam ją gosposi. – Zatrzymałam się w hotelu Caesar Park. Proszę powiedzieć starszej pani, że bardzo chciałabym z nią się spotkać.

– Mogę to zrobić, ale to i tak niczego nie zmieni – odparła zniecierpliwiona.

– A wolno spytać, jak długo ta pani mieszka w tym domu?

– Całe życie. A teraz odprowadzę panią do drzwi.

Jej słowa sprawiły, że po plecach przeszły mi ciarki. Rzuciłam ostatnie spojrzenie na kobietę na krześle. Jeśli Pa Salt nie pomylił się ze współrzędnymi, była w jakiś sposób ze mną spokrewniona. Odwróciłam się i gosposia zaczęła prowadzić mnie przez taras. Gdy doszłyśmy do narożnika domu, dobiegł nas słaby głos:

– Kto to jest?

Obie się zatrzymałyśmy. Kiedy się odwróciłyśmy się, zobaczyłam strach w oczach gosposi.

– Proszę mi wybaczyć, senhora Carvalho, nie chciałam zakłócać pani spokoju – powiedziała.

– Nie zakłócasz. Obserwowałam was już od jakiegoś czasu. Przyprowadź ją tu. Nie da się prowadzić rozmowy z odległości stu metrów.

Gosposia wykonała polecenie i niechętnie poprowadziła mnie z powrotem przez taras, a następnie po schodach do ogrodu. Kazała mi stanąć przed starszą kobietą, a sama przeczytała dane z mojej wizytówki.

– To senhorita Maja D'Aplièse. Jest tłumaczką.

Stojąc twarzą w twarz z kobietą na krześle, widziałam, że jest wyniszczona. Miała szarą cerę i wyglądała, jakby powoli uchodziły z niej wszystkie siły witalne. Ale kiedy przeszyła mnie świdrującym wzrokiem, ujrzałam w jej oczach ogromne zdumienie, domyśliłam się więc, że ma świadomość, kim jestem, i jest umysłowo sprawna.

– Dlaczego pani tu przyszła? – spytała.

– To długa historia.

– Czego pani chce?

– Niczego, ja...

– Senhorita D'Aplièse powiedziała mi, że jest związana z tym domem – odezwała się gosposia. Odniosłam nawet wrażenie, że chce dodać mi odwagi.

– Naprawdę? A niby w jaki sposób?

– Powiedziano mi, że urodziłam się w tym domu – oznajmiłam.

– Cóż, przykro mi, że sprawię pani zawód, ale ostatnim dzieckiem, które urodziło się w tym domu, było moje własne, ponad pięćdziesiąt pięć lat temu. Prawda, Yaro? – spytała gosposię.

– *Sim*, senhora.

– Kto udzielił pani takich informacji? Zapewne ktoś, kto chciał stworzyć między nami pokrewieństwo, aby odziedziczyć ten dom, kiedy umrę.

– Nie, senhora, zapewniam panią, że nie chodzi o pieniądze. Nie to jest powodem mojej wizyty – powiedziałam stanowczo.

– Więc proszę mi wyjaśnić, dlaczego pani przyjechała?

– Bo kiedy byłam dzieckiem, zostałam adoptowana. Mój adopcyjny ojciec zmarł w zeszłym tygodniu i zostawił mi list, w którym napisał, że w tym domu mieszkała kiedyś moja rodzina. – Patrzyłam na nią z nadzieją, że zobaczy w moich oczach szczerość.

– Rozumiem. – Znowu bacznie mi się przyjrzała. Wydawało mi się, że waha się przed udzieleniem odpowiedzi. – Muszę pani w takim razie powiedzieć, że pani ojciec popełnił fatalny błąd, a pani niepotrzebnie odbyła tę podróż. Przykro mi, że nie mogę pani więcej pomóc. Do widzenia.

Kiedy w końcu zgodziłam się, aby gosposia odprowadziła mnie do wyjścia, byłam absolutnie pewna, że staruszka skłamała.

10

Kiedy wróciłam do hotelu, była dopiero ósma wieczorem, ale moje ciało upierało się, że jest po północy, więc, niestety, zapadłam w głęboki, niczym niezmącony sen i obudziłam się następnego dnia o piątej rano, gdy zaczynało świtać.

Leżałam w łóżku i rozmyślałam o tym, co zobaczyłam i czego dowiedziałam się poprzedniego dnia. Pomimo stanowczych zaprzeczeń instynktownie byłam przekonana, że Pa Salt się nie mylił. Pomyślałam jednak z rezygnacją, że nie mam pojęcia, co w tej sytuacji robić. Kobieta i jej gosposia coś wiedziały, ale dostatecznie jasno dały mi do zrozumienia, że nie zamierzają się tym ze mną dzielić.

Wyjęłam z torebki kafelek, aby jeszcze raz spróbować odczytać widniejący na nim napis, ale bardzo szybko się poddałam. Jaki to ma sens? Wszystko, co mam, to kilka wyblakłych słów i data. Jakaś chwila z przeszłości uwieczniona na rewersie trójkątnego kamyka.

Usiadłam do laptopa, żeby zająć myśli czymś innym. Otworzyłam skrzynkę e-mailową i zobaczyłam wiadomość od brazylijskiego wydawcy, dla którego pracowałam. Napisałam do niego podczas trzyipółgodzinnej przerwy w locie, na paryskim lotnisku Charles'a de Gaulle'a.

Szanowna Senhora D'Aplièse,

bardzo cieszy nas fakt, że postanowiła Pani odwiedzić Brazylię. Nasza redakcja znajduje się w São Paulo, więc

prawdopodobnie nie będzie Pani na rękę przyjechać tutaj,
aby nas odwiedzić. Chociaż jeśli zdecydowałaby się Pani
do nas przybyć, bylibyśmy zaszczyceni, mogąc poznać
Panią osobiście. Pani wiadomość przesłaliśmy jednak do
autora, Floriana Quintelasa, który mieszka w Rio. Jestem
pewien, że chętnie Panią pozna i będzie Pani towarzyszył
podczas pobytu w naszym pięknym kraju. Gdyby Pani czegoś
potrzebowała, jestem do dyspozycji.

Z poważaniem
Luciano Baracchini

Wiadomość była niezwykle życzliwa i serdeczna, co wywołało
uśmiech na mojej twarzy. Z poprzedniej wizyty pamiętałam, że
kultura bycia Brazylijczyków znacznie się różni od sztywnego zachowania Szwajcarów. Nie miałam wątpliwości, że gdybym wpadła w jakieś kłopoty, ludzie ci zrobiliby wszystko, żeby mi pomóc,
chociaż w ogóle mnie nie znali.

Położyłam się z powrotem na łóżku i patrzyłam przez okno na
wschodzące słońce i szeroką jezdnię, na której zaczynały się poranne korki. Miasto budziło się do życia.

Po wczorajszym dniu zadawałam sobie pytanie, czy powinnam
zgłębiać tajemnice, które Rio trzyma przede mną w ukryciu.

Miałam tylko jedno inne wyjście – powrót do Genewy – ale
w tym momencie było ono niemożliwe do zrealizowania. Postanowiłam zatem zostać przynajmniej na kilka dni i zabawić się
w turystkę. Nawet jeśli w poszukiwaniu mojego dziedzictwa za-
brnęłam w ślepy zaułek, przynajmniej poznam miasto, w którym
prawdopodobnie się urodziłam.

Ubrałam się, zjechałam na parter windą i wyszłam z hotelu.
Przeszłam przez jezdnię, a kiedy znalazłam się na plaży Ipanema,
skierowałam się w stronę fal. Przez chwilę patrzyłam, jak rozbijają
się o miękki piasek pod moimi stopami, a potem odwróciłam się
i spojrzałam na Rio z perspektywy morza.

Wzdłuż nadmorskiego bulwaru konkurowały ze sobą o pozycję

niezliczone budynki o różnej wielkości i wysokości, przesłaniające góry, tak że widać było tylko ich szczyty. Po mojej prawej stronie rozciągała się zakończona kamienistym cyplem piaszczysta zatoka, a po lewej – zapierający dech w piersi widok na bliźniacze wierzchołki Morro Dois Irmãos.

Stałam tak zupełnie sama, czując, jak przez moje ciało przepływa energia, i nagle doznałam uczucia niezwykłej lekkości i ulgi.

Należę do tego miasta, a ono należy do mnie...

Pod wpływem chwili zaczęłam biec wzdłuż plaży. Palce nóg zaciskały mi się, żeby utrzymać stopy na śliskim piasku i podtrzymywać ciało, kiedy w przypływie niewinnej radości machałam ramionami. Zatrzymałam się zdyszana i zgięłam wpół ze śmiechu, że tak dziwnie się zachowuję.

Opuściłam plażę, przeszłam przez jezdnię i ruszyłam w głąb miasta. Zauważyłam, że budynki stojące wzdłuż ulicy odzwierciedlają zmiany mody w architekturze. Te z czasów kolonialnych pomieszane były z nowoczesnymi.

Skręciłam w boczną uliczkę i znalazłam się na placu, na którym rozstawiano poranny targ. Przeważały stragany z owocami i warzywami. Zatrzymałam się przy jednym z nich i sięgnęłam po brzoskwinię.

– Proszę wziąć, senhorita – zachęcił mnie z uśmiechem młody sprzedawca.

– *Obrigada* – odpowiedziałam, odeszłam i wbiłam zęby w miękki, soczysty miąższ owocu. Zwolniłam kroku i nieoczekiwanie spojrzałam w górę. Po raz kolejny unosiła się nade mną postać Cristo.

Już wiem, co dzisiaj zrobię, pomyślałam.

Nagle uświadomiłam sobie, że nie mam pojęcia, gdzie się znajduję ani jak daleko odeszłam od hotelu. Postanowiłam podążać w kierunku szumu fal i w ten sposób znalazłam drogę powrotną, niczym gołąb pocztowy, który zakodował sobie w głowie mapę terenu.

Zjadłam śniadanie na hotelowym tarasie i zdałam sobie sprawę, że pierwszy raz od śmierci Pa Salta mam apetyt. Gdy wróciłam do pokoju, w telefonie miałam mnóstwo nieodebranych wiadomości, ale postanowiłam je zignorować. Nie chciałam, żeby rzeczywistość zepsuła znakomity nastrój, którym cieszyłam się od rana. W skrzynce e-mailowej znalazłam jednak wiadomość, która zwróciła moją uwagę. Nadawcą był Floriano Quintelas.

Droga Senhorita D'Aplièse,

wydawca zaskoczył mnie wiadomością, że jest Pani w Rio. Będę zaszczycony, mogąc poznać Panią osobiście. Czy przyjmie Pani moje zaproszenie na obiad, aby dać mi szansę podziękować Pani za pracę włożoną w tłumaczenie książki? Mój francuski wydawca bardzo wierzy w to, że osiągnie ona wysoką sprzedaż. A może chciałaby Pani, aby prawdziwy *carioca* pokazał Pani swoje piękne miasto? Mój numer telefonu jest na końcu e-maila. Przyznam szczerze, że jeśli nie skontaktuje się Pani ze mną podczas swojego pobytu, poczuję się urażony.
Jestem do Pani dyspozycji.

Z pozdrowieniami
Floriano Quintelas

Roześmiałam się, przeczytawszy wiadomość. Dzięki wielu rozmowom, które przez ostatni rok odbyliśmy na temat *Cichego wodospadu,* wiedziałam, że Floriano nie lubi owijać w bawełnę.

Zadałam sobie dwa pytania. Po pierwsze: czy skontaktowałby się ze mną, gdyby przyjechał do Genewy, a ja zaoferowałabym mu wspólne zwiedzanie miasta?

Po drugie: czy poczułabym się urażona, gdyby odmówił?

Odpowiedź na oba pytania była twierdząca.

Zdecydowałam, że najlepszym i najmniej zobowiązującym sposobem kontaktu będzie SMS. Nie wiem, ile czasu zajęło mi tworzenie wiadomości, przerabianie i pisanie jej na nowo, ale w końcu nacisnęłam WYŚLIJ.

Oczywiście nawet po wysłaniu przeczytałam ją ponownie.

Drogi Florianie, jestem zachwycona pobytem w Rio i byłoby
mi miło – skasowałam „niezwykle" – jakoś się spotkać. Akurat
wybieram się na Corcovado, aby poczuć się jak turystka, ale
możesz się ze mną skontaktować pod tym numerem telefonu.
Z pozdrowieniami, Maja D'Aplièse.

Byłam zadowolona, że udało mi się zachować zarówno serdecz-
ność, jak i dystans – w końcu też jestem pisarką. Zjechałam na dół
do recepcji i spytałam concierge'a, jak się dostać do statui Chrystusa Odkupiciela.

– Możemy pani zaproponować opcję luksusową albo prawdziwe przeżycie, senhorita. Osobiście rekomendowałbym to drugie –
powiedział concierge. – Proszę wziąć taksówkę do Cosme Velho
i powiedzieć kierowcy, że jedzie pani zobaczyć Cristo. Następnie
trzeba wjechać kolejką na górę Corcovado.

– Dziękuję.

– Cała przyjemność po mojej stronie.

Dziesięć minut później siedziałam w taksówce zmierzającej
w kierunku Cosme Velho i Chrystusa. W torebce zadzwonił mi
telefon. Wyjęłam go i odebrałam. Dzwonił Floriano Quintelas.

– Halo.

– Maja D'Aplièse?

– Tak.

– Z tej strony Floriano. Gdzie jesteś?

– W taksówce. Jadę zobaczyć Cristo. Jestem już niedaleko stacji
kolejki.

– Mogę się przyłączyć?

Zawahałam się, a on to wyczuł.

– Zrozumiem, jeśli zechcesz zwiedzać sama.

– Oczywiście, że nie. Wspaniale będzie móc skorzystać z usług
miejscowego przewodnika.

– W takim razie, proszę, wjedź kolejką na górę. Spotkamy się
na szczycie przy schodach.

– W porządku – zgodziłam się. – Ale jak mnie rozpoznasz? Z pewnością będzie tam tłoczno.

– Rozpoznam cię, Maju D'Aplièse. Widziałem twoje zdjęcie w internecie. *Adeus.*

Zapłaciłam taksówkarzowi i wysiadłam przed Estação do Corcovado, maleńką stacją u stóp wzgórza. Zastanawiałam się, jaki będzie Floriano Quintelas na żywo. W końcu jeszcze go nie poznałam. Zakochałam się jedynie w jego twórczości.

Kupiłam bilet i wsiadłam do dwuwagonowej kolejki, która przypominała mi wijące się po szwajcarskich szczytach misternie zbudowane koleje alpejskie. Usiadłam, a do moich uszu docierała kakofonia różnych języków, ale na pewno nie było wśród nich portugalskiego. Wreszcie kolejka ruszyła pod górę. Patrzyłam przez okno na gęsto porośnięte drzewami zbocze, zachwycona bliskością dżungli i wielkiego miasta. W Genewie byłoby to nie do pomyślenia. W miarę jak kolejka się wspinała, moja głowa przechylała się do tyłu. Byłam pod wrażeniem ludzkich zdolności, które pozwoliły na zbudowanie pojazdu, dzięki któremu ja i moi współpasażerowie mogliśmy pokonywać niemal pionowe zbocze. Widoki były coraz bardziej zjawiskowe, aż w końcu kolejka zatrzymała się na maleńkiej stacji i wszyscy wysiedli.

Spojrzałam w górę i ujrzałam ustawione na wysokim postumencie stopy Chrystusa Odkupiciela. Rzeźba była tak wysoka, że z trudem obejmowałam ją wzrokiem. Gdy moi współpasażerowie wchodzili po schodach, zaczęłam się zastanawiać, czy Floriano miał na myśli spotkanie na dole, czy na górze. Nie chciałam jednak tracić czasu, więc dołączyłam do reszty turystów i zaczęłam się wspinać. Coraz wyżej. Po pokonaniu setek stopni znalazłam się na szczycie i wreszcie udało mi się złapać oddech. Był bardzo ciepły dzień, więc z wysiłku złapała mnie zadyszka.

– *Olá*, senhorita D'Aplièse. Miło mi cię w końcu poznać osobiście.

Uśmiechała się do mnie para ciepłych brązowych oczu, w których na widok mojego oczywistego zdziwienia pojawiła się odrobina rozbawienia.

– Floriano Quintelas?

– Tak! Nie rozpoznajesz mnie z fotografii na książce?

Przelotnie spojrzałam na przystojną, opaloną twarz i pełne usta rozdzielone szerokim uśmiechem ukazującym równe białe zęby.

– Oczywiście, że tak, ale… – Wskazałam na schody, po których właśnie weszłam. – Jakim cudem udało ci się dotrzeć tu przede mną?

– Ponieważ, moja droga, już tu byłem. – Floriano się uśmiechnął.

– Jak to? – spytałam zdezorientowana.

– Wygląda na to, że nie przeczytałaś dokładnie mojej noty biograficznej. W przeciwnym razie wiedziałabyś, że z zawodu jestem historykiem i bywam zatrudniany jako przewodnik dla wybitnych osób, które pragną, abym podzielił się z nimi moją rozległą wiedzą na temat Rio.

– Rozumiem.

– A tak naprawdę z pisania książek nie da się wyżyć, więc sobie w ten sposób dorabiam – przyznał. – Ale pokazywanie mojego wspaniałego miasta i opowiadanie o nim przyjezdnym nie jest dla mnie utrapieniem. Dzisiaj rano miałem wycieczkę bogatych Amerykanów, którzy chcieli znaleźć się tu, zanim ściągną tłumy. Widzisz, że teraz zrobiło się tu bardzo tłoczno.

– Tak.

– A zatem, senhorita D'Aplièse, jestem do pani dyspozycji. – Złożył przede mną teatralny ukłon.

– Dziękuję – odpowiedziałam, nadal zmieszana tym spotkaniem.

– Jesteś gotowa usłyszeć historię najbardziej charakterystycznego zabytku Brazylii? Obiecuję, że nie będziesz musiała dawać mi na koniec napiwku – zażartował. Poprowadził mnie przez tłum i stanęliśmy na tarasie, twarzami do figury. – Stąd rozciąga się na niego najlepszy widok. Prawda, że jest niesamowity?

Wzrok powędrował mi w górę na delikatne oblicze Chrystusa, podczas gdy Floriano opowiadał mi historię stawiania pomnika. Mój umysł był pełen obrazów i prawie nie słuchałam szczegółów, o których mówił Floriano.

– To cud, że podczas budowy nikt nie zginął... Innym interesującym faktem jest to, że kierownik projektu zaczynał prace nad Chrystusem jako żyd, ale zanim skończył, przeszedł na chrześcijaństwo. Senhor Levy spisał imiona wszystkich członków swojej rodziny i umieścił je w sercu Chrystusa, po czym zabetonowano je w posągu.

– Jaka piękna historia...

– Jest też wiele innych, równie wzruszających jak ta. – Skinął głową, wskazując kierunek zwiedzania, i poszliśmy w stronę posągu. – Z zewnątrz cała statua pokryta jest mozaiką z trójkątnych kawałków steatytu. Miejscowe damy z wyższych sfer miesiącami przyklejały je do siatki w celu utworzenia ogromnych paneli, aby wierzchnia powłoka była elastyczna, dzięki czemu statua nie jest podatna na poważne pęknięcia. Jedna z kobiet, która brała w tym udział, powiedziała mi, że wiele z nich pisało na odwrocie płytek imiona bliskich lub modlitwę. A oto one, przytwierdzone na wieki do Chrystusa.

Gdy patrzyłam na niego w osłupieniu, serce na chwilę zamarło mi w piersiach.

– Maju, wszystko w porządku? Czy powiedziałem coś nie tak?

– To długa historia – wydusiłam z siebie, kiedy wreszcie odzyskałam głos.

– Pewnie się domyślasz, że takie lubię najbardziej. – Uśmiechnął się szelmowsko i wpatrywał się we mnie, najwyraźniej licząc na to, że ja również się uśmiechnę. Nagle w jego oczach pojawiła się troska. – Coś pobladłaś, senhorita. Może to od nadmiaru słońca. Zrobimy zdjęcie. Oczywiście musisz stanąć przed Chrystusem z rozpostartymi ramionami. A później pójdziemy na dół do kawiarni i kupimy ci wodę.

Tak jak setki tysięcy turystów przede mną, przyjęłam pozę, o jaką prosił Floriano. Czułam się głupio, stojąc z rozpostartymi ramionami, lecz próbowałam wykrzesać z siebie uśmiech.

Gdy zdjęcie zostało zrobione, poprowadził mnie na dół po schodach do ciemnej kawiarni i posadził przy jednym ze stołów. Niebawem wrócił, usiadł naprzeciwko mnie i nalał wodę z butelki do dwóch szklanek.

– Teraz, proszę, opowiedz mi swoją historię.

– Ale ona jest niezwykle zawiła, Floriano. – Westchnęłam, nie mogąc powiedzieć nic więcej.

– A ja jestem dla ciebie kimś zupełnie obcym i nie masz ochoty dzielić się nią ze mną. Rozumiem. – Potakiwał spokojnie głową. – Na twoim miejscu czułbym to samo. Czy mogę zadać tylko dwa pytania?

– Oczywiście.

– Po pierwsze, czy ta „niezwykle zawiła historia" jest powodem twojego przyjazdu do Rio?

– Owszem.

– A po drugie, co w mojej opowieści tak bardzo tobą wstrząsnęło?

Piłam wodę i przez chwilę zastanawiałam się nad jego pytaniem. Problem tkwił w tym, że jeśli mu odpowiem, będę mu musiała wyjaśnić wszystko. Ale z drugiej strony, być może jest jedną z niewielu osób, które mogą mi powiedzieć, czy gładki trójkątny kafelek z wyblakłym napisem z tyłu był kiedyś przeznaczony dla Chrystusa. Nie dawało mi to wielkiego wyboru.

W końcu zebrałam się na odwagę.

– Chciałabym, żebyś coś zobaczył.

– Chętnie – odpowiedział zachęcająco.

– Prawdę mówiąc, znajduje się to w moim hotelu, w sejfie.

– Czy jest wartościowe? – Floriano zmarszczył brwi.

– Na pewno nie materialnie, ale dla mnie tak.

– Cóż, spędziłem tu już trzy długie godziny, więc jedźmy do hotelu, weźmy ten przedmiot, cokolwiek to jest, i obejrzyjmy.

– Naprawdę nie chcę ci sprawiać kłopotu.

– Senhorita – odrzekł, wstając od stołu – i tak muszę jechać na dół, więc dlaczego miałabyś mi nie towarzyszyć. Chodźmy.

– W porządku, dziękuję.

Zaskoczyło mnie, że nie zaprowadził mnie do kolejki, tylko do małego busika zaparkowanego przy kawiarni. Wszedł do niego, przywitał kierowcę i poklepał go po plecach. W środku siedziało już kilka osób, ale znaleźliśmy dwa miejsca dla siebie. Busik ruszył krętą drogą, która przebijała się przez gąszcz dżungli, i kilka minut później dojechaliśmy na parking. Floriano pomaszerował w kierunku małego czerwonego fiata i otworzył drzwi.

– Bywa, że moi klienci nie chcą jechać malowniczą trasą kolejki i wtedy zabieram ich bezpośrednio tutaj – wyjaśnił. – Dokąd zatem jedziemy, senhorita? – spytał.

– Do hotelu Caesar Park w Ipanemie.

– Doskonale. Moja ulubiona restauracja jest tuż za rogiem, a żołądek mówi mi, że nadeszła pora lunchu. Chętnie coś zjem – oznajmił i wyruszyliśmy kolejnym odcinkiem stromej, krętej drogi przez dżunglę. – Muszę przyznać, że nie mogę się doczekać, co mi chcesz pokazać – przyznał się, gdy wyjechaliśmy z Corcovado i włączyliśmy się do ruchu ulicznego.

– Prawdopodobnie to nic specjalnego – odparłam, gdy zmierzaliśmy przez Cosme Velho do centrum miasta.

– W takim razie nic nie stracisz, jeśli mi to pokażesz – odpowiedział spokojnie.

Podczas jazdy ukradkiem spoglądałam na nowego znajomego. Zawsze dziwnie się czułam, poznając osobiście kogoś, z kim wcześniej tylko korespondowałam. A Floriano był prawie taki, jakim go sobie wyobrażałam z powieści i maili.

Był niewiarygodnie przystojny. Jego niezwykły wdzięk i energia sprawiały, że w rzeczywistości był dużo atrakcyjniejszy niż na zdjęciu. Wszystko – od bujnych czarnych włosów, przez muśniętą słońcem skórę, po umięśnione i silne ciało – potwierdzało jego południowoamerykańskie pochodzenie.

Ale jak na ironię, nie był w moim typie. Zawsze bardziej podobali mi się zachodni mężczyźni o jasnej karnacji i bladej skórze, czyli – biorąc pod uwagę moją ciemną skórę – całkiem inni niż ja.

– Może – odezwał się, gdy zatrzymaliśmy się na dziedzińcu przed hotelem – ty pobiegniesz na górę i weźmiesz ten tajemniczy przedmiot, a ja tu poczekam.

Kiedy dotarłam do mojego apartamentu, uczesałam włosy, a usta musnęłam szminką. Wyjęłam z sejfu trójkątny kafelek i umieściłam go w torebce.

– No to teraz idziemy na lunch – oznajmił Floriano, kiedy wróciłam do samochodu, i odjechaliśmy. – To tuż za rogiem, ale znalezienie miejsca parkingowego może mi trochę zająć.

Kilka minut później pokazał mi biały domek w stylu kolonialnym ze stolikami rozstawionymi na ślicznym tarasie. – Właśnie tam idziemy. Wysiądź i zajmij dla nas stolik. Dołączę dosłownie za chwilę.

Zrobiłam, jak kazał, a kelnerka zaprowadziła mnie w zacienione miejsce. Siedziałam, obserwując ludzi; skorzystałam również z wolnej chwili, żeby sprawdzić wiadomości w telefonie. Serce znowu mi przyśpieszyło, gdy usłyszałam głos Zeda, który mówił, że dzwonił do Atlantis i pokojówka przekazała mu, że wyjechałam za granicę. Jest mu przykro, że się minęliśmy, ponieważ nazajutrz wyjeżdża z Zurychu.

Oznaczało to, że mogę bezpiecznie wrócić do domu.

– *Meu Deus!* – zawołał Floriano, podchodząc do stolika. – Zostawiam cię na kilka minut i znowu nabierasz dziwnych kolorów. – Spojrzał na mnie pytająco i usiadł naprzeciwko. – Co się tym razem stało?

Byłam pod wrażeniem, że po raz drugi wyczuł moje napięcie. Zdałam sobie sprawę, że ciężko będzie cokolwiek ukryć przed tym mężczyzną, najwyraźniej obdarzonym przenikliwą intuicją.

– Nic takiego – odparłam i wrzuciłam komórkę do torebki. – Szczerze mówiąc, poczułam ulgę.

– To dobrze. Napiję się piwa Bohemia. Przyłączysz się?

– Prawdę powiedziawszy, nie przepadam za piwem.

– Ależ Maju, jesteś w Rio! Musisz napić się piwa. Albo caipirinhy, ale zapewniam cię, że to dużo mocniejszy drink – dodał.

Przystałam na piwo i kiedy przyszła kelnerka, oboje, zgodnie z rekomendacją Floriana, zamówiliśmy po kanapce ze stekiem.

– Wołowina pochodzi z Argentyny i mimo że Argentyńczyków nie znosimy, ponieważ zbyt często pokonują nas w piłkę nożną, to uwielbiamy jeść ich krowy – powiedział z uśmiechem. – Nie mogę się doczekać, aż pokażesz mi ten swój drogocenny przedmiot.

114

– W porządku. – Wyjęłam z torebki kafelek i ostrożnie położyłam go na szorstkim blacie stołu ustawionym na kozłach.

– Mogę? – spytał i wyciągnął rękę po kafelek.

– Oczywiście.

Patrzyłam, jak go ostrożnie podnosi i ogląda. Obejrzał też wyblakłe słowa na odwrocie.

– A więc – w jego westchnięciu wyczułam zaskoczenie – teraz już rozumiem, co cię tak zaskoczyło. I tak, nawet zanim zapytasz, uważam, że kiedyś był on przeznaczony do ozdobienia pomnika Chrystusa. Jest nadzwyczajny! – Na chwilę zamilkł. – Czy możesz mi zdradzić, jak weszłaś w jego posiadanie? – odezwał się w końcu.

Kiedy dostaliśmy piwo i kanapki ze stekiem, opowiedziałam Florianowi całą historię. Słuchał bardzo uważnie i przerywał tylko wtedy, gdy chciał doprecyzować jakieś fakty. Kiedy skończyłam, talerz Floriana był zupełnie pusty, a moje danie prawie nieruszone.

– Teraz się zamienimy – zaproponował. – Ty będziesz jadła, a ja będę mówił. – Wskazał na mój pełny talerz, więc przyjęłam jego ofertę. – W jednej kwestii na pewno mogę ci pomóc. Chodzi o nazwisko rodziny, która mieszka w Casa das Orquídeas. To rodzina Aires Cabral, bardzo w Rio znany arystokratyczny ród. Pochodzą ze starej, dawno już zdetronizowanej portugalskiej rodziny królewskiej. Na przestrzeni ostatnich dwustu lat rozliczni jej członkowie wyróżnili się w historii Rio.

– Ale ja nie mam jak udowodnić tej starszej pani, że jestem spokrewniona z jej rodziną.

– Na razie rzeczywiście nie możemy być tego pewni. Ani niczego innego, dopóki nie przeprowadzimy odpowiedniego śledztwa – stwierdził Floriano. – Po pierwsze, z łatwością mogę prześledzić ich historię, sprawdzając akty urodzeń, ślubów i zgonów. Sądzę, że dokumenty tak znaczącej katolickiej rodziny są skrupulatnie przechowywane. Następnie musimy spróbować rozszyfrować imiona na kafelku, żeby sprawdzić, czy pasują do któregoś z członków rodziny Aires Cabral.

Zamroczyło mnie po piwie, zmianie czasu i wczesnej pobudce.

– Ale czy warto? – spytałam. – Nawet jeśli imiona będą pasowały, wątpię, żeby starsza pani do czegokolwiek się przyznała.

– Działajmy małymi kroczkami, Maju. I proszę, nie bądź takim czarnowidzem. Przyleciałaś z daleka do Rio, żeby odkryć swoją historię, więc nie możesz poddać się po jednym dniu. Jeśli się zgodzisz, kiedy ty pójdziesz do hotelu się zdrzemnąć, ja pobawię się w detektywa. Dobrze?

– Nie chciałabym sprawiać ci kłopotu.

– Kłopotu? Dla historyka to prezent! Ale ostrzegam: fragmenty tej historii mogą się znaleźć w mojej kolejnej książce – odpowiedział z uśmiechem. – Czy mogę to ze sobą zabrać? – Wskazał na kafelek. – Może uda mi się wpaść do Museu da República i sprawdzić, czy któryś z moich znajomych jest w laboratorium ze swoim magicznym skanerem UV. Istnieje ogromne prawdopodobieństwo, że pomogliby mi odcyfrować napis na odwrocie kafelka.

– Oczywiście – zgodziłam się, ponieważ poczułam, że nieuprzejmie byłoby odmówić. Nagle ujrzałam dwie dwudziestoparoletnie dziewczyny, nieśmiało krążące wokół Floriana.

– Przepraszam, czy jest pan Florianem Quintelasem? – spytała jedna z nich, podchodząc do naszego stolika.

– Tak, to ja.

– Chciałyśmy tylko powiedzieć, że bardzo podobała nam się pańska książka. Czy możemy prosić o autograf? – Podała mu niewielki notatnik i długopis.

– Oczywiście. – Uśmiechnął się, podpisał się w notesie i miło porozmawiał z dziewczętami. W końcu odeszły zadowolone, z rumieńcami na twarzach.

– A zatem jesteś sławny? – droczyłam się z nim, gdy wstaliśmy od stolika.

– W Rio tak. – Wzruszył ramionami. – Moja książka stała się tu bestsellerem, ale tylko dlatego, że płaciłem ludziom za jej czytanie – zażartował. – Wiele krajów kupiło prawa i wyda ją w przyszłym roku. Pożyjemy i zobaczymy, czy mogę porzucić pracę przewodnika i stać się pełnoetatowym pisarzem.

– Według mnie to piękna, poruszająca książka i uważam, że odniesie sukces.

– Dziękuję, Maju – odpowiedział. – Twój hotel jest bardzo blisko – dodał i wskazał mi kierunek. – A ja muszę już iść, żeby zdążyć do muzeum przed zamknięciem paru działów. Czy możemy się spotkać około dziewiętnastej w recepcji hotelowej? Do tego czasu powinienem mieć jakieś informacje.

– Oczywiście, jeśli tylko masz czas.

– Mam. *Tchau*.

Pomachał mi na pożegnanie i patrzyłam, jak zdecydowanym krokiem idzie ulicą. Odwróciłam się i pomyślałam, że właśnie poznałam niezwykłego mężczyznę – historyka, pisarza, celebrytę, a sporadycznie również przewodnika. Czułam, że znajomość z nim może mi przynieść wiele niespodzianek.

11

– Więc...

Kiedy jechaliśmy windą do baru na tarasie najwyższego piętra hotelu, widziałam, że Floriano aż kipi z podniecenia.

– Mam dla ciebie wiadomość. A ponieważ jest dobra, pozwól sobie po raz pierwszy w życiu spróbować, czy smakuje ci caipirinha.

– Dobrze – zgodziłam się. Zajęliśmy stolik w przedniej części tarasu. Podziwiałam, jak słońce zachodzi nad plażą i powoli chowa się za górami Dwaj Bracia, a nas stopniowo otula kojący zmrok.

– Proszę. – Podał mi kartkę, którą wyjął z plastikowej koszulki. – Zobacz tylko. Mam spis wszystkich zarejestrowanych urodzin, ślubów i śmierci w rodzinie Aires Cabral od tysiąc osiemset pięćdziesiątego roku.

Zerknęłam na listę imion i nazwisk, ale nadal nie byłam w stanie uwierzyć, że mają one coś wspólnego ze mną.

– No więc widzisz, że w styczniu tysiąc dziewięćset dwudziestego dziewiątego Gustavo Aires Cabral ożenił się z Izabelą Bonifacio. W kwietniu tysiąc dziewięćset trzydziestego urodziła im się córeczka, którą nazwali Beatriz Luiza. Nie znalazłem jej aktu zgonu, więc na razie załóżmy, że to staruszka, którą spotkałaś wczoraj w domu.

– A czy ona miała jakieś dzieci? – odważyłam się zapytać.

– Tak. W roku tysiąc dziewięćset pięćdziesiątym pierwszym wyszła za mąż. Ona i jej mąż Evandro Carvalho mieli córeczkę. Nazywała się Cristina Izabela i urodziła się w pięćdziesiątym szóstym.

– Ta staruszka nazywa się Carvalho! Słyszałam, jak służąca tak się do niej zwracała. A Cristina? Co się z nią stało?

– Linia rodziny Carvalho wydaje się na niej kończyć. Przynajmniej jeśli chodzi o zarejestrowane urodziny i śmierci – ciągnął Floriano. – Nie znalazłem żadnych wpisów dotyczących dziecka, które mogła urodzić Cristina. Ale nie znamy nazwiska ojca, a zresztą nie wiadomo, czy w ogóle wyszła za mąż. Niestety, urząd zamykano i nie miałem czasu sprawdzić dalszych powiązań rodziny.

– Więc jeśli rzeczywiście jestem spokrewniona z tą rodziną... choć to wielki znak zapytania... Cristina jest oczywistą kandydatką na moją matkę – podsumowałam cichutko. Akurat przyniesiono mi mój koktajl. – *Saúde* – wzniosłam toast. Łyknęłam spory haust i prawie się zakrztusiłam, kiedy mocny, gorzki płyn znalazł się w moim gardle.

Floriano się roześmiał.

– Przepraszam, że cię nie ostrzegłem. Caipirinha jest mocna. – Swoją porcję pił, jakby to była woda. – Pobiegłem też do Museu da República i poprosiłem znajomego, żeby obejrzał napis z tyłu kafelka pod specjalnym urządzeniem wykorzystującym promieniowanie ultrafioletowe. Z całą pewnością był w stanie powiedzieć mi tylko tyle, że pierwsze imię na kafelku to Izabela. Czyli, sądząc po wpisach, które znalazłem, być może twoją prababką.

– A drugie imię?

– Jest znacznie bardziej zatarte i znajomy musi zrobić dodatkowe testy. Udało mu się jednak odcyfrować pierwsze trzy litery.

– Czy to pierwsze trzy litery imienia mojego przypuszczalnego pradziadka, Gustava Aires Cabrala? – zapytałam.

– Nie. Tutaj zapisał ci to, co na razie udało mu się ustalić. – Floriano podał mi następną kartkę, którą również wyjął z plastikowej koszulki.

Przeczytałam litery.

– Lau...? – Zerknęłam na niego ukosem.

– Daj Stephanowi dwadzieścia cztery godziny i jestem pewien, że odcyfruje resztę imienia. Jest najlepszy, mówię ci. Jeszcze jedna caipirinha? – zapytał, wskazując mój kieliszek.

– Nie, dziękuję. Poproszę o kieliszek białego wina.

Floriano zamówił dla nas następne napoje. Cały czas uważnie mi się przyglądał.

– Co się stało? – spytałam zaniepokojona.

– Mam ci jeszcze coś do pokazania, Maju. I jeżeli tego nie uznasz za niezbity dowód na twoje pokrewieństwo z rodziną Cabral, to nie wiem, co cię przekona.

– Mam nadzieję, że to nic strasznego – rzuciłam nerwowo.

– Nie. Moim zdaniem to bardzo piękne. Proszę. – Podał mi kolejną kartkę. Całą stronę zajmowało ziarniste zdjęcie kobiecej twarzy.

– Kto to jest?

– To Izabela Aires Cabral, której imię jest na twoim kafelku i która pewnie była twoją prababką. Nie mów mi, że nie widzisz podobieństwa?

Dokładnie przyjrzałam się rysom kobiety. I nawet ja zobaczyłam w niej odbicie swojej twarzy.

– Może. – Wzruszyłam ramionami.

– To niesamowite, Maju. – W głosie Floriana usłyszałam stanowczość. – A tam, skąd to wziąłem, jest tego jeszcze mnóstwo. Mają całe archiwum zdjęć Izabeli ze starych gazet. Znalazłem je na mikrofiszkach w Biblioteca Nacional do Brasil. W swoim czasie uważano ją za jedną z najpiękniejszych kobiet w Brazylii. W styczniu tysiąc dziewięćset dwudziestego dziewiątego wyszła za Gustava Aires Cabrala w tutejszej katedrze. Był to najważniejszy ślub roku w wyższych sferach.

– To może być tylko przypadek. – Czułam się niezręcznie, kiedy Floriano sugerował, że jestem podobna do uznanej na salonach piękności tamtych czasów. – Ale…

– Tak? – Z uwagą słuchał, co powiem.

– Kiedy byłam w Casa das Orquídeas, zauważyłam rzeźbę na rogu tarasu. Rzucała się w oczy swoją niezwykłością, a także tym, że takich rzeźb zazwyczaj w ogrodach nie ma. Przedstawiała kobietę siedzącą na krześle. Kiedy teraz widzę to zdjęcie, jestem pewna, że to ta sama kobieta. Od razu miałam wrażenie, że kogoś mi przypomina.

– Bo wygląda jak ty! – podsumował. Kelnerka zdjęła napoje z tacy i postawiła je na stole. – Wydaje mi się, że zrobiliśmy spory postęp.

– Jestem ci bardzo wdzięczna, Floriano, ale nie wydaje mi się, żeby staruszka, którą wczoraj poznałam, zechciała mi coś zdradzić albo choćby ze mną porozmawiać. Bo niby dlaczego miałaby to zrobić? Czy na jej miejscu nie zachowałbyś się tak samo? – sprowokowałam go.

– Przyznam, że gdyby całkiem obca osoba weszła do mojego ogrodu i oznajmiła, że należy do mojej rodziny, stałbym się podejrzliwy, nawet gdyby była niesamowicie podobna do mojej matki – przyznał trzeźwo.

– To co teraz zrobimy? – zapytałam.

– Pojedziemy do niej razem. Moim zdaniem, powinienem ci towarzyszyć. Kiedy usłyszy moje nazwisko, potraktuje cię poważniej.

Widząc absolutną pewność Floriana, że staruszka będzie wiedziała, kim jest, nie potrafiłam powstrzymać ironicznego uśmiechu. Zauważyłam, że ludzie z Ameryki Południowej bez żadnych zahamowań, otwarcie i szczerze opowiadają o swoich talentach i osiągnięciach.

– Też chcę zobaczyć rzeźbę, o której mówiłaś, Maju. Mogę z tobą iść?

– Oczywiście. Bardzo miło z twojej strony, że tak mi pomogłeś.

– Zapewniam cię, że to dla mnie przyjemność. W końcu wyglądem do złudzenia przypominasz jedną z najpiękniejszych kobiet w historii Brazylii.

Oblałam się rumieńcem, bo jego komplement mnie speszył. Cyniczna strona mojej natury natychmiast podszepnęła mi pytanie, czy zechce, bym mu się odpowiednio odwdzięczyła za pomoc. Wiedziałam, że przygodny seks jest teraz normą, ale dla mnie coś takiego w ogóle nie wchodziło w rachubę.

– Przepraszam – bąknął, kiedy ktoś zadzwonił na jego komórkę. Rozmawiał chwilę po portugalsku z kimś, kogo nazywał *querida.* – Nic się nie stało. Będę za piętnaście minut. – Spojrzał na mnie i westchnął. – Niestety, muszę cię zostawić. – Szybko wypił swoją caipirinhę. – Petra, dziewczyna, z którą mieszkam, znowu zgubiła klucz do domu. – Przewrócił oczami i dał sygnał, że prosi o rachunek.

– Nie – sprzeciwiłam się stanowczo. – Ja zapłacę w podziękowaniu za twoją pomoc.

– W takim razie ja też ci dziękuję. – Uprzejmie kiwnął głową. – O której jutro po ciebie przyjść?

– Kiedy tylko ci pasuje. Nie mam innych planów.

– W takim razie proponuję dziesiątą trzydzieści, zanim senhora Beatriz Carvalho pójdzie na obiad i popołudniową drzemkę. Nie wstawaj – zatrzymał mnie, gdy podnosiłam się z krzesła. – Zostań tu i dokończ wino. Do jutra, Maju. *Tchau.*

Odchodząc, nonszalancko ukłonił się kelnerce, która patrzyła na niego z podziwem wskazującym na to, że go rozpoznała. Piłam wino i zrobiło mi się głupio, że przez sekundę myślałam, że będzie chciał się ze mną przespać.

Ale on, tak jak wszyscy, miał własne życie. No cóż, pomyślałam, gdy podniosłam kieliszek do ust, być może i ja znajdę kiedyś swoje.

12

Następnego ranka Floriano punktualnie pojawił się w hotelowym holu i wyruszyliśmy w drogę jego czerwonym fiatem. Pewnie lawirował wśród natężonego ruchu ulicznego, a ja wstrzymywałam oddech, kiedy wydawało mi się, że za chwilę z kimś się zderzymy.

– Skąd pochodzisz? – zapytałam, żeby oderwać myśli od jego przerażającego stylu jazdy. – Jesteś prawdziwym Brazylijczykiem?

– A kim jest, twoim zdaniem, prawdziwy Brazylijczyk? – zapytał. – Kogoś takiego nie ma. Jesteśmy rasą złożoną z mieszańców, ludzi różnych narodowości, wyznań i kolorów skóry. „Prawdziwi" Brazylijczycy to pierwotni *nativos*. Pięćset lat temu, kiedy wylądowali tutaj Portugalczycy, mordowali rdzennych mieszkańców, zagrabiając dla siebie bogactwa naszego kraju. Wielu z tych, którzy nie zginęli w krwawej rzezi, pomarło na skutek chorób przywiezionych przez osadników. Ale krótko mówiąc, moja matka pochodzi z rodziny portugalskiej, a ojciec jest Włochem. Tu, w Brazylii, nie ma ludzi jednego pochodzenia.

Szybko uczyłam się o kraju, który mógł był krajem mojego pochodzenia.

– A rodzina Aires Cabral?

– To ciekawe, bo byli czystymi Portugalczykami aż do czasu, kiedy dołączyła do nich Izabela, potencjalnie twoja prababka. Jej ojciec był bardzo bogatym człowiekiem, z pochodzenia Włochem, który, jak wielu ludzi w tamtych czasach, zbił fortunę na kawie. Czytając między wierszami, zakładam, że podobnie jak wielu innych leniwych arystokratów Aires Cabralowie popadli w kłopoty finansowe. Izabela była bardzo piękna i pochodziła z bogatej rodziny. Można więc założyć, że zawarli umowę.

– Czy mam rację, sądząc, że twoje przypuszczenia są raczej oparte na domysłach niż na faktach? – zapytałam.

– W stu procentach na domysłach. Pomijając jakiś przypadkowy list albo pamiętnik, tak dzieje się zawsze, kiedy zaczynamy badać historię – dorzucił. – Nie możemy być niczego pewni, ponieważ osoby, które mogłyby coś potwierdzić, już dawno odeszły. Jeśli się jest historykiem, trzeba się nauczyć, jak ze strzępów informacji składać całość obrazu, niczym w puzzlach.

– Pewnie masz rację. – Rozumiałam, o co mu chodzi.

– W dobie internetu wszystko jest w nim zapisywane. Tak więc historia i badania historyczne bardzo się zmienią. Wchodzimy w erę, w której będzie mniej tajemnic do odkrycia. Dzięki Bogu jestem także powieściopisarzem, bo Pan Wikipedia i jego przyjaciele zawłaszczają moją rolę historyka. Kiedy się zestarzeję, moje pamiętniki okażą się bezwartościowe, bo cała historia o mnie będzie dla wszystkich dostępna w sieci.

Rozmyślałam o tym, a tymczasem Floriano – nawet nie prosząc mnie, bym wskazała mu, dokąd jechać, skręcił w podjazd przy Casa das Orquídeas.

– Skąd tak dobrze wiedziałeś, gdzie to jest? – zapytałam zdziwiona, gdy bez wahania parkował samochód przed domem.

– Droga Maju, twoja potencjalna, dawno utracona rodzina jest tu, w Rio, sławna. Każdy historyk zna ten dom. Należy do nielicznych pozostałości minionej ery. No to co? – Wyłączył silnik i zwrócił się do mnie. – Jesteś gotowa?

– Tak.

Floriano poprowadził mnie do domu i weszliśmy po schodach od frontu.

– Dzwonek nie działa – uprzedziłam go.

– W takim razie zapukam.

Tak też zrobił – i to bardzo głośno, jakby chciał obudzić umarłego. Po trzydziestu sekundach wciąż nie było odpowiedzi, więc znów zaczął walić w drzwi, jeszcze mocniej. W końcu z drugiej strony usłyszeliśmy tupot stóp idących w naszą stronę po kafelkach. Drzwi się otworzyły i na progu stanęła siwowłosa afrykańska służąca, którą spotkałam podczas swojej pierwszej wizyty. Od razu mnie poznała; po jej twarzy przebiegł skurcz paniki.

– Przepraszam, że przeszkadzamy, ale nazywam się Floriano Quintelas i jestem przyjacielem senhority D'Aplièse. Naprawdę nie chcemy przeszkadzać pani tego domu ani jej denerwować. Mamy jednak informacje, które mogą ją zainteresować. Jestem szanowanym historykiem i pisarzem.

– Wiem, kim pan jest, senhor Quintelas – powiedziała służąca, nie odrywając ode mnie wzroku. – Senhora Carvalho pije kawę w pokoju dziennym, ale jak już informowałam pana znajomą, jest ciężko chora.

Słuchając jej sztywnej wypowiedzi, miałam ochotę się roześmiać. Mówiła całkiem tak, jakby występowała w drugorzędnym wiktoriańskim melodramacie.

– A możemy wejść z panią do środka i wyjaśnić senhorze Carvalho, kim jesteśmy? – poprosił Floriano. – Jeśli uzna, że nie ma siły z nami rozmawiać, obiecuję, że wyjdziemy.

Zdążył postawić nogę za progiem, co zmusiło zmieszaną służącą do wpuszczenia nas. Poprowadziła nas przez okazały, wyłożony kafelkami hol, na końcu którego były szerokie, kręcone schody wiodące na wyższe piętra. Pośrodku, na jednej kolumnowej nodze, stał elegancki mahoniowy stół, a pod ścianą zobaczyłam efektowny zegar stojący. Pod schodami zauważyłam długi, wąski korytarzyk, najwyraźniej prowadzący z holu w głąb domu.

– Bardzo proszę, niech nas pani zechce do niej zaprowadzić – odezwał się Floriano do służącej, tak jak ona przyjmując oficjalny ton.

Zawahała się, jakby rozważała coś w myślach. Potem skinęła głową i ruszyła mrocznym korytarzykiem, a my poszliśmy za nią.

Kiedy dotarliśmy do jego końca, odwróciła się w naszą stronę. Widziałam, że na pewno nie pozwoli nam wejść, zanim nie porozmawia ze swoją panią.

– Proszę tutaj zaczekać – zakomenderowała.

Zapukała, weszła do pokoju i zatrzasnęła nam drzwi przed nosem.

– To tylko stara, chora kobieta. Czy mamy prawo ją niepokoić? – zwróciłam się do Floriana.

– Nie, Maju. Ale tak samo ona nie ma prawa odmówić ci informacji na temat twoich prawdziwych rodziców. Istnieje duże prawdopodobieństwo, że kobieta za ścianą to twoja babka, a jej córka jest twoją matką. Czy to dla ciebie naprawdę takie istotne, że na kilka minut zaburzymy porządek jej porannych zajęć?

Służąca wyłoniła się z pokoju.

– Zobaczy się z wami na pięć minut – oznajmiła. – Ale ani minuty dłużej.

Kiedy wchodziłam do ciemnego pokoju, który pachniał stęchlizną i wilgocią, znów poczułam na sobie badawcze spojrzenie służącej. Wystrój pomieszczenia najwyraźniej nie zmienił się od dziesięcioleci. Gdy oczy przyzwyczaiły mi się do półmroku, zobaczyłam pod stopami wytarty orientalny dywan, a w oknie zwiotczałe, wyblakłe zasłony z adamaszku. Chociaż pokój był zaniedbany, uświetniały go piękne antyczne meble z drewna różanego i orzecha włoskiego, a także wspaniały żyrandol.

Senhora Carvalho siedziała na aksamitnym krześle z wysokim oparciem, kolana miała przykryte kocem. Na stoliku koło niej stał dzbanek z wodą i mnóstwo buteleczek z tabletkami.

– Wróciła pani – powiedziała.

– Proszę wybaczyć, że senhorita D'Aplièse znowu panią niepokoi – zaczął Floriano. – Rozumie pani jednak, że odnalezienie rodziny jest dla niej bardzo ważne, więc nie rezygnuje.

– Senhor Quintelas. – Staruszka westchnęła. – Już wczoraj powiedziałam pana znajomej, że nie potrafię jej pomóc.

– Czy jest pani pewna, senhora Carvalho? Wystarczy spojrzeć na portret, który wisi nad kominkiem, żeby zobaczyć, że senhorita Maja nie jest tutaj z jakichś niecnych powodów. Nie chodzi jej o pieniądze, chce tylko odnaleźć rodzinę. Co w tym złego? Czy można ją za to winić?

Spojrzałam w kierunku wskazanym przez Floriana i zobaczyłam olejny portret kobiety, którą teraz potrafiłam już rozpoznać jako Izabelę Aires Cabral. Tym razem nie miałam wątpliwości. Nawet ja widziałam, że jesteśmy podobne jak dwie krople wody.

– Izabela Aires Cabral była pani matką – ciągnął Floriano. – A pani w tysiąc dziewięćset pięćdziesiątym szóstym roku urodziła córkę, Cristinę.

Staruszka siedziała z zaciśniętymi ustami i milczała.

– Nie chce pani choćby wziąć pod uwagę możliwości, że może pani mieć wnuczkę? Muszę powiedzieć, senhora, że nad dowodem na pochodzenie senhority D'Aplièse pracuje w tej chwili mój znajomy z Museu da República. Jeszcze tu wrócimy – obiecał.

Staruszka nadal milczała. Nawet na niego nie spojrzała. Nagle skrzywiła się z bólu.

– Proszę, wyjdźcie – powiedziała. Po jej oczach poznałam, że bardzo cierpi.

– Dosyć tego – rozpaczliwie szepnęłam Florianowi do ucha. – Jest chora, to nie fair.

Zgodził się lekkim skinieniem głowy.

– *Adeus*, senhora Carvalho. Miłego dnia.

– Bardzo przepraszam, senhora Carvalho – odezwałam się. – Nie będziemy już pani męczyć, obiecuję.

Floriano odwrócił się i stanowczym krokiem odmaszerował. Ja szłam z tyłu zawstydzona i bliska łez.

Podeszłam do czekającej w korytarzyku służącej i ruszyliśmy w stronę wyjścia z domu.

– Dziękuję, że nas pani wpuściła, senhora – powiedział Floriano. – Zagadaj ją – szepnął do mnie. – Chcę coś zobaczyć.

Kiedy zniknął na frontowych schodach, zwróciłam się do służącej z przepraszającą miną:

– Bardzo mi przykro, że zdenerwowaliśmy senhorę Carvalho. Obiecuję, że bez jej pozwolenia już tu nie wrócę.

– Senhora Carvalho jest bardzo chora, proszę pani. Umiera… zostało jej już niewiele czasu.

Służąca cały czas stała przy mnie wyczekująco i miałam uczucie, że chce mi coś jeszcze powiedzieć.

– Mam pytanie. – Wskazałam na nieczynną fontannę na środku podjazdu. – Czy widziała pani to miejsce w jego pełnej świetności?

– Tak. Urodziłam się tutaj.

Kiedy patrzyła na rozpadający się budynek, widziałam, że ze smutkiem wspomina przeszłość. Nagle odwróciła się w moją stronę. Kątem oka zobaczyłam, że Floriano zniknął za rogiem domu.

– Senhorita – szepnęła. – Mam coś dla pani.

– Słucham? – Zniknięcie Floriana na chwilę mnie rozproszyło, więc nie usłyszałam, co powiedziała.

– Chcę pani coś dać. Ale jeśli pani to zawierzę, musi pani przysiąc, że nigdy nie powie pani o tym senhorze Carvalho. Bardzo proszę. Nie wybaczyłaby mi takiej zdrady.

– Oczywiście – obiecałam. – Wszystko rozumiem.

Służąca wyjęła z kieszeni fartucha cienką paczuszkę owiniętą w brązowy papier i podała mi ją.

– Proszę… błagam panią, niech pani nikomu nie mówi, że je pani dałam – powiedziała nieco ochrypłym głosem. – Przekazała mi je moja matka. Twierdziła, że to kawałek historii Aires Cabralów i tuż przed śmiercią dała mi je na przechowanie.

Patrzyłam na nią ze zdumieniem.

– Dziękuję – szepnęłam, zadowolona, że Floriano już wrócił i stoi koło samochodu. – Ale dlaczego? – zapytałam.

Długim kościstym palcem wskazała zawieszony na cienkim złotym łańcuszku kamień księżycowy, który widniał na mojej szyi.

– Wiem, kim pani jest. *Adeus*. – Podreptała do domu i zamknęła drzwi frontowe.

Oszołomiona wepchnęłam paczuszkę do torebki i zeszłam po schodach.

Floriano siedział już w środku i uruchomił silnik. Gdy wsiadłam do samochodu, ruszył jak zwykle na pełnym gazie.

– Widziałeś rzeźbę? – zapytałam.

– Tak. – Wjechaliśmy już w następną ulicę i coraz bardziej oddalaliśmy się od domu. – Przykro mi, że nie chce się do ciebie przyznać, ale mój przewrotny umysł już wymyśla, jak tu złożyć ze sobą różne dziwne fragmenty tego puzzla i wkrótce być może zrozumiem jej powściągliwość. Kiedy wrócimy do miasta, zostawię cię pod hotelem, a sam wrócę do Museu da República i do biblioteki. Zadzwonić do ciebie, jeśli czegoś się dowiem? – spytał, gdy dotarliśmy do hotelu.

– Tak, bardzo cię proszę – odparłam i wysiadłam z samochodu.

Pomachał do mnie, odjeżdżając, a ja poszłam do windy i wróciłam do swojego apartamentu. Zamknęłam drzwi i powiesiłam na nich tabliczkę z napisem „Nie przeszkadzać", po czym podeszłam do łóżka i wyjęłam z torby paczuszkę. Wewnątrz był pakiecik mocno związanych sznurkiem listów. Położyłam go na łóżku, rozwiązałam węzełek i podniosłam pierwszą kopertę, która, jak widziałam, została precyzyjnie rozcięta nożem do papieru. Przyjrzałam się kopercie i zobaczyłam, że w adresie widnieje: „Senhorita Loen Fagundes".

Ostrożnie wyjęłam list ze środka. Poczułam pod palcami delikatność papieru, który był cienki jak bibułka. Rozłożyłam kartkę i zobaczyłam w adresie nadawcy Paryż i datę 30 marca 1928 roku. Sprawdziłam następne kilka listów i stwierdziłam, że nie są ułożone chronologicznie. Niektóre zostały napisane w roku 1927 do Loen Fagundes, ale pod inny brazylijski adres. Otworzyłam więcej kopert; każdy list podpisany był „Izabela", czyli pisała je być może moja prababka… Przypomniałam sobie słowa służącej.

„Wiem, kim pani jest…"

Moje palce dotknęły naszyjnika z kamieniem księżycowym. Potrafiłam zgadnąć tyle, że przy adopcji Pa Salt dostał go jako rodzaj pamiątki, być może od mojej matki. Kiedy mi go dawał, powiedział, że związana jest z nim interesująca historia. Być może subtelnie podpowiadał mi, żebym kiedyś poprosiła, aby mi ją przedstawił. Może nie chciał mnie wtedy denerwować powiązaniami naszyjnika z moją przeszłością. Czekał, aż go poproszę, żeby mi o tym opowiedział. Z całego serca żałowałam, że tego nie zrobiłam.

Przez następną godzinę grzebałam w listach, a było ich ponad trzydzieści, i układałam je na kupce według dat.

Nie mogłam się doczekać, kiedy zacznę je czytać. Były wyraźne, wykaligrafowane nieskazitelnie pięknym charakterem pisma. Zadzwoniła komórka i w słuchawce usłyszałam podekscytowany głos Floriana:

– Mam wiadomość, Maju. Czy mogę przyjść i spotkać się z tobą gdzieś za godzinę?

– A możemy się spotkać jutro rano? Mam kłopoty z żołądkiem... może to jakiś wirus – skłamałam. Miałam w związku z tym wyrzuty sumienia, chciałam jednak resztę dnia poświęcić na czytanie listów.

– W takim razie jutro o dziesiątej?

– Tak. Na pewno do tej pory wydobrzeję.

– Jeślibyś czegoś potrzebowała, zadzwoń do mnie.

– Dobrze. Dziękuję.

– Nie ma sprawy. Zdrowiej.

Wyłączyłam komórkę, zadzwoniłam do obsługi hotelowej i zamówiłam do pokoju dwie butelki wody i klubowego sandwicha. Kiedy przyniesiono zamówienie, pochłonęłam wszystko w roztargnieniu, po czym drżącymi palcami sięgnęłam po pierwszy list i zaczęłam czytać...

Izabela

Rio de Janeiro
Listopad 1927

13

Izabela Rosa Bonifacio obudziła się z głębokiego snu, słysząc tupotanie maleńkich nóżek połączone z odgłosem drapania pazurków na wyłożonej kafelkami podłodze. Usiadła prosto jak rażona gromem, spojrzała w dół i stwierdziła, że przypatruje jej się maleńka sagui. W rączkach – miniaturowych owłosionych wersjach dłoni – małpka trzymała jej szczotkę do włosów. Dziewczyna nie mogła powstrzymać chichotu. Tymczasem sagui cały czas się na nią gapiła. Jej czarne oczy prosiły, żeby pozwoliła jej uciec z nową zabawką.

– Więc chcesz szczotkować sobie włosy? – zapytała Izabela i przeczołgała się na brzuchu w nogi łóżka. – Proszę – wyciągnęła rękę do małpki – oddaj mi ją. Jest moja. *Mãe* będzie na mnie zła, jeśli mi ją ukradniesz.

Małpka pochyliła głowę w kierunku, w którym miała zamiar uciec. Kiedy długie, szczupłe palce Bel sięgnęły, żeby zabrać jej szczotkę, zwierzątko zwinnie wskoczyło na parapet i zniknęło z pola widzenia.

Bel z westchnięciem opadła na łóżko. Wiedziała, że czeka ją następny wykład rodziców, aby właśnie z takich powodów zamykać na noc okiennice. Szczotka, którą dostała od babci ze strony ojca z okazji swego chrztu, zrobiona była z masy perłowej. Tak jak powiedziała małpce, mama nie będzie zadowolona. Bel przeczołgała się z powrotem i położyła głowę na poduszkach. Miała jeszcze płonną nadzieję, że podczas ucieczki do swojego domu w dżungli na zboczu góry na tyłach posiadłości sagui upuści szczotkę w ogrodzie.

Lekki powiew wiatru sprawił, że na czoło Bel opadł maleńki kosmyk ciemnych włosów. Wiatr przyniósł delikatne zapachy drzew cytrynowych i guawy, które rosły w ogrodzie pod jej oknem. Chociaż zegar przy łóżku wskazywał dopiero wpół do siódmej rano, już czuła nadchodzący upał. Spojrzała w górę i zobaczyła, że na niebie nie ma ani śladu chmurki, która zakłóciłaby błękit coraz jaśniejszego nieba.

Pokojówka Loen zapuka do drzwi dopiero za jakąś godzinę. Przyjdzie, żeby pomóc jej się ubrać. Bel zastanawiała się, czy nie powinna wreszcie zebrać się na odwagę, wymknąć się z domu, kiedy wszyscy jeszcze śpią, i popływać w chłodnej wodzie wspaniałego, wyłożonego niebieskimi kafelkami basenu, który jej ojciec, Antonio, właśnie kazał wybudować w ogrodzie.

Basen stanowił jego ostatni nabytek i ojciec był z niego bardzo dumny. W prywatnych domach Rio niewiele było takich luksusów. Miesiąc temu zaprosił wszystkich swoich ważnych znajomych, żeby go obejrzeli. Stali uprzejmie dookoła basenu na otaczającym go tarasie i podziwiali go. Mężczyźni mieli na sobie drogie, szyte na miarę garnitury, a kobiety – suknie uszyte według najnowszych wzorów z Paryża, kupione w ekskluzywnych sklepach przy Avenida Rio Branco.

Podczas przyjęcia Bel zastanawiała się nad ironią tego, że nikt nie przyniósł kostiumu kąpielowego. Ona także stała w piekącym upale ubrana od stóp do głów i całym sercem marzyła, aby zdjąć wyjściową suknię i zanurzyć się w chłodnej przejrzystej wodzie. Tak naprawdę do tej pory nie widziała, żeby ktokolwiek korzystał z basenu. Kiedy zapytała, czy może w nim popływać, ojciec pokręcił głową.

– Nie, *querida*, służący nie mogą cię zobaczyć w kostiumie kąpielowym. Musisz pływać, kiedy nie ma nikogo w pobliżu.

Ale służący zawsze byli w pobliżu, więc Bel szybko zrozumiała, że basen jest tylko ozdobą, następnym wielkopańskim nabytkiem, którym ojciec może się chwalić przed znajomymi, czymś, co pozwala dać upust trawiącej go bezustannie żądzy, by wspiąć się po drabinie społecznej.

Kiedy zapytała *mãe*, dlaczego *pai* nigdy nie jest zadowolony z tego, co ma, chociaż mieszkają w jednym z najpiękniejszych domów w Rio, często jadają w hotelu Copacabana Palace, a nawet mają nowiutkiego forda, matka wzruszyła ramionami.

– Bo choćby miał nie wiem ile samochodów i posiadłości, nie jest w stanie zmienić swojego nazwiska.

Bel miała już siedemnaście lat, więc znała historię rodziny. Wiedziała, że Antonio pochodzi z rodu włoskich imigrantów, którzy przybyli do Brazylii, by pracować na licznych w tym żyznym, zielonym kraju plantacjach kawy. Osiedli w okolicach São Paulo. Ojciec Antonia był nie tylko pracowity, ale i bystry. Skrupulatnie oszczędzał, aby kupić działkę i założyć na niej własną firmę.

Gdy Antonio dorósł na tyle, żeby przejąć od ojca plantację kawy, prosperowała już tak dobrze, że był w stanie kupić trzy następne. Dochody z nich tak wzbogaciły rodzinę, że kiedy Bel miała osiem lat, ojciec kupił piękną hacjendę oddaloną pięć godzin jazdy od Rio. Właśnie ją nadal uważała za swoje miejsce na ziemi. Ich ukryty daleko w wysokich górach duży, typowy dla plantatorów dom, był spokojny i gościnny. Wiązały się z nim najcenniejsze wspomnienia Bel. Mogła swobodnie wędrować sobie po hacjendzie, dokąd dusza zapragnie, i jeździć konno po jej całym, liczącym dwieście hektarów terenie. Prowadziła życie, które wydawało się istną idyllą – jej dzieciństwo było szczęśliwe i beztroskie.

Lecz chociaż ojciec był już bliżej Rio, nadal mu to nie wystarczało. Pamiętała, jak kiedyś wieczorem, podczas kolacji, którą jadła z rodzicami, tłumaczył matce, że musi przeprowadzić się do miasta.

– Rio jest stolicą, siedzibą władzy w Brazylii. A my musimy stać się jej częścią.

W miarę jak rosła jego firma, zwiększało się też jego bogactwo. Trzy lata temu ojciec przyszedł z pracy i oznajmił, że kupił dom w Cosme Velho, jednej z najbardziej ekskluzywnych dzielnic Rio.

– Teraz portugalscy arystokraci nie będą mogli mnie ignorować, bo zostanę ich sąsiadem! – Aż zapiał z radości i triumfalnie uderzył pięścią w stół.

Bel i matka wymieniły przerażone spojrzenia na myśl, że będą musiały opuścić swój górski dom i przeprowadzić się do wielkiego miasta. W każdym razie jej zazwyczaj łagodna matka uparła się, że hacjenda Santa Tereza nie może zostać sprzedana, bo należy zachować schronienie, do którego będą mogły uciec przed upałami panującymi latem w Rio.

– Dlaczego, *mãe*, dlaczego? – Wieczorem, kiedy matka weszła do jej pokoju, żeby pocałować ją na dobranoc, Bel płakała. – Uwielbiam naszą hacjendę. Nie chcę przeprowadzać się do miasta.

– Ponieważ twojemu ojcu nie wystarczy, że jest równie bogaty jak portugalscy arystokraci z Rio. Chce dorównać im w towarzystwie. I zyskać ich szacunek.

– Ale, *mãe*, to chyba nie jest możliwe. Nawet ja wiem, że Portugalczycy z Rio patrzą z góry na nas, włoskich *paulistas*.

– No cóż – rzuciła matka znużonym głosem. – Jak dotąd twój ojciec zawsze osiągał wszystko, czego chciał.

– Skąd będziemy wiedziały, jak się zachować? – zapytała córka. – Większość życia mieszkałam w górach. Nigdy nie dopasujemy się do wyższych sfer, tak jak chce *pai*.

– Ojciec już mówi o tym, że będziemy spotykały się z senhorą Nathalią Santos, kobietą z arystokratycznego portugalskiego rodu, która ma trudności finansowe. Zarabia, ucząc takich jak my zachowania w towarzystwie. Jest też w stanie przedstawiać swoich podopiecznych odpowiednim ludziom w Rio.

– Więc mamy być zamienione w lalki, które noszą najlepsze ubrania, zawsze mówią to, co trzeba, i odpowiednio posługują się sztućcami? Chyba wolę umrzeć! – Chcąc wyrazić swoje niezadowolenie, Bel wydała z siebie odgłos duszenia.

– Tak to mniej więcej wygląda. Masz rację – zgodziła się Carla, chichocząc z oceny sytuacji dokonanej przez córkę. W jej brązowych oczach widać było iskry rozbawienia. – Oczywiście ty, Izabelo, jako jego ukochana córka jedynaczka, jesteś kurą, która może znieść złote jajko. Już jesteś bardzo piękna, Bel, więc ojciec uważa, że dzięki temu masz szansę dobrze wyjść za mąż.

Bel podniosła na matkę przerażony wzrok.

– Mam być walutą, którą ojciec posłuży się, żeby wejść do towarzystwa? Nie ma mowy! – Przewróciła się na bok i zaczęła walić pięściami w poduszkę.

Carla podeszła do łóżka i posadziła swoje krągłe kształty na jego brzegu. Pulchną ręką poklepała sztywne plecy córki.

– To nie jest takie straszne, jak się wydaje, *querida* – pocieszyła ją.

– Ale mam dopiero piętnaście lat! Chcę wyjść za mąż z miłości, nie dla uzyskania lepszej pozycji społecznej. Poza tym Portugalczycy są bladzi, cherlawi i leniwi. Wolę Włochów.

– No wiesz, Bel… Nie możesz tak mówić. W każdej narodowości są dobrzy i źli ludzie. Jestem pewna, że ojciec znajdzie kogoś, kto ci się spodoba. Rio to duże miasto.

– Nie pojadę tam!

Matka nachyliła się i pocałowała błyszczące czarne włosy córki.

– Jedno jest pewne: odziedziczyłaś po ojcu temperament. Dobranoc, *querida*.

*

Scena ta rozegrała się trzy lata temu i od tamtej pory spełniło się wszystko, co Bel powiedziała matce. Ojciec nadal był ambitny, a matka łagodna. Towarzystwo w Rio okazało się tak nieugięte w swych zwyczajach jak przed dwustu laty, a Portugalczycy pozostali mało atrakcyjni.

Jednak dom w Cosme Velho był zjawiskowo piękny. Jego gładka fasada w kolorze ochry i wysokie, pionowo otwierane okna kryły pokoje o doskonałych proporcjach, które gruntownie odnowiono według instrukcji ojca. Uparł się, by w środku zainstalować wszelkie nowoczesne udogodnienia, takie jak telefon i łazienki na piętrach. Idealnie utrzymany park mógłby rywalizować ze wspaniałym Ogrodem Botanicznym w Rio.

Dom nazywał się Mansão da Princesa na pamiątkę tego, że księżniczka Izabela przyjechała tu kiedyś, aby napić się wody z rzeki o nazwie Carioca, która płynęła przez park i podobno miała właściwości lecznicze.

Mimo niewątpliwych luksusów otoczenia Bel czuła się tu jednak przytłoczona złowieszczym szczytem Corcovado, który wznosił się tuż za ich domem i dominował nad sąsiedztwem. Tęskniła za otwartą przestrzenią i świeżym, czystym powietrzem gór.

Od czasu kiedy przyjechała do miasta, w jej codzienność na dobre wpisała się senhora Santos, nauczycielka etykiety. Uczyła ją, jak wejść do pokoju – „barki w tył, głowa do góry, nie idź, tylko płyń". Wbijano Bel do głowy drzewa genealogiczne wszystkich liczących się rodzin w Rio. Ponadto uczyła się francuskiego, gry na pianinie, historii sztuki i literatury europejskiej. Wkrótce z całego serca zapragnęła pojechać do Starego Świata.

Najtrudniejsze w jej nauce było jednak to, że senhora Santos kategorycznie kazała jej zapomnieć ojczystego języka, którego od kołyski uczyła ją matka. Bel nadal trudno było mówić po portugalsku bez włoskiego akcentu.

Często patrzyła w lustro i chichotała, gdyż niezależnie od tego, jak bardzo senhora Santos starała się zatrzeć ślady jej pochodzenia, prawdziwy rodowód Bel uwidaczniał się w jej rysach. Nieskazitelna cera potrzebowała tylko odrobiny górskiego słońca, by przyjąć barwę głębokiego, świetlistego brązu (choć senhora Santos wciąż upominała ją, by nie wychodzić na słońce), który idealnie pasował do pięknych, falistych, ciemnych włosów i ogromnych brązowych oczu. Wystarczyło w nie spojrzeć, by zobaczyć pełne namiętności noce w górach Toskanii, jej prawdziwej ojczyźnie.

Wydatne usta wskazywały, że Bel ma zmysłową naturę, a piersi codziennie protestowały, kiedy krępowano je sztywnymi drutami gorsetu. Dzień po dniu Loen zaciskała jej z tyłu sprzączki, usiłując ukryć zewnętrzne oznaki kobiecości swojej pani, a Bel często przychodziło do głowy, że krępujący ubiór stanowi metaforę jej życia. Czuła się jak pełne ognia i namiętności dzikie zwierzę zatrzaśnięte w klatce.

Zobaczyła, jak z jednego rogu sufitu na drugi niczym błyskawica przebiegł maleńki gekon. Pomyślała, że jaszczurka w każdej chwili może sobie uciec przez otwarte okno, tak jak zrobiła to małpka sagui. Ją natomiast czekał kolejny dzień życia kurczaka, którego skrępowano, by dobrze przygotować do upieczenia na ogniu życia towarzyskiego Rio. Będzie musiała zapomnieć o swojej danej od Boga naturze, by zamienić się w damę z towarzystwa, bo tak chciał jej ojciec.

Już w przyszłym tygodniu plany ojca dotyczące jej przyszłości miały osiągnąć swe crescendo. Skończy osiemnaście lat i zostanie wprowadzona do towarzystwa w Rio podczas wspaniałego balu w hotelu Copacabana Palace.

Wiedziała, że następnie zostanie zmuszona do wyjścia za mąż za najlepszego kandydata, którego znajdzie dla niej ojciec. I na zawsze straci resztki wolności.

Godzinę później znajome puk, puk do drzwi oznajmiało, że już przyszła Loen.

– Dzień dobry, senhorito Bel. Prawda, że pięknie dziś na świecie? – odezwała się pokojówka, wchodząc.

– Nie – ze złością odwarknęła Bel.

– Ale musi panienka wstać i ubrać się. Tyle dzisiaj czeka na panienkę zajęć.

– Naprawdę? – Bel udawała, że o niczym nie wie, choć dobrze znała swoje codzienne obowiązki.

– Ależ *minha pequena*, niech się panienka ze mną nie drażni – ostrzegła ją Loen, zwracając się do niej jak w czasach dzieciństwa Bel: „moja mała". – Wie panienka równie dobrze jak ja, że o dziesiątej ma panienka lekcję gry na pianinie, a potem przychodzi nauczyciel francuskiego. Natomiast po południu przyjdzie madame Duchaine na ostatnią przymiarkę pani sukni balowej.

Bel zamknęła oczy i udała, że nic nie słyszy.

Loen nie dała się zbić z tropu; podeszła do łóżka i delikatnie potrząsnęła jej ramieniem.

– Co panience dolega? Już za tydzień kończy panienka osiemnaście lat, a z tej okazji ojciec zorganizował dla pani wspaniały bal. Wszyscy w Rio tam będą! Nie cieszy się panienka z tego?

Bel nie zareagowała.

– Co chce panienka dzisiaj włożyć? Kremową suknię czy nie-
bieską? – nie ustępowała Loen.

– Wszystko mi jedno!

Pokojówka spokojnie podeszła do szafy i do komody, po czym
rozłożyła na końcu łóżka ubrania, które sama dla niej wybrała.
Bel ocknęła się niechętnie i usiadła.

– Wybacz mi, Loen. Jestem smutna, bo rano wpadła do pokoju
małpka sagui i ukradła mi szczotkę do włosów, którą dostałam od
babci. Wiem, że *mãe* będzie na mnie zła, bo znowu zostawiłam
otwarte okiennice.

– No nie! – Loen była przerażona. – Taka piękna szczotka do
włosów z masy perłowej przepadła w dżungli u małpek. Ile razy
mówiono panience, żeby zamykać na noc okiennice?

– Mnóstwo razy – przyznała Bel.

– Powiem ogrodnikom, żeby przeszukali park. Może ją znajdą.

– Dziękuję. – Bel podniosła ręce, żeby pomóc Loen zdjąć jej koszulę nocną.

*

Przy śniadaniu Antonio Bonifacio studiował listę gości zapro-
szonych na bal córki w Copacabana Palace.

– Senhora Santos rzeczywiście zebrała wszystkich wielkich
i potężnych, a większość z nich potwierdziła swój udział – skomentował z satysfakcją. – Są jednak wyjątki: Carvalho Gomesowie
i Ribeiro Barcellowie. Przykro im, ale są zajęci.

– Nie wiedzą, co stracą. – Carla w geście pocieszenia położyła
dłoń na plecach męża. Wiedziała, że są to dwie najważniejsze rodziny Rio. – O balu będzie się w mieście mówiło i na pewno to usłyszą.

– Mam nadzieję – mruknął Antonio. – Wystarczająco dużo
mnie kosztował. – A ty, moja księżniczko, będziesz w centrum
uwagi.

– Tak, *papa*. Jestem papie bardzo wdzięczna.

– Bel, wiesz, że nie wolno ci na mnie mówić *papa*. Jestem *pai*.

– Przepraszam, *pai*, trudno zmienić coś, co robiło się całe życie.

Równo złożył gazetę, wstał i pożegnał się z żoną i z córką.

– Idę do biura, żeby na to wszystko zarobić.

Bel powędrowała za ojcem wzrokiem, kiedy wychodził z pokoju. Pomyślała, że nadal jest przystojny: wysoki, elegancki, z bujną ciemną czupryną, która dopiero zaczynała siwieć na skroniach.

– *Pai* jest bardzo spięty. – Westchnęła i zwróciła się do matki: – Myśli mama, że martwi się balem?

– Ojciec zawsze jest spięty, Bel. Zawsze znajduje sobie coś, czym się martwi. Jeśli nie są to plony kawy na którejś z plantacji, to twój bal. Już taki jest. – Carla wzruszyła ramionami. – Ja też już muszę iść. Z samego ranka spotykam się z senhorą Santos, żeby omówić ostatnie przygotowania w hotelu Copacabana Palace. Chce, żebyś dołączyła do nas po lekcji francuskiego i gry na pianinie, aby omówić listę gości.

– Ależ, *mãe*, listę gości znam już na pamięć.

– Wiem, *querida*, ale nie możemy sobie pozwolić na żadne wpadki.

Carla wstała, by wyjść, lecz zawahała się i jeszcze raz odwróciła do córki.

– Jest jeszcze coś, co muszę ci powiedzieć. Moja ukochana kuzynka Sofia zdrowieje po bardzo ciężkiej chorobie, więc zaprosiłam ją i trójkę jej dzieci do hacjendy, żeby doszła do siebie. Jest tam tylko Fabiana i jej mąż, więc muszę wysłać Loen do opieki nad dziećmi, żeby Sofia mogła odpocząć. Przykro mi, ale pod koniec tygodnia Loen będzie musiała wyjechać w góry.

– *Mãe*... – Bel zaparło dech z przerażenia. – Już za kilka dni jest mój bal. Jak sobie bez niej poradzę?

– Przykro mi, Bel, ale nie ma innego wyjścia. Będzie przy tobie Gabriela i na pewno we wszystkim ci pomoże. A teraz muszę iść, bo się spóźnię. – Carla pocieszająco poklepała córkę po plecach i wyszła z pokoju.

Dziewczyna opadła z powrotem na krzesło i próbowała się oswoić z niemiłą wiadomością. Zdenerwowała się, że w jednej z najważniejszych chwil w jej życiu nie będzie przy sobie miała najbliższej popleczniczki.

Loen urodziła się w ich hacjendzie. Jej afrykańscy przodkowie pracowali tam na plantacji kawy jako niewolnicy. W roku 1888, kiedy w Brazylii wreszcie zniesiono niewolnictwo, wielu byłych niewolników już w dniu ogłoszenia tej decyzji rzuciło narzędzia pracy i opuściło swoich panów. Rodzice Loen postanowili zostać. Nadal pracowali u właścicieli hacjendy. Była to bogata rodzina Portugalczyków, która jednak, jak wielu arystokratów z Rio, była zmuszona sprzedać posiadłość, kiedy zabrakło niewolników do pracy na plantacji. W tym czasie ojciec Loen w pewną ciemną noc postanowił się ulotnić, zostawiając dziewięcioletnią Loen i jej matkę Gabrielę na pastwę losu.

Kiedy kilka miesięcy później hacjendę przejął Antonio, Carla zlitowała się nad nimi i zatrudniła je w charakterze pokojówek. Trzy lata temu matka razem z córką przeprowadziły się z ich rodziną do Rio.

Teoretycznie Loen była tylko służącą, ale łączyło ją z Bel wspólnie spędzone dzieciństwo na odludnej hacjendzie. W okolicy było niewielu rówieśników do zabawy, więc wytworzyła się między nimi szczególna więź. Loen, tylko trochę starsza od Bel, była mądra jak na swój wiek, stanowiła więc dla swej młodej pani niekończące się źródło dobrych rad i wsparcia. Bel, chcąc odwdzięczyć się Loen za jej dobroć i lojalność, w długie wieczory na wsi uczyła ją czytać i pisać.

Teraz, w czasie rozłąki, będziemy przynajmniej mogły do siebie pisywać, pomyślała z westchnieniem i wypiła łyk kawy.

– Skończyła senhorita? – zapytała Gabriela, przerywając jej rozmyślania. Uśmiechnęła się do Bel ze współczuciem, co oznaczało, że usłyszała słowa Carli.

Bel zerknęła na kredens, który uginał się pod stosem owoców mango i migdałów oraz koszem świeżo upieczonego chleba. Wystarczyłoby tego, żeby nakarmić całą ulice, a nie trzyosobową rodzinę.

– Tak, możesz sprzątnąć ze stołu. Przykro mi, że będziesz miała więcej pracy, kiedy wyjedzie Loen – dodała.

– Moja córka też będzie zawiedziona, bo nie będzie mogła uczestniczyć w przygotowaniach do urodzin panienki. Ale nie szkodzi, jakoś damy sobie radę.

Po wyjściu Gabrieli Bel sięgnęła po leżącą na stole gazetę „Jornal do Brasil" i otworzyła ją. Na pierwszej stronie było zdjęcie Berthy Lutz, bojowniczki o prawa kobiet, która wraz ze swoimi zwolenniczkami stała przed ratuszem. Senhorita Lutz sześć lat temu założyła Brazylijską Federację na rzecz Awansu Kobiet i walczyła o prawa wyborcze dla wszystkich kobiet. Bel z zapałem śledziła jej poczynania. Miała wrażenie, że dla innych kobiet w Brazylii czasy zmieniają się na lepsze, podczas gdy ona tkwiła w przeszłości z powodu poglądów ojca, który nadal uważał, że kobiety należy po prostu wydać za mąż za kandydata oferującego najwięcej, a potem ich zadaniem jest urodzić gromadkę zdrowych dzieci.

Od przeprowadzki do miasta Antonio traktował swą bezcenną córkę prawie jak więźnia. Nigdy nie pozwalał jej nawet pospacerować po ulicy bez starszej towarzyszki. Nie zdawał sobie jakby sprawy z tego, że nieliczne rówieśniczki (tylko te zatwierdzone przez senhorę Santos), którym przedstawiono ją na herbatkach, pochodziły z rodzin wychodzących naprzeciw nowym czasom.

Na przykład rodzice jej przyjaciółki Marii Elisy da Silva Costy, pochodzący z arystokratycznej portugalskiej rodziny, nie zajmowali się bynajmniej chodzeniem z jednego przyjęcia w towarzystwie na drugie, jak niesłusznie wyobrażał sobie *pai*. Stare portugalskie salony, na które *pai* tak bardzo chciał wprowadzić swą rodzinę, w większości przeszły już do historii. Tylko nieliczni nadal trzymali się ich ginącego świata.

Maria Elisa była jedną z nielicznych dziewcząt, z którymi Bel się utożsamiała. Jej ojciec, Heitor, zarabiał na życie jako słynny architekt. Ostatnio powierzono mu zaszczyt zbudowania planowanego właśnie pomnika Cristo Redentor na szczie góry Corcovado, która tak spektakularnie wznosiła się do nieba za ich domem. Rodzina da Silva Costa mieszkała niedaleko, w Botafogo. Kiedy ojciec Marii Elisy jechał na górę, żeby robić pomiary do konstrukcji, córka często towarzyszyła mu do Cosme Velho i zostawała u Bel, podczas gdy Heitor jechał kolejką na szczyt. Właśnie dziś, trochę później, Bel spodziewała się jej odwiedzin.

– Senhorito, czy mam panience jeszcze coś przynieść? – zapytała Gabriela, zatrzymując się z ciężką tacą przy drzwiach.

– Nie, dziękuję, Gabrielo, możesz już iść.

Kilka minut potem Bel wstała i także wyszła z pokoju.

*

– Na pewno bardzo się cieszysz ze swojego balu – powiedziała Maria Elisa, kiedy usiadły w cieniu gęstego tropikalnego lasu, którego liście zwieszały się aż za ogrodzenie wokół parku. Niewielka armia ogrodników dbała, by dżungla nie wtargnęła na nieskazitelnie utrzymany teren, ale poza nim nieposkromiona roślinność całkowicie opanowała zbocze góry.

– Tak naprawdę ucieszę się, kiedy będzie już po wszystkim – szczerze wyznała Bel.

– A ja nie mogę się doczekać. – Maria Elisa uśmiechnęła się. – Przyjdzie Alexandre Medeiros, który bardzo mi się podoba. Jeśli poprosi mnie do tańca, poczuję się jak w niebie – dodała, popijając świeżo wyciśnięty sok pomarańczowy. – A tobie wpadł już w oko jakiś młodzieniec? – Z ciekawością spojrzała na Bel.

– Nie, a poza tym, przecież to ojciec chce dla mnie wybrać męża.

– Jest strasznie zacofany! Kiedy z tobą rozmawiam, doceniam swoje szczęście, że mam takiego *pai*, chociaż wciąż chodzi z głową w chmurach i rozmyśla o tym swoim Cristo. A wiesz – rzuciła Maria Elisa, ściszając głos do szeptu – że mój ojciec tak naprawdę jest ateistą? Mimo to buduje największy posąg Chrystusa na świecie.

– Może dzięki tej pracy zmieni swoje poglądy – powiedziała Bel.

– Wczoraj wieczorem słyszałam, jak mówił *mãe*, że musi popłynąć do Europy, by poszukać rzeźbiarza, który wykona statuę. Długo go nie będzie, więc mamy mu towarzyszyć. Wyobrażasz to sobie, Bel? Zobaczymy zabytki Florencji, Rzymu i oczywiście Paryża. – Na myśl o tym Maria Elisa z radości zmarszczyła swój śliczny piegowaty nosek.

– Do Europy?! – krzyknęła Bel. – Mario Eliso, powiem szczerze, że w tej chwili cię znienawidziłam. Od zawsze marzę, żeby pojechać do Starego Świata. Zwłaszcza do Florencji, skąd pochodzi moja rodzina.

– Jeśli wszystko się potwierdzi, może będziesz mogła się z nami

144

wybrać, przynajmniej na trochę? Dla mnie też byłoby to dobre, bo inaczej do towarzystwa miałabym tylko moich dwóch braci. Co o tym myślisz? – Oczy Marii Elisy promieniały ze szczęścia.

– To wspaniała propozycja, ale tata się nie zgodzi. Skoro tu nie pozwala mi nawet samej wyjść na ulicę, wątpię, żeby pozwolił mi popłynąć aż do Europy. Poza tym potrzebuje mnie tutaj, w Rio, żeby jak najszybciej wydać mnie za mąż. – Bel z rozpaczą zgniotła butem mrówkę.

Usłyszały odgłos samochodu, który zaparkował na podjeździe, co znaczyło, że po Marię Elisę przyjechał ojciec.

– W takim razie do zobaczenia w czwartek na twoim balu. – Maria Elisa wstała i serdecznie uścisnęła przyjaciółkę.

– Tak.

– *Adeus*, Bel. I nie martw się, na pewno coś wymyślimy – dodała, zanim ruszyła przez park.

Bel została na swoim miejscu. Pogrążyła się w marzeniach o tym, że zobaczy Duomo i fontannę Neptuna we Florencji. Ze wszystkich lekcji, które zorganizowała dla niej senhora Santos, najbardziej podobały jej się te z historii sztuki. Zatrudniono artystę, który uczył ją podstaw rysunku i malarstwa. Popołudnia, kiedy siedziała w jego studio w Escola Nacional de Belas Artes, należały do jej najprzyjemniejszych chwil od przyjazdu do Rio.

Artysta był także rzeźbiarzem i pozwolił jej spróbować swoich sił w obrabianiu kawałka gęstej czerwonej gliny. Bel pamiętała uczucie miękkiej wilgoci między palcami i elastyczność materiału, kiedy starała się uformować go w ludzką postać.

– Ma panienka prawdziwy talent – pochwalił ją, kiedy pokazała mu swoją, jej zdaniem żałosną, wersję Wenus z Milo. Niezależnie od tego, czy miała talent, czy nie, uwielbiała atmosferę studia, a kiedy lekcje dobiegły końca, brakowało jej cotygodniowych wypraw do pracowni.

Usłyszała, że z tarasu woła ją Loen. Madame Duchaine przyjechała na ostatnią przymiarkę sukni balowej.

Dziewczyna zostawiła rozmyślania o Europie i jej wspaniałościach w dżungli za ogrodzeniem, wstała i poszła przez park do domu.

14

Kiedy Bel obudziła się rano w swoje osiemnaste urodziny, zobaczyła, że za oknem pędzą po horyzoncie szare chmury, i usłyszała dochodzący z daleka pomruk grzmotu. Zbliżała się burza. Zaraz nabierze przerażającej mocy i niebo rozbłyśnie od ogromnych błyskawic. Potem nagle runie z niego ulewa i na wskroś przemoczy mieszkańców Rio.

Gabriela, która krzątała się po pokoju, zasypując Bel szczegółami jej dzisiejszego harmonogramu zajęć, także zwróciła się w stronę okna i przyjrzała się niebu.

– Możemy się jedynie modlić, żeby lunęło przed balem i żeby deszcz przeszedł do czasu, kiedy zaczną się schodzić goście. Cóż by to była za katastrofa, gdyby piękna suknia panienki ubłociła się w drodze z samochodu do hotelu! Pójdę do kaplicy i poproszę Matkę Boską, żeby do wieczora było po deszczu, a potem wyszło słońce i wysuszyło kałuże. A teraz, senhorito Izabelo, rodzice czekają na panienkę w pokoju śniadaniowym. Ojciec chce się z panienką zobaczyć, zanim wyjdzie do biura. Dla nas wszystkich jest to nadzwyczajny dzień.

Chociaż Bel kochała Gabrielę, po raz setny pomyślała o tym, jaka to szkoda, że nie ma przy niej Loen, że nie mogą wspólnie przeżywać tego szczególnego dnia.

Dziesięć minut później weszła do pokoju śniadaniowego. Ojciec wstał od stołu i rozpostarł przed nią ramiona.

– Moja droga córko! Dziś osiągasz pełnoletniość. Nie mógłbym być z ciebie bardziej dumny. Chodź, uściśnij ojca!

Bel wtuliła się w jego silne, opiekuńcze ramiona. Czuła zapach wody kolońskiej, której zawsze używał, i oleju do smarowania włosów.

– A teraz ucałuj matkę i pokażemy ci prezent, który mamy dla ciebie.

– *Piccolina...* – Carla zapomniała się i pieszczotliwie odezwała się do niej po włosku, tak jak kiedyś. Wstała od stołu i serdecznie ucałowała córkę, po czym cofnęła się i szeroko rozwarła ramiona.

– Patrzcie tylko! Ależ ty jesteś piękna!

– Urodę oczywiście odziedziczyła po swojej kochanej mamie – wtrącił się Antonio, obrzucając żonę czułym spojrzeniem.

Bel widziała, że ma oczy pełne łez. Ostatnio rzadko okazywał uczucia, więc natychmiast przypomniały jej się czasy, kiedy byli zwykłą włoską rodziną, zanim *pai* tak bardzo się wzbogacił. Na myśl o tym poczuła ucisk w gardle.

– Chodź, zobacz, co dla ciebie kupiliśmy. – Antonio sięgnął na siedzenie krzesła obok siebie i wziął stamtąd dwa obite aksamitem pudełeczka. – Popatrz. – Z przejęciem uniósł pokrywkę większego, by pokazać, co jest w środku. – I jeszcze to. – Otworzył drugie, mniejsze.

Bel zaparło dech w piersiach na widok pięknego kompletu: naszyjnika i kolczyków ze szmaragdami.

– *Pai! Meu Deus!* Są niezwykłe! – Bel nachyliła się nad klejnotami, po czym za przyzwoleniem ojca podniosła naszyjnik z jedwabnej wyściółki. Był ze złota, ze szmaragdami; największy z nich miał spocząć na środku jej dekoltu.

– Przymierz – zachęcił ją ojciec i gestem wskazał, aby żona zapięła naszyjnik z tyłu.

Kiedy Carla to zrobiła, palce Bel powędrowały do szyi. Pogładziła gładkie kamienie.

– Ładnie mi?

– Zanim spojrzysz, musimy jeszcze dodać ci kolczyki – powiedział Antonio, a Carla pomogła córce wpiąć w uszy delikatne klejnoty w kształcie łezek.

– Proszę! – Ojciec poprowadził córkę prosto przed lustro, które wisiało nad kredensem. – Są piękne! – zawołał, kiedy przyjrzał się odbiciu dziewczyny. Klejnoty połyskiwały na kremowej skórze jej szyi.

– *Pai*, na pewno kosztowały majątek!

– To szmaragdy z kopalni w Minas Gerais. Osobiście oglądałem nieoszlifowane kamienie i wybrałem najlepsze.

– Twoja kremowa suknia haftowana szmaragdową nicią została specjalnie zaprojektowana, by wyeksponować urodzinowy prezent – dodała Carla.

– Dziś wieczorem – z satysfakcją rozważał Antonio – nie będzie na sali kobiety, która miałaby na sobie piękniejsze i droższe ozdoby, choćby nawet założyły klejnoty koronne Portugalii.

W jednej chwili naturalna dziewczęca radość Bel z otrzymania tak wspaniałego prezentu ulotniła się. Kiedy patrzyła w lustro na swoje odbicie, zrozumiała, że ojciec postarał się o tę biżuterię nie po to, by zrobić jej przyjemność na urodziny. Był to po prostu jeszcze jeden sposób zaimponowania wielu ważnym ludziom, którzy mieli dzisiaj przyjść na bal.

Nagle błyszczące zielone kamienie, które wisiały jej na szyi, wydały jej się wulgarne, zbyt pretensjonalne… a ona była tylko tłem, na którym ojciec chciał pokazać swoje bogactwo. Oczy wypełniły jej się łzami.

– Ach, nie płacz, *querida*. – Carla natychmiast znalazła się u jej boku. – Rozumiem, że cię to oszołomiło, ale nie możesz się denerwować w taki ważny dzień.

Bel instynktownie przylgnęła do matki i położyła głowę na jej ramieniu. Ogarnął ją lęk przed przyszłością.

*

Bal w hotelu Copacabana Palace Bel pamiętała jako ciąg pomieszanych, wyrazistych obrazów. Tego wieczoru ona i – co ważniejsze – jej ojciec zostali z pompą wprowadzeni do elity Rio.

Gabriela najwyraźniej dobrze modliła się do Matki Boskiej, bo choć kilka godzin padało, o czwartej ulewa przeszła. Bel była już wykąpana i przyszła fryzjerka, by upiąć jej gęste, czarne, połyskliwe włosy. W kok wpleciono sznury małych szmaragdzików – jeszcze jeden prezent od ojca. Suknia, skrojona ze specjalnie sprowadzonej z Paryża satyny duchesse, była po mistrzowsku uszyta przez madame Duchaine tak, by podkreślić piersi, wąskie biodra i płaski brzuch. Pasowała na Bel jak druga skóra.

Kiedy dziewczyna przyjechała do hotelu, rzucił się w jej stronę tłum opłaconych przez ojca fotografów. Światła fleszy rozbłyskiwały jej co chwila prosto w twarz.

Fontanna do szampana cały wieczór funkcjonowała tak, jakby płynęła z niej woda, a importowany z Rosji kawior z bieługi podawano w takich ilościach, jakby to były tanie *salgadinhos* od ulicznego sprzedawcy.

Po kolacji, na którą zaserwowano homara thermidor, a do tego najlepsze francuskie wina, na tarasie wystąpiła najmodniejsza orkiestra taneczna w Rio. Ogromny basen przykryto deskami, aby goście mogli tańczyć pod gwiazdami.

Antonio zdecydowanie nie zgodził się na sambę, która choć coraz popularniejsza, uważana była w Rio za muzykę biedoty. Senhora Santos przekonała go jednak, by pozwolił na kilka energicznych kawałków maxixe, ponieważ szybkie kroki tego tańca uważane były ostatnio za szczyt elegancji w Nowym Jorku i Paryżu.

Bel zapamiętała, że na parkiecie tańczyła z całym szeregiem mężczyzn, lecz kiedy dotykali jej nagiego ramienia, było to dla niej równie mało istotne, jakby usiadł na nim komar, którego natychmiast by odgoniła.

Po pewnym czasie Antonio osobiście przyprowadził pewnego młodzieńca.

– Izabelo, pozwól, że ci kogoś przedstawię – powiedział. – To Gustavo Aires Cabral. Od pewnego czasu podziwia cię z daleka i bardzo chciałby prosić cię o taniec.

Słysząc jego nazwisko, Bel natychmiast zorientowała się, że ten drobny mężczyzna o niezdrowej, bladej cerze należy do jednej z czołowych rodzin brazylijskiej arystokracji.

– Oczywiście. – Z szacunkiem opuściła wzrok. – To będzie dla mnie zaszczyt, senhor.

Nie mogła nie zwrócić uwagi na to, że z powodu niskiego wzrostu partnera jego oczy z trudem sięgają poziomu jej oczu, a kiedy schylił się, by pocałować ją w rękę, zobaczyła, że na czubku głowy włosy bardzo mu się przerzedziły.

– Senhorita, gdzie się pani chowała? – mruknął, gdy prowadził ją na parkiet. – Jest pani z całą pewnością najpiękniejszą kobietą w Rio.

Kiedy tańczyli, Bel nawet nie musiała patrzeć na ojca, by wiedzieć, że spogląda na nich z pełnym satysfakcji uśmiechem.

Potem, gdy pokrojono dziesięciopiętrowy tort, a każdy dostał następny kieliszek szampana, aby wznieść toast na jej cześć, nagle uszu Bel dobiegł wybuch. Podobnie jak wszyscy, który byli na tarasie, odwróciła głowę w jego stronę i zobaczyła, że na falach niedaleko brzegu unosi się łódź, z której wystrzeliwane są tysiące sztucznych ogni w kształcie kul, rakiet i gwiazd. Kolorowe fajerwerki rozświetliły nocne niebo nad Rio tak, że zgromadzonym gościom aż zaparło dech w piersiach. Wokół Bel wciąż kręcił się Gustavo, więc jedyne, co mogła zrobić, to przylepić sobie do twarzy fałszywy uśmiech wdzięczności.

*

Następnego ranka Bel obudziła się o jedenastej. Najpierw napisała do Loen, bo ta na pewno w napięciu czekała w hacjendie na wiadomości o balu. Potem wyszła z sypialni i skierowała się na dół. Ona i jej rodzice dotarli do domu dobrze po czwartej rano, więc matka i ojciec właśnie jedli późne śniadanie. Wyglądali na zmęczonych i mieli zapuchnięte oczy.

– Popatrz, kogo tu widzimy – odezwał się Antonio do żony. – Świeżo koronowana księżniczka Rio.

– Dzień dobry, *pai*. Dzień dobry, *mãe*.

Bel usiadła, a Gabriela spytała, co chce na śniadanie.

– Wypiję tylko kawę, dziękuję – odparła dziewczyna. Propozycję jedzenia odrzuciła machnięciem dłoni.

– Jak się czujesz, kochana? – zapytał ojciec.

– Jestem trochę zmęczona – przyznała.

– Może wypiłaś za dużo szampana. Bo ja na pewno.

– Nie, przez całą noc wypiłam tylko jeden kieliszek. Po prostu jestem zmęczona, to wszystko. Nie idzie *pai* dzisiaj do biura?

– Nie. Stwierdziłem, że ten jeden raz mogę się spóźnić. Widzisz – wskazał na stojącą na stole tacę, na której był wysoki stos kopert – niektórzy goście już przysłali pokojówki z podziękowaniem za bal i zaproszeniem dla ciebie na obiad lub kolację. Jest też list zaadresowany osobiście do ciebie. Oczywiście nie przeczytałem, co w nim jest, ale po pieczęci z tyłu widać, kto go przysłał. Weź go, Izabelo, i powiedz rodzicom, co jest w nim napisane.

Antonio podał jej kopertę i Bel zobaczyła inicjały Aires Cabralów wytłoczone na wosku z tyłu koperty. Otworzyła list i przeczytała kilka linijek na tłoczonym papierze.

– No i co? – niecierpliwił się Antonio.

– Gustavo Aires Cabral dziękuje za wczorajszy wieczór i ma nadzieję, że mnie wkrótce zobaczy.

Ojciec z radości klasnął w ręce.

– Izabelo, ale z ciebie bystra dziewczyna. Gustavo pochodzi od ostatniego cesarza Portugalii. Ma jeden z najlepszych rodowodów w Rio.

– I pomyśleć, że napisał do naszej córki! – Carla skrzyżowała ręce na piersiach. Ją także oszołomiła ta myśl.

Bel spojrzała na ożywione twarze rodziców i powiedziała:

– *Pai*, Gustavo przysłał mi tylko podziękowanie za wieczór. To nie oświadczyny.

– Nie, *querida*, ale mogą być i oświadczyny. – Ojciec mrugnął do niej. – Widziałem, jak mu się spodobałaś. Zresztą sam mi to powiedział. I niby dlaczego miałoby tak nie być? – Podniósł „Jornal do Brasil", gdzie na pierwszej stronie widniało zdjęcie, na którym promienna Bel przybywa na przyjęcie.

– Wszyscy w mieście o tobie mówią, księżniczko. Od tej pory twoje życie i nasze bardzo się zmieni.

*

Rzeczywiście, przez następne kilka tygodni, w miarę jak zbliżało się Boże Narodzenie i sezon towarzyski w Rio nabierał rozmachu, Bel była rozchwytywana. Do domu znów wezwano madame Duchaine, która dostała polecenie, by uszyć jeszcze wiele sukni dla Bel: na tańce, do opery i na kolacje w prywatnych domach. Bel była tak świetnie wyszkolona przez senhorę Santos, że w każdej sytuacji umiała się idealnie znaleźć.

Często bywał tam również Gustavo Aires Cabral, którego w tajemnicy nazwały z Marią Elisą fretką – z powodu wyglądu i dlatego, że ciągle wsadzał nos wszędzie tam, gdzie była Bel.

Podczas premiery *Don Giovanniego* w Theatro Municipal znalazł ją w foyer i uparł się, żeby w przerwie przyszła do loży jego rodziców, bo chciałby im ją przedstawić.

– Powinnaś się czuć zaszczycona. – Maria Elisa z podziwem zmarszczyła czoło, kiedy Gustavo odszedł, sącząc szampana, i znalazł się w wypełniającym foyer tłumie. – Z tych arystokratów, którzy zostali nam w Rio, jego rodzice są najbliżsi rodzinie królewskiej. A przynajmniej – zachichotała – tak się zachowują.

W związku z tym, kiedy w przerwie Bel znalazła się w ich loży, spontanicznie dygnęła, jakby stanęła przed obliczem samego wiekowego cesarza. Matka Gustava, Luiza Aires Cabral, okazała się wyniosła, a w dodatku wręcz kapały z niej diamenty. Uważnie, jakby dokonywała inspekcji, przyjrzała się Bel, mrużąc oczy.

– Senhorita Bonifacio, rzeczywiście jest pani tak piękna, jak wszyscy mówią – odezwała się łaskawie.

– Dziękuję – nieśmiało bąknęła Bel.

– A pani rodzice? Czy są w teatrze? Chyba nie mieliśmy jeszcze przyjemności ich poznać.

– Nie. A dzisiaj ich tu nie ma.

– Pani ojciec ma kilka plantacji w rejonie São Paulo, prawda? – zapytał ojciec Gustava, który wyglądał jak starsza kopia syna.

– Tak, senhor.

– No i oczywiście bardzo się na nich bogaci. To region, w którym można zarobić mnóstwo nowych pieniędzy – wtrąciła jego żona.

– Tak, senhora. – Bel zrozumiała przytyk.

– No cóż – pośpiesznie rzucił Maurício, mierząc żonę ostrzegawczym spojrzeniem – musimy zaprosić ich na obiad.

– Oczywiście. – Senhora Aires Cabral kiwnęła głową w kierunku Bel, po czym zwróciła się w stronę swej sąsiadki.

– Wydaje mi się, że im się spodobałaś – podsumował spotkanie Gustavo, gdy odprowadzał Bel do jej loży. – Zadawali ci pytania i sprawiali wrażenie zainteresowanych. To zawsze dobry znak. Przypomnę im, że obiecali zaprosić twoich rodziców.

Kiedy jednak Bel dołączyła do Marii Elisy, wyznała jej, że gorąco pragnie, aby Gustavo o tym zapomniał.

*

Wkrótce przyszło jednak zaproszenie dla Bel i jej rodziców na obiad do Aires Cabralów. Carla zamartwiała się, co włożyć na taką okazję, i przymierzyła większość sukni, które miała w garderobie.

– *Mãe*, proszę cię, przecież to tylko obiad – przekonywała ją Bel. – Jestem pewna, że Aires Cabralowie nawet nie zauważą, co na sobie masz.

– Ależ zauważą. Nie rozumiesz, że idziemy na inspekcję? Jedno negatywne słowo Luizy Aires Cabral, a drzwi, które do tej pory tak łatwo się przed tobą w Rio otwierały, natychmiast zatrzasną się nam przed nosem.

Dziewczyna westchnęła i wyszła z garderoby matki. Miała ochotę krzyczeć, że nie ma znaczenia, co Aires Cabralowie pomyślą o jej rodzicach, bo ona absolutnie nikomu nie da się sprzedać jak kawałek mięsa.

*

– Wyjdziesz za niego, jeśli ci się oświadczy? – zapytała Maria Elisa, kiedy przyszła po południu w odwiedziny i Bel powiedziała jej o zaproszeniu.

– Ojej! Przecież prawie go nie znam. A poza tym jestem pewna, że jego rodzice chcą, żeby poślubił portugalską księżniczkę, a nie córkę włoskich imigrantów.

153

– Może i tak, ale mój ojciec mówi, że Aires Cabralowie mają kłopoty finansowe. Jak wiele starych rodzin arystokratycznych, pieniądze zarobili w kopalniach złota w Minas Gerais, lecz to było dwieście lat temu. Ich plantacje kawy zbankrutowały, kiedy zniesiono niewolnictwo. Ojciec twierdzi, że od tamtej pory niewiele zrobili, żeby poprawić swoją sytuację, więc ich fortuny się skurczyły.

– Jak to możliwe, że Aires Cabralowie są biedni, skoro mieszkają w jednym z najpiękniejszych pałaców w Rio, a matka Gustava obwieszona jest drogą biżuterią? – zapytała Bel.

– To klejnoty rodzinne, a pałac od pięćdziesięciu lat nie był odnawiany. *Pai* wezwano tam kiedyś na oględziny, bo tyle tam potrzeba napraw. Powiedział, że z powodu wilgoci w łazienkach rośnie zielona pleśń. Ale gdy przedstawił senhorowi Aires Cabralowi szacunkową wycenę prac, ten zaniemówił z przerażenia i go odesłał. – Maria Elisa wzruszyła ramionami. – Przysięgam ci, ich wpływy ograniczają się do nazwiska i nie są wsparte bogactwem. Twój ojciec jest natomiast niezwykle majętny. – Skupiła wzrok na Bel. – Choćbyś nie wiem jak chciała temu zaprzeczyć, niemożliwe, żebyś nie widziała, co się dzieje.

– Nawet jeśli Gustavo mi się oświadczy, rodzice nie mogą mnie zmusić do małżeństwa. Zwłaszcza jeśli mnie to unieszczęśliwi.

– Moim zdaniem twój ojciec nie dałby się tak łatwo przekonać, żeby odrzucić oświadczyny. Córka z nazwiskiem Aires Cabral i perspektywa kontynuacji arystokratycznej linii rodu przez jego wnuków to dla niego spełnienie marzeń. Każdy ci powie, że to idealne połączenie: ty wnosisz urodę i bogactwo, a Gustavo arystokratyczny rodowód.

Chociaż Bel z całej siły starała się uciekać od wizji takiego scenariusza, dotarły do niej bezpośrednie słowa przyjaciółki.

– Boże, dopomóż mi – westchnęła. – Co mam robić?

– Nie wiem. Naprawdę nie wiem.

Chcąc zagłuszyć rozpacz, która za chwilę mogła całkiem ją pochłonąć, Bel zmieniła temat i głośno wyraziła myśl, która nie dawała jej spokoju od czasu, kiedy Maria Elisa po raz pierwszy poruszyła ten temat.

– Kiedy wyjeżdżasz do Europy?

– Za sześć tygodni. Tak się cieszę! *Pai* zarezerwował już dla nas kabiny na parowcu, którym popłyniemy do Francji.

– Mario Eliso.... – Bel chwyciła przyjaciółkę za rękę. – Błagam cię, spytaj ojca, czy mógłby porozmawiać z moim tatą i poprosić go, żebym wybrała się z wami do Paryża. Namów go, żeby przekonał *pai*, że skoro mam dobrze wyjść za mąż, korzystnie będzie, jeśli zakończę swoją edukację podróżą po Starym Świecie. Masz rację, jeśli teraz czegoś nie zrobię, rodzice w ciągu paru miesięcy wydadzą mnie za Gustava. Muszę uciec... błagam.

– Dobrze. – Maria Elisa swoimi spokojnymi brązowymi oczami oszacowała rozpacz przyjaciółki. – Pójdę porozmawiać z *pai* i zobaczę, co się da zrobić. Ale może być już za późno. Fakt, że Aires Cabralowie już zaprosili ciebie i twoich rodziców na obiad, to znak, że nieuchronnie czekają cię oświadczyny.

– Ale ja dopiero skończyłam osiemnaście lat! Jestem chyba za młoda na małżeństwo? Bertha Lutz mówi nam, żebyśmy walczyły o niezależność, same zarabiały na życie, abyśmy nie musiały sprzedawać się mężczyznom, którzy najwięcej za nas zaoferują. Kobiety przyłączają się do niej i żądają równości!

– Tak, Bel, to prawda, ale te kobiety nie są tobą. A teraz – Maria Elisa dla pocieszenia przyjaźnie poklepała przyjaciółkę po dłoni – obiecuję, że porozmawiam z *pai* i zobaczymy, czy uda nam się porwać cię z Rio, przynajmniej na kilka miesięcy.

– No i może nigdy nie wrócę – szepnęła do siebie Bel pod nosem.

*

Następnego dnia Bel razem z rodzicami wsiadła do samochodu i pojechali do Casa das Orquídeas, domu rodzinnego Aires Cabralów. Carla siedziała koło niej, więc Bel czuła, jak bardzo matka jest spięta.

– Naprawdę, *mãe*, to tylko obiad.

– Wiem, *querida* – powiedziała Carla ze wzrokiem utkwionym w przestrzeń przed sobą. Tymczasem szofer wjechał przez bramę z kutego żelaza na podjazd przed okazałym białym pałacem.

– Rzeczywiście, imponująca rezydencja – zauważył Antonio, kiedy wyszedł z samochodu. We trójkę szli w kierunku zwieńczonych portykiem drzwi frontowych.

Chociaż budynek o pełnej gracji klasycznej architekturze był ogromny, Bel od razu przyszły na myśl słowa Marii Elisy, nie dało się bowiem nie zauważyć, że ogród jest zaniedbany, a fasada bardzo wyblakła.

Pokojówka, która otworzyła im drzwi, poprowadziła ich do wypełnionego antykami surowego salonu. Bel wciągnęła nosem powietrze. Pachniało wilgocią. Mimo upału na zewnątrz zadrżała z zimna.

– Powiem senhorze Aires Cabral, że państwo przyjechali – powiedziała pokojówka i gestem wskazała, by usiedli.

Porozsiadali się i po, ich zdaniem, niezmiernie długim czasie, który wszyscy troje spędzili, siedząc w milczeniu, do pokoju wreszcie wszedł Gustavo.

– Państwo Bonifacio i senhorito Izabelo, bardzo się cieszę, że nas odwiedziliście. Rodzice nieco się spóźnią, ale wkrótce do nas dołączą.

Gustavo podał dłoń Antoniowi, pocałował Carlę w rękę, a potem ujął dłoń Bel.

– Pozwolę sobie powiedzieć, że wygląda pani dziś przepięknie, Izabelo. Czy mogę państwu zaproponować coś do picia, dopóki czekamy na rodziców?

W końcu, po jakichś dziesięciu minutach wymuszonej rozmowy, do salonu weszli senhora i senhor Aires Cabralowie.

– Przepraszam, zatrzymały nas pewne sprawy rodzinne, ale już jesteśmy – powiedział senhor Aires Cabral. – Czy mogę państwa prosić o przejście do jadalni?

Jadalnia była niewyobrażalnie ogromna i wytworna. Stał tam mahoniowy stół, przy którym, według Bel, mogło usiąść ze czterdzieścioro gości. Kiedy jednak spojrzała do góry, na sufit, zobaczyła duże pęknięcia w niegdyś eleganckim, ozdobnym gzymsie.

– Dobrze się pani czuje, senhoro Izabelo? – zapytał Gustavo, którego posadzono obok niej.

– Oczywiście.

– To dobrze, dobrze.

Bel zachodziła w głowę, o czym by tu z nim rozmawiać, gdyż przy poprzednich okazjach, kiedy siedziała koło niego podczas posiłków, wyczerpała już wszystkie oczywiste tematy niezobowiązujących konwersacji.

– Od jak dawna pańska rodzina mieszka w tym pałacu? – wykrztusiła.

– Od dwustu lat – odparł Gustavo. – I wydaje mi się, że niewiele się w nim w tym czasie zmieniło – zauważył z uśmiechem. – Nieraz czuję się tak, jakbym mieszkał w muzeum, co prawda bardzo pięknym.

– To rzeczywiście piękny dom – zgodziła się z nim Bel.

– Jak pani – rzucił Gustavo szarmancko.

Podczas obiadu za każdym razem, kiedy Bel odwracała się w kierunku Gustava, przyłapywała go na tym, że na nią patrzy. Oczy miał pełne niekłamanego podziwu, w odróżnieniu od swoich rodziców, którzy nie tyle uprzejmie rozmawiali z Bonifaciami, co dokładnie ich przepytywali. Bel zobaczyła, że twarz siedzącej po przeciwnej stronie stołu matki jest napięta i blada; Carla z całych sił walczyła, by sprostać rozmowie z senhorą Aires Cabral. Dziewczyna posłała matce pełne współczucia spojrzenie.

Kiedy po wypiciu kilku kieliszków wina atmosfera nieco się rozluźniła, rozmowa stała się swobodniejsza; zwłaszcza Gustavo zwracał się do Bel w mniej oficjalny sposób. Dowiedziała się na przykład, że z pasją oddaje się studiowaniu literatury, uwielbia muzykę klasyczną i zgłębia wiedzę na temat filozofii greckiej i historii Portugalii. Przez całe życie ani jednego dnia nie poświęcił pracy, więc czas wypełniał studiami nad kulturą. Dzieląc się z nim swoim uwielbieniem dla sztuki, Bel nabrała do niego nieco cieplejszych uczuć, więc reszta obiadu minęła im w miłej atmosferze.

– Jest pan urodzonym naukowcem – powiedziała do niego z uśmiechem, kiedy wszyscy wstali od stołu, aby przejść do salonu na kawę.

– Jest pani niezwykle miła, Izabelo. Każdy pani komplement jest dla mnie więcej wart niż tysiąc usłyszanych od innych ludzi. Pani także wiele wie na temat sztuki.

– Zawsze marzyłam o tym, by pojechać do Europy i zobaczyć dzieła starych mistrzów – wyznała mu z westchnięciem.

Pół godziny później Bonifaciowie się żegnali. Kiedy ich samochód odjeżdżał spod pałacu, Antonio z promiennym uśmiechem odwrócił się do żony i córki, które siedziały z tyłu.

– Wątpię, żeby mogło pójść nam lepiej.

– Tak, kochanie. – Carla jak zwykle przytakiwała mężowi. – Poszło nam świetnie.

– Ale ten ich pałac... Trzeba by go zburzyć i wybudować od nowa. A przynajmniej wydać fortunę na remont. – Uśmiechnął się z próżnością i zadowoleniem. – A jedzenie, które podali... Lepsze jadłem w byle budzie na plaży. Zaprosisz ich na obiad w przyszłym tygodniu, Carlo, i pokażemy im, jak to powinno wyglądać. Powiedz kucharzowi, żeby zamówił najlepsze ryby i wołowinę. I ma na niczym nie oszczędzać.

– Tak, Antonio.

Kiedy dojechali do domu, natychmiast wyszedł, mówiąc, że musi spędzić kilka godzin w biurze.

Carla i Bel szły przez park w stronę domu.

– Gustavo sprawia wrażenie miłego człowieka – odezwała się matka.

– Tak, jest miły.

– Wiesz, Bel, że bardzo się tobą interesuje?

– Nie, *mãe*, to niemożliwe. Dzisiaj po raz pierwszy naprawdę ze sobą rozmawialiśmy.

– Widziałam, jak na ciebie patrzył przy obiedzie, i mogę ci powiedzieć, że bardzo cię polubił. – Carla westchnęła głęboko. – Co mnie ogromnie cieszy.

15

– Poprosiłaś już ojca, żeby porozmawiał z moim o Europie? – zapytała Bel, kiedy kilka dni później odwiedziła ją Maria Elisa. Usłyszała w swoim głosie rozpacz.

– Tak – odparła jej przyjaciółka. Siedziały właśnie w ogrodzie, w tym samym miejscu co zawsze. – Jeśli tylko twój ojciec się zgodzi, *pai* z chęcią cię zabierze. Obiecał, że z nim porozmawia, gdy dziś przyjedzie mnie odebrać.

– *Meu Deus* – westchnęła Bel. – Teraz muszę się modlić, żeby zrobił, co się da, by przekonać mojego ojca, że powinnam wam towarzyszyć.

– Mnie martwi coś innego, Bel. Z tego, co mi właśnie powiedziałaś, wynika, że wielkimi krokami zbliżają się oświadczyny Gustava. Nawet jeśli ojciec zgodzi się na twój wyjazd, to narzeczony z pewnością nie zechce spuścić cię z oka. – Maria Elisa przerwała i przez chwilę przyglądała się napiętej twarzy przyjaciółki. – W końcu sama powiedziałaś, że Gustavo jest człowiekiem inteligentnym i uprzejmym. Mieszkałabyś w jednym z najpiękniejszych pałaców Rio, który twój ojciec na pewno z chęcią by odnowił zgodnie z twoim gustem. A kiedy do swojej urody dodałabyś nowe nazwisko, zostałabyś w Rio królową towarzystwa. Wiele dziewcząt marzy o takiej szansie – podkreśliła.

– Co ty mówisz! – Bel spiorunowała ją wzrokiem. – Myślałam, że jesteś po mojej stronie.

– Oczywiście, że jestem, ale znasz mnie: jestem pragmatyczką i bardziej słucham głowy niż serca. Mówię tylko, że mogłabyś trafić gorzej.

– Mario Eliso… – Bel załamała ręce. – Ja go nie kocham! A przecież to jest najważniejsze.

– W idealnym świecie tak. Obie jednak wiemy, że świat nie jest idealny.

– Mówisz jak zgorzkniała staruszka, Mario Eliso. Przecież chcesz się chyba zakochać?

– Pewnie tak. Lecz wiem, że miłość jest tylko jednym z czynników, które trzeba rozważyć, kiedy chodzi o małżeństwo. Radzę ci, żebyś była ostrożna, Bel, bo jeśli odrzucisz Gustava, bardzo upokorzysz jego rodzinę. Może nie są już bogaci, ale tu, w Rio, mają ogromne wpływy. Są w stanie bardzo utrudnić życie i twoim rodzicom, i tobie.

– A więc uważasz, że jeśli dojdzie do oświadczyn, nie mam wyboru, tylko muszę je przyjąć. Może lepiej wdrapać się na szczyt góry Corcovado i rzucić się w przepaść?

– Bel… – Maria Elisa pokręciła głową i uniosła brwi. – Proszę cię, uspokój się. Jestem pewna, że jest jakieś inne wyjście. Ale może będziesz musiała znaleźć kompromis między tym, czego sama chcesz, a tym, czego oczekują od ciebie inni.

Bel chwilę patrzyła, jak przyjaciółka obserwuje śmigającego wśród drzew kolibra. Maria Elisa jak zawsze była pogodna, niczym niezmącone najmniejszą falą jezioro, ona tymczasem przypominała górski wodospad, który z rykiem rozbija się na skałach w dole.

– Szkoda, że nie jestem taka jak ty, Mario Eliso. Zazdroszczę ci rozsądku.

– Po prostu przyjmuję życie takie, jakie jest. Ale nie mam ani twojego temperamentu, ani urody, Bel.

– Coś ty! Jesteś jedną z najpiękniejszych ludzi, jakich znam, i w środku, i na zewnątrz. – Bel objęła ją spontanicznie. – Dziękuję ci za radę i pomoc. Jesteś dla mnie prawdziwą przyjaciółką.

*

Godzinę później ojciec Elisy, Heitor da Silva Costa, zapukał do frontowych drzwi Mansão da Princesa. Otworzyła mu Gabriela, a dziewczyny schowały się za drzwiami pokoju dziennego i słyszały, jak pytał, czy Antonio jest w domu.

Bel i senhor da Silva Costa nigdy nie wymienili więcej niż kilku grzecznościowych zdań w towarzystwie, ale zrobił on na niej wielkie wrażenie. Uważała go za bardzo przystojnego – miał piękne rysy i jasnobłękitne oczy, których spojrzenie często uciekało gdzieś daleko od otaczającej go rzeczywistości. Być może myślał o szczycie góry Corcovado i monumentalnej figurze Chrystusa, którą miał zbudować.

Odetchnęła z ulgą, kiedy z gabinetu wyszedł jej ojciec i ciepło, choć z niejakim zdziwieniem, przywitał się z Heitorem w korytarzu. Nadzieję dawało jej to, że *pai* szanował ojca Marii Elisy, ponieważ ten nie tylko pochodził ze starej portugalskiej rodziny, ale dzięki budowie Cristo stał się w Rio kimś w rodzaju celebryty.

Dziewczęta usłyszały, jak ich ojcowie przechodzą do salonu i zamykają za sobą drzwi.

– To nie do zniesienia. – Bel westchnęła ciężko i osunęła się na krzesło. – Cała moja przyszłość zależy od tej rozmowy.

– Za bardzo dramatyzujesz. – Maria Elisa się uśmiechnęła. – Jestem pewna, że wszystko będzie dobrze.

Dwadzieścia minut później Bel, która cały czas przeżywała katusze niepewności, usłyszała, że drzwi salonu otwierają się i wychodzą przez nie obaj panowie, rozmawiając o Cristo.

– Jeśli kiedykolwiek chciałby pan wjechać na górę i obejrzeć moje plany, proszę mnie powiadomić – mówił Heitor. – A teraz muszę odnaleźć córkę i zabrać ją do domu.

– Oczywiście. – Antonio gestem dał znać Gabrieli, by poszukała Marii Elisy. – Dziękuję za wizytę, senhor, i za pana miłą propozycję.

– Nie ma za co. O, jesteś, Mario Eliso! Musimy się pośpieszyć, bo o piątej mam spotkanie w mieście. *Adeus*, senhor Bonifacio.

Ojciec i córka odwrócili się w stronę wyjścia. Maria Elisa wzruszyła ramionami, zerkając na przyjaciółkę, by pokazać, że na razie nic nie wiadomo, i zniknęła za drzwiami.

Bel przyglądała się ojcu. Antonio na kilka sekund znieruchomiał, a potem ruszył do swojego gabinetu. Zobaczył jednak, że córka nadal stoi, a na jej twarzy maluje się niepokój. Pokręcił głową i westchnął głęboko.

– Po twojej twarzy widzę, że o wszystkim wiedziałaś.

– To był pomysł Marii Elisy – szybko wyjaśniła Bel. – Zaprosiła mnie, bo pomyślała, że byłoby jej przyjemnie mieć w podróży do Europy towarzyszkę. Ma tylko dwóch młodszych braci i…

– Powtórzę ci to, co usłyszał senhor da Silva Costa, Izabelo. Ta wyprawa jest absolutnie wykluczona.

– Ale dlaczego, *pai*? Przecież chyba rozumiesz, że taka podróż bardzo by mi pomogła w edukacji?

– Nie musisz się już więcej uczyć, córeczko. Wydałem na twoje wykształcenie tysiące reali, które już się zwróciły. Udało ci się złowić grubą rybę. Oboje wiemy, że wkrótce senhor Gustavo na pewno ci się oświadczy. Więc niby dlaczego w tak kluczowym momencie miałbym się zgodzić wysłać cię do Starego Świata, skoro lada dzień zostaniesz królową Nowego?

– *Pai*, proszę…

– Dość tego! Nie chcę już o tym słyszeć! Koniec dyskusji! Do zobaczenia na kolacji.

Bel ze szlochem odwróciła się od niego i ku zdziwieniu przygotowującej kolację służby przebiegła przez kuchnię na tył domu i z impetem wypadła na zewnątrz.

Pędem przemierzyła ogród i nie zwracając uwagi na to, że zniszczy sukienkę, zaczęła wdrapywać się na pokryte dżunglą górskie zbocze. Pomagała sobie przy tym, chwytając się pnączy i drzew.

Dziesięć minut później, pewna, że znalazła się na tyle wysoko, że nikt jej nie usłyszy, opadła na ciepłą ziemię i zaczęła wyć jak dzikie zwierzę. Kiedy wreszcie opadły z niej złość i frustracja, przeturlała się na bok, aby otrzepać brud z muślinowej sukienki. Usiadła, podciągnęła kolana pod brodę i mocno oplotła je ramionami. Powoli uspokajała się, podziwiając rozciągający się w dole piękny widok

Rio. Dokładnie przyjrzała się dzielnicy Cosme Velho. Następnie odwróciła się, by objąć wzrokiem wznoszący się nad nią spowity szarą chmurą szczyt Corcovado.

W przeciwnym kierunku, na dalekim wzgórzu, znajdowała się dzielnica nędzy, fawela. Mieszkający tam biedacy zbudowali sobie schronienia ze wszystkiego, co udało im się znaleźć. Jeśli dobrze wytężyła słuch, wśród leciutkiego powiewu wiatru była w stanie wychwycić odgłosy bębnów surdo, na których mieszkańcy slumsów od rana do wieczora grali muzykę gór. Tańczyli przy tym sambę, która pozwalała im zapomnieć o nędzy. Widok tej dzielnicy i odgłosy życia biedaków pomogły jej dojść do równowagi.

Jestem tylko rozpieszczoną, samolubną, bogatą dziewczyną, zbeształa się w myślach. Jakim prawem tak się zachowuję? Mam wszystko, a ci ludzie nic.

Powoli opuściła głowę i oparła ją na kolanach. Poprosiła o wybaczenie. „Proszę Cię, Święta Dziewico, zabierz moje porywcze serce, a w zamian daj mi takie, jakie ma Maria Elisa – modliła się gorąco. – Moje serce to dla mnie nic dobrego. W zamian przysięgam, że od tej pory będę grzeczna i posłuszna i przestanę buntować się przeciwko ojcu".

*

Dziesięć minut później Bel wróciła do domu i weszła przez kuchnię. Była brudna i rozczochrana, ale szła z uniesioną głową. Wbiegła na górę, poprosiła Gabrielę, by nalała jej wody do wanny, i leżała w niej, rozmyślając o tym, że w przyszłości będzie idealną, uległą córką… i żoną.

Przy kolacji nikt nie poruszył kwestii niedoszłej podróży do Europy. Tej nocy, kiedy Bel leżała już w łóżku, wiedziała, że jest to temat, który na zawsze pozostanie dla niej zamknięty.

16

Dwa tygodnie później trójka Aires Cabralów uczestniczyła w eleganckim obiedzie w Mansão da Princesa. Antonio dołożył wszelkich wysiłków, by zrobić na nich wrażenie. Chwalił się swoimi plantacjami kawy, które rozwijały się dzięki temu, że z każdym miesiącem w Ameryce rósł popyt na magiczne ziarna.

– Nasza rodzina kiedyś miała kilka plantacji w okolicach Rio, ale gdy zniesiono niewolnictwo, utrzymywanie ich stało się nieopłacalne – powiedział ojciec Gustava.

– Tak. Mam wielkie szczęście, że moje plantacje znajdują się w rejonie São Paulo, gdzie oczywiście nigdy tak bardzo nie polegaliśmy na pracy niewolników – rzekł Antonio. – A poza tym ziemia w okolicach São Paulo znacznie bardziej nadaje się do uprawiania kawy. Uważam, że moje zbiory należą do najlepszych. Po obiedzie będziemy mogli dokonać degustacji.

– Oczywiście. Musimy dotrzymywać kroku Nowemu Światu – rzucił sztywno Maurício.

– Ale także starać się podtrzymywać wartości i tradycje Starego – podkreśliła jego żona.

Podczas posiłku Bel niemal przez cały czas przyglądała się Luizie Aires Cabral. Na twarzy matki Gustava rzadko pojawiał się uśmiech. Kiedy była młoda, niewątpliwie musiała być pięknością. Miała niezwykłe niebieskie oczy i delikatną budowę ciała. Wyglądało jednak na to, że gorycz zabiła jej wdzięk i całkowicie ją przeniknęła. Bel obiecała sobie, że cokolwiek miałoby się przydarzyć w jej życiu, nie pozwoli, by z nią stało się to samo.

– Podobno znasz córkę Heitora da Silva Costy, Marię Elisę? – zwrócił się, jak zwykle cicho, Gustavo do Bel. – Jest twoją przyjaciółką?

– Tak.

– W przyszłym tygodniu będę towarzyszył ojcu w spotkaniu z senhorem Heitorem da Silva Costą na górze Corcovado. Przekaże nam najnowsze informacje na temat swoich planów. *Pai* należy do katolickiego kółka, z inicjatywy którego budowany jest pomnik Chrystusa. Słyszałem, że senhor da Silva Costa często zmienia plany. Nie zazdroszczę mu zadania, którego się podjął. Ta góra ma ponad siedemset metrów wysokości.

– Jeszcze nigdy nie byłam na jej szczycie, chociaż mieszkamy tak blisko. Wznosi się tuż za naszym ogrodem.

– Być może twój ojciec pozwoli mi, abym cię tam zabrał.

– Byłoby mi bardzo miło. Dziękuję – odparła uprzejmie.

– W takim razie mamy plan. Zwrócę się do twojego ojca o pozwolenie.

Bel skupiła się na jedzeniu pysznego deseru – *pudim de leite condensado* – cały czas czuła jednak na sobie wzrok Gustava.

Dwie godziny później, kiedy służąca zamknęła drzwi za gośćmi, Antonio spojrzał na żonę i córkę z promiennym uśmiechem.

– Wydaje mi się, że byli pod dużym wrażeniem, a ty, moja księżniczko – ujął Bel pod brodę – wkrótce coś usłyszysz od Gustava. Przed wyjściem zapytał mnie, czy w przyszłym tygodniu może cię zabrać na górę Corcovado. Dla młodego człowieka to idealne miejsce na oświadczyny, prawda?

Bel już otworzyła usta, by zaprotestować, ale przypomniała sobie, że postanowiła być posłuszna.

– Tak, *pai* – powiedziała, skromnie opuszczając wzrok.

Później, kiedy położyła się już spać i rozmyślała o tym, jak bardzo brakuje jej rozmów z Loen, usłyszała pukanie do drzwi.

– *Querida* – zobaczyła twarz matki – mam nadzieję, że cię nie obudziłam.

– Nie, *mãe*. Proszę, wejdź. – Poklepała materac obok siebie. Carla usiadła koło niej na łóżku i ujęła jej dłonie.

– Izabelo, pamiętaj, że jesteś moją ukochaną córką i dobrze cię znam. Prawdopodobnie Gustavo wkrótce poprosi cię o rękę, więc muszę cię zapytać, czy tego chcesz.

Bel ponownie przypomniała sobie swoją przysięgę, więc dokładnie zastanowiła się nad odpowiedzią.

– Prawdę mówiąc, nie kocham go, *mãe*. Nie lubię też jego matki i ojca. Dobrze wiemy, że patrzą na nas z góry i woleliby, by ich jedynak miał portugalską narzeczoną. Ale Gustavo jest miły i uprzejmy i uważam go za dobrego człowieka. Wiem, że was to małżeństwo uszczęśliwi, zwłaszcza *pai*. A więc – Bel nie mogła się powstrzymać od westchnienia przed wymówieniem tych słów – jeśli mi się oświadczy, z radością się zgodzę.

Carla wpatrywała się w córkę.

– Jesteś pewna, Bel? Niezależnie od pragnień ojca, jako matka muszę poznać, co naprawdę myślisz. Zmuszanie cię do życia, którego nie chcesz, byłoby straszliwym grzechem. Przede wszystkim chcę, abyś była szczęśliwa.

– Dziękuję ci, *mãe*. Jestem pewna, że tak będzie.

– No cóż – odezwała się Carla po chwili milczenia. – Uważam, że z latami między mężczyzną a kobietą może rozwinąć się miłość. W końcu wyszłam za twojego ojca. – Zaśmiała się z ironią. – Ja też miałam początkowo wątpliwości. Ale teraz, mimo wszystkich jego wad, nie zamieniłabym go na nikogo innego. A poza tym pamiętaj, zawsze ważne jest, aby mężczyzna był bardziej zakochany w kobiecie niż ona w nim.

– Dlaczego *mãe* tak mówi?

– Ponieważ, moja droga, serca kobiet bywają zmienne i potrafią zakochiwać się kilka razy, ale mężczyźni, choć pozornie nie tak podatni na emocje, kiedy raz się zakochają, to przeważnie na zawsze. Wierzę, że Gustavo naprawdę cię kocha. Widzę to w jego oczach, gdy na ciebie patrzy. A to sprawi, że mąż zostanie przy tobie i nie będzie szukał nikogo na boku. – Pocałowała córkę. – Śpij dobrze, *querida*.

Carla wyszła z pokoju, a Bel leżała, rozmyślając nad jej słowami. Miała nadzieję, że matka ma rację.

*

– Jesteś gotowa do wyjścia?

– Tak. – Bel cierpliwie stała w salonie, a ojciec i matka sprawdzali, czy wszystko ma w porządku.

– Pięknie wyglądasz, moja księżniczko – odezwał się Antonio z podziwem. – Jakiż mężczyzna mógłby ci się oprzeć?

– Denerwujesz się, *querida*? – zapytała Carla.

– Jadę z Gustavem pociągiem na górę Corcovado, to w końcu nic takiego. – Bel z całej siły starała się opanować rosnącą irytację.

– No cóż – rzucił Antonio i aż podskoczył na dźwięk dzwonka do drzwi – zobaczymy. Już przyjechał.

– Życzę ci szczęścia i niech Bóg cię błogosławi. – Carla ucałowała córkę w oba policzki.

– Będziemy czekali na wiadomość! – zawołał Antonio, kiedy Bel wychodziła z salonu.

Na zewnątrz czekała na nią Gabriela, która przypięła jej do włosów modny jedwabny kapelusz w kształcie klosza, kupiony specjalnie na tę okazję.

Gustavo stał na progu. Choć chudy i żylasty, wyglądał niezwykle szykownie w lnianym kremowym garniturze i zabawnym słomkowym kapeluszu na głowie.

– Pięknie wyglądasz, senhorito Izabelo. Na dworze czeka na nas szofer. Idziemy?

Podeszli do samochodu i oboje usiedli z tyłu. Bel zdała sobie sprawę, że Gustavo jest znacznie bardziej zdenerwowany niż ona. Podczas trzyminutowej jazdy do stacji, z której odjeżdżała kolejka na Corcovado, cały czas milczał. Pomógł jej wysiąść z samochodu i oboje wsiedli do jednego z dwóch prostych wagoników przyczepionych do maleńkiego parowozu.

– Mam nadzieję, że spodoba ci się widok, chociaż jazda w górę nie jest zbyt wygodna.

Kolejka zaczęła się piąć po tak stromym zboczu, że Bel czuła

167

napięcie w szyi, kiedy starała się ją trzymać prosto. Gdy wagonik lekko podskoczył, instynktownie chwyciła się ramienia Gustava, a on natychmiast objął ją w talii.

Był to najbardziej intymny gest, jaki do tej pory ich połączył, i choć Bel nie przeszył najmniejszy dreszcz, nie poczuła też odrazy. Zupełnie jakby dla pocieszenia dotknął jej starszy brat. Parowóz był tak głośny, że w ogóle nie można było rozmawiać, więc Bel rozluźniła się i cieszyła jazdą. Kolejka z terkotem sunęła przez bujną dżunglę, której początek sięgał tyłów jej ogrodu.

Bel prawie żałowała, kiedy dotarli na stację na górze i pasażerowie musieli wysiąść.

– Rozciąga się stąd przepiękny widok na Rio. Ale jeśli chcesz, możemy wspiąć się po długich schodach na sam szczyt i zobaczyć, jak kopią fundamenty nowego pomnika Cristo Redentor – zaproponował Gustavo.

– Oczywiście, że chcę wejść na samą górę. – Bel uśmiechnęła się, widząc po jego spojrzeniu, że pochwala tę decyzję. Dołączyli do odważniejszych turystów i zaczęli się wdrapywać na strome schody, co zważywszy na palące słońce i ich wyjściowe ubrania, było nie lada wyzwaniem.

Nie mogę się spocić, pomyślała Bel, gdy poczuła, że bielizna wilgotnieje jej na skórze. W końcu doszli do płaskiego terenu na szczycie góry. Przed nimi znajdował się pawilon widokowy. Bel zobaczyła też, jak w oddali mechaniczne koparki wielkimi łapami wydzierają z ziemi skalne bryły. Gustavo wziął ją za rękę i pociągnął w cień pawilonu.

– Senhor da Silva Costa tłumaczył, że muszą wykopać głęboką na wiele metrów dziurę w ziemi, żeby pomnik na pewno się nie przewrócił – wyjaśnił Gustavo. – A teraz – chwycił Bel za ramię i poprowadził ją na koniec pawilonu – popatrz tam.

Podążyła wzrokiem za jego palcem, który wskazywał połyskujący w słońcu czerwony dach eleganckiego budynku.

– Czy to Parque Lage?

– Tak, tamtejsze ogrody są wprost niezwykłe. Ale czy znasz historię pałacu, który w nich się znajduje?

– Nie znam.

– Nie tak dawno temu pewien Brazylijczyk zakochał się we włoskiej śpiewaczce operowej. Rozpaczliwie pragnął, by za niego wyszła i zamieszkała z nim w Rio, ale ona była przyzwyczajona do Włoch i nie chciała się tu przeprowadzić. Gdy zapytał ją, pod jakim warunkiem opuściłaby swój ukochany Rzym, odparła, że chce zamieszkać w palazzo przypominającym te, które kochała w swym ojczystym kraju. Tak więc – Gustavo uśmiechnął się – zbudował go dla niej. A ona za niego wyszła, przeprowadziła się do Rio i nadal mieszka w murach budynku przypominającego jej piękną ojczyznę.

– Cóż za romantyczna historia. – Bel westchnęła, zanim pomyślała o tym, żeby się od tego powstrzymać. Wychyliła się do przodu tak daleko, jak tylko mogła, i spojrzała w dół, by objąć wzrokiem roztaczający się piękny widok.

Gustavo natychmiast objął ją w talii.

– Ostrożnie. Nie chciałbym być zmuszony poinformować twoich rodziców, że spadłaś z Corcovado – odezwał się z uśmiechem. – Wiesz, Izabelo, gdybym mógł, zbudowałbym dla ciebie równie piękny pałac jak ten, który widzimy w dole.

Bel nadal wychylała się przez balustradę, więc nie widział jej oczu.

– Bardzo mi miło, że tak mówisz, Gustavo.

– Ale to szczera prawda… – Delikatnie odwrócił ją tak, by stanęła twarzą do niego. – Na pewno wiesz, o co chcę cię zapytać.

– No…

Natychmiast położył palec na jej ustach.

– Na razie lepiej nic nie mów, bo inaczej opuści mnie odwaga. – Odchrząknął nerwowo. – Jesteś tak piękna, że doskonale zdaję sobie sprawę, że pod względem fizycznym nie spełniam warunków męża, na jakiego zasługujesz. Oboje wiemy, że mogłabyś mieć każdego mężczyznę, jakiego zechcesz. Wszyscy mężczyźni w Rio są tobą oczarowani tak samo jak ja. Chciałbym jednak powiedzieć, że cenię w tobie coś więcej niż wygląd.

Gustavo przerwał, a Bel natychmiast uznała, że musi mu odpowiedzieć. Otworzyła usta, ale on znowu uciszył ją, kładąc palec na jej wargach.

– Proszę, pozwól mi skończyć. Od pierwszej chwili, kiedy ujrzałem cię na balu w twoje osiemnaste urodziny, wiedziałem, że chcę z tobą być. Poprosiłem twojego ojca, aby mnie przedstawił, no i... – wzruszył ramionami – resztę znamy. Oczywiście oboje musimy być pragmatyczni i zaakceptować, że nasze małżeństwo wygląda na zaaranżowane, bo twoja rodzina ma pieniądze, a moja wysokie urodzenie. Ale zapewniam cię, że dla mnie nie byłoby to małżeństwo zbudowane na tak smutnych podwalinach. Ponieważ... – Na chwilę opuścił głowę, a potem spojrzał na Bel. – Ponieważ cię kocham.

Popatrzyła na niego i zobaczyła w jego oczach szczerość. Chociaż wiedziała, że dziś się jej oświadczy, słowa, które wypowiedział, były bardziej wzruszające i autentyczne niż cokolwiek, czego się spodziewała. Zaczęła wierzyć w to, co powiedziała jej matka. O ironio, ogarnęło ją współczucie dla Gustava, a także poczucie winy. Z całej siły zapragnęła, aby Bóg pozwolił jej podzielić jego uczucie. Dzięki temu wszystko w życiu ułożyłoby jej się tak, jak trzeba.

– Gustavo, ja...

– Proszę cię, Izabelo... Przyrzekam, że już prawie skończyłem. Wiem, że teraz prawie na pewno nie czujesz do mnie tego, co ja do ciebie. Ale wierzę, że mogę ci zapewnić wiele rzeczy, których potrzebujesz, by móc się rozwijać. I mam nadzieję, że kiedyś choć trochę mnie pokochasz.

Spojrzała za jego plecy i stwierdziła, że licznie zgromadzeni w pawilonie ludzie już wyszli i zostali tam tylko we dwójkę.

– Jeśli to pomoże... – ciągnął Gustavo – trzy dni temu widziałem się z senhorem Da Silva Costą i powiedział mi, że bardzo chcesz jechać z jego rodziną zwiedzać Europę. Izabelo, chcę, byś pojechała. Jeśli zgodzisz się na szybkie zaręczyny ze mną, a po powrocie z Europy za mnie wyjdziesz, powiem twojemu ojcu, że wyprawa dla poznania kultury Starego Świata znakomicie przygotuje cię do zostania moją żoną.

Wlepiła w niego wzrok, całkowicie zaskoczona jego propozycją.

– Jesteś bardzo młoda, *querida*. Pamiętaj, że ja jestem od ciebie prawie dziesięć lat starszy – dodał Gustavo i dotknął jej policzka. – Chcę, byś poszerzyła swoje horyzonty, tak jak ja miałem okazję to zrobić, kiedy byłem młodszy. Co ty na to?

Bel wiedziała, że musi szybko odpowiedzieć. Proponował jej spełnienie marzeń. Jedno jego słowo mogło jej dać to, czego pragnęła najbardziej – wolność podróżowania poza ciasne granice Rio. Cena za to była wysoka, ale i tak już zdecydowała się ją zapłacić.

– Gustavo, twoja propozycja jest bardzo wspaniałomyślna.

– Oczywiście nie jestem z tego zbyt zadowolony, Izabelo. Każdego dnia będę do ciebie tęsknił, ale wiem, że pięknych ptaków nie wolno trzymać w klatce. Jeśli się je kocha, trzeba dać im wolność, aby mogły latać. – Wziął ją za ręce. – Wolałbym sam pokazać ci zabytki Europy. Tak naprawdę brałem pod uwagę podróż po Europie podczas naszego miesiąca miodowego. Ale prawdę mówiąc, w tej chwili najzwyczajniej nie mam funduszów, by sfinansować taką przygodę. A poza tym rodzice potrzebują mnie tutaj. Co ty na to? – Patrzył na nią wyczekująco.

– Ale twoi rodzice i członkowie socjety w Rio na pewno nie pochwalą takiego pomysłu. Jeśli mam być twoją narzeczoną, czy nie powinnam czekać na ślub tu, w Rio?

– W Starym Świecie, z którego pochodzą moi rodzice, często zdarza się, że młoda dama jedzie w podróż i zwiedza zabytki, zanim ustatkuje się w małżeństwie. Zaakceptują to. Więc nie trzymaj mnie w niepewności, *querida*. Dłużej nie zniosę tych katuszy.

– Chyba… – Bel wzięła głęboki oddech. – Chyba powiem „tak".

– *Meu Deus.* Dzięki Ci, Boże – powiedział z autentyczną ulgą. – W takim razie mogę dać ci to.

Sięgnął do wewnętrznej kieszeni marynarki i wyjął zniszczone, obciągnięte skórą pudełeczko.

– Pierścionek, który znajduje się w środku, należy do klejnotów rodzinnych Aires Cabralów. Wieść głosi, że to zaręczynowy pierścionek kuzynki cesarza Dom Pedro.

Bel popatrzyła na nieskazitelny brylant osadzony między dwoma szmaragdami.

– Jest piękny – przyznała szczerze.

– Kamień pośrodku jest bardzo stary i pochodzi z kopalni w Tejuco, a złoto z Ouro Preto. Czy mogę włożyć ci go na palec? Tylko dla sprawdzenia rozmiaru – dodał pośpiesznie. – No bo oczywiście muszę odprowadzić cię jeszcze do domu i oficjalnie poprosić o twoją rękę.

– Oczywiście.

Gustavo wsunął pierścionek na czwarty palec jej prawej ręki.

– No tak. – Trzeba go będzie trochę zmniejszyć, by pasował na twój smukły, piękny palec, ale wygląda na tobie przepięknie. – Gustavo ujął jej dłoń i ucałował pierścień. – Czy wiesz, moja droga Izabelo, że pierwszą rzeczą, którą u ciebie zauważyłem, były twoje dłonie? Są wyjątkowe – dodał, całując ją w czubek każdego palca.

– *Obrigada.*

Delikatnie zdjął pierścionek i włożył go z powrotem do pudełka.

– A teraz lepiej będzie, jeśli wrócimy, zanim kolejka skończy kursować przed nocą i utkniemy na górze. Twój ojciec nie byłby z tego chyba zadowolony – dodał z ironicznym uśmiechem.

– To prawda.

Poprowadził Bel, trzymając ją za rękę. Zeszli po schodach i skierowali się w stronę maleńkiej stacji. W głębi ducha wiedziała jednak, że teraz, kiedy już złapała swego „księcia" w sieci, ojciec będzie zadowolony absolutnie ze wszystkiego.

*

Gdy dotarli do domu, Bel natychmiast zniknęła w swoim pokoju, a Gustavo udał się na rozmowę z jej ojcem. W napięciu siedziała na krawędzi łóżka i niecierpliwie odesłała Gabrielę, kiedy ta zapytała, czy chce się przebrać. Czuła niepewność i podniecenie.

Zastanawiała się, dlaczego Gustavo postanowił poprzeć jej decyzję wyjazdu do Europy. Czy to możliwe, że w głębi duszy czuł ulgę z powodu odłożenia ich nieuchronnego związku, ponieważ nie był jeszcze gotowy na szybki ślub? Być może, rozmyślała, został przez rodziców poddany takiej samej presji, jaka ją spotkała ze

172

strony ojca? A jednak, kiedy się oświadczał, uczucie w jego oczach wydawało się szczere...

Myśli te przerwała Gabriela, która weszła do sypialni z promiennym uśmiechem na twarzy.

– Ojciec zaprasza panienkę na dół. Kazano mi podać najlepszego szampana. Gratulacje, senhorito Izabelo. Mam nadzieję, że będziesz szczęśliwa, a Matka Boska pobłogosławi cię licznym potomstwem.

– Dziękuję ci, Gabrielo. – Bel uśmiechnęła się do służącej i wyszła z pokoju, a potem lekkim krokiem zeszła po schodach i skierowała się w stronę głosów dochodzących z salonu.

– A oto i narzeczona! Chodź i ucałuj ojca, moja księżniczko. Właśnie dałem błogosławieństwo dla waszego związku.

– Dziękuję, *pai* – odparła Bel, a on ucałował ją w oba policzki.

– Izabelo, wiedz, że dziś uczyniłaś mnie najszczęśliwszym ojcem świata.

– A mnie najszczęśliwszym mężczyzną w Rio. – Gustavo również promieniał radością.

– O, jest twoja matka i możemy podzielić się z nią dobrą nowiną – powiedział Antonio, kiedy do salonu weszła Carla.

Dalej świętowano przy szampanie. Wznoszono toasty za zdrowie i szczęście Gustava i Bel.

– Trochę się martwię, że przed ślubem chce ją pan wysłać tysiące mil stąd, senhor – zauważył Antonio, który nieco podejrzliwie popatrzył na przyszłego zięcia, a przez jego czoło przemknęła lekka zmarszczka.

– Już tłumaczyłem, że Bel jest bardzo młoda i moim zdaniem podróż do Europy nie tylko pozwoli jej bardziej dojrzeć, ale wszystko, co tam zobaczy, wzbogaci nasze rozmowy, kiedy zabraknie nam już czułych słówek. – Gustavo uśmiechnął się i ukradkiem puścił oko do Bel.

– Nie byłbym tego aż tak pewny – rzucił Antonio. – Ale w Paryżu będzie przynajmniej miała dostęp do najlepszych krawców, którzy zaprojektują dla niej suknię ślubną – przyznał wreszcie.

– Oczywiście. Jestem pewny, że cokolwiek włoży, będzie wyglądała idealnie. A teraz – Gustavo opróżnił swój kieliszek – muszę iść przekazać tę wspaniałą wiadomość moim rodzicom. Choć nie będą zdziwieni – dodał z uśmiechem.

– Oczywiście. Przed wyjazdem pana narzeczonej do Europy musimy zorganizować przyjęcie zaręczynowe. Może w hotelu Copacabana Palace, gdzie po raz pierwszy ją pan zobaczył? – Antonio nie był w stanie powstrzymać się od uśmiechu od ucha do ucha. – Będziemy też musieli wydrukować ogłoszenia w kolumnach towarzyskich wszystkich gazet – dodał, odprowadzając Gustava do drzwi frontowych.

– Z radością pozostawię załatwienie tych spraw rodzinie mojej narzeczonej – zgodził się Gustavo. Sięgnął po dłoń Bel i ucałował ją. – Dobranoc, Izabelo, i jeszcze raz dziękuję, że tak mnie uszczęśliwiłaś.

Antonio zaczekał, aż samochód przyszłego zięcia odjedzie spod ich domu, po czym wydał okrzyk radości, chwycił Bel w swoje silne ramiona, uniósł i zakręcił nią jak wtedy, gdy była małą dziewczynką.

– Moja księżniczko, udało ci się. Razem nam się udało! – Postawił Bel z powrotem na ziemi, a potem podszedł do żony i przytulił ją.

– A ty się nie cieszysz, Carlo?

– Oczywiście, że się cieszę. Jeśli tylko Bel jest szczęśliwa, to jest to dla mnie wspaniała wiadomość.

Przez kilka sekund Antonio przyglądał się żonie z troską.

– Dobrze się czujesz, *querida*?

– Boli mnie głowa, to wszystko. A teraz – Carla z trudem wydusiła z siebie uśmiech – pójdę i powiem kucharce, żeby przygotowała dla nas coś nadzwyczajnego na kolację.

Bel poszła z matką korytarzem w stronę kuchni. Częściowo zrobiła to, by uciec od nadmiernej euforii ojca.

– Cieszysz się, *mãe*?

– Oczywiście, Izabelo.

– I na pewno jesteś zdrowa?

– Tak, *querida*. A teraz idź na górę i włóż jakąś piękną suknię na odświętną kolację.

17

Następne kilka tygodni minęło jak z bicza strzelił. Śmietanka towarzyska Rio hucznie świętowała zaręczyny Bel i Gustava. Każdy, kto się liczył, chciał uczestniczyć w ich bajce, gdyż związek tej dwójki był czymś najbardziej zbliżonym do opowieści z dawnych czasów o korowanym księciu i jego pięknej narzeczonej.

Antonio zachwycał się zaproszeniami na wieczorki i kolacje, które zaczęły napływać dla niego i dla Carli z domów dotąd dla nich zamkniętych.

Bel miała niewiele czasu, by pomyśleć o zbliżającej się podróży do Europy. Zarezerwowano jednak dla niej miejsce na parowcu i wezwano madame Duchaine, by przygotowała garderobę godną zaprezentowania się w stolicy mody Starego Świata.

Z hacjendy w końcu wróciła Loen i Bel z niepokojem czekała, co powie na temat Gustava.

– Z tego, co do tej pory widziałam, senhorito Bel – nieśmiało skomentowała Loen pewnego wieczoru, kiedy pomagała jej się ubrać na kolację – to porządny człowiek, który będzie dla pani dobrym mężem. A jego nazwisko oznacza wiele przywilejów. – Ale... – Przerwała i pokręciła głową. – Nie wypada, abym to mówiła.

– Loen, proszę cię, znasz mnie od dziecka i nikomu bardziej nie ufam. Musisz mi powiedzieć, co myślisz.

– Proszę mi więc wybaczyć, że przypomnę panience, *minha pequena* – odparła pokojówka – że w listach pisała pani o swoich

175

wątpliwościach co do zaręczyn. A teraz, kiedy zobaczyłam was razem... widzę, że nie jesteś w nim zakochana. Czy panienki to nie martwi?

– *Mãe* uważa, że z czasem go pokocham. Poza tym jakie mam wyjście? – Bel błagała wzrokiem przyjaciółkę o wsparcie.

– W takim razie pani mama zapewne ma rację, senhorita Bel, ale ja... – Loen nagle straciła pewność siebie.

– O co chodzi?

– Chciałabym panience coś powiedzieć. Kiedy byłam na hacjendzie, poznałam kogoś. Mężczyznę.

– Coś takiego, Loen! – zdziwiła się Bel. – Dlaczego nic mi o tym do tej pory nie powiedziałaś?

– Pewnie z nieśmiałości, a poza tym była panienka tak zajęta zaręczynami, że nigdy nie miałyśmy na to odpowiedniej chwili.

– Kto to jest? – z ciekawością spytała Bel.

– Bruno Canterino, syn Fabiany i Sandra – wyznała pokojówka.

Bel przypomniała sobie urodziwego młodzieńca, który pracował na hacjendzie z rodzicami. Uśmiechnęła się do Loen.

– Jest bardzo przystojny i świetnie do siebie pasujecie.

– Znam go od dziecka i zawsze byliśmy przyjaciółmi. Ale teraz jest między nami coś więcej – przyznała Loen.

– Kochasz go? – zapytała Bel.

– Tak, a kiedy wróciłam do Rio, bardzo za nim tęsknię. Ale musimy skończyć cię ubierać, bo się spóźnisz.

Bel milczała, gdy Loen pomagała jej w toalecie. Wiedziała, dlaczego pokojówka tak szczerze opowiedziała jej o swojej miłości. Zdawała sobie jednak sprawę, że przygotowania do jej ślubu z Gustavem są tak zaawansowane, że już nic nie da się zrobić.

*

Bel znajdowała pocieszenie przynajmniej w tym, że im więcej czasu spędzała z Gustavem, tym bardziej zabiegał o jej względy. Zwracał uwagę na jej najdrobniejsze potrzeby i z zainteresowaniem słuchał każdego zdania, które padało z jej ust. Jego szczera radość z tego, że zgodziła się za niego wyjść, sprawiała, że trudno go było nie lubić.

– Nie jest już fretką, za to zmienił się w szczeniaczka – powiedziała, śmiejąc się, Maria Elisa, kiedy spotkały się na gali charytatywnej w Ogrodzie Botanicznym. – A ty przynajmniej przestałaś czuć do niego niechęć.

– Ależ bardzo go lubię – zaprotestowała Bel, choć miała ochotę dodać, że to za mało. Przyszłego męża powinna kochać. – Wygląda na to, że chce dla mnie jak najlepiej – dodała ostrożnie.

– Tak. Szczęściara z ciebie. Wrócisz do niego, prawda? – Maria Elisa wlepiła w nią spojrzenie. – Twoje zaręczyny nie są tylko wymówką, by pojechać do Europy?

– Za kogo mnie masz?! – wybuchła Bel. – Oczywiście, że wrócę. Przed chwilą powiedziałam ci, że bardzo polubiłam Gustava.

– To dobrze. – Maria Elisa spoważniała. – Bo nie chcę być zmuszona powiedzieć mu po powrocie, że jego narzeczona uciekła z jakimś włoskim malarzem.

– Och, proszę cię, o czymś takim nie ma nawet mowy! – Bel przewróciła oczami.

*

Dzień przed rozpoczęciem podróży przez Atlantyk do Francji Gustavo przyjechał do Mansão da Princesa, żeby pożegnać się z Bel. Ten jedyny raz rodzice dyskretnie zostawili ich w salonie samych.

– Spotykamy się po raz ostatni przed kilkumiesięcznym rozstaniem. – Uśmiechnął się do niej smutno. – Będę za tobą tęsknił, Izabelo.

– A ja za tobą, Gustavo. Nie wiem, jak ci dziękować, że pozwalasz mi na tę podróż.

– Po prostu chcę, żebyś była szczęśliwa. Mam coś dla ciebie. – Sięgnął do kieszeni i wyjął skórzaną sakiewkę. Otworzył ją i Bel zobaczyła, że jest w niej naszyjnik. – To dla ciebie – powiedział i podał go narzeczonej. – Kamień księżycowy. Podobno chroni osobę, która go nosi, zwłaszcza jeśli wybiera się w zamorską podróż z dala od swoich bliskich.

Bel przyjrzała się delikatnemu biało-niebieskawemu kamieniowi, wokół którego osadzono małe brylanciki.

– Jest piękny! – wykrzyknęła ze szczerym entuzjazmem. – Dziękuję ci, Gustavo.

– Wybrałem go specjalnie dla ciebie – powiedział, wyraźnie uradowany jej reakcją. – Nie ma wielkiej wartości, ale cieszę się, że ci się podoba.

– Bardzo. – Wzruszyła ją jego troskliwość. – Możesz mi go zapiąć?

Zrobił to, a potem dotknął ustami jej szyi i ją pocałował.

– *Minha linda* Izabela – powiedział z podziwem. – Bardzo do ciebie pasuje.

– Obiecuję, że będę go codziennie nosić.

– I często pisać?

– Tak.

– Izabelo… – Nagle ujął jej brodę i po raz pierwszy pocałował ją w usta.

Bel od dawna była ciekawa, co się wtedy czuje, bo żaden mężczyzna jeszcze nigdy jej nie pocałował. W książkach, które czytała, kobietom zwykle nogi robiły się jak z waty. No cóż, myślała, kiedy język Gustava znalazł się w jej ustach, a sama zastanawiała się, co zrobić ze swoim, ona nic takiego z pewnością nie poczuła. Gdy w końcu odsunął się od niej, stwierdziła, że nie było to nieprzyjemne doświadczenie. Było dla niej po prostu… niczym. Absolutnie niczym.

*

– Do widzenia, ukochana Loen. Dbaj o siebie, dobrze? – powiedziała Bel przed wyjściem z sypialni, kiedy miała już jechać z rodzicami do portu.

– Panienka także. Martwię się, że płynie panienka za morze beze mnie. Proszę do mnie często pisać, dobrze?

– Oczywiście – rzuciła Bel. – Będę pisać o wszystkim, czego nie mogę wyjawić rodzicom – dodała z konspiracyjnym uśmiechem. – Więc upewnij się, że dobrze chowasz moje listy. Muszę już iść, ale proszę cię, pisz do mnie o tym, co się tutaj dzieje. Uważaj na wszystko. Dobrze, Loen? – Ucałowała ją i wyszła z pokoju.

Kiedy wsiadała do samochodu, rozmyślała o tym, że nawet jej służąca doświadcza czegoś, czego ona ma być na całe życie pozbawiona – namiętności.

*

Oboje rodzice odprowadzili ją na pokład parowca zacumowanego w głównym porcie Rio, Pier Mauá. Carla z podziwem rozejrzała się po wygodnej kajucie córki.

– Zupełnie jak pokój na lądzie – powiedziała, podeszła do łóżka i usiadła na nim, aby sprawdzić materac. – Jest elektryczne oświetlenie, a nawet ładne zasłonki – zachwycała się.

– Tylko mi nie mów, że spodziewałaś się, że nasza Bel będzie podróżować w hamaku na pokładzie i to przy świeczkach – zażartował Antonio. – Powiem tyle: cena biletu uzasadnia wszelkie nowoczesne udogodnienia, jakie tylko mogą ci przyjść do głowy.

Po raz tysięczny Bel było przykro, że ojciec nie potrafi powstrzymać się od mierzenia wartości wszystkiego gotówką, jaką musiał na to wydać. Okrętowy dzwon ostrzegł pozostające na statku osoby, które nie były pasażerami, że za chwilę odpływają. Bel przytuliła matkę.

– Dbaj o siebie do mojego powrotu, mãe. Ostatnio jesteś jakaś nieswoja.

– Nie przesadzaj, Bel. Po prostu się starzeję – rzuciła Carla. – Ty też bądź tam ostrożna i wracaj do nas cała i zdrowa.

Następnie Antonio wziął córkę w ramiona.

– Do widzenia, moja księżniczko. Mam nadzieję, że kiedy już zobaczysz cuda Starego Świata, zechcesz wrócić do domu i swoich kochających cię rodziców oraz do narzeczonego.

Bel poszła z nimi na górny pokład, a potem machała im, kiedy szli po trapie na nabrzeże. Stała wysoko, więc z jej perspektywy po chwili zrobili się mali jak kropeczki. Po raz pierwszy ogarnęła ją fala niepokoju. Płynęła na drugi koniec świata z rodziną, której prawie nie znała. Syrena statku zawyła tak, że zabolały ją uszy, przestrzeń między statkiem a nabrzeżem coraz bardziej się powiększała, a ona nadal nerwowo machała do rodziców.

– *Adeus,* kochana mamo i tato! Bądźcie zdrowi i niech Bóg was oboje błogosławi!

*

Bel świetnie bawiła się na statku, na którym dla zamożnych pasażerów organizowano mnóstwo atrakcji. Obie z Marią Elisą godzinami pływały w basenie – co było szczególnie przyjemne, gdyż w Rio odmawiano jej tej przyjemności. Grały też w krokieta na sztucznej trawie, którą położono na górnym pokładzie. Kiedy we dwie wchodziły wieczorem do jadalni, chichotały, widząc pełne podziwu spojrzenia licznie zgromadzonych młodzieńców.

Pierścionek zaręczynowy chronił Bel przed nadmiernie romantycznymi mężczyznami, których dodatkowo rozochociło wino. Maria Elisa nie potrafiła sobie jednak odmówić kilku niewinnych flirtów, w których Bel sekundowała jej z boku.

Podczas podróży poznała rodzinę Marii Elisy znacznie lepiej, niż byłoby to możliwe w Rio, ponieważ na oceanie cały czas byli zdani na wzajemne towarzystwo. Dwaj młodsi bracia Marii Elisy, Carlos i Paulo, akurat przechodzili trudny wiek pomiędzy dzieciństwem a dorosłością. Pierwszy miał lat czternaście, a drugi szesnaście i zaczynała im rosnąć rzadka broda. Tylko sporadycznie udawało im się zebrać na odwagę, aby powiedzieć coś do Bel. Matka Marii Elisy, Maria Georgiana, miała skłonność do nagłych wybuchów złości, jeśli coś jej nie pasowało. Dużą część dnia spędzała w eleganckiej bawialni na grze w brydża, podczas gdy jej mąż rzadko kiedy wychodził ze swojej kajuty.

– Co twój ojciec tam całymi dniami robi? – zapytała Bel przyjaciółkę pewnego wieczoru, kiedy akurat zbliżali się do Wysp Zielonego Przylądka niedaleko wybrzeży Afryki. Statek miał tam na kilka godzin zacumować, by załadować prowiant.

– To jasne: pracuje nad swoim Cristo – odparła Maria Elisa. – *Mãe* twierdzi, że straciła miłość męża na rzecz Pana Boga, choć kiedyś często mówił, że w niego nie wierzy. Co za ironia losu!

Któregoś popołudnia Bel zapukała do drzwi, które, jak jej się zdawało, prowadziły do kabiny Marii Elisy. Nikt się nie odezwał, więc otworzyła je i zawołała przyjaciółkę. Natychmiast zorientowała się, że popełniła błąd, bo znad biurka obłożonego stertami kartek ze skomplikowanymi obliczeniami architektonicznymi spojrzał na nią zaskoczony Heitor da Silva Costa. Papiery panoszyły się nie tylko na biurku, ale także na łóżku, a nawet na podłodze.

– Dzień dobry, senhorito Izabelo. Potrzebujesz czegoś?

– Bardzo przepraszam, że panu przeszkadzam, senhor. Szukałam Marii Elisy. Najzwyczajniej pomyliłam kabiny.

– Proszę, nie martw się. Też czasami się mylę. Wszystkie drzwi są takie same – odparł z pocieszającym uśmiechem. – Co do mojej córki, to zajrzyj do kabiny obok, ale Maria Elisa równie dobrze może być gdziekolwiek na statku. Przyznam się, że nie mam pojęcia gdzie. – Gestem wskazał biurko. – Jestem zbyt zajęty czymś innym.

– Czy… czy mogłabym zobaczyć pana rysunki?

– Interesuje cię to? – Oczy Heitora rozbłysły z radości.

– Ależ tak! Wszyscy w Rio mówią, że pomnik na tak wysokiej górze będzie istnym cudem.

– Mają rację. Ale Cristo sam tego nie dokona, ja to muszę zrobić. – Uśmiechnął się ze znużeniem i ruchem ręki zaprosił ją do środka. – Pokażę ci, jak, moim zdaniem, to się uda.

Gestem wskazał, by przysunęła do biurka krzesło, po czym przez godzinę pokazywał jej, jak ma zamiar zbudować konstrukcję, która będzie dość mocna, by wesprzeć pomnik Chrystusa.

– Jego wnętrze wypełnią żelazne dźwigary i nowy wynalazek z Europy o nazwie żelazobeton. Wiesz, Bel, tak naprawdę Cristo nie jest statuą, ale budynkiem o kształcie człowieka. Musi wytrzymać ostry górski wiatr i deszcz, który będzie bębnił mu po głowie. Nie wspominając już o piorunach, które jego ojciec w niebie zsyła nam, śmiertelnikom, na ziemię, byśmy nie zapomnieli o jego potędze.

Bel chłonęła to wszystko z nabożną czcią. Słuchanie poetyckiego, a równocześnie szczegółowego opisu było dla niej wielką przyjemnością. Czuła się poza tym zaszczycona, że Heitor powierza jej te informacje.

– Kiedy dotrę do Europy, muszę znaleźć rzeźbiarza, który potrafi tchnąć życie w moją wizję. Inżynierskie prace nad wnętrzem konstrukcji nie będą miały znaczenia dla ludzi, którzy zobaczą tylko to, co znajdzie się na zewnątrz. – W zamyśleniu podniósł na nią wzrok. – Moim zdaniem w życiu też tak często bywa. Zgadzasz się?

– Tak – niepewnie odparła Bel, ponieważ nigdy przedtem o tym nie myślała. – Chyba tak.

– Na przykład – ciągnął – jesteś piękną, młodą kobietą, ale czy znam duszę, która cię ożywia? Odpowiedź oczywiście brzmi: nie. Tak więc muszę znaleźć do tej pracy odpowiedniego rzeźbiarza, a potem wrócić do Rio z twarzą, ciałem i rękami, których chcą oglądający.

*

Tej nocy Bel położyła się do łóżka z dziwnym uczuciem. Choć senhor Heitor da Silva Costa mógłby być jej ojcem, ze wstydem musiała przyznać, że zaczęła się w nim podkochiwać.

18

Sześć tygodni po opuszczeniu Rio parowiec z gracją przybił do Le Havre. Zgodnie z planem Heitor Da Silva Costa, jego rodzina i Bel dojechali pociągiem do Paryża, gdzie na dworcu czekał już na nich samochód, który zawiózł ich do eleganckiego mieszkania przy avenue de Marigny w pobliżu Pól Elizejskich. Mieli tam mieszkać, aby być blisko pracowni, którą Heitor wynajął. Zamierzał w niej projektować i przyjmować ekspertów, żeby konsultować z nimi budowę pomnika.

Zaplanował także podróż do Włoch i Niemiec, aby się spotkać z dwoma najznamienitszymi współczesnymi rzeźbiarzami Europy. Rodzina miała mu towarzyszyć.

Na razie jednak, przez cały następny tydzień, Bel mogła chłonąć atmosferę Paryża. Pierwszego wieczoru po kolacji otworzyła okno wysokiego pokoju, który dzieliła z Marią Elisą, i wyjrzała na zewnątrz. Z rozkoszą wdychała nieznany jej osobliwy zapach, lekko drżąc w chłodnym wieczornym powietrzu. Była wczesna wiosna, co w Rio oznaczało temperaturę w okolicy dwudziestu stopni. Tu, w Paryżu, było zaledwie około dziesięciu.

Ulicą w dole spacerowały paryżanki, które prowadzili pod ramię ich kawalerowie. Były elegancko ubrane w nowym, niemal chłopięcym stylu zainspirowanym przez dom mody Chanel. Lansował on proste, pozbawione ozdób ubrania i sukienki do kolan, które w porównaniu z sukniami z gorsetami – a do takich przyzwyczajona była Bel – wyglądały jak z innego świata.

Westchnęła i rozpuściła upięte w kok bujne włosy. Zastanawiała się, czy miałaby odwagę obciąć je krótko na pazia, co było najnowszym krzykiem mody. Oczywiście ojciec prawie na pewno by ją wydziedziczył. Zawsze powtarzał, że włosy są ukoronowaniem jej urody. Ale oto znalazła się tysiące mil od *pai* i po raz pierwszy w życiu była poza jego zasięgiem.

Przeszył ją dreszcz podniecenia. Wychyliła przez okno głowę i spojrzała w lewo, gdzie ledwo dostrzegalnie błyszczały światła nad Sekwaną, rzeką, która płynęła przez Paryż. Wiele słyszała o jej słynnym lewym brzegu i artystach z bohemy, którzy mieszkali przy ulicach wokół Montmartre'u i Montparnasse'u, o modelkach pozwalających, by Picasso malował je nagie, a także o poecie Jeanie Cocteau i jego skandalicznych wybrykach, które podobno inspirowało opium. Pisano o nim nawet na plotkarskich stronach gazet w Rio.

Z lekcji historii sztuki wiedziała, że lewy brzeg Sekwany pierwotnie był ulubionym miejscem spotkań takich artystów, jak Degas, Cézanne i Monet. Ale ostatnio w Paryżu szalała znacznie odważniejsza grupa pod przewodnictwem surrealistów. Tacy artyści, jak F. Scott Fitzgerald i jego piękna żona Zelda, robili sobie zdjęcia w La Closerie des Lilas, gdzie pili absynt w towarzystwie swych słynnych przyjaciół z bohemy. Z tego, co wiedziała, wiedli burzliwe życie: całymi dniami pili, a nocami tańczyli.

– Czas do łóżka. Jestem wykończona podróżą. – Myśli Bel przerwała Maria Elisa, która weszła do pokoju. – Możesz zamknąć okno? Zrobiło się tu lodowato.

– Oczywiście. – Bel zamknęła okno i poszła do łazienki, by włożyć koszulę nocną.

Dziesięć minut później leżały obok siebie w łóżkach.

– Zimno w tym Paryżu – odezwała się Maria Elisa i podciągnęła kołdrę aż po brodę. – Prawda?

– Nie, skąd tam – odparła Bel, wyciągając rękę, by zgasić lampkę nocną. – Dobranoc, Mario Eliso, śpij dobrze.

Leżała w ciemności, podniecona rozmyślaniem o wszystkim, co zobaczy w tym mieście. Ciekawa była ludzi mieszkających po drugiej stronie rzeki, których życie tak ją fascynowało. I czuła, że jest jej bardzo ciepło.

*

Następnego dnia Bel obudziła się wcześnie i już o ósmej była ubrana – tak bardzo pragnęła cały dzień najzwyczajniej chodzić po ulicach Paryża i wdychać jego atmosferę. Kiedy zeszła na śniadanie, jedyną osobą w jadalni był Heitor.

– Dzień dobry, Izabelo. – Podniósł na nią wzrok znad kawy, przy której siedział z piórem w ręce. – Jak się czujesz?

– Świetnie. Mam nadzieję, że panu nie przeszkadzam.

– Ależ nie. Cieszę się, że mam towarzystwo. Przygotowałem się na śniadanie w samotności, bo moja żona skarży się, że całą noc nie spała z zimna.

– Pana córka, niestety, również. Poprosiła służącą, aby przyniosła jej śniadanie do łóżka. Chyba się przeziębiła.

– Ty nie wyglądasz na chorą, z czego bardzo się cieszę – skomentował Heitor.

– Dzisiaj wstałabym z łóżka nawet z zapaleniem płuc – zapewniła go, gdy pokojówka nalewała jej kawę. – Jak można chorować w Paryżu? – dodała i sięgnęła do stojącego na środku stołu koszyczka z pieczywem, by wziąć sobie dziwną bułeczkę w kształcie rożka.

– To croissant – poinformował ją Heitor, kiedy zobaczył, że przygląda się bułeczce. – Jest pyszny na ciepło z owocową *confiture*. Ja również kocham to miasto, choć, niestety, kiedy tu jestem, niewiele mam czasu, aby je poznawać. Muszę uczestniczyć w wielu spotkaniach.

– Z potencjalnymi rzeźbiarzami?

– Tak. Oczywiście bardzo się z tego cieszę. Jestem poza tym umówiony ze specjalistą od żelazobetonu, co być może nie wydaje się zbyt romantyczne, ale może stanowić klucz do całego przedsięwzięcia.

– Był pan kiedyś na Montparnassie? – odważnie zapytała Bel i ku zadowoleniu swoich kubków smakowych spróbowała słodkiego croissanta.

– Tak, ale lata temu. W młodości zwiedziłem wszystkie naj-słynniejsze miejsca Paryża. Więc podoba ci się to, co się dzieje na lewym brzegu Sekwany... i jego niezwykli mieszkańcy.

Bel zobaczyła, że w oczach Heitora pojawiły się iskierki.

– Tak. W końcu urodziło się tam wielu najsłynniejszych arty-stów naszego pokolenia. Bardzo lubię Picassa.

– Jesteś kubistką?

– Nie, nie mogę się nawet nazwać specjalistką w tej dziedzinie. Ale kocham piękne dzieła sztuki – wyjaśniła. – Od czasu kiedy miałam okazję uczyć się w Rio historii sztuki, zaczęłam się też in-teresować artystami, którzy je wykonali.

– W takim razie nic dziwnego, że tak bardzo pragniesz zapu-ścić się w dzielnicę bohemy. Lecz ostrzegam: w porównaniu z Rio jest ogromnie... dekadencka.

– Pewnie jest dekadencka w porównaniu z każdym miastem na świecie! – zauważyła. – Ludzie żyją tu inaczej: eksperymentują z nowymi myślami, pchają świat do przodu...

– Tak, to prawda. Ale gdybym postanowił inspirować się sty-lem Picassa przy projektowaniu Cristo, wpadłbym chyba w tarapa-ty. – Roześmiał się. – Moje poszukiwania nie zawiodą mnie więc, niestety, na Montparnasse. A teraz muszę być niegrzeczny i cię zostawić. Za pół godziny mam pierwsze spotkanie.

– Nie mam nic przeciwko temu, żeby zostać sama – odparła Bel. Heitor wstał i zaczął zbierać swoje papiery i notatnik.

– Dziękuję za towarzystwo. Bardzo miło się rozmawiało.

– Mnie również – bąknęła nieśmiało Bel.

Skinął głową i wyszedł z jadalni.

*

Przed obiadem przeziębiona Maria Elisa dostała gorączki, więc wezwano lekarza. Jej mama nie wyglądała dużo lepiej od córki. Obu przepisano aspirynę i kazano leżeć w łóżku, aż im przejdzie gorącz-ka. Zza okna wzywała Bel magia Paryża, więc dziewczyna chodziła po mieszkaniu jak zamknięte w klatce zwierzę. Była tak sfrustrowa-na, że nie potrafiła współczuć Marii Elisie tak, jak powinna.

Jestem okropną, samolubną osobą, beształa się w myślach. Wciąż przesiadywała przy oknie i tęsknie spoglądała na toczące się za nim paryskie życie.

W końcu z nudów zgodziła się zagrać w karty z braćmi Marii Elisy, a tymczasem mijały cenne godziny jej pierwszego dnia w Paryżu.

*

Choroba Marii Georgiany i Marii Elisy przedłużała się i Bel robiła się coraz bardziej niecierpliwa. Pod koniec pierwszego tygodnia, podczas którego nie zrobiła ani jednego kroku po paryskim bulwarze, zebrała się na odwagę, by zapytać Marię Georgianę, czy mogłaby się przejść, by zaczerpnąć świeżego powietrza. Jak nietrudno było przewidzieć, odpowiedź była negatywna.

– Na pewno nie możesz iść bez przyzwoitki, Izabelo. A ani ja, ani Maria Elisa nie czujemy się na tyle dobrze, żeby ci towarzyszyć. Będziesz miała mnóstwo czasu, by obejrzeć zabytki Paryża, kiedy wrócimy z Florencji – stanowczo oświadczyła Maria Georgiana.

Kiedy Bel wyszła z jej pokoju, zastanawiała się, jak wytrzyma do czasu, aż nadejdzie pora wyjazdu do Florencji. Czuła się jak głodujący więzień, który patrzy przez żelazne kraty celi na pudełko czekoladek położone kilka milimetrów poza jego zasięgiem.

W końcu uratował ją jednak Heitor. Przez ostatni tydzień spotykali się przy śniadaniu i choć był zajęty, zauważył jej smutek i osamotnienie.

– Izabelo, dzisiaj jadę do Boulogne-Billancourt, żeby spotkać się z profesorem Paulem Landowskim. Od jakiegoś czasu jesteśmy w kontakcie listownym i telefonicznym, ale dziś wybieram się do jego atelier, by pokazał mi swoją pracownię i to, co w niej robi. Na razie jest u mnie na pierwszym miejscu, jeśli chodzi o zlecenie rzeźby, chociaż muszę się jeszcze spotkać z innymi rzeźbiarzami we Włoszech i w Niemczech. Może miałabyś ochotę mi towarzyszyć?

– Byłby to dla mnie zaszczyt, senhor. Ale obawiam się, że mogę panu przeszkadzać.

– Jestem pewny, że nie. Rozumiem, że nudzisz się tu w zamknięciu. Kiedy będę rozmawiał z profesorem Landowskim, któryś z jego asystentów na pewno będzie mógł pokazać ci jego atelier.

– Niczego bardziej bym nie chciała – rzuciła z zapałem Bel.

– Nie jest to taka znów wielka przysługa – odparł Heitor. – W końcu twój przyszły teść jest członkiem kółka katolickiego, które odegrało kluczową rolę w wypromowaniu pomysłu budowy posągu na szczycie Corcovado i zorganizowało akcję zbierania funduszy na ten cel. Musiałbym się bardzo wstydzić, gdybym po powrocie do Rio miał mu powiedzieć, że nie udało mi się pokazać ci bogactwa kultury Starego Świata. A więc wyruszamy o jedenastej.

*

Kiedy przejechali przez Pont de l'Alma na lewy brzeg, Bel z przejęciem wyglądała przez okno, jakby spodziewała się, że zobaczy, jak w ulicznym ogródku przy kawiarni siedzi sam Picasso.

– Atelier Landowskiego jest stąd dość daleko – wyjaśnił Heitor. – Wydaje mi się, że mniej interesuje go picie z kolegami na ulicach Montparnasse'u, a bardziej praca. Poza tym ma rodzinę, co nie bardzo pasuje do atmosfery lewego brzegu Sekwany.

– Jego nazwisko nie jest chyba francuskie – zauważyła Bel nieco zawiedziona, że Landowski nie należy do kręgów, które tak bardzo chciała poznać.

– Jego przodkowie pochodzą z Polski, ale wydaje mi się, że mieszkają we Francji od siedemdziesięciu pięciu lat. Może temperamentem nie pasuje do wybryków niektórych współczesnych artystów. Niemniej jednak jest artystą z kręgu art déco, który nabiera w Europie coraz większego znaczenia. Moim zdaniem może się okazać odpowiednim rzeźbiarzem do wykonania Cristo.

– Art déco? – zapytała Bel. – Nie wiem, co to jest.

– Hm, jak ci to wytłumaczyć? – mruknął do siebie Heitor. – Główne założenie tego stylu jest takie, by to, co widzimy w życiu codziennym, na przykład stół, suknię, a nawet człowieka, zredukować do podstawowych linii. Nie ma w nim nic wymyślnego czy romantycznego w klasycznym rozumieniu sztuki. Jest to styl prosty i surowy... a moim zdaniem tak pragnął być postrzegany Chrystus.

Krajobraz coraz bardziej zmieniał się na wiejski. Skończyło się gęsto zabudowane miasto i od czasu do czasu widżieli przy drodze skupiska zaledwie kilku domów. Bel nie mogła powstrzymać się od refleksji nad ironią tej sytuacji. Kiedy wreszcie udało jej się wyrwać z mieszkania, zamiast zmierzać w stronę pulsującego serca miasta, które tak bardzo pragnęła poznać, jeszcze bardziej się od niego oddala.

Kierowca kilka razy pojechał nie tam, gdzie trzeba, aż w końcu skręcił w lewo i podjechał pod duży dom.

– To tu. – Heitor natychmiast wysiadł z samochodu i oczy rozbłysły mu z ciekawości.

Bel szła za nim. Gdy przemierzyli ogród, z domu wyszedł szczupły człowiek z bujną grzywą niesfornych siwych włosów i długą brodą, ubrany w upaprany gliną fartuch. Bel przyglądała się, jak dwaj mężczyźni podają sobie dłonie i poważnie ze sobą rozmawiają. Nie chcąc im przerywać, czekała w niewielkiej odległości. Minęło kilka minut, zanim Heitor przypomniał sobie o jej obecności.

– Senhorita – zwrócił się do niej. – Przepraszam cię, ale spotkanie z człowiekiem, z którym do tej pory tylko się korespondowało, jest tak wielką przyjemnością... Proszę pozwolić, że przedstawię profesora Paula Landowskiego. Panie profesorze, to senhorita Izabela Bonifacio.

Landowski wyciągnął rękę i uniósł dłoń Bel do ust.

– *Enchanté*. – Potem spojrzał na jej dłoń i ku zaskoczeniu Bel obrysował kontur każdego z jej palców czubkami swoich. – Mademoiselle, ma pani najpiękniejsze dłonie świata. Zgadza się pan, monsieur da Silva Costa?

– Przykro mi, ale wcześniej tego nie zauważyłem. Ale tak, senhor, ma pan rację.

– No to do roboty, monsieur! – zawołał Landowski, puszczając rękę Bel. – Pokażę panu moje atelier, a potem dokładnie przedyskutujemy pana wizję Cristo.

Bel ruszyła za nimi przez ogród. Zauważyła, że roślinność jeszcze nie całkiem obudziła się po zimie. Choć było już zielono, w ogóle nie widać było kwiatów. W jej ojczyźnie jaskrawe barwy miejscowych gatunków flory ozdabiały krajobraz przez okrągły rok.

Landowski zabrał ich do przypominającego budynek gospodarczy wysokiego domu, który znajdował się na końcu ogrodu. Jego boczne ściany wzniesiono ze szkła, by wpuścić światło. W kącie przestronnego pomieszczenia, przy stole rzeźbiarskim, siedział młodzieniec, który pracował nad glinianym popiersiem. Kiedy weszli, był tak skupiony na pracy, że nie podniósł nawet wzroku.

– Pracuję nad projektem popiersia Sun Jat-sena i właśnie cyzeluję jego oczy. Oczywiście mają zupełnie inny kształt niż nasze, ludzi Zachodu. – Mój asystent stara się poprawić to, co zrobiłem.

– Pracuje pan głównie w glinie czy w kamieniu, profesorze Landowski? – spytał Heitor.

– To zależy od zamówienia klienta. Ma pan już pomysł, z czego zbudować Chrystusa?

– Myślałem o brązie, ale oczywiście martwię się, że po latach pod działaniem wiatru i deszczu ubiór naszego Pana zrobi się zielony. A poza tym chcę, żeby całe Rio mogło spojrzeć w górę i zobaczyć go w jasnych szatach, a nie w ciemnych.

– Rozumiem – rzucił Landowski. – Ale mówimy o trzydziestu metrach wysokości. Moim zdaniem tak ogromnego posągu nie da się ani wciągnąć na górę, ani zbudować na miejscu.

– Owszem – zgodził się Heitor. – I dlatego pracuję nad wewnętrzną architekturą rzeźby, której projekt chcę zakończyć podczas mojego pobytu w Europie. Według mnie zewnętrzna skorupa powinna być odlana z formy, a potem kawałek po kawałku odbudowana w Rio.

– Jeśli zobaczył pan już tu, co trzeba, przejdziemy do domu i pokażę panu szkice, które przygotowałem. Mademoiselle – Landowski zwrócił się do Bel – czy może pani zostać w atelier, kiedy udamy się na rozmowę, czy wolałaby pani posiedzieć w salonie z moją żoną?

– Bardzo chciałabym zostać tutaj. Dziękuję, monsieur – odparła Bel. – To przywilej być w pana atelier.

– Jestem pewny, że jeśli pani ładnie poprosi mojego asystenta, oderwie się od oka Sun Jat-sena i da pani coś do picia. – Landowski znacząco wskazał młodzieńca, po czym odszedł z Heitorem.

Asystent jakby w ogóle nie zauważył, że Bel chodzi po atelier. Chętnie podeszłaby do niego, żeby zobaczyć, co robi, ale nie chciała mu przeszkadzać.

Po drugiej stronie głównej hali był ogromny piec, przypuszczalnie wykorzystywany do wypalania gliny, a po jej lewej stronie znajdowały się dwa oddzielne pomieszczenia. Jedno było bardzo prostą umywalnią z wielkim zlewem, koło którego ułożono przy ścianach sterty worków z gliną. W drugim urządzono małą kuchnię bez okna. Przeszła do głównego atelier i przez tylne okno wyjrzała na zewnątrz. Zobaczyła kilka ogromnych głazów o różnych kształtach i rozmiarach. Przypuszczalnie czekały, aż Landowski wykorzysta je w swych rzeźbach.

Kiedy już wszystko obejrzała, dostrzegła nieco chybotliwe drewniane krzesło i poszła na nim usiąść. Przyglądała się asystentowi, który w pełnym skupieniu pracował z pochyloną głową. Dziesięć minut później, gdy zegar wybił południe, wytarł ręce w swoją roboczą koszulę i nagle podniósł głowę.

– Obiad – oznajmił, po raz pierwszy spojrzał na Bel i uśmiechnął się. – *Bonjour*, mademoiselle.

Do tej pory miał pochyloną głowę, nie widziała więc rysów jego twarzy. Ale gdy się do niej uśmiechnął, poczuła dziwne pulsowanie w brzuchu.

– *Bonjour*. – Nieśmiało odwzajemniła uśmiech.

Wstał i podszedł do niej. Podniosła się z krzesła, gdy się zbliżał.

– Proszę mi wybaczyć, że panią zignorowałem, mademoiselle – odezwał się po francusku. – Byłem skupiony na gałce ocznej, a to bardzo precyzyjna praca. – Zatrzymał się metr przed nią i dokładnie jej się przyjrzał. – Czy my się już nie poznaliśmy? Wydaje mi się pani znajoma.

– To chyba niemożliwe. Dopiero przyjechałam z Rio de Janeiro.

– W takim razie się mylę. – W zamyśleniu skinął głową. – Nie będę pani podawał dłoni, bo jest cała w glinie. Przepraszam na chwileczkę, pójdę się umyć.

– Oczywiście – rzuciła Bel. Głos ledwo się z niej wydobywał i sprawiał wrażenie wymuszonego szeptu. Kiedy młody rzeźbiarz do niej podchodził, żeby się przywitać, wstała z łatwością, ale teraz, gdy zniknął w pokoju ze zlewem, nagle ugięły się pod nią nogi i ciężko usiadła. Poczuła, że kręci jej się w głowie i brakuje tchu. Przemknęło jej przez myśl, że być może zaraziła się od Marii Elisy i jej matki i też będzie chora.

Pięć minut później młody człowiek znowu się pokazał – tym razem bez fartucha i w czystej koszuli. Palce same przesunęły jej się kilka centymetrów do przodu – instynktownie miała ochotę przeczesać nimi jego długie, falowane kasztanowe włosy i pogłaskać bladą skórę policzka, poczuć pod nimi kształt zgrabnego, orlego nosa i pełnych różowych ust ukrywających równe białe zęby. Nieobecny wyraz jego zielonych oczu przywiódł jej na myśl Heitora. Fizycznie ten młody człowiek był obecny, ale myślami przebywał gdzie indziej.

Bel nagle zdała sobie sprawę, że jego usta poruszają się i wydobywają się z nich jakieś dźwięki. Zrozumiała, że pyta ją o imię. Zszokowana swoją reakcją, z trudem oderwała się od marzeń i skupiła się na tym, by wyraźnie mówić po francusku.

– Mademoiselle, dobrze się pani czuje? Wygląda pani, jakby zobaczyła pani ducha.

– Przepraszam, zamyśliłam się… Nazywam się Izabela, Izabela Bonifacio.

– Jak stara królowa Hiszpanii. – Kiwnął głową.

– I zmarła księżniczka Brazylii – wtrąciła szybko.

– Przykro mi się do tego przyznać, ale bardzo mało wiem o pani kraju i jego historii. Tylko tyle, że rywalizujecie z nami o pierwsze miejsce w robieniu najlepszej kawy.

– W każdym razie na pewno produkujemy najlepsze ziarna kawy – powiedziała. – Ja natomiast dużo wiem o pana kraju – dodała, zastanawiając się, czy brzmi to aż tak beznadziejnie, jak jej się wydawało.

– Tak. Nasza sztuka i kultura od setek lat słyną na całym świecie, a wasze będą się dopiero tworzyć. Ale jestem pewny, że kiedyś rozkwitną – dodał. – Skoro została pani porzucona przez profesora i pani zaprzyjaźnionego architekta, może dam pani coś do jedzenia, a tymczasem pani opowie mi coś o Brazylii.

Bel zerknęła za okno. Była nieco zdenerwowana niestosownością sytuacji. Nigdy przedtem nie widziała tego mężczyzny, a znalazła się z nim całkiem sama. Gdyby widział ją teraz ojciec albo narzeczony...

Młodzieniec zauważył jej zmieszanie i rozproszył je machnięciem ręki.

– Mogę pani zagwarantować, że całkiem o pani zapomną, kiedy zagłębią się w rozmowę. Może nie być ich przez kilka godzin. Tak więc, jeśli nie chce pani umrzeć z głodu, proszę usiąść tam, przy stole, a ja przygotuję dla nas posiłek.

Odwrócił się od niej i poszedł przez atelier w kierunku kuchni, którą przedtem zauważyła.

– *Pardon*, monsieur, ale jak pan się nazywa?

Zatrzymał się i odwrócił w jej stronę.

– Proszę mi wybaczyć, zachowałem się niegrzecznie. Nazywam się Laurent. Laurent Brouilly.

Bel usiadła na szorstkiej drewnianej ławce ustawionej w niewielkiej wnęce i nie mogła powstrzymać cichego chichotu na myśl o okolicznościach, w jakich się znalazła. Sama z młodym mężczyzną! I to z mężczyzną, który właśnie szykuje dla nich posiłek. Jeszcze nigdy nie widziała, żeby *pai* wszedł do kuchni, a co dopiero coś w niej przygotowywał.

Kilka minut później Laurent przyniósł tacę, a na niej dwie świeże bagietki, które tak jej smakowały, dwa kawałki francuskiego sera o mocnym zapachu, kamionkowy dzbanek i dwa kieliszki.

Postawił wszystko na stole i zaciągnął starą zasłonę wiszącą na przyczepionym do sufitu karniszu.

– To powstrzyma kurz z atelier od osiadania na naszym jedzeniu – wyjaśnił, po czym hojnie nalał jasnożółtego płynu do kieliszków i jeden z nich podał Izabeli.

– Pijecie wino z samym chlebem i serem? – zdziwiła się.

– Mademoiselle, jesteśmy Francuzami. Wino pijemy ze wszystkim i o każdej porze. – Uśmiechnął się i podniósł kieliszek w jej stronę. – *Santé* – powiedział i zbliżył swój kieliszek do tego, który trzymała w dłoni.

Łyknął sporo wina, a ona niepewnie spróbowała odrobinkę. Przyglądała się, jak odrywa duży kawał bagietki, rozdziera go na pół i wkłada do środka kawałki sera. Nie chciała pytać, gdzie są talerze, więc zrobiła to samo.

Nigdy dotąd prosty posiłek nie smakował mi aż tak bardzo, pomyślała z rozkoszą. Zamiast pochłaniać tak duże kawałki jak Laurent, zachowywała się nieco bardziej jak dama i odrywała malutkie kawałki pieczywa i sera, po czym wolno wkładała je do ust. On zaś ani przez chwilę nie spuszczał z niej oczu.

– Na co pan tak patrzy? – zapytała go w końcu, bo czuła się nieswojo pod tak uporczywym wzrokiem.

– Na panią – odpowiedział, opróżniając swój kieliszek.

– Dlaczego?

Dolał sobie wina i wypił łyk, a potem wzruszył ramionami w specyficznie galijski sposób, który Bel zauważyła, przyglądając się przez okno spacerującym ulicą paryżanom.

– Ponieważ, mademoiselle Izabelo, wygląda pani przepięknie.

Te słowa były oczywiście całkiem nie na miejscu, ale poczuła, że wszystko przewraca jej się w brzuchu.

– Niech pani nie będzie taka przerażona, mademoiselle. Jestem pewny, że taka kobieta jak pani słyszała to tysiące razy. Bez wątpienia jest pani przyzwyczajona, że ludzie się pani przypatrują.

Bel zastanowiła się nad tym i pomyślała, że pewnie tak; wiele osób spoglądało na nią z podziwem. Ale nikt nie patrzył na nią tak intensywnie jak on.

– Czy ktoś panią kiedyś malował? Albo rzeźbił?

– Dawno temu, gdy byłam dzieckiem, ojciec zamówił mój portret.

– To dziwne. Moim zdaniem w Montparnasse malarze usta-wialiby się w kolejce, żeby panią namalować.

– Jestem w Paryżu dopiero od tygodnia, monsieur, i jeszcze ni-gdzie nie byłam.

– Ale skoro panią odkryłem, chciałbym zachować panią tylko dla siebie i nie dopuścić do pani żadnego z tych łobuzów i włóczę-gów. – Uśmiechnął się do niej szeroko.

– Chciałabym zwiedzić Montparnasse, ale wątpię, czy kiedy-kolwiek dostanę na to pozwolenie. – Bel westchnęła.

– No tak… Rodzice z całego Paryża woleliby utopić swoje córki w Sekwanie, niż pozwolić, by straciły cnotę i serce na jej lewym brzegu. Gdzie pani mieszka?

– W mieszkaniu przy avenue de Marigny, niedaleko Pól Elizej-skich. Przyjechałam jako gość państwa da Silva Costa. Są moimi opiekunami.

– I nie interesują ich atrakcje Paryża?

– Nie. – Bel myślała, że pyta ją poważnie, lecz zobaczyła iskier-ki śmiechu w jego oczach.

– Każdy prawdziwy artysta wie, że reguły są po to, by je łamać, a szlabany, aby je przeskakiwać. Mamy jedno życie, mademoiselle, i musimy żyć zgodnie ze swoim wyborem.

Bel milczała, ale euforia z powodu tego, że nareszcie znalazła kogoś, kto myśli tak jak ona, stała się dla niej trudna do zniesie-nia i w jej oczach pojawiły się piekące łzy. Laurent natychmiast to zauważył.

– Rozumiem, mademoiselle – odezwał się cicho. – Widzę, że pani wyraziła już na coś zgodę. – Wskazał pierścionek zaręczyno-wy na jej palcu. – Zgodziła się pani wyjść za mąż?

– Tak. Kiedy wrócę do domu z podróży po Europie.

– Jest pani zadowolona ze swojego wybranka?

Bel kompletnie zaskoczyło tak bezpośrednie podejście. Ten mężczyzna był obcym człowiekiem i nic o niej nie wiedział, a dzie-lili się winem, chlebem i serem, i co najważniejsze – połączyła ich intymna rozmowa, jakby znali się całe życie. Jeśli tak zachowuje się bohema, to Bel z całego serca chciała do niej należeć.

– Mój narzeczony, Gustavo, będzie dla mnie wiernym i troskliwym mężem – odparła ostrożnie. – A poza tym w małżeństwie liczy się nie tylko miłość – skłamała.

Chwilę jej się przyglądał, po czym westchnął i pokręcił głową.

– Mademoiselle, życie bez miłości jest jak Francuz bez wina albo człowiek bez tlenu. Ale – znów westchnął – może ma pani rację. Niektórzy godzą się na jej brak w zamian za bogactwo i pozycję społeczną. Lecz nie ja. – Laurent pokręcił głową. – Nigdy nie złożyłbym siebie na ołtarzu materializmu. Jeśli miałbym z kimś spędzić życie, chciałbym codziennie rano budzić się, by patrzeć w oczy ukochanej kobiety. Dziwię się, że pani godzi się na kompromis. Widzę przecież namiętne serce, które w pani bije.

– Proszę, monsieur…

– Niech mi pani wybaczy, mademoiselle, za daleko zabrnąłem. Dość tego! Ale bardzo chciałbym mieć przywilej wyrzeźbienia pani. Czy miałaby pani coś przeciwko temu, gdybym poprosił pana da Silva Costę o pozwolenie, by pozowała mi pani jako modelka?

– Może go pan zapytać, ale nie mogłabym… – Bel oblała się rumieńcem wstydu, bo nie wiedziała, jak sformułować to, co ma na myśli.

– Mademoiselle! – Laurent zrozumiał, o co jej chodzi. – Może pani być spokojna. Nie będę panią prosił o zdjęcie ubrań – zapewnił. – Przynajmniej na razie – dodał po chwili.

Bel zaniemówiła, słysząc tak intymną aluzję. W równym stopniu podniecało ją to i przerażało.

– Gdzie pan mieszka? – zapytała, by zmienić temat.

– Jak każdy prawdziwy artysta, wraz z szóstką kolegów wynajmuję pokój na strychu na Montparnassie.

– Pracuje pan u profesora Landowskiego?

– Nie do końca tak bym to nazwał, ponieważ w ramach zapłaty dostaję tylko jedzenie i wino – uściślił Laurent. – A jeśli strych, który dzielę z innymi na Montparnassie, jest zbyt zatłoczony, profesor czasem pozwala mi spać tutaj na sienniku. Uczę się rzemiosła, a nie ma lepszego nauczyciela niż Landowski. Tak jak surrealiści eksperymentują w malarstwie, Landowski to samo robi w rzeźbie z art déco. Rozwija sztukę i idzie do przodu, zostawiając w tyle przeładowane, nadmiernie napuszone dzieła przeszłości. Był moim profesorem w École Nationale Supérieure des Beaux- -Arts, a kiedy wybrał mnie na swego asystenta, z wielką radością przyjąłem tę ofertę.

– Skąd pochodzi pana rodzina? – zapytała Bel.

– Dlaczego panią to interesuje? – Laurent się roześmiał. – Za chwilę zapyta pani o klasę społeczną, z jakiej pochodzę! Widzi pani, mademoiselle, my, artyści w Paryżu, jesteśmy po prostu sobą, odrzucamy przeszłość i żyjemy dniem bieżącym. Określamy się przez swój talent, nie przez pochodzenie. Ale skoro pani pyta – łyknął wina – powiem pani. Moja rodzina ma szlachecki rodowód i należy do niej château niedaleko Wersalu. Gdybym ich nie opuścił i nie odrzucił życia, jakie dla mnie zaplanowali, byłbym teraz hrabią Quebedeaux Brouilly. Ojciec zagroził, że mnie wydziedziczy, jeśli zostanę rzeźbiarzem, więc, jak już mówiłem, jestem teraz po prostu sobą. Nie mam ani centyma przy duszy, a jeśli w przyszłości cokolwiek zarobię, to tymi oto rękami.

Patrzył na nią, jakby oczekiwał komentarza, ale milczała. Cóż mogłaby powiedzieć, skoro jej życie oparte było na wartościach, które przed chwilą wyśmiał?

– Jest pani zdziwiona? Zaręczam pani, że w Paryżu takich jak ja jest wielu. Mój ojciec nie musiał przynajmniej znosić hańby, że ma syna homoseksualistę, co spotkało ojców kilku moich znajomych.

Bel wlepiła w niego wzrok, przerażona, że na głos wypowiedział taką myśl.

– Przecież to nielegalne! – nie powstrzymała okrzyku.

Przechylił głowę na bok i chwilę jej się przyglądał.

– A czy to, że tak mówią fanatyczni hipokryci, sprawia, że jest w tym coś złego?

– Nnnnie… wiem – bąknęła zmieszana, po czym zamilkła, by odzyskać zimną krew.

– Proszę mi wybaczyć, mademoiselle. Zdaje się, że panią zszo- kowałem.

197

Zobaczyła błysk w jego oku i stwierdziła, że szokowanie jej sprawia mu przyjemność.

Następny łyk wina dodał jej odwagi.

– Monsieur Brouilly – zaczęła. – Wyraził się pan dość jasno. Nie zależy panu na pieniądzach i dobrach materialnych. Ale proszę mi powiedzieć, czy dobrze żyje się panu powietrzem?

– Tak, przynajmniej na razie, póki jestem młody, zdrowy, a tu, w Paryżu, mieszkam w samym środku świata. Niemniej jednak wiem, że kiedy będę stary i schorowany, a do tego czasu nie uda mi się zarobić pieniędzy, mogę tego żałować. Wielu z moich znajomych artystów w trudnych chwilach korzysta z pomocy możnych. W większości są to jednak brzydkie, bogate wdowy, które spodziewają się, że młodzi artyści będą je zaspokajać w zamian za mecenat. Tylko że takie rozwiązanie jest nie dla mnie. Niewiele to lepsze od prostytucji, więc nigdy na coś takiego bym nie poszedł.

Bel znowu była zszokowana jego otwartością. Oczywiście słyszała o domach publicznych w Lapa, dzielnicy Rio, ale nigdy nie wspominano o tym w towarzystwie. A na pewno nie zrobiłby tego mężczyzna w rozmowie z szanującą się kobietą.

– Chyba naprawdę panią przerażam, mademoiselle. – Laurent uśmiechnął się do niej ze współczuciem.

– Chyba jeszcze dużo muszę się nauczyć o Paryżu – odparła.

– Na pewno. Proszę uznać mnie za swojego instruktora wiedzy o paryskiej awangardzie. O, widzę, że wracają nasi dwaj panowie. – Spojrzał ponad jej ramieniem za okno. – Profesor się uśmiecha, a to dobry znak.

Bel zobaczyła, że obaj mężczyźni wchodzą do studia. Nadal byli pochłonięci rozmową. Laurent zajął się zbieraniem pozostałości po posiłku i wszystko ułożył na tacy. Bel pośpiesznie postawiła tam swój kieliszek w obawie, że Heitor nie pochwali jej za picie wina.

– Senhorita – odezwał się, kiedy ją zobaczył – przepraszam, że tak długo na mnie czekałaś, ale mieliśmy z profesorem Landowskim wiele do omówienia.

– Nie ma za co – rzuciła. – Monsieur Brouilly tłumaczy mi…
podstawy rzeźby.

– Świetnie – powiedział, ale widziała, że nie zwraca na nią
uwagi, bo natychmiast znowu zwrócił się do Landowskiego: –
W przyszłym tygodniu jadę do Florencji, a potem do Monachium.
Do Paryża wracam dwudziestego piątego i wtedy skontaktuję się
z panem.

– Oczywiście – zgodził się rzeźbiarz. – Może pan uznać, że
mój styl i poglądy nie są odpowiednie dla pana przedsięwzięcia. Ale niezależnie od pana decyzji, muszę powiedzieć, że podziwiam pana odwagę i determinację. To, czego się pan podjął,
jest niezwykle trudne. Oczywiście z przyjemnością bym w tym
uczestniczył.

Dwaj mężczyźni podali sobie ręce i Heitor ruszył w stronę wyjścia z atelier, a Bel podążyła za nim.

– Monsieur da Silva Costa, chciałbym pana o coś prosić, zanim
pan stąd wyjdzie – odezwał się Laurent.

– Cóż to takiego? – spytał Heitor, odwracając się w jego stronę.

– Chciałbym wyrzeźbić podobiznę pana podopiecznej, mademoiselle Izabeli. Ma przepiękne rysy twarzy i chciałbym sprawdzić, czy potrafię odpowiednio je przedstawić.

Heitor się zawahał.

– Przyznam, że nie wiem, co powiedzieć. To niezwykle po-
chlebna propozycja, prawda, Izabelo? Gdyby była pani moją córką,
byłoby mi łatwiej się zgodzić. Ale…

– Słyszał pan pewnie wiele historii o nieodpowiedzialnych
paryskich artystach i o tym, czego spodziewają się od modelek. –
Profesor Landowski uśmiechnął się do niego porozumiewaw-
czo. – Ale zapewniam pana, monsieur da Silva Costa, że ręczę za
Brouilly'ego. Nie dość, że jest utalentowanym rzeźbiarzem, który
moim zdaniem ma szansę zostać wielkim artystą, to znajduje się
pod moim dachem. A zatem osobiście gwarantuję bezpieczeństwo
mademoiselle.

– Dziękuję, profesorze. Porozmawiam z żoną i odpowiem, kiedy wrócę z Monachium – obiecał Heitor.

– Będę więc czekał na pana odpowiedź – powiedział Laurent, po czym zwrócił się do Bel: – *Au revoir*, mademoiselle.

W drodze do domu żadne z nich się nie odezwało. Zatopili się we własnych myślach. Kiedy samochód przejeżdżał przez obrzeża Montparnasse'u, Bel poczuła, że przeszywa ją dreszcz. Choć jej zaimprowizowany posiłek z Laurentem wytrącił ją z równowagi, po raz pierwszy w życiu poczuła, że naprawdę żyje.

19

Chociaż przed wypłynięciem do Europy myśl o odwiedzeniu Włoch, kraju jej przodków, przepełniała ją radosnym podnieceniem, to kiedy następnego dnia pakowała się w podróż do Florencji, wcale nie chciało jej się wyjeżdżać z Paryża.

A gdy już dotarła do miasta swoich marzeń i z okna hotelowego apartamentu zobaczyła wspaniałą kopułę Duomo, poczuła zapach czosnku i świeżych ziół unoszący się z malowniczych restauracji na ulicy w dole, puls wcale nie przyśpieszył jej tak, jak to sobie wcześniej wyobrażała.

Kilka dni później, gdy pojechali pociągiem do Rzymu i razem z Marią Elisą wrzucały monety do fontanny di Trevi, a potem zwiedzały Koloseum z ogromną areną, na której odważni gladiatorzy walczyli o życie, czuła lekkie znużenie.

Serce zostawiła w Paryżu.

W niedzielę wraz z tysiącami innych katolików uczestniczyła w cotygodniowej mszy odprawianej przez papieża. Uklękła z twarzą zasłoniętą czarną mantylką i patrzyła na maleńką, ubraną na biało postać na balkonie i na świętych stojących na piedestałach wokół placu. Potem, kiedy stała w kolejce po komunię świętą z setkami ludzi, którzy modlili się i odmawiali różaniec, także poprosiła Boga, by pobłogosławił jej rodzinę i przyjaciół. A potem żarliwie pomodliła się za siebie:

„Panie, proszę, spraw, aby senhor Heitor nie zapomniał zapytać o to, czy Laurent Brouilly może wyrzeźbić moją podobiznę, i spraw, proszę, abym jeszcze się z nim zobaczyła".

*

Po spotkaniu z rzeźbiarzami, do których przyjechał, i obejrzeniu licznych słynnych dzieł sztuki Heitor wybierał się do Monachium. Chciał zobaczyć kolosalny posąg Bawarii, który w całości wykonano w brązie i genialnie skonstruowano z czterech zespawanych ze sobą ogromnych metalowych części.

– Uważam, że może mnie zainspirować w mojej pracy, ponieważ jego rozwiązania konstrukcyjne są pod wieloma względami podobne do tych, z którymi muszę się zmierzyć przy budowie Cristo – powiedział kiedyś Bel, gdy przy obiedzie zapytała go o cel tej podróży.

Z powodów, których Bel nie znała i nie rozumiała, tym razem Heitor postanowił, że rodzina nie będzie mu towarzyszyć w długiej drodze do Monachium. Mieli wrócić do Paryża, gdzie na chłopców czekał już nauczyciel.

Kiedy wieczorem na dworcu Roma Termini wsiadali do wagonu sypialnego, by wyruszyć do Paryża, Bel odetchnęła z ulgą.

– Jesteś dzisiaj dużo radośniejsza – zauważyła Maria Elisa, wdrapując się na pokryte czerwonym aksamitem łóżko w ich wspólnym przedziale. – We Włoszech byłaś taka cichutka, jakbyś myślami bujała gdzie indziej.

– Cieszę się, że wracamy do Paryża – rzuciła Bel.

Kiedy obie już leżały, z górnego łóżka wychyliła się głowa Marii Elisy.

– Chciałam tylko powiedzieć, że jesteś jakaś odmieniona. To wszystko.

– Naprawdę? Zdaje ci się. Na czym niby polega ta moja odmiana?

– Jakbyś… no, nie wiem… – Maria Elisa westchnęła. – Jakbyś cały dzień o czymś marzyła. W każdym razie ja też się cieszę, że tym razem naprawdę zobaczę Paryż. Będziemy go zwiedzały razem, prawda?

Bel sięgnęła po dłoń, którą przyjaciółka jej podała, i ścisnęła ją.
– Oczywiście, że tak.

*

Apartament 4
Avenue de Marigny 48
Paryż
Francja

9 kwietnia 1928

Drodzy mãe i pai,

*już wróciłam do Paryża po pobycie we Włoszech (mam
nadzieję, że dostaliście list, który stamtąd do Was
napisałam). Maria Elisa i jej mama czują się o wiele
lepiej, więc przez ostatnie kilka dni zwiedzaliśmy tutejsze
zabytki. Byliśmy w Luwrze, gdzie zobaczyliśmy Monę
Lisę, w Sacré-Cœur, na Montmartrze, gdzie mieszkali
i malowali Monet, Cézanne i wielu innych wielkich
francuskich malarzy, przechadzaliśmy się po wspaniałych
Ogrodach Tuleryjskich i weszliśmy na Łuk Triumfalny.
Jest jeszcze tak wiele do zobaczenia – na przykład wieża
Eiffla – że na pewno nie będę się nudziła.*

*Sam spacer po tutejszych ulicach jest niezwykłym
przeżyciem, a mãe pokochałaby paryskie sklepy! W pobliżu
znajdują się salony wielu słynnych francuskich projektantów
mody. Zgodnie z sugestią senhory Aires Cabral, umówiłam
się na pierwszą miarę mojej sukni ślubnej w domu mody
Lanvin przy rue du Faubourg Saint-Honoré.*

*Paryżanki są niezwykle szykowne i nawet jeśli stać
je tylko na zakupy w domu towarowym, takim jak na
przykład Le Bon Marché, są równie eleganckie jak te
bogate. A jedzenie… muszę pai powiedzieć, że córka pai
jadła escargots – ślimaki duszone z masłem, czosnkiem
i ziołami. Wydłubuje się je z muszelek maleńkimi*

widelczykami. Bardzo mi smakowały, choć przyznam, że żabie udka niespecjalnie.

W nocy miasto wydaje się nie spać. Do mojego okna dochodzą dźwięki orkiestry jazzowej, która występuje w hotelu po przeciwnej stronie ulicy. Muzykę tę grają w wielu miejscach Paryża. Senhor da Silva Costa obiecał, że któregoś wieczoru pójdziemy jej posłuchać, oczywiście w przyzwoitym lokalu.

Jestem zdrowa i bardzo szczęśliwa. Staram się jak najlepiej wykorzystać wspaniałą możliwość, jaką dostałam, i nie tracić ani sekundy. Wszyscy w rodzinie da Silva Costa są dla mnie bardzo mili, choć senhor da Silva Costa od dziesięciu dni jest w Niemczech i wraca dopiero dziś wieczorem.

Poznałam też młodą Brazylijkę z Rio, która dwa dni temu przyszła do nas na herbatę ze swoją mamą. Nazywa się Margarida Lopes de Almeida. Być może znacie nazwisko jej mamy, jest nią bowiem Julia Lopes de Almeida, która zdobyła w Brazylii wielkie uznanie jako pisarka. Margarida przyjechała tu na stypendium przyznane przez Escola Nacional de Belas Artes w Rio i studiuje w Paryżu rzeźbę. Opowiedziała mi o swoich kursach w École Nationale Supérieure des Beaux-Arts. Bardzo chciałabym spróbować swoich sił w takim kursie. Pod wpływem senhora da Silva Costy zainteresowałam się rzeźbą.

Napiszę w przyszłym tygodniu, ale na razie przesyłam Wam wiele miłości i całusów zza oceanu.

Wasza kochająca córka
Izabela

Bel odłożyła mokre od atramentu pióro na sekretarzyk, przeciągnęła się i wyjrzała przez okno. W ciągu kilku ostatnich dni drzewa na dole zakwitły delikatnym różem. Kiedy zawiał wietrzyk, na chodnik spadały pachnącym deszczem maleńkie, delikatne kwiatki i pokrywały ziemię warstwą płatków.

Spojrzała na zegar na biurku i zobaczyła, że jest dopiero wpół do czwartej po południu. Napisała już list z opowieściami o Włoszech do Loen, a przed ubraniem się na kolację zostało jej mnóstwo czasu na następny – do Gustava. Nie miała jednak siły do niego się zabrać; tak trudno jej było odwzajemnić miłość wyrażaną w listach, które co kilka dni otrzymywała od narzeczonego.

Może napiszę do niego później, pomyślała, po czym wstała, podeszła do stolika i z roztargnieniem włożyła sobie do ust czekoladkę. W mieszkaniu panowała cisza, choć z jadalni, gdzie właśnie odbywały się lekcje braci Marii Elisy z nauczycielem, dochodził szmer głosów. Zarówno Maria Georgiana, jak i Maria Elisa korzystały z popołudniowej drzemki.

Powiedziano jej, że po powrocie z Monachium Heitor zdąży wziąć udział w kolacji z rodziną. Bardzo się z tego cieszyła. Wiedziała, że musi się powstrzymać od przypomnienia mu o Laurencie i o tym, że prosił, by przez dzień lub dwa mu pozowała. Pocieszyły ją jednak odwiedziny, które w apartamencie złożyła im Margarida Lopes de Almeida. Kiedy mamy Margaridy i Marii Elisy zagłębiły się w rozmowie, dziewczęta też miały okazję pogawędzić.

Bel wyczuła w Margaridzie pokrewną duszę.

– Byłaś na Montparnassie? – zapytała ją cichutko przy herbacie.

– Tak, wiele razy – szepnęła Margarida. – Ale nikomu o tym nie mów. Obie wiemy, że Montparnasse nie jest miejscem dla dobrze wychowanych młodych dam.

Obiecała, że wkrótce znowu ją odwiedzi i opowie o kursie rzeźby, w którym uczestniczy w szkole Beaux-Arts.

– Może senhor da Silva Costa nie sprzeciwi się, żebyś tam chodziła. Przecież jednym z twoich wykładowców byłby profesor Landowski – powiedziała przed wyjściem. – *Á bientôt*, Izabelo.

*

Zgodnie z planem wieczorem przyjechał Heitor. Był szary na twarzy i wyglądał na wyczerpanego długą podróżą. Bel słuchała, jak zachwyca się monachijskim posągiem Bawarii. Opowiedział

205

im jednak także złowróżbne historie o rosnącej potędze Narodo-wosocjalistycznej Niemieckiej Partii Robotników, NSDAP, pod przewodnictwem niejakiego Hitlera.

– Czy postanowił pan już, kto wyrzeźbi Cristo? – zapytała Bel, kiedy pokojówka stawiała przed każdym z nich duże porcje tarty tatin.

– Podczas całej podróży powrotnej do Paryża nie myślałem o niczym innym – przyznał Heitor. – Nadal skłaniam się ku Landowskiemu. Jego prace mają w sobie piękną artystyczną równowagę. Są nowoczesne, ale obdarzone prostotą i czymś ponadczasowym, co moim zdaniem pasuje do naszego przed-sięwzięcia.

– Cieszę się, że pan tak uważa – odważnie przyznała się Bel. – Przecież poznałam go i byłam w jego atelier. Spodobał mi się jego realizm. A jego biegłość techniczna jest wręcz oczywista.

– Nie dla kogoś, kto nigdy nie widział jego prac – poskarżyła się Maria Georgiana, która siedziała u boku męża. – Może i mnie pozwolisz poznać człowieka, który zaprojektuje twojego ukocha-nego Cristo?

– Oczywiście, kochanie – szybko odparł. – Jeśli w końcu się na niego zdecyduję.

– Moim zdaniem jego asystent też jest bardzo zdolny – odezwa-ła się Bel, desperacko pragnąc wspomóc pamięć Heitora.

– Owszem – przyznał. – A teraz, proszę, wybaczcie, że was opuszczę, ale jestem naprawdę wykończony podróżą.

Bel z zawodem przyglądała się, jak Heitor wychodzi z pokoju. Zauważyła też ponury wyraz twarzy Marii Georgiany.

– Wygląda na to, że wasz tata znowu zamiast z rodziną spędzi wieczór z Cristo – zwróciła się do dzieci i podniosła łyżkę, by do-kończyć deser. – Trudno. Po kolacji zagramy sobie w karty.

W nocy, kiedy Bel leżała już w łóżku, zastanawiała się nad mał-żeństwem Silva da Costów. A także jej rodziców. Za kilka krótkich miesięcy ona też wstąpi w związek małżeński. Coraz bardziej miała wrażenie, że małżeństwo polega na tolerancji i akceptowaniu wad współmałżonka. Maria Georgiana wyraźnie czuła się odstawiona na boczny tor i była ignorowana przez męża, który całą energię i uwagę wkładał w swoje przedsięwzięcie. A jej matka wbrew woli przeniosła się ze swej ukochanej hacjendy do Rio, by mąż mógł realizować swoją żądzę awansu społecznego.

Bel niespokojnie przewracała się na poduszkach, zastanawiając się nad tym, czy tylko to czeka ją w przyszłości. A jeśli tak, to tym ważniejsze było, by jak najszybciej spotkała się z Laurentem Brouillym.

*

Następnego ranka, zanim Bel zdążyła się obudzić, Heitor już wyszedł na jakieś spotkanie. Westchnęła sfrustrowana, że znów straciła szansę, by przypomnieć mu o prośbie Laurenta.

Tego dnia jej coraz większe zdenerwowanie nie umknęło uwadze Marii Elisy, kiedy jadły obiad w Ritzu z Marią Georgianą, a potem spacerowały po Polach Elizejskich i poszły na przymiarkę sukni ślubnej w eleganckim salonie Jeanne Lanvin.

– Co ci jest, Bel? – spytała. – Zachowujesz się jak tygrys w klatce. Prawie nie zainteresowałaś się materiałami na twoją piękną suknię ślubną i rysunkami projektantki. Inne kobiety wiele by oddały, żeby ich strój tworzyła sama madame Lanvin! Nie podoba ci się w Paryżu?

– Tak, ale…

– No co? – naciskała Maria Elisa.

– Czuję… – Bel podeszła do okna salonu i spróbowała jej to wyjaśnić – że tam, na zewnątrz, jest świat, którego nie widzimy.

– Ależ, Bel. Widziałyśmy w Paryżu wszystko, co jest do zobaczenia. Co jeszcze może tu być?

Bel z całych sił próbowała opanować poirytowanie. Skoro Maria Elisa nie wie, o co chodzi, ona nie może jej tego wyjaśnić. Z westchnieniem odwróciła się w drugą stronę.

– Nic takiego… Tak jak powiedziałaś, wszystko w Paryżu już widziałyśmy. A ty i twoja rodzina jesteście dla mnie wspaniałomyślni. Przepraszam. Może po prostu tęsknię za domem. – Bel wycofała się ze swoich wyznań najłatwiej, jak się dało.

– Oczywiście, że tak! – W Marii Elisie natychmiast odezwało się jej dobre serce i czym prędzej podbiegła do przyjaciółki. – Jestem samolubna, bo mam przy sobie całą rodzinę, a ty jesteś od swojej oddalona o tysiące mil. I oczywiście od Gustava.

Życzliwie przytuliła Bel.

– Jestem pewna, że jeśli zechcesz, możesz wrócić do domu wcześniej – dodała Maria Elisa.

Bel oparła brodę na koronce, która przykrywała ramię przyjaciółki, i pokręciła głową.

– Dziękuję, że mnie rozumiesz, ale jutro na pewno poczuję się lepiej.

– *Mãe* zaproponowała, że zatrudni dla mnie nauczyciela francuskiego, który będzie przychodził codziennie rano, kiedy chłopcy mają swoje lekcje. Mój francuski jest beznadziejny, a skoro *pai* twierdzi, że możemy być tu jeszcze rok, chciałabym trochę poduczyć się języka. Ty mówisz po francusku znacznie lepiej niż ja, ale jeśli chcesz, może przyłączysz się do moich lekcji? Przynajmniej szybciej zleciałby nam czas.

Myśl o tym, że ktokolwiek może uważać Paryż za nudny i potrzebuje dodatkowo zajmować sobie czymś czas, wprawił Bel w przygnębienie.

– Dziękuję ci, Mario Eliso. Zastanowię się nad tym.

*

W nocy Bel znowu źle spała. Usiłowała pogodzić się z tym, że jej pobyt w Paryżu dalej będzie przebiegał tak jak dotąd i nigdy nie pozna rozkoszy tego miasta. Następnego dnia zdarzyło się jednak coś, co podniosło ją na duchu.

Po południu przyszła na herbatę Margarida Lopes de Almeida w towarzystwie matki i zaczęła z zapałem opowiadać o zajęciach z rzeźby w szkole Beaux-Arts. Powiedziała Bel, że już pytała, czy ona także mogłaby wziąć w nich udział.

– Gdybym na zajęciach miała koleżankę z kraju, byłoby mi o wiele przyjemniej – zwróciła się do Marii Georgiany, dając Bel pod stołem kuksańca.

– Nie wiedziałam, że interesuje cię rzeźbienie, Izabelo. Myślałam, że wolisz podziwiać gotowe dzieła? – zdziwiła się Maria Georgiana.

– W Rio miałam krótki kurs rzeźby i byłam nim zachwycona – potwierdziła Bel ku zadowoleniu Margaridy. – Byłabym przeszczęśliwa, gdybym mogła uczestniczyć w zajęciach najlepszych nauczycieli na świecie.

– Tak, *mãe* – przerwała jej Maria Elisa. – Bel zanudzała mnie opowieściami o swoich lekcjach plastyki. A poza tym jej francuski jest dużo lepszy od mojego, więc pewnie więcej skorzystałaby z lekcji rzeźby, które proponuje senhorita Margarida, niż z siedzenia i słuchania, jak kaleczę język.

Bel miała ochotę ją pocałować.

– No i – Margarida spojrzała na swoją matkę – znaczyłoby to również, że nie musiałaby mama odwozić mnie do szkoły i potem stamtąd odbierać. Miałabym towarzyszkę i mógłby nas odwozić szofer. Zostałoby *mãe* dużo więcej czasu na pisanie książki – dodała. – Zaopiekowałybyśmy się sobą nawzajem, prawda, Izabelo?

– Oczywiście – pośpiesznie rzuciła Bel.

– Według mnie jest to rozsądny pomysł – odezwała się matka Margaridy. – Jeśli tylko senhora da Silva Costa się zgodzi.

Maria Georgiana była pełna respektu dla kobiety, która zdobyła sławę w kręgach towarzyskich Rio, więc kiwnęła głową.

– Jeśli pani uważa, że tak będzie dobrze, to nie mam nic przeciwko temu.

– W takim razie w poniedziałek przyjadę tu samochodem i razem pojedziemy do szkoły – powiedziała Margarida i francuskim zwyczajem ucałowała Bel w oba policzki, po czym wstała, aby wyjść z apartamentu.

– Dziękuję – z wdzięcznością szepnęła Bel do swojej nowej przyjaciółki, kiedy ta razem z matką kierowała się do drzwi.

– Mnie to także bardzo pasuje – szepnęła Margarida w odpowiedzi. – *Ciao, chérie!* – zawołała na pożegnanie, mieszając języki, co, zdaniem Bel, dodawało jej wyrafinowania.

Tego wieczoru Heitor wrócił do domu w triumfalnym nastroju.

– Poprosiłem pokojówkę, żeby przyniosła do salonu szampana. Mam wspaniałą wiadomość i chcę ją uczcić z rodziną.

Kiedy już rozlano szampana, Heitor wstał i uniósł kieliszek.

– Po długich dyskusjach, w których uczestniczył senhor Levy, senhor Oswald i senhor Caquot, pojechałem dziś do profesora Landowskiego. Zaproponowałem mu zlecenie wyrzeźbienia Cristo. W przyszłym tygodniu podpiszę z nim umowę.

– *Pai*, to wspaniała wiadomość! – krzyknęła Maria Elisa. – Tak się cieszę, że tata wreszcie podjął decyzję.

– A ja cieszę się, bo w głębi serca wiem, że Landowski to dobry wybór. Moja droga – zwrócił się do Marii Georgiany – wkrótce musimy go zaprosić na obiad razem z jego czarującą żoną, żebyś mogła go poznać. W najbliższych miesiącach ten człowiek odegra w moim życiu wielką rolę.

– Gratulacje, senhor da Silva Costa – odezwała się Bel, ponieważ także chciała wyrazić swoje poparcie. – Moim zdaniem to znakomita decyzja.

– Cieszę się, że podchodzisz do tego z takim entuzjazmem – powiedział Heitor i uśmiechnął się do niej.

20

W poniedziałek o dziesiątej rano Bel, która od godziny była ubrana w płaszcz i czekała przy oknie salonu, zobaczyła, jak pod wejście ich kamienicy podjeżdża błyszczący samochód marki Delage.

– Przyjechała senhorita Margarida – oznajmiła Marii Georgianie i chłopcom.

– Izabelo, masz wrócić punktualnie o czwartej! – zawołała Maria Georgiana w stronę znikających pleców Bel, bo dziewczyna natychmiast wybiegła z pokoju, nie do końca udało jej się bowiem opanować pragnienie ucieczki.

– Przyrzekam, że się nie spóźnię, senhoro da Silva Costa – odparła. Tymczasem w korytarzu zatrzymała ją Maria Elisa.

– Baw się dobrze i uważaj na siebie.

– Oczywiście, przecież mam przy sobie Margaridę.

– Tak, ale z tego, co widzę, obie jesteście jak głodne lwy wypuszczone z klatki. – Maria Elisa uniosła brwi. – Baw się dobrze, najdroższa Bel.

*

Bel zjechała windą na parter, gdzie w holu czekała na nią Margarida.

– Chodź, jesteśmy już spóźnione. Profesor Paquet wyszydzi nas przed wszystkimi, jeśli przyjdziemy później niż on – powiedziała Margarida, kiedy wsiadały na tylne siedzenia delage'a.

Gdy samochód odjeżdżał, Bel przyjrzała się jej, zdziwiona, że przyjaciółka ma na sobie prostą granatową spódnicę i płócienną bluzkę, podczas gdy ona była ubrana jak na herbatkę w Ritzu.

– Przepraszam. Powinnam była cię ostrzec – odezwała się Margarida, która także zwróciła uwagę na strój Bel. W Beaux-Arts pełno jest przymierających głodem artystów, którzy niezbyt chętnie widzą na zajęciach takie bogate dziewczęta jak my. Chociaż należymy pewnie do nielicznych, którzy płacą pensje ich nauczycieli – dodała z uśmiechem, odgarniając za ucho niesforny lok krótkich włosów.

– Rozumiem. – Bel westchnęła. – Ale dla mnie jest ważne, żeby senhora da Silva Costa miała wrażenie, że na zajęciach są same dobrze urodzone młode damy.

Margarida odrzuciła głowę do tyłu i wybuchła śmiechem.

– Bel, ostrzegam cię, oprócz ciotkowatej starej panny i jeszcze jednej... osoby, która chyba jest kobietą, ale ma tak krótkie włosy jak mężczyzna, a nawet, słowo daję, wąsy, jesteśmy jedynymi dziewczętami w klasie!

– I twoja mama nie ma nic przeciwko temu? Pewnie wie, jak tam jest?

– Może nie do końca – szczerze odpowiedziała Margarida. – Ale jak wiesz, jest wielką zwolenniczką równych praw dla kobiet. W związku z tym uważa, że dobrze mi zrobi, jeśli nauczę się dawać sobie radę w środowisku zdominowanym przez mężczyzn. Poza tym jestem na stypendium brazylijskiego rządu, więc muszę chodzić do najlepszej szkoły, jaka istnieje – dodała, wzruszając ramionami.

Gdy samochód skręcił w avenue Montaigne i jechał w stronę Pont de l'Alma, Margarida badawczo przyjrzała się swojej towarzyszce.

– Mama twierdzi, że jesteś zaręczona z Gustavem Aires Cabralem. Dziwię się, że puścił cię do Paryża.

– Tak, jestem zaręczona, ale Gustavo chciał, żebym zobaczyła Europę, zanim zostanę jego żoną. Sam był tu osiem lat temu.

– Więc musimy się postarać, żeby ten krótki czas, jaki jest ci tutaj dany, był jak najbardziej emocjonujący. Izabelo, ufam, że o niczym, co dzisiaj zobaczysz i usłyszysz, nie będziesz nikomu opowiadała. Mama myśli, że w Beaux-Arts mam lekcje do czwartej. To... nie jest do końca prawda.

– Rozumiem... Dokąd idziesz w pozostałym czasie? – ostrożnie zapytała Bel.

– Na Montparnasse. Spotykam się ze znajomymi na obiedzie, ale przysięgnij, że nikomu nie powiesz o tym ani słowa.

– Oczywiście – zapewniła ją Bel, która z podniecenia prawie wychodziła z siebie.

– A ci znajomi... no cóż – Margarida westchnęła – należą do awangardy. Możesz być zszokowana.

– Ostrzegł mnie już przed tym ktoś, kto dobrze ich zna – pocieszyła ją Bel, wyglądając przez okno, kiedy przejeżdżali przez Sekwanę.

– Ale chyba nie senhora da Silva Costa? – Obie zachichotały.

– Nie, młody rzeźbiarz, którego poznałam w atelier profesora Landowskiego, gdy pojechałam tam z senhorem da Silva Costą.

– Jak się nazywa?

– Laurent Brouilly.

– Naprawdę?! – nie mogła uwierzyć Margarida. – Znam go, a przynajmniej spotkałam go kilka razy na Montparnassie. Czasami przychodzi do szkoły, żeby nas uczyć, kiedy profesor Landowski jest zajęty. To wspaniały człowiek.

Bel wzięła głęboki oddech.

– Chce mnie rzeźbić – wyjawiła, z ulgą dzieląc się z kimś radością z takiego komplementu.

– Naprawdę? Powinnaś czuć się zaszczycona. Słyszałam, że monsieur Brouilly jest niezwykle wybredny w wyborze modeli. W Beaux-Arts był gwiazdą wśród studentów i przepowiadają mu świetlaną przyszłość. – Margarida spojrzała na Bel z podziwem. – Jesteś czarnym koniem, Izabelo – zauważyła, kiedy samochód zatrzymał się w bocznej uliczce.

– Gdzie jest ta szkoła? – zapytała Bel, rozglądając się.

– Dwie ulice stąd, ale nie chcę, żeby inni studenci widzieli, że podjeżdżam w takich luksusach, bo wielu z nich musi iść do szkoły kilka kilometrów na piechotę, a w dodatku pewnie nie jedli śniadania – wyjaśniła. – Chodź.

Wejście do Beaux-Arts – misternie wykonana ozdobna brama z kutego żelaza – było nieco cofnięte od ulicy i znajdowało się za popiersiami wielkich francuskich artystów: Pierre'a Paula Pugeta i Nicolasa Poussina. Przecięły symetryczny dziedziniec okolony eleganckimi budynkami z jasnego kamienia. Wysokie, zwieńczone łukami okna na parterze stanowiły pamiątkę po klasztorze, który kiedyś podobno się tu mieścił.

Weszły przez główne drzwi i znalazły się w rozbrzmiewającym echem głównym holu wypełnionym rozmowami młodzieży. Nagle minęła je szczupła młoda kobieta.

– Margarido, ona ma na sobie spodnie! – krzyknęła Bel.

– Tak, wiele studentek tak się ubiera – poinformowała ją Margarida. Wyobrażasz sobie, że któraś z nas przychodzi do Copacabana Palace *dans notre pantalon*! Dziś mamy zajęcia w tej sali.

Weszły do przestronnej klasy. Z ogromnych okien padały smugi światła na rzędy drewnianych ławek. Jeden za drugim wchodzili do środka studenci, siadali i wyjmowali zeszyty i ołówki.

Bel nic nie rozumiała.

– Gdzie będziemy rzeźbić? I nikt nie ma na sobie fartucha.

– To nie są zajęcia z rzeźby, tylko – Margarida otworzyła zeszyt i sprawdziła rozkład zajęć – z techniki rzeźby w kamieniu. Innymi słowy, uczymy się teorii, którą w przyszłości będziemy mogli wykorzystać w praktyce.

Na przedzie sali pojawił się mężczyzna w średnim wieku. Miał rozczochrane, sztywne włosy, przekrwione oczy i kilkudniowy zarost, jakby przyszedł na zajęcia prosto z łóżka.

– *Bon matin, mesdames et messieurs*. Dzisiaj przedstawię wam, jakie narzędzia są potrzebne do wykonania rzeźby z kamienia – oznajmił. – A więc – otworzył drewnianą skrzynkę i zaczął wykładać na ławkę przyrządy, które dla Bel wyglądały jak narzędzia tortur – oto dłuto szpicak. Używamy go do obróbki wstępnej. Pozwala precyzyjnie wykuwać i wykruszać duże kawałki kamienia. Kiedy uzyskacie już zarys bryły, o którą wam chodzi, korzystacie

214

z czegoś takiego. – Zademonstrował kolejne narzędzie. – Jest to dłuto ryflownik albo bruzdownik. Widzicie tu wgłębienia, jakby rowki. Dzięki temu możemy nadać kamieniowi fakturę...

Omawiał każde narzędzie, a Bel uważnie we wszystko się wsłuchiwała. Ale chociaż świetnie znała francuski, mówił tak szybko, że trudno jej było za nim nadążyć. Używał też wielu technicznych wyrażeń, musiała więc bardzo się wysilać, żeby go zrozumieć.

W końcu poddała się i dla zabawy zaczęła przyglądać się studentom. Jeszcze nigdy nie widziała takiego zbiorowiska młodych obszarpańców. Mieli na sobie dziwne ubrania, przydługie wąsy i – co pewnie było ostatnim krzykiem mody wśród artystów – brody i dziko rozczochrane włosy. Bel zerknęła na swojego sąsiada i zauważyła, że pod zarostem kryje się młodzieniec, który pewnie nie jest starszy od niej. W sali unosił się zatęchły zapach niedomytych ciał i nieupranych ubrań. Poczuła, że w swym eleganckim stroju bardzo się wyróżnia.

Zastanawiała się nad ironią tego, że w Rio uważała się za buntowniczkę, ponieważ – choć dyskretnie – żarliwie popierała ruch walczący o prawa kobiet i nie interesowały ją dobra materialne. Co najważniejsze, czuła awersję do myśli, by złapać dobrego męża.

Ale tutaj... poczuła się jak wymuskana księżniczka z dawnych czasów przeniesiona do świata, który na dobre porzucił wszelkie reguły społeczne. Było oczywiste, że nikt w tej sali nie dba o konwenanse, więcej – czuje się w obowiązku robić wszystko, co się da, by je zwalczać.

Nauczyciel oznajmił, że zajęcia dobiegły końca, a studenci zbierali już swoje notesy i zaczynali wychodzić. Nagle Bel poczuła się w tym gronie bardzo nie na miejscu.

– Strasznie zbladłaś – zaniepokoiła się Margarida. – Dobrze się czujesz, Izabelo?

– Okropnie tu duszno – skłamała Bel i ruszyła za nią w stronę wyjścia.

– I trochę cuchnie, prawda? – Margarida się roześmiała. – Nie martw się, szybko do tego przywykniesz. Przykro mi, że akurat trafiłaś na wykład, który nie był dla ciebie dobrym wstępem do studiów. Zaręczam ci, że zajęcia praktyczne są znacznie ciekawsze. Może się przejdźmy i znajdźmy jakieś miejsce, w którym zjemy obiad?

Bel poczuła ulgę, gdy znalazły się na ulicy, a kiedy szły rue Bonaparte w kierunku Montparnasse'u, słuchała, jak Margarida opowiada jej o swoim pobycie w Europie.

– W Paryżu jestem dopiero sześć miesięcy, ale już czuję się jak u siebie w domu. Trzy lata byłam we Włoszech, a tu zostanę jeszcze dwa. Chyba trudno mi się będzie przyzwyczaić do Brazylii, kiedy wrócę po ponad pięciu latach w Europie.

– Na pewno – z przekonaniem zgodziła się z nią Bel.

Uliczki robiły się coraz węższe. Mijały kawiarnie z ustawionymi na zewnątrz drewnianymi stolikami, przy których – w cieniu kolorowych parasoli chroniących przed południowym słońcem – siedziało mnóstwo klientów. Powietrze przesycone było mocnymi aromatami tytoniu, kawy i alkoholu.

– Co to za napój w małych kieliszkach, który prawie każdy pije?

– Nazywa się absynt. Wszyscy artyści go piją, bo jest tani i bardzo mocny. Szczerze mówiąc, dla mnie jest obrzydliwy.

Chociaż kilku mężczyzn z podziwem patrzyło w ich kierunku, nikt nie gorszył się na widok dwóch panienek bez starszej towarzyszki. Nie zwracają na nas uwagi, przemknęło przez głowę Bel. Humor poprawił jej się na myśl, że po raz pierwszy naprawdę jest na Montparnassie. Z radości zakręciło jej się w głowie.

– Pójdziemy do La Closerie des Lilas – oznajmiła Margarida. – A jeśli nam się poszczęści, może zobaczymy tam jakieś znajome twarze.

Wskazała kawiarnię, która wydawała się podobna do tych mijanych przed chwilą. Przecisnęły się między zatłoczonymi stolikami, które ciasno ustawiono na szerokim chodniku przed kawiarnią, po czym Margarida zabrała Bel do środka. Powiedziała coś po francusku do kelnera, a ten wskazał im stolik w przednim rogu sali, przy oknie.

– To najlepsze miejsce do obserwowania codziennego życia

mieszkańców Montparnasse'u – stwierdziła Margarida, kiedy siadały na pokrytej skórą ławeczce. Zobaczymy, jak długo im zajmie, żeby cię zauważyć – dodała.

– Dlaczego mnie? – zdziwiła się Bel.

– Ponieważ, *chérie*, jesteś zjawiskowo piękna. A na Montparnassie nie ma dla kobiety lepszej monety przetargowej. Daję im dziesięć minut, zanim zaczną tu przychodzić, żeby dowiedzieć się, kim jesteś.

– A ty wielu z nich znasz?

– Tak. To zadziwiająco małe środowisko, wszyscy się znają.

Ich uwagę zwrócił na siebie mężczyzna z zaczesanymi do tyłu siwymi włosami; szedł w stronę fortepianu, głośno zachęcany przez osoby siedzące przy stoliku, od którego wstał. Usiadł i zaczął grać. Cała kawiarnia zamilkła. Bel słuchała jak zaczarowana, a cudowna muzyka powoli, ulotnie, nabierała mocy w crescendo. Kiedy w powietrzu zadźwięczała ostatnia nuta, zebrani ryknęli z uwielbienia. Mężczyzna wrócił do stolika nagrodzony okrzykami zadowolenia i tupaniem.

– Jeszcze nigdy czegoś takiego nie słyszałam – powiedziała Bel, której zaparło dech z podziwu. – Kim był ten pianista? To prawdziwie natchniony człowiek.

– To sam Ravel, a utwór, który grał, ma tytuł *Bolero*. Nie miał nawet oficjalnej premiery, więc to zaszczyt, że go usłyszałyśmy. Co zamówimy na obiad?

Margarida miała rację, że niedługo posiedzą same. Do ich stolika jeden po drugim zaczęli podchodzić mężczyźni – od młodych po bardzo starych – żeby się z nią przywitać, po czym od razu pytali, kim jest jej piękna towarzyszka.

– Aha, następna ciemnooka kobieta o gorącej krwi z twojego egzotycznego kraju – skomentował jeden z panów, który, Bel mogłaby to przysiąc, miał pomalowane szminką usta.

Mężczyźni zatrzymywali się na chwilę i patrzyli na nią tak długo, aż robiła się równie czerwona na twarzy, jak rzodkiewki w jej nietkniętej sałatce szefa kuchni. Była w stanowczo zbyt dobrym nastroju, żeby jeść.

– Mogę panią namalować – mówili niektórzy apatycznie – i na zawsze uwiecznić pani piękno. Margarida wie, gdzie jest moja pracownia. – Potem lekko się kłaniali i odchodzili od stolika.

Co kilka minut pojawiał się kelner ze szklanką płynu o dziwnym kolorze i oznajmiał:

– Z pozdrowieniami od pana przy stoliku numer sześć...

– Oczywiście żadnemu z nich nie będziesz pozowała – pragmatycznie odezwała się Margarida. – To wszystko surrealiści, co oznacza, że uchwycą tylko twoją esencję, a nie fizyczny obraz. Prawdopodobnie wyglądałabyś jak czerwony płomień namiętności z piersią w jednym rogu i okiem w drugim! – Zachichotała. – Spróbuj tego, to grenadyna. Pyszna! – Margarida podała jej szklankę pełną szkarłatnego płynu, po czym nagle zawołała: – Izabelo, szybko! Popatrz tam, przy drzwiach!

Bel oderwała niezdecydowany wzrok od stojącej przed nią szklanki i popatrzyła w kierunku wejścia do kawiarni.

– Wiesz, kto to jest? – zapytała Margarida.

– Tak. – Bel westchnęła na widok drobnej postaci z ciemnymi falowanymi włosami, którą pokazała jej przyjaciółka. – Jean Cocteau.

– Tak, książę awangardy. Fascynujący, bardzo wrażliwy człowiek.

– I ty go znasz? – zdziwiła się Bel.

– Troszkę. – Margarida wzruszyła ramionami. – Czasem prosi mnie, żebym tu coś zagrała na pianinie.

Bel skupiła uwagę na panu Cocteau i nie zauważyła, że z kawiarnianego tłumu wyłania się młody mężczyzna i podąża w stronę ich stolika.

– Mademoiselle Margarido, brakowało mi pani. Długo pani nie było. Jest także mademoiselle Izabela, prawda?

Oderwała wzrok od stolika Cocteau i spojrzała prosto w oczy Laurenta Brouilly'ego. Na jego widok serce mocno załomotało jej w piersi.

– Tak. Przepraszam, monsieur Brouilly, myślami byłam daleko.

– Mademoiselle Izabelo, przyglądała się pani komuś znacznie

ciekawszemu niż ja – odparł z uśmiechem. – Nie wiedziałem, że panie się znają.

– Dopiero od niedawna – wyjaśniła Margarida. – Pomagam Izabeli poznać uroki Montparnasse'u.

– I na pewno bardzo jej się tu podoba. – Rzucił Bel spojrzenie, po którym mogła poznać, że dokładnie pamięta ich ostatnią rozmowę.

– Jak pan może sobie wyobrazić, wszyscy artyści w kawiarni błagali ją, żeby dała im się namalować – powiedziała Margarida. – Oczywiście ostrzegłam ją przed nimi.

– Muszę pani za to podziękować, ponieważ, jak mademoiselle Izabela już wie, mam u niej pierwszeństwo. Jestem wdzięczny, że zachowała pani dla mnie jej artystyczną cnotę. – Uśmiechnął się.

Być może z powodu alkoholu albo ogólnego podniecenia tym, że nagle jest częścią tego niewiarygodnego świata, słysząc jego słowa, Bel zadrżała z rozkoszy.

Jednocześnie z Laurentem do ich stolika podszedł mocno opalony młodzieniec i skorzystał z chwili przerwy w rozmowie, by wyrazić swoją prośbę.

– Mademoiselle Margarida, w imieniu osób siedzących przy stoliku pana Cocteau chciałbym panią poprosić, żeby pozwoliła nam pani posłuchać swojej pięknej gry na fortepianie. Mistrz prosi panią o swój ulubiony utwór. Wie pani który?

– Tak.

Margarida szybko sprawdziła godzinę na zegarze, który wisiał nad barem, i zgodziła się.

– Jestem zaszczycona, choć nigdy nie dorównam wspaniałej grze monsieur Ravela – oznajmiła, po czym wstała i skłoniła głowę w stronę stolika, przy którym siedział Ravel.

Bel przyglądała się, jak Margarida zwiewnym krokiem przebija się przez tłum i siada na stołeczku, który dopiero przed chwilą opuścił sam Ravel. W sali rozległy się okrzyki zachęty.

– Czy mogę usiąść, by posłuchać, jak gra pani przyjaciółka? – zapytał Laurent.

– Oczywiście – odparła, więc usiadł przy niej na wąskiej ławeczce.

Aby się tam zmieścić, przysunął biodro do jej biodra. Ponownie się zdziwiła, jak łatwo tutejsi ludzie przechodzą do fizycznej intymności. W kawiarni rozległy się głośne dźwięki otwierające *Błękitną rapsodię* Gershwina i sala zamilkła. Bel zobaczyła, że Laurent przygląda się szklankom, z których większość stała na stoliku nietknięta, po czym wybrał jedną i wziął ją w swoje szczupłe, silne palce.

Tymczasem drugą rękę położył sobie na udzie, tak jak zwykle robią to mężczyźni. Z minuty na minutę coraz bardziej przesuwał dłoń w stronę zagłębienia, które wytworzyło się między ich nogami. Bel wstrzymała oddech, na pół przekonana, że stało się to przypadkiem, choć z drugiej strony była pewna, że Laurent delikatnie przez sukienkę głaszcze jej udo...

Na całym ciele poczuła ciarki, a krew zaczęła krążyć jej w żyłach jak oszalała – w takt nabierającej coraz większego rozmachu muzyki.

– Nie miałam pojęcia, że Margarida jest tak utalentowana muzycznie – powiedziała Bel, kiedy sala ponownie rozbrzmiała aplauzem. – Najwyraźniej jest wszechstronnie uzdolniona. – Własny głos wydawał jej się dziwny, jakiś przytłumiony, zupełnie jakby pływała pod wodą.

– Jestem przekonany, że jeśli ktoś urodził się twórcą, to ma duszę niczym niebo pełne spadających gwiazd i zawsze zwróci się ku tej muzie, która akurat zachwyci jego wyobraźnię. Wielu ludzi w tej sali potrafi nie tylko rysować i rzeźbić, ale pisać wiersze albo wyczarowywać piękne dźwięki z instrumentów, doprowadzać widownię do łez talentem aktorskim bądź śpiewać jak ptaki na drzewie. O, jest mademoiselle. – Laurent wstał i z zachwytem skłonił głowę przed wracającą do stolika Margaridą. – Prawdziwa z pani wirtuozka.

– Jest pan zbyt uprzejmy, monsieur – skromnie odparła Margarida i usiadła.

– Wydaje mi się, że wkrótce będziemy dzielić atelier. Profesor Landowski powiedział mi, że za kilka tygodni ma pani odbywać u nas staż.

– Zaproponował mi to, ale nie chciałam nikomu mówić, póki nie mam potwierdzenia – wyjaśniła Margarida i dała kelnerowi znak, że prosi o rachunek. – Będę zaszczycona, jeśli mnie przyjmie.

– Uważa panią za bardzo uzdolnioną. To znaczy... jak na kobietę – zażartował Laurent.

– Uznam to za komplement. – Margarida uśmiechnęła się do niego, a kiedy dostała rachunek, położyła na nim kilka banknotów.

– A może kiedy będzie pani w studio, przyjmie pani rolę przyzwoitki, żebym mógł rzeźbić mademoiselle Izabelę? – zaproponował Laurent.

– Może uda się to załatwić, ale jeszcze zobaczymy – odparła Margarida, przenosząc wzrok z Laurenta na Bel. W końcu zerknęła na zegar za barem. – Musimy iść. *Á bientôt*, monsieur Brouilly. – Ucałowała go w oba policzki.

Bel wstała.

– Mademoiselle Izabelo, los zrządził, że znowu się spotkaliśmy. Mam nadzieję, że następne spotkanie będzie dłuższe. – Laurent pocałował ją w rękę, a jednocześnie posłał jej powłóczyste spojrzenie spod rzęs.

Mimo swej naiwności zrozumiała, co ono znaczyło.

*

Kiedy Bel wróciła do apartamentu, Maria Georgiana na szczęście była w trakcie popołudniowej drzemki. Maria Elisa czytała w salonie książkę.

– Jak było? – zapytała.

– Cudownie! – Bel opadła na krzesło. Była wyczerpana po napięciu, które towarzyszyło wyprawie, chociaż po spotkaniu z Laurentem czuła się jak w siódmym niebie.

– To dobrze. Czego się nauczyłaś?

– Jakich narzędzi używa się do rzeźbienia – odpowiedziała nonszalancko. Była pod wpływem alkoholu i jej mózg nie pozwolił ustom poruszać się tak jak zazwyczaj.

– Aż sześć godzin uczyłaś się o narzędziach? – Maria Elisa spojrzała na nią podejrzliwie.

– Tak, to znaczy przez większość tego czasu, a potem poszłyśmy na obiad i... – Bel nagle wstała. – Strasznie się zmęczyłam. Położę się na chwilę przed kolacją.

– Bel?

– Tak?

– Piłaś?

– Nie... no, wypiłam kieliszek wina do obiadu. W końcu wszyscy tak robią w Paryżu.

Idąc do drzwi, przysięgała sobie, że w przyszłości powstrzyma się od picia trunków, które jej przyniosą do rustykalnego stolika w La Closerie des Lilas.

21

Apartament 4
Avenue de Marigny 48
Paryż
Francja

27 czerwca 1928

Drodzy māe *i* pai,

*trudno mi uwierzyć, że już prawie cztery miesiące jestem
poza Rio – czas tak szybko leci. Nadal uwielbiam zajęcia
w szkole Beaux-Arts, na które chodzę z Margaridą de
Lopes Almeidą. Wiem co prawda, że nigdy nie będę tak
wielką artystką jak niektórzy z moich kolegów, ale dzięki
tym zajęciom moja wiedza na temat malarstwa i rzeźby
znacznie się pogłębiła, co prawdopodobnie ogromnie mi
się przyda, kiedy będę żoną Gustava.
W Paryżu już na dobre zawitało lato. Z nową porą
roku miasto jeszcze bardziej nabrało życia. Zaczynam się
czuć jak prawdziwa paryżanka!
Mam nadzieję, że kiedyś przyjedziecie tu we dwójkę
i na własne oczy zobaczycie cuda, które ja mam szczęście
codziennie oglądać.*

Przesyłam Wam obojgu moc miłości,
Izabela

Bel równiutko złożyła kartkę i włożyła ją do koperty, żeby była
gotowa do wysłania, po czym z powrotem usiadła na krześle. Ża-

łowała, że nie może podzielić się z rodzicami prawdziwymi przeżyciami z miasta, które coraz bardziej kochała, napisać o radości,
jaką dawała jej nowo poznana wolność, i o swoich znajomych.
Wiedziała jednak, że nie zrozumieliby tego. Co więcej, martwiliby
się, że pozwalając jej na podróż, podjęli złą decyzję.

Jedyną osobą, której mogła się zwierzyć, była Loen. Bel wzięła
więc kartkę papieru i napisała zupełnie inny list, w którym dawała
upust emocjom. Pisała o Montparnassie i, oczywiście, o Laurencie
Brouillym, młodym asystencie, który chciał ją wyrzeźbić…

*

Dzięki Margaridzie Bel co rano budziła się z cudownym uczuciem ciekawości, co przyniesie dzień. Zajęcia z rzeźby były naprawdę bardzo pouczające, ale najbardziej czekała na obiady w La
Closerie des Lilas, dokąd wybierała się po szkole.

Za każdym razem było tam inaczej, a atmosfera kawiarni stanowiła źródło twórczej inspiracji. Przy stolikach siadali malarze,
rzeźbiarze, muzycy i pisarze. W ubiegłym tygodniu widziała, jak
przy stoliku na zewnątrz siedział James Joyce. Pił wino i przeglą-
dał ogromną stertę stron maszynopisu.

– Zajrzałem mu przez ramię – zwierzył się znajomy Margaridy, przyszły pisarz Arnaud, który z podniecenia nie mógł złapać
tchu. – Manuskrypt jest zatytułowany *Finneganów tren*. To książka, którą pisze od sześciu lat!

Chociaż Bel bardzo się cieszyła, że codziennie z tak bliska wi-
duje luminarzy kultury, to i tak w drodze ze szkoły na Montparnasse przeważnie wymyślała z Margaridą bezowocne spiski, jak
uciec tam wieczorem, kiedy lewy brzeg Sekwany na dobre nabierał
życia.

– Wiem, że to jest niemożliwe, ale mogę przynajmniej pomarzyć – mawiała wtedy Bel.

– Powinnyśmy być wdzięczne, że jesteśmy wolne przynajmniej
w dzień. – Margarida wzdychała.

*

Bel spojrzała na zegarek i zdała sobie sprawę, że lada chwila przyjedzie po nią samochód Margaridy. Ubrała się w granatową gabardynową sukienkę z marynarskim kołnierzem, którą zwykle nosiła, gdyż był to najskromniejszy strój w jej garderobie, uczesała włosy, lekko pomalowała szminką usta i już z korytarza zawołała „Do widzenia", po czym zamknęła za sobą drzwi.

– Dobrze się dzisiaj czujesz? – zapytała ją Margarida, kiedy wsiadała do samochodu.

– Tak, świetnie.

– Izabelo, mam dla ciebie, niestety, złą wiadomość. Profesor Landowski potwierdził, że jest gotowy zaprosić mnie na staż w swoim atelier w Boulogne-Billancourt. Więc nie będę już chodziła na zajęcia w Beaux-Arts.

– Gratulacje, na pewno bardzo się cieszysz. – Bel z trudem zmusiła się do uśmiechu, by pogratulować przyjaciółce.

– Oczywiście jestem zachwycona – odparła Margarida. – Rozumiem jednak, że ciebie stawia to w trudnej sytuacji. Nie jestem pewna, czy senhora da Silva Costa pozwoli ci uczestniczyć w zajęciach samej.

– Nie pozwoli. To jasne. – Oczy Bel niechcący napełniły się łzami.

– Nie rozpaczaj. – Margarida dla pocieszenia poklepała ją po dłoni. – Obiecuję, że znajdziemy jakieś wyjście.

*

Pierwsze zajęcia tego dnia prowadził sam Landowski. Bel uwielbiała te rzadkie lekcje z nim. Tłumaczył im swą teorię prostych linii i dyskutował na temat technicznych trudności w osiągnięciu perfekcji. Dzisiaj nie słyszała jednak, co mówi.

Najgorsze było to, że od czasu swego pierwszego lunchu w La Closerie des Lilas, czyli od ponad miesiąca, ani razu nie widziała się z Laurentem Brouillym. Kiedy najswobodniej, jak potrafiła, zapytała Margaridę, czy wie, co się z nim dzieje, ta powiedziała jej, że jest bardzo zajęty pomaganiem Landowskiemu w tworzeniu pierwszego prototypu Cristo.

– O ile wiem, monsieur Brouilly co noc śpi w atelier. Senhor da Silva Costa naciska, by jak najszybciej przedstawili projekt, który pozwoli mu zacząć matematyczne obliczenia.

Po zajęciach Landowski gestem dał znak Margaridzie, by do niego podeszła.

– A więc, mademoiselle, w przyszłym tygodniu dołączy pani do nas w moim atelier?

– Tak, panie profesorze, taka szansa to dla mnie wielki zaszczyt.

– Widzę, że jest pani ze swoją rodaczką, tą dziewczyną o pięknych dłoniach – powiedział i skinął głową w stronę Bel. – Brouilly nadal chce panią rzeźbić. Kiedy skończy się ten tydzień i pierwszy projekt trafi do pani opiekuna, być może będzie pani mogła przyjechać do mojego atelier razem z mademoiselle Lopes de Almeidą? Brouilly mógłby wtedy spełnić swoje marzenie. Pani obecność będzie dla niego nagrodą za długie godziny, które przez ostatnie trzy tygodnie spędził przy pracy nad Cristo. Dobrze mu zrobi popatrzeć na kobiece kształty po tym, jak tak długo skupiał się nad Panem Jezusem.

– Jestem pewna, że Izabela z przyjemnością się na to zgodzi – odpowiedziała za nią Margarida.

Landowski skinął do nich obu głową i wyszedł z sali.

– Widzisz, Izabelo?! – zapiała z radości Margarida, kiedy wyszły ze szkoły i ruszyły w swą codzienną trasę na Montparnasse. – Sam Bóg, a właściwie Cristo, jest po twojej stronie!

– Tak – rzuciła Bel, a jej serce na nowo przepełniło się radością. – Na to wygląda.

*

– Bel, chciałabym z tobą o czymś porozmawiać – zwróciła się do niej wieczorem Maria Elisa, kiedy szykowały się do snu. – I zapytać cię o zdanie.

– Oczywiście. – Bel usiadła, zadowolona, że może wysłuchać przyjaciółki, z którą ostatnio spędzała dużo mniej czasu, niż powinna. – O co chodzi?

– Postanowiłam zapisać się na kursy pielęgniarskie.

– To wspaniała wiadomość! – Bel rozpromieniła się w uśmiechu. – Naprawdę tak myślisz? Martwię się, że *mãe* może się nie zgodzić. W naszej rodzinie jeszcze żadna kobieta nie miała zawodu. Ale ja myślę o tym od dawna, a teraz muszę zebrać się na odwagę i jej o tym powiedzieć. – Maria Elisa przygryzła wargę. – Jak sądzisz, co mi odpowie?

– Mam nadzieję, że będzie bardzo dumna z córki, która chce w życiu robić coś pożytecznego. A ojcu na pewno twoja decyzja bardzo się spodoba.

– Obyś miała rację. Myślałam też, że dopóki jestem w Paryżu, zamiast marnować czas w domu, mogłabym pracować jako wolontariuszka w szpitalu. Do najbliższego mam kilka minut drogi na piechotę z naszego mieszkania.

Bel sięgnęła po dłonie przyjaciółki i mocno je ścisnęła.

– Jesteś bardzo dobrym człowiekiem, Mario Eliso. Zawsze myślisz o innych. Moim zdaniem, to idealna cecha pielęgniarki. Podejście świata do kobiet się zmienia, więc dlaczego nie miałybyśmy czegoś w życiu osiągnąć?

– Zwłaszcza że na razie nie myślę o małżeństwie. Twoja sytuacja jest oczywiście całkiem inna. Za sześć tygodni popłyniesz z powrotem do domu i zostaniesz żoną Gustava. Będziesz prowadziła mu dom, a wkrótce zostaniesz matką jego dzieci. Ale ja muszę znaleźć sobie w życiu jakiś cel. Dziękuję ci za wsparcie. Jutro porozmawiam z *mãe*.

Kiedy były już w łóżkach i Maria Elisa zgasiła światło, Bel długo nie mogła zasnąć.

Sześć tygodni... Tylko tyle czasu zostało jej w Paryżu, zanim wróci do życia, które przyjaciółka tak trafnie opisała.

Z całych sił starała się wykrzesać z siebie pozytywne myśli na temat swojej przyszłości, ale ani jedna nie przychodziła jej do głowy.

*

Margarida obiecała, że po kilku dniach stażu w atelier Landowskiego da jej znać, kiedy, według profesora, Bel mogłaby zacząć z nią przyjeżdżać. Na razie jednak się nie odezwała.

Bel znów siedziała sama w mieszkaniu, ponieważ teraz to Maria Elisa wychodziła codziennie o dziewiątej rano. Z trudem udało jej się wyprosić zgodę matki i załatwiła sobie pracę wolontariuszki w pobliskim szpitalu. Maria Georgiana rano zajmowała się domem albo pisała listy.

– W przyszłym miesiącu są urodziny mojej mamy – zwróciła się do niej Bel któregoś ranka przy śniadaniu. – Bardzo chciałabym kupić dla niej coś w Paryżu i wysłać jej prezent. Czy mogłabym wyjść na miasto, senhora?

– Nie, Izabelo. Jestem pewna, że twoi rodzice nie zgodziliby się, żebyś sama wałęsała się po mieście. A ja mam dziś za dużo zajęć, żeby ci towarzyszyć.

– W takim razie – odezwał się Heitor, który usłyszał ich rozmowę – niech Izabela pójdzie ze mną. Będę szedł do biura Polami Elizejskimi. Może uda jej się wybrać coś w którejś z galerii po drodze. Jestem pewny, że nic jej się nie stanie, jeśli sama przejdzie kilkaset metrów z powrotem, kochanie.

– Jak uważasz. – Maria Georgiana westchnęła zirytowana.

*

– Ostatnio pogoda zrobiła się taka, że jest gorąco nawet dla Brazylijczyka – powiedział Heitor, kiedy dwadzieścia minut później wyszli we dwójkę z mieszkania i ruszyli w stronę Pól Elizejskich. – Czy nadal podoba ci się w Paryżu? – zapytał.

– Uwielbiam to miasto – odpowiedziała Bel z uczuciem.

– Słyszałem, że zapuszczasz się także w te dzielnice miasta, w których… no, powiedzmy… spotyka się bohema?

Spojrzała na niego zmieszana.

– Hm…

– W atelier Landowskiego niechcący usłyszałem, jak Margarida rozmawia z młodym asystentem profesora o waszych wspólnych lunchach w La Closerie des Lilas.

Bel zadrżała, ale kiedy Heitor zobaczył jej minę, pocieszająco poklepał ją po ramieniu.

– Nie martw się. Twój sekret jest u mnie bezpieczny. A poza tym Margarida jest bardzo sensowną dziewczyną i dobrze zna Paryż. Prosiła mnie też, bym ci przekazał, że jutro zajedzie po ciebie w drodze do atelier. Jak wiesz, monsieur Brouilly chce, żebyś mu pozowała. Przynajmniej będzie wiadomo, gdzie jesteś, i nie wpakujesz się w kłopoty.

Bel zauważyła, że Heitor znacząco unosi brew, ale wiedziała, że tylko z nią się drażni.

– Dziękuję za przekazanie wiadomości – odpowiedziała skromnie. Nie chcąc, by zauważył, jak bardzo się ucieszyła, natychmiast zmieniła temat. – Czy jest pan zadowolony z pracy profesora Landowskiego nad Cristo?

– Jak na razie jestem absolutnie przekonany, że podjąłem dobrą decyzję, a wizja Landowskiego odpowiada mojej. Ale zanim będę mógł powiedzieć, że przygotowaliśmy ostateczny projekt, czeka nas dużo pracy. No i mam teraz kilka trudnych spraw, nad którymi się zastanawiam. Pierwszą i najważniejszą jest to, w co ubrać naszego Cristo. Rozmyślałem nad wieloma rozwiązaniami, ale żadne z nich nie pasuje mi ani pod względem estetycznym, ani praktycznym. A może spróbujemy kupić prezent dla twojej mamy w tym pasażu handlowym? W jednym z tutejszych sklepów kupiłem żonie piękny jedwabny szal.

Skręcili do eleganckiej galerii handlowej i Heitor pokazał jej sklep, o którym mówił.

– Poczekam tu na ciebie – zaproponował, kiedy wchodziła do środka.

Wybrała miękki brzoskwiniowy szal i chusteczkę do nosa w takim samym odcieniu. Wiedziała, że będą pasować do karnacji mamy. Gdy zapłaciła i wyszła ze sklepu, Heitor opierał się o małą fontannę, która tryskała pośrodku galerii. Intensywnie wpatrywał się w jej dno.

Bel podeszła i zatrzymała się przy nim, a on, czując jej obecność, wskazał na kafelki mozaiki, która zdobiła dno fontanny.

– Co o tym myślisz? – zapytał.

– Proszę wybaczyć, senhor, ale o co panu chodzi?

– O to, że może ubrać Cristo w mozaikę. Dzięki temu zewnętrzna powłoka rzeźby nie popęka, bo każdy kafelek będzie oddzielony od reszty. Musiałbym jeszcze poszukać, jaki kamień by się do tego nadawał. Hm… coś porowatego, wytrzymałego… na przykład steatyt z kopalni w Minas Gerais. Jest jasny i może nam pasować. Muszę tu natychmiast przyprowadzić senhora Levy'ego, żeby zobaczył tę mozaikę. Jutro wyjeżdża do Rio, więc należałoby coś postanowić.

Bel cieszyła się razem z nim.

– Czy możesz już stąd wrócić do domu sama, Izabelo? – spytał, kiedy wyszli z galerii handlowej.

– Oczywiście – odpowiedziała.

Skinął do niej głową i szybkim krokiem ruszył w przeciwnym kierunku.

22

– *Bienvenue*, mademoiselle Izabelo.

Bel weszła do atelier z Margaridą i Laurent, który natychmiast znalazł się przy niej, ucałował ją w oba policzki.

– Najpierw zaparzymy razem kawy. Mademoiselle Margarido – zwrócił się do przyjaciółki Bel, kiedy ta przechodziła koło nich, żeby włożyć fartuch – profesor powiedział, że trzeba popracować nad lewym łokciem pani rzeźby, ale ogólnie podoba mu się pani wprawka.

– Dziękuję! U profesora to prawdziwy komplement.

– A teraz, Izabelo, proszę za mną, pokaże mi pani, jak zaparzyłaby pani kawę w swoim kraju. Jestem pewien, że musi być mocna i czarna. – Wziął ją za rękę i pociągnął do maleńkiej kuchenki. Z jednej z półek zdjął brązową papierową torebkę, otworzył ją i powąchał zawartość. – To kawa z Brazylii, świeżo zmielona dzisiaj rano, kupiona w zaprzyjaźnionym sklepie na Montparnassie specjalnie po to, by pani się rozluźniła i przypomniała sobie dom.

Bel wciągnęła aromat i natychmiast znalazła się tysiące mil za oceanem.

– Proszę mi pokazać, jak ją pani zaparza. – Podał jej łyżeczkę do herbaty, po czym cofnął się, żeby miała wolne pole do działania.

Bel zaczekała, aż na maleńkim palniczku zagotuje się woda. Nie chciała się przyznać, że jeszcze nigdy w życiu nie przygotowywała kawy. W domu byli od tego służący.

– Ma pan filiżanki? – zaryzykowała.

– Oczywiście. – Laurent sięgnął do kredensu i podał jej dwa emaliowane kubki. – Przepraszam, że nie są z delikatnej porcelany, ale kawa będzie smakowała tak samo.

– Tak – rzuciła podenerwowana. Do każdego kubka łyżeczką wsypała trochę kawy.

– No wie pani, mademoiselle! – Laurent uśmiechnął się i zdjął z półki maleńki srebrny garnuszek. – Tutaj posługujemy się czymś takim.

Bel zarumieniła się ze wstydu, że popełniła gafę, a on przesypał kawę do garnuszka i nalał do niego gorącej wody.

– Kiedy kawa się zaparzy, usiądziemy sobie i porozmawiamy.

Kilka minut później zabrał ją z powrotem do studia. Margarida siedziała już przy stole rzeźbiarskim i pracowała. Laurent wziął szkicownik i poprowadził Bel do stołu na kozłach z ławeczkami, gdzie poprzednio jedli lunch, i zaciągnął za nimi zasłonę.

– Proszę usiąść tutaj. – Wskazał miejsce naprzeciwko siebie. – A teraz – uniósł kubek – proszę mi opowiedzieć o pani życiu w Brazylii.

– Dlaczego chce pan słuchać opowieści o moim kraju? – spytała zdziwiona.

– Ponieważ, mademoiselle, siedzi pani naprzeciwko mnie jak drewniana belka, która od stu lat musi podtrzymywać dach i zesztywniała z napięcia. Chciałbym, żeby się pani rozluźniła, żeby pani usta nie były takie zaciśnięte, a oczy rozbłysły światłem. Jeśli nie uda mi się tego osiągnąć, źle odbije się to na rzeźbie. Rozumie pani?

– Chy… chyba tak – mruknęła.

– Nie wygląda pani na przekonaną. Postaram się więc pani to wyjaśnić. Wielu ludzi uważa, że rzeźba jest sztuką, w której należy oddać zewnętrzną, fizyczną powłokę człowieka. I rzeczywiście, od strony technicznej może mają rację. Ale każdy wielki rzeźbiarz wie, że sztuka wykonania dobrej podobizny polega na interpretacji istoty tego, co przedstawiamy.

Bel spojrzała na niego niepewnie.

– Rozumiem.

– Oto prosty przykład – ciągnął. – Jeśli miałbym wyrzeźbić młodą dziewczynę i w jej oczach zobaczyłbym, że ma miękkie serce, które współczuje innym, może umieściłbym w jej dłoniach jakieś zwierzę, na przykład gołębia. Obejmowałaby go bardzo delikatnie. Jeślibym z kolei w innej kobiecie dostrzegł chciwość, włożyłbym na jej nadgarstek pretensjonalną bransoletkę albo wyrzeźbiłbym duży pierścień na jej palcu. Tak więc – Laurent otworzył szkicownik i przez chwilę nieruchomo trzymał w powietrzu ołówek – proszę do mnie mówić, a ja będę w tym czasie szkicował. Niech mi pani powie, gdzie pani dorastała.

– Większość dzieciństwa spędziłam na farmie w górach – odpowiedziała Bel. Obraz ukochanej hacjendy natychmiast sprawił, że się uśmiechnęła. – Mieliśmy konie, więc rano jeździłam po górach albo pływałam w jeziorze.

– Prawdziwa idylla – rzucił, podczas gdy jego ołówek tańczył po kartce papieru.

– To prawda – zgodziła się Bel. – Ale potem przenieśliśmy się do Rio, do domu u stóp góry Corcovado. Kiedyś na jej szczycie stanie Cristo. Chociaż jest tam pięknie i znacznie bardziej luksusowo niż na naszej hacjendzie, góra na tyłach domu sprawia, że jest ciemno. Czasami mam tam wrażenie – przerwała, aby znaleźć odpowiednie słowa – jakbym nie miała czym oddychać.

– A jak czuje się pani tu, w Paryżu? – zapytał. – To przecież także duże miasto. W pułapce, tak jak w Rio?

– O nie! – Pokręciła głową, a zmarszczka, która pokazała jej się na czole, natychmiast zniknęła. – Uwielbiam to miasto, zwłaszcza ulice Montparnasse'u.

– Hm, w takim razie myślę, że nie miejsce ma na panią wpływ, ale stan umysłu. Paryż też potrafi być bardzo klaustrofobiczny, a jednak mówi pani, że uwielbia to miasto.

– Ma pan rację – przyznała. – Bardziej chodzi o moje życie w Rio niż o samo miasto.

Laurent cały czas szkicował i obserwował wyraz jej twarzy.

– Co takiego nie podoba się pani w tym życiu?

– Nie ma czegoś takiego. – Bel z trudem znajdowała słowa, by mu to wyjaśnić. – Mam wielkie szczęście. Prowadzę niezwykle uprzywilejowane życie. O tej porze w przyszłym roku będę mężatką. Zamieszkam w pięknym domu i będę miała wszystko, czego kobieta może pragnąć.

– W takim razie dlaczego kiedy opowiada pani o swojej przyszłości, widzę w pani oczach, że jest pani nieszczęśliwa? Gdy widzieliśmy się po raz pierwszy, wspomniała pani, że małżeństwo bierze się z głowy, a nie z serca. Czy chodzi właśnie o to?

Bel poczuła, że ma gorące policzki zdradzające, że Laurent powiedział prawdę.

– Monsieur Brouilly, nic pan nie rozumie – odezwała się w końcu. – W Rio wszystko jest inaczej. Mój ojciec życzy sobie, żebym dobrze wyszła za mąż. Narzeczony pochodzi z jednej z najznamienitszych rodzin w Brazylii. A poza tym – dodała rozpaczliwie – nie mam talentu, tak jak pan, który pozwoliłby mi zarabiać na życie. Jestem całkowicie zależna od ojca, a wkrótce będę zależna od męża.

– Rozumiem, mademoiselle, i współczuję. Lecz, niestety – westchnął – jedyną osobą, która może to zmienić, jest pani. – Odłożył ołówek i przez kilka minut przyglądał się szkicom, a Bel siedziała w napięciu, wytrącona z równowagi i sfrustrowana ich rozmową.

W końcu Laurent podniósł wzrok.

– Kiedy przyglądam się tym szkicom, mogę powiedzieć, że byłaby pani w stanie zarobić na siebie, pozując artystom z Montparnasse'u. Nie dość, że ma pani piękną twarz, to pod ubraniem, które spowija pani ciało, ukrywa się kwintesencja kobiecości.

Gdy zmierzył ją wzrokiem, Bel poczuła, że jej klatkę piersiową znów obejmuje dziwne ciepło, które przenosi się na twarz.

– Dlaczego pani się tak wstydzi? Tu, w Paryżu, wysławiamy piękno kobiecych kształtów. W końcu wszyscy rodzimy się nadzy. To społeczeństwo zmusza nas do noszenia ubrań. No i oczywiście paryska zima. – Zaśmiał się i spojrzał na zegar. – Proszę się nie martwić – dodał, ponownie taksując ją wzrokiem. – Na pewno wyrzeźbię panią w tym, co ma pani dzisiaj na sobie. To idealny strój.

Bel z ulgą skinęła głową.

– Kiedy wreszcie zmusiłem panią do obnażenia przede mną swojej duszy, zrobiło się południe. Przygotuję chleb i ser, a w nagrodę przyniosę pani trochę wina.

Wziął kubki po kawie i przeszedł przez studio do kuchni. Po drodze zapytał Margaridę, czy zje z nimi lunch.

– Dziękuję, chętnie – odparła i zostawiła swoją rzeźbę, by zmyć z palców glinę.

Bel siedziała sama, spoglądając przez okno na grządki z lawendą. Czuła się poruszona i bezbronna. Laurentowi udało się wydobyć z niej to, co naprawdę myślała o swojej przyszłości.

– Nic ci nie jest, Izabelo? – Przyjaciółka usiadła przy niej i położyła dłoń na jej ramieniu. Miała zmartwioną minę. – Słyszałam strzępy waszej rozmowy. Mam nadzieję, że pan Brouilly nie zabrnął za daleko w swym pragnieniu, by przedstawić prawdziwą ciebie. A także – ściszyła głos – że robi to wyłącznie z profesjonalnych pobudek.

– Co masz na myśli?

Margarida nie zdążyła odpowiedzieć, ponieważ pojawił się Laurent z tacą.

W czasie posiłku Bel siedziała cicho i przysłuchiwała się jej rozmowie z Laurentem o najnowszych wyczynach ich wspólnych barwnych znajomych.

– Cocteau urządził salę na zapleczu budynku przy rue de Châteaudun i zaprasza tam swoich kumpli na koktajle, które sam robi i sam je nazywa. Podobno są zabójcze – opowiadał Laurent, wziąwszy duży łyk wina. – Mówi się, że jego najnowszym konikiem jest urządzanie seansów spirytystycznych.

– Co to takiego? – spytała zafascynowana Bel.

– Próby skontaktowania się ze zmarłymi – wyjaśniła Margarida. – Coś, co nigdy nie będzie mnie pociągać. – Wzdrygnęła się.

– Oprócz tego eksperymentuje z sesjami hipnozy grupowej, żeby zobaczyć, czy da się dotrzeć do podświadomości. Coś takiego by mnie interesowało. Ludzka psychika fascynuje mnie prawie tak samo jak fizyczność człowieka. – Laurent zerknął na Bel. – Zresztą zdążyła się już pani dzisiaj o tym przekonać, mademoiselle. A te-

235

raz czas wrócić do pracy. Ja ustawię krzesło w najlepiej oświetlonym rogu atelier, a pani tymczasem może się przejdzie po ogrodzie, bo kiedy zacznę, będę nalegał, aby siedziała pani nieruchomo jak kamień, w którym będę pracował.

– Wyjdę z Izabelą, monsieur Brouilly. Też muszę zaczerpnąć świeżego powietrza – odezwała się Margarida. – Chodź, Izabelo.

Wstały i wyszły z atelier. Stanęły w ogrodzie otoczone urzekającym zapachem lawendy.

– Jest tak cicho, że słyszę tylko bzyczenie pszczół, które zbierają nektar. – Margarida westchnęła z rozkoszą i wzięła przyjaciółkę pod rękę. – Jesteś pewna, że nic ci nie jest, Izabelo?

– Tak – zapewniła ją Bel, której napięcie opadło pod wpływem wypitego wina.

– Ale obiecaj mi, że nie pozwolisz mu, żeby wprawiał cię w zakłopotanie.

– Obiecuję. – Ruszyły wolno wzdłuż schludnie przyciętego żywopłotu z cyprysów wyznaczającego granicę ogrodu. – Czy to nie dziwne? Brazylia jest równie piękna jak Francja, bo też ma przecież bogactwo flory i fauny, ale tu panuje zupełnie inna energia i atmosfera. W domu trudno mi coś kontemplować, znaleźć w sobie spokój. A tu potrafię to zrobić nawet w sercu Montparnasse'u. To znaczy jasno zobaczyć, kim jestem.

Margarida wzruszyła ramionami.

– Musimy wracać do atelier, żeby monsieur Brouilly mógł zacząć swoje arcydzieło.

*

Trzy godziny później Bel siedziała w samochodzie i jechała z powrotem do domu. Czuła się wyczerpana, musiała bowiem nieruchomo siedzieć na krześle z rękami na kolanach, a palce trzymać dokładnie tak, jak ułożył je Laurent. Miała wrażenie, że trwało to wieczność.

W pozowaniu nie było nic zmysłowego. Bel czuła się raczej jak niezamężna ciotka, której podobiznę chcą uwiecznić na zdjęciu w kolorze sepii. Plecy bolały ją od długiego siedzenia prosto, a szyja jej zesztywniała. Kiedy ośmieliła się choćby lekko poruszyć palcem, by ułożyć go w wygodniejszej pozycji, Laurent natychmiast to dostrzegał. Wstawał zza bryły kamienia, w którym pracował, i podchodził do niej, by ułożyć jej rękę dokładnie tak, jak było wcześniej.

– Izabelo, obudź się, *querida*. Jesteśmy pod twoim domem.

Podskoczyła zawstydzona, że Margarida przyłapała ją na drzemce.

– Przepraszam – bąknęła i na dobre obudziła się, kiedy szofer otwierał przed nią drzwi samochodu. – Nie wiedziałam, że to będzie takie męczące.

– To był dla ciebie długi, ciężki dzień, i to pod każdym względem. Wszystko jest dla ciebie nowe, a już samo to potrafi być wyczerpujące. Masz siłę, żeby jutro jechać do atelier?

– Oczywiście – stanowczo zapewniła ją Bel i wyszła z samochodu. – Dobranoc, Margarido. Do zobaczenia o dziesiątej.

Tego wieczoru przeprosiła, że nie będzie mogła uczestniczyć w partyjce kart, którą zazwyczaj rozgrywali po kolacji. Z wdzięcznością przytuliła głowę do poduszki i stwierdziła, że zarabianie na życie przez pozowanie artystom wcale nie jest takie łatwe, jak jej się wydawało.

23

Przez następne trzy tygodnie Bel codziennie rano towarzyszyła Margaridzie w jej wyprawie do atelier Landowskiego w Boulogne--Billancourt. Kilka razy zabrał się też z nimi Heitor da Silva Costa, aby zawieźć tam nowy zestaw projektów i rysunków Chrystusa.

– Landowski robi dla mnie następny nowy model i musimy go dopracować – mawiał, a kiedy dojeżdżali na miejsce, natychmiast szybko wybiegał z samochodu, żeby zobaczyć, czy profesor skończył nową wersję Cristo.

Za każdym razem Landowski dostawał kolejną listę drobnych zmian, które wymagały zrobienia następnego modelu, więc burczał pod nosem, siedząc przy swoim stole rzeźbiarskim.

– Zwariowany Brazylijczyk! Szkoda, że zgodziłem się wziąć udział w jego niemożliwym do zrealizowania marzeniu.

Mówił to jednak dobrodusznie i z szacunkiem dla skali przedsięwzięcia.

Także i rzeźba Bel pod wrażliwymi palcami Laurenta powoli nabierała kształtów. Kiedy dziewczyna siedziała bez ruchu, doskonale nauczyła się uciekać w świat wyobraźni. Większość jej myśli krążyła wokół Laurenta, którego stale obserwowała kątem oka. Pracował w ogromnym skupieniu: kuł kamień młotkiem z pazurkiem i ryflownikiem.

Pewnego szczególnie gorącego lipcowego popołudnia, kiedy Laurent rzeźbił, podszedł do niego Landowski i położył mu dłoń na ramieniu.

– Właśnie zawiozłem ostatnią wersję Chrystusa do biura monsieur da Silva Costy w Paryżu – oznajmił. – Ten szalony Brazylijczyk każe mi zrobić czterometrowy model. Mam natychmiast zaczynać. Będę potrzebował twojej pomocy, Brouilly, więc dość zabawy z rzeźbą tej pięknej pani. Masz jeden dzień, żeby ją skończyć.

– Tak, profesorze, oczywiście – odpowiedział Laurent, rzucając Bel zrezygnowane spojrzenie.

Starała się nie pokazać po sobie absolutnej rozpaczy, która ją ogarnęła. Landowski tymczasem podszedł do niej i poczuła, że taksuje ją spojrzeniem.

– Zacznij od zrobienia odlewu pięknych, długich palców mademoiselle. Potrzebny jest mi model do opracowania dłoni Chrystusa, które muszą być tak wrażliwe i eleganckie jak jej dłonie. Będą obejmować i chronić wszystkie Jego dzieci w dole i nie mogą być twardymi, niezgrabnymi dłońmi mężczyzny.

– Dobrze, profesorze – posłusznie zgodził się Laurent.

Landowski ujął dłoń Bel i leciutko pociągnął, dając w ten sposób dziewczynie znak, żeby wstała z krzesła. Zaprowadził ją do stołu rzeźbiarskiego i ułożył jej dłoń na blacie, tak że opierała się na nim małym palcem. Potem rozprostował jej palce i złożył je razem.

– Zrobisz odlew dłoni w tej pozycji. Wiesz, jak wygląda model, Brouilly. Postaraj się je wykonać jak najdokładniej w tym ułożeniu. I zrób także odlew dłoni mademoiselle Margaridy. Ona też ma eleganckie palce. Porównam, które będą lepiej pasowały do Chrystusa.

– Oczywiście – zgodził się Laurent. – Ale czy możemy zacząć jutro rano? Mademoiselle Izabela na pewno jest zmęczona długim pozowaniem.

– Jeśli tylko wytrzyma, zróbcie to teraz. Dzięki temu odlewy jutro rano będą już suche, a ja będę miał nad czym pracować. Na pewno nie ma pani nic przeciwko temu, mademoiselle? – Landowski popatrzył na nią w ten sposób, jakby jej odpowiedź i tak nie miała znaczenia.

Pokręciła głową.

– To dla mnie zaszczyt, profesorze.

*

– A teraz proszę mi koniecznie przyrzec, że zanim gips stężeje, nie poruszy pani nawet skórką przy paznokciu. W przeciwnym razie będziemy musieli wszystko zaczynać od początku – pouczył ją Laurent.

Bel siedziała, starając się zignorować irytujące swędzenie lewej dłoni, i przyglądała się, jak Laurent to samo robi z Margaridą. Kiedy skończył, sprawdził, która godzina, i delikatnie popukał w gips, który na dłoniach Bel zaczynał już zastygać.

– Jeszcze z piętnaście minut i gotowe – powiedział i roześmiał się. – Szkoda, że nie mam aparatu, żeby zrobić wam zdjęcia, jak tu siedzicie z dłońmi w białym gipsie. Bardzo dziwny widok. A teraz na chwilę was przeproszę i pójdę napić się wody. Nie martwcie się mesdemoiselles, wrócę... zanim zapadnie noc.

Puścił do nich oko i poszedł do kuchni.

Dziewczęta popatrzyły na siebie i zadrżały im usta, bo strasznie chciało im się zachichotać. Powstrzymały się jednak siłą woli, bo jakikolwiek ruch przeniósłby się na ręce.

– Może kiedyś popatrzę w górę na Corcovado i przypomnę sobie tę chwilę – powiedziała Margarida z uśmiechem.

– Ja na pewno – zawtórowała jej w zadumie Bel.

Wystarczyło kilka minut precyzyjnych i, jak później stwierdziła Bel, niebezpiecznych zabiegów, by Laurent ostrym nożem zrobił maleńkie nacięcia wzdłuż jej rąk, a potem delikatnie zdjął gips z wcześniej natłuszczonych dłoni. Kiedy skończył, z satysfakcją spojrzał na ułożone na stole odlewy. – Idealne – ocenił. – Profesor będzie zadowolony. – A jak pani podobają się pani ręce odlane w gipsie? – zapytał Bel i zaczął zdejmować odlew Margaridy.

– Wcale nie wyglądają jak moje – zauważyła Bel, patrząc na białe kształty. – Mogę iść umyć ręce?

– Tak. Mydło i szczotka do szorowania są koło zlewu – poinformował ją.

Po powrocie czuła się dużo lepiej, dzięki temu, że usunęła z siebie tłuszcz i pył gipsowy. Laurent był zmartwiony, ponieważ przy zdejmowaniu odlewu z Margaridy ułamał się palec.

– Na pewno uda się to naprawić – rzucił. – Będzie widać pęknięcie grubości włosa na stawie, ale nie powinno to przeszkadzać.

Kiedy Margarida odeszła, żeby umyć ręce, zaczął sprzątać atelier przed nocą.

– Szkoda, że profesor tak pilnie potrzebuje mojej pomocy. Zostało mi jeszcze dużo pracy przy pani rzeźbie, chociaż teraz mam przynajmniej pani palce – odezwał się z goryczą.

– Musimy jechać – pośpieszyła ich Margarida po powrocie z umywalni. – Kierowca czeka na nas od kilku godzin, a opiekunka Bel z pewnością zachodzi w głowę, co się z nią stało.

– Proszę jej powiedzieć, że porwałem jej podopieczną i oddam ją dopiero, kiedy skończę rzeźbę – zażartował Laurent, gdy dziewczęta zabierały kapelusze i kierowały się w stronę wyjścia. – Izabelo, nie zapomniała pani czegoś?! – zawołał, gdy wyszła już na zewnątrz. Na końcu małego palca zawiesił sobie jej pierścionek zaręczynowy i lekko nim zadyndał. – Może powinna pani włożyć go na swoje miejsce, bo niektórzy mogliby podejrzewać, że specjalnie go pani zdjęła – skomentował, kiedy zawróciła do atelier. – Proszę pozwolić, że ja go pani założę. – Ujął dłoń Bel i wsunął pierścionek na palec, jednocześnie w skupieniu patrząc jej w oczy. – No to już, znów jesteście ze sobą połączeni. *Á bientôt*, mademoiselle. I niech się pani nie martwi, znajdę jakiś sposób, żebyśmy mogli dokończyć pani rzeźbę.

Dziewczęta opuściły atelier, wsiadły do samochodu i wyruszyły w drogę powrotną do centrum Paryża. Bel wyglądała przez okno. Czuła się nieszczęśliwa.

– Izabelo?

Odwróciła się i zobaczyła, że Margarida przygląda jej się z troską.

– Czy mogę ci zadać osobiste pytanie?

– Chyba tak – odparła ostrożnie Bel.

– Właściwie składa się ono z dwóch części. Pamiętasz, że kiedyś niechcący usłyszałam, o czym rozmawiacie z Laurentem, gdy cię szkicował. Powiedziałaś wtedy, że boisz się powrotu do Rio i ślubu.

– Tak. Ale proszę cię, Margarido, nikt oprócz Laurenta i ciebie nie może o tym wiedzieć – powiedziała Bel pośpiesznie w obawie, żeby nie zrobiła się z tego plotka i nie rozniosła się wśród Brazylijczyków.

– Wiem, o co ci chodziło. I nie mogłam powstrzymać się od rozmyślania o tym, czy twoja niechęć do tego małżeństwa nie nasiliła się w ciągu ostatnich tygodni.

Bel wyciągnęła palec i w roztargnieniu przyglądała się pierścionkowi zaręczynowemu, a jednocześnie zastanawiała się nad pytaniem przyjaciółki.

– Kiedy wyjeżdżałam z Rio, byłam Gustavowi wdzięczna, że przed ślubem pozwala mi popłynąć do Europy z da Silva Costami. Nie spodziewałam się, że zrobi coś takiego, i przyjęłam to jak prezent. Ale teraz ten prezent prawie się wyczerpał i za niecałe trzy tygodnie muszę wrócić do domu, a prawda jest taka... że moje uczucia do niego się zmieniły. Tak, Paryż zmienił mój punkt widzenia na wiele spraw.

– Rozumiem, że kochasz wolność, którą daje ci to miasto. Podobnie jak ja.

– Tak – żarliwie zgodziła się z nią Bel i jej głos załamał się. – Najgorsze jest to, że teraz, kiedy posmakowałam innego życia, myśli o przyszłości są dla mnie jeszcze trudniejsze. Chwilami prawie żałuję, że tu przyjechałam i dowiedziałam się, co mogłabym mieć, choć nigdy tego mieć nie będę.

– A teraz druga część mojego pytania – cichutko rzuciła Margarida. – Obserwowałam was z Laurentem, kiedy cię rzeźbił. Będę szczera: najpierw myślałam, że każdej pięknej kobiecie, którą by poprosił, by była jego modelką, prawiłby takie same komplementy i rzucał podobne aluzje jak tobie. Ale od kilku dni obserwuję, jak czasem na ciebie patrzy, a przy pracy czule gładzi kamień, marząc, że to ty. Wybacz mi, Izabelo, ale do miłości przeważnie podchodzę pragmatycznie. – Margarida pokręciła głową. – Dobrze wiem, jacy są mężczyźni, zwłaszcza tu, w Paryżu, i muszę cię ostrzec. Obawiam się, że z powodu swojego niewątpliwego uczucia do ciebie, a także dlatego, że zostało wam niewiele wspólnego czasu, Laurent może zapomnieć o tym, że jesteś przyrzeczona innemu.

Bel dała jej jedyną właściwą odpowiedź:

– Oczywiście natychmiast bym mu o tym przypomniała.

– Naprawdę? Nie jestem taka pewna – odparła w zamyśleniu Margarida. – Bo tak samo jak widzę, co on do ciebie czuje, tak zauważyłam, jak ty zachowujesz się w stosunku do niego. Właściwie wiedziałam to od chwili, kiedy podszedł do naszego stolika w La Closerie des Lilas podczas naszego pierwszego lunchu na Montparnassie. I powiem szczerze: od początku mnie to martwiło. Wtedy myślałam, że wyczuwając twoją naiwność, po prostu się z tobą zabawia. Wśród paryskiego bractwa twórców wielu jest mężczyzn bez skrupułów. Miłość jest dla nich rozrywką, a serce kobiety zabaweczką. I kiedy swymi złotymi słówkami uda im się ją uwieść i dojrzeje do zerwania, biorą, co chcą. Po osiągnięciu celu zabawa już ich nuży i odchodzą, by szukać nowych wyzwań.

Bel zauważyła, że rysy twarzy przyjaciółki stężały przy tym wywodzie, a oczy jej zwilgotniały.

– Tak, Izabelo. – Margarida rzuciła jej przelotne spojrzenie. – Dobrze ci się wydaje. Kiedy byłam we Włoszech, zakochałam się w takim właśnie mężczyźnie. Przyjechałam prosto z bezpiecznego środowiska w Rio i byłam równie niewinna jak ty. A on mnie uwiódł. W każdym aspekcie tego słowa. Ale gdy wyjechałam do Paryża, ani razu się do mnie nie odezwał.

Bel w szoku przetwarzała to, co usłyszała.

– Podzieliłam się z tobą moją największą tajemnicą. – Margarida westchnęła. – Zrobiłam to, ponieważ mam nadzieję, że czarna rozpacz, którą przeżyłam, może się na coś przydać. Jestem od ciebie trochę starsza i po tym doświadczeniu, niestety, mądrzejsza. I nie mogę oprzeć się wrażeniu, że tak jak ja wtedy, jesteś młodą kobietą, która przeżywa pierwszą miłość.

Miłość do Laurenta wręcz rozpierała Bel. Do tej chwili swoje uczucia wyrażała tylko w listach od serca do Loen. Po tym, jak Margarida powierzyła jej swoją tajemnicę, postanowiła jej zaufać.

– Tak – przyznała. – Kocham go. Z całego serca. I nie mogę znieść myśli, że resztę życia spędzę bez niego.

Wybuchła płaczem, bo po wyjawieniu prawdy Margaridzie poczuła taką ulgę, że zapomniała o swej powściągliwości.

– Tak mi przykro, Bel. Nie chciałam cię zdenerwować. Posłuchaj: zbliżamy się do twojego domu, ale nie możesz tam iść w takim stanie. Chodź, usiądziemy na chwilę w jakimś spokojnym miejscu. I tak jesteśmy bardzo spóźnione, kilka minut więcej nie zrobi już różnicy.

Margarida podała kierowcy wskazówki, dokąd jechać. Po kilku sekundach samochód zatrzymał się przy avenue de Marigny niedaleko skwerku okolonego żelazną barierką. Wyszły z delage'a i Margarida posadziła ją na ławce. Bel przyglądała się, jak słońce z gracją zachodzi za okalające skwer platany. Zresztą przy wszystkich paryskich bulwarach, które dotąd widziała, rosły platany.

– Wybacz mi, że byłam zbyt bezpośrednia – przeprosiła ją Margarida. – Wiem, że twoje sprawy sercowe to nie mój interes. Ale widząc, jacy jesteście w sobie zakochani, uznałam, że nie mogę milczeć.

– Przecież moja sytuacja różni się od twojej we Włoszech. Sama powiedziałaś w samochodzie, że twoim zdaniem Laurent coś do mnie czuje… że może mnie kocha.

– Wtedy byłam pewna, że Marcello też mnie kocha. A przynajmniej chciałam w to wierzyć. Ale cokolwiek Laurent ci powie, jakkolwiek będzie cię przekonywał, pamiętaj: nawet gdyby ci się zdawało, że macie przed sobą wspólną przyszłość, to tak nie jest. On nie może ci niczego zapewnić, ani domu, ani bezpieczeństwa, i uwierz mi, ostatnią rzeczą, na jaką ma ochotę, to obciążyć się żoną i gromadką dzieci. Z twórcami tak już jest, że podoba im się sama idea miłości i zakochania. Ale to do niczego nie może prowadzić, nieważne, jak wielkie byłoby wasze uczucie. Rozumiesz?

Bel pustym wzrokiem przyglądała się niani z dwójką podopiecznych, którzy byli jedynymi osobami w parku.

– Tak. Ale ja też będę szczera i powiem, że chociaż moje uszy cię słyszą, a mój mózg rozumie twoje ostrzeżenie, to serca nie da się tak łatwo przekonać.

– Oczywiście. Proszę cię jednak, Bel, przynajmniej zastanów się nad tym, co powiedziałam. Nie chciałabym, żebyś zrujnowała sobie resztę życia, pozwalając, by twoje serce przez kilka krótkich minut rządziło głową. Twój narzeczony pozwolił ci tu przyjechać, ale gdyby odkrył twoją tajemnicę, potraktowałby to jak zdradę, której mógłby nigdy ci nie wybaczyć.

– Wiem. – Bel w poczuciu winy lekko zagryzła wargę. – Dziękuję ci, Margarido. Jestem ci wdzięczna za radę. Ale teraz naprawdę musimy już iść, bo inaczej Maria Georgiana więcej się nie zgodzi na spuszczenie mnie z oka.

*

Margarida była tak miła, że weszła z Bel do mieszkania i wyjaśniła skamieniałej na twarzy Marii Georgianie, że zatrzymał je obie sam Landowski i kazał swemu asystentowi odlać ich dłonie w gipsie.

– Możecie sobie chyba wyobrazić, że głowę miałam pełną strasznych rzeczy, które mogły wam się przydarzyć. Obiecaj tylko, że to się nie powtórzy.

– Na pewno, obiecuję – powiedziała Bel, a potem wyszła z salonu, żeby odprowadzić Margaridę do drzwi. Tam serdecznie się objęły.

– Dobranoc, Izabelo, do jutra.

Kiedy Bel była już w łóżku, zamiast rozmyślać nad straszliwym losem, który – według Margaridy – może ją spotkać, jeśli ulegnie niezliczonym urokom Laurenta, czuła wyłącznie euforię.

Uważa, że Laurent mnie kocha... On mnie kocha...

Tej nocy z łatwością zasnęła, a na jej śpiącej twarzy pojawił się błogi uśmiech.

24

– Rozmawiałem z profesorem – oznajmił Laurent, kiedy Bel i Margarida przyjechały następnego ranka do atelier. – Najzwyczajniej wyjaśniłem mu, że nie jestem w stanie skończyć rzeźby w jeden dzień. Zgodziliśmy się, że od tej pory może pani przyjeżdżać tu późnym popołudniem, kiedy skończymy pracę nad Cristo. Jeśli to pomoże, porozmawiam z seniorem da Silva Costą i wyjaśnię mu, dlaczego zaszły takie zmiany.

Wchodząc do atelier, Bel umierała ze zdenerwowania. Jego słowa przyniosły jej taką ulgę, że entuzjastycznie pokiwała głowa.

– Ależ, monsieur Brouilly – wtrąciła się zasępiona Margarida. – O tej porze nie będę tu mogła być z mademoiselle Izabelą. Muszę wracać do domu na kolację, którą jem z mamą o szóstej.

– Przecież nie będziemy tu robić nic niestosownego – powiedział Laurent. – Będzie z nami sam profesor, a jego żona i dzieci cały czas są w domu, o rzut beretem.

Bel zerknęła błagalnie na przyjaciółkę i zobaczyła w jej oczach, że się poddaje.

– Oczywiście – odparła nieco opryskliwie Margarida. – Przepraszam, ale muszę się przebrać.

– A my musimy zabierać się do pracy. – Laurent triumfalnie uśmiechnął się do Bel.

*

Tego wieczoru Heitor oznajmił przy kolacji, że Laurent Brouilly zadzwonił do niego do biura i wyjaśnił, że zaistniałe okoliczności wymagają, żeby Bel przyjeżdżała do atelier wieczorami.

– Biorąc pod uwagę, że twoje przedsięwzięcie zostało odłożone na drugi plan z powodu pilnych prac nad moim, uznałem, że muszę się zgodzić – zakończył Heitor. – Izabelo, mój kierowca codziennie o piątej będzie cię zawoził do atelier, a potem o dziewiątej zabierał z powrotem do domu.

– Ale przecież na pewno jest jakiś autobus, którym mogłabym jeździć? Nie chcę panu robić kłopotu, senhor.

– Autobus? – Maria Georgiana wyglądała na przerażoną. – Nie sądzę, żeby twoi rodzice życzyli sobie, żebyś sama nocami jeździła po Paryżu autobusem. Oczywiście, że trzeba cię w obie strony wozić.

– Dziękuję. Pokryję wszelkie koszty – powiedziała cicho Bel, ukrywając ogromną ulgę i radość.

– Tak naprawdę, Izabelo, nawet mi pasuje, że będziesz w atelier Landowskiego. Możesz pełnić rolę szpiega w ich obozie i zdawać mi sprawozdanie z postępu w pracach nad nowym czterometrowym modelem Cristo – dodał z uśmiechem Heitor.

*

– Mogłabym któregoś wieczoru pojechać z tobą do atelier i zobaczyć pracę nad twoją rzeźbą? – zapytała Maria Elisa, kiedy już leżały w łóżku.

– Zapytam monsieur Brouilly'ego, czy nie będzie mu to przeszkadzać – opowiedziała Bel. – Nadal tak podoba ci się w szpitalu? – Postanowiła zmienić temat w nadziei, że Maria Elisa zapomni o swojej prośbie.

– Bardzo. Kilka dni temu rozmawiałam z rodzicami o tym, że w przyszłości chcę zostać wykwalifikowaną pielęgniarką. Jak możesz sobie wyobrazić, *mãe* nie jest z tego zadowolona, ale *pai* bardzo mnie poparł i zbeształ *mãe* za to, że jest staroświecka. – Maria Elisa uśmiechnęła się. – To niej jej wina – dodała pośpiesznie, bo zawsze była gotowa każdemu wybaczać. – Dorastała w innych czasach. Teraz nie mogę doczekać się powrotu do Rio, żeby zacząć naukę. Niestety, *pai* uważa, że jeszcze z rok potrwa, zanim skończy tutaj pracę. Masz szczęście, że wracasz do domu za dwa tygodnie, Bel. Śpij dobrze.

– Ty też.

Bel leżała w łóżku, rozważając słowa Marii Elisy. Gdybyśmy tylko mogły się zamienić, pomyślała prawie przez sen. Oddałaby duszę za to, by być na miejscu przyjaciółki i móc jeszcze rok zostać w Paryżu.

*

Dwa dni później Bel siedziała w atelier, a za oknem zapadał zmierzch. Kątem oka widziała ogromną, czterometrową rzeźbę Cristo, która zdominowała studio. Margarida na ten dzień skończyła już pracę i wyszła, a kiedy przyjechała Bel, Landowski wybierał się akurat na kolację z żoną i dziećmi w budynku obok. W atelier zabrakło normalnego ruchu przebywających tam ludzi i Bel wsłuchiwała się w ciszę.

– O czym pani myśli? – spytał ją nagle Laurent.

Widziała, że jego dłonie pracują nad górną partią rzeźby i są akurat zajęte kształtem jej piersi pod zapiętą pod szyję muślinową bluzką.

– Jakie wszystko wieczorem jest tu inne – odpowiedziała.

– Tak, kiedy zachodzi słońce, w atelier zapada niezwykły spokój. Często pracuję tu sam wieczorami, bo bardzo lubię taką atmosferę. Landowski musi zająć się rodziną, a poza tym twierdzi, że nie może rzeźbić, kiedy jest mało światła.

– A pan?

– Izabelo, nawet gdyby pani już przede mną nie siedziała, potrafiłbym panią idealnie wyrzeźbić. Tak długo na panią patrzyłem, że wszystkie szczegóły pani postaci wryły mi się w pamięć.

– W takim razie może wcale nie jestem tu potrzebna?

– Może ma pani rację. – Uśmiechnął się. – Ale to znakomita wymówka, żeby pobyć w pani towarzystwie. Prawda?

Po raz pierwszy powiedział coś, co potwierdzało, że pragnie jej obecności z innych powodów niż tylko artystyczne.

248

Spuściła wzrok.

– Tak – potwierdziła.

Laurent więcej się nie odezwał i przez następną godzinę pracował w ciszy. W końcu przeciągnął się i zarządził przerwę.

Kiedy wyszedł do kuchni, Bel wstała i przeszła się po atelier, żeby dać ulgę zesztywniałym plecom. Przyjrzała się niedokończonej rzeźbie, podziwiając jej proste linie.

– Rozpoznałaby pani siebie? – zapytał Laurent, który wszedł z dzbankiem wina i miseczką oliwek i postawił je na stole.

– Chyba nie – odpowiedziała szczerze i dalej przyglądała się rzeźbie, podczas gdy on nalewał wina do dwóch kieliszków. – Może kiedy skończy pan twarz, będzie mi łatwiej. Teraz w pozycji, w której każe mi pan siedzieć, wyglądam bardzo młodo, prawie jak dziewczynka.

– Znakomicie! – pochwalił ją Laurent. – W głowie miałem obraz zamkniętego pączka róży, tuż zanim zacznie się otwierać i rozkwitnie cudownym kwiatem. Chodzi mi o ten moment między dzieciństwem a kobiecością, o postać kontemplującą rozkosze dorosłości na samym jej progu.

– Nie jestem dzieckiem – odparowała Bel, która poczuła się potraktowana z góry.

– Ale nie jest pani też jeszcze kobietą – wyjaśnił i uważnie na nią popatrzył, kiedy piła wino.

Nie wiedziała, jak na to zareagować. Łyknęła jeszcze trochę wina. Czuła, że puls znacznie jej przyśpieszył.

– Wracamy do pracy, zanim całkiem zabraknie światła – zarządził.

*

Dwie godziny później Bel wstała i zaczęła się szykować do wyjścia. Laurent odprowadził ją do drzwi atelier.

– Proszę wracać bezpiecznie do domu, Izabelo. Niech mi pani wybaczy, jeśli powiedziałem dzisiaj coś niestosownego. Od tamtej pory wcale się pani do mnie nie odzywa.

– Ja...

– Proszę się nie tłumaczyć. – Delikatnie położył palec na jej ustach. – Rozumiem. Znam pani położenie, ale nic na to nie poradzę, że chciałbym, żeby było inaczej. Dobranoc, moja droga Bel.

W drodze do domu rozmyślała nad tym, że na swój sposób Laurent powiedział jej, że gdyby była wolna, chciałby z nią być. Rozumie jednak jej sytuację i jako dżentelmen nigdy nie przekroczy pewnych granic.

– Chociaż bardzo by chciał – mruknęła do siebie w uniesieniu.

*

Przez następnych kilka wieczorów Laurent nie robił już żadnych aluzji. Jeśli się odzywał, to tylko w sprawie rzeźby albo żeby opowiedzieć jakieś luźne plotki o mieszkańcach Montparnasse'u. Paradoksalnie, im bardziej bezosobowo się do niej odzywał, tym bardziej rosło fizyczne i emocjonalne napięcie Bel. W końcu to ona zaczęła czasem rzucać osobiste uwagi, na przykład zauważyła, że ma nową koszulę, w której mu do twarzy, albo chwaliła jego talent rzeźbiarski.

Jej frustracja narastała do nieznośnych rozmiarów. Biorąc pod uwagę, że Laurent kompletnie przestał z nią flirtować, nie widziała drogi wyjścia z tej sytuacji. A poza tym, pytała samą siebie, dokąd właściwie ta droga miałaby prowadzić?

Nieważne jednak, ile razy zadawała sobie to pytanie i jak często rozsądek podpowiadał jej, że im prędzej znajdzie się na statku do Brazylii, tym lepiej, ani trochę to nie pomagało. Kiedy godzinami siedziała przy Laurencie, fakt, że jest tak blisko, a jednocześnie tak daleko, poddawał jej duszę rozkosznym torturom.

Pewnego wieczoru, gdy już grzecznie pożegnała się z nim, na chwilę przystanęła w ogrodzie, żeby się uspokoić, zanim wsiądzie do samochodu. Nagle zauważyła zwinięty pod cyprysowym żywopłotem kłębek łachmanów, choć na pewno nie było go tam, kiedy wcześniej wychodziła pospacerować w czasie przerwy. Podeszła do niego ostrożnie i dotknęła czubkiem buta. Kłębek poruszył się, na co Bel z przerażeniem odskoczyła do tyłu.

Z bezpiecznej odległości przyglądała się, jak spod łachmanów ukazała się mała, brudna ludzka stopa, a po chwili z drugiej strony wychynęła głowa ze skołtunionymi od brudu włosami. Powoli wyłaniała się cała drobna postać i po chwili Bel zobaczyła, że to siedmio-, może ośmioletni chłopczyk. Jego zmęczone oczy otworzyły się, ale po kilku sekundach znów się zamknęły i Bel zrozumiała, że dziecko z powrotem zasnęło.

– *Meu Deus* – szepnęła do siebie wzruszona do łez tym widokiem. Zastanawiała się, co zrobić, lecz na razie ostrożnie podeszła bliżej i cichutko przy nim uklęknęła, nie chcąc go przestraszyć. Dotknęła małego leciutko, ale tym razem chłopiec na dobre się obudził i usiadł w popłochu. Od razu był w pełnym pogotowiu, przygotowany do obrony. – Proszę, nie bój się. Nic ci nie zrobię. *Tu parles français?*

Twarz chłopca wyrażała paniczny strach. W obronnym geście mały wyciągnął przed siebie wychudzone ręce i przesunął się do tyłu, pod ochronę żywopłotu.

– Skąd jesteś? – spróbowała go jeszcze raz zagadnąć, tym razem po angielsku.

Znowu wlepił w nią tylko pusty wzrok, jak zwierzątko w pułapce. Zauważyła, że na goleni ma głęboką, pokrytą strupem ranę. Kiedy cofał się przed nią ze strachu, spojrzała w jego duże przerażone oczy i w jej oczach natychmiast pojawiły się łzy. Powolutku wyciągnęła w jego stronę rękę i delikatnie położyła dłoń na jego policzku. Uśmiechnęła się. Wiedziała, że musi spróbować zdobyć jego zaufanie. Delikatnie ujęła jego twarz i poczuła, że chłopiec powoli się rozluźnia.

– Co ci się stało? – szepnęła, patrząc mu w oczy. – Spotkała cię straszna krzywda, coś, na co jesteś stanowczo za młody.

Nagle głowa chłopca ciężko opadła na jej dłoń, lecz po chwili z przerażeniem z powrotem się podniosła. W końcu, kiedy stwierdził, że nie cofnęła swego pieszczotliwego wsparcia, znów zapadł w sen.

Bel zostawiła rękę tam, gdzie była, żeby go nie niepokoić. Udało jej się jakoś do niego podpełznąć, cały czas szepcząc czułe słówka w trzech znanych jej językach, po czym objęła chłopca drugim ramieniem. W końcu delikatnie wyciągnęła go z krzaków. Mały zaczął pochlipywać, ale już się jej chyba nie bał. Podskoczył tylko z bólu, kiedy ruszyła jego prawą nogę – tę, na której miał ranę – żeby ułożyć go sobie na kolanach.

Gdy chłopiec już bezpiecznie na nich leżał, odwrócił głowę w jej stronę i przytulił się do Bel. Starała się, jak mogła, przełknąć żółć, która podchodziła jej do gardła z powodu straszliwego smrodu. Siedziała i kołysała malca, delikatnie przytulając go do piersi.

– Izabelo – usłyszała za sobą nagle głos. – Co takiego, na Boga, się stało? Dlaczego siedzi pani na trawie?

– Ciiicho, bo go pan obudzi. – Cały czas uspokajająco głaskała twarz chłopca.

– Gdzie go pani znalazła? – szepnął Laurent.

– Pod żywopłotem. Ma jakieś siedem, osiem lat, ale jest taki chudy, że waży nie więcej niż dwulatek. Co tu robić? – Popatrzyła na niego śmiertelnie zatroskana. – Nie możemy go tu zostawić. Ma paskudną ranę na nodze, którą trzeba opatrzyć. Może dostać zakażenia.

Laurent zmierzył wzrokiem siedzącą na ziemi Bel i brudne dziecko. Pokręcił głową.

– Izabelo, przecież pani wie, że na francuskich ulicach pełno jest takich dzieci. Większość z nich nielegalnie przekroczyła granicę i przyszła tu aż z Rosji albo z Polski.

– Tak – syknęła. – W Brazylii też się to zdarza. Ale ten chłopiec jest tutaj, z nami, i to ja go znalazłam. Jak mogłabym go tu zostawić, rzucić go na drogę pod bramą Landowskiego i pozwolić, by umarł? Do końca życia bym sobie tego nie wybaczyła.

Laurent zobaczył, że po policzkach Bel płyną łzy, a jej oczy rozbłysły bólem i wewnętrznym żarem. Nachylił się ku niej, a potem delikatnie zaczął gładzić skołtunione włosy śpiącego chłopczyka.

– Proszę mi wybaczyć – szepnął. – Być może to, co codziennie widzę na ulicach Paryża, uodporniło mnie na ludzkie cierpienie. Bóg położył to dziecko na pani drodze i oczywiście, że musi pani zrobić, co się da, żeby mu pomóc. Jest za późno, żeby przeszkadzać Landowskim. Niech prześpi dzisiejszą noc na sienniku w kuchni. Mam klucz do drzwi i mogę go tam zamknąć, żeby nic nie stało się bezcennemu Chrystusowi profesora. Niestety, nigdy nie wiadomo, co takie zabłąkane istoty mają w głowie. Będę dzisiaj spał w atelier i go popilnuję. Może pani wnieść go do środka?

– Tak – z wdzięcznością odpowiedziała Bel. – Dziękuję panu.

– Pójdę powiedzieć kierowcy, że będzie musiał jeszcze trochę zaczekać. – Laurent pomógł jej wstać. Cały czas trzymała śpiącego chłopca w ramionach.

– Jest leciutki jak piórko – szepnęła, spoglądając na niewinną dziecięcą buzię. Chłopiec zaufał jej, bo zwyczajnie nie miał innego wyjścia.

Laurent przyglądał się jej, jak ostrożnie, z czułością wnosi dziecko do atelier, uważając, by go nie obudzić. Kiedy szedł porozmawiać z kierowcą, na chwilę także jego oczy zaszkliły się od łez.

Gdy wrócił, czekała na niego, siedząc na tym samym krześle, na którym codziennie mu pozowała, a chłopiec nadal leżał w jej ramionach.

– Przygotuję dla niego siennik w kuchni – powiedział, zachodząc w głowę, co powie Landowski, kiedy o świcie zobaczy w swoim atelier brudnego ulicznika. Tak czy inaczej, Laurent bardzo chciał pomóc temu dziecku.

Kilka minut później Bel wniosła je do kuchni i delikatnie położyła na sienniku.

– Muszę umyć mu chociaż twarz i oczyścić ranę. Ma pan jakieś szmatki i coś do odkażenia rany?

– Gdzieś coś pewnie mamy – powiedział Laurent i zaczął przeszukiwać kredens, aż znalazł jakiś antyseptyk. Na chwilę wyszedł z kuchni i wrócił z kawałkiem gazy, której używali do robienia odlewów z gipsu.

– Ma pan jakiś bandaż? – zapytała, a kiedy Laurent powiedział, że niczego takiego nie znalazł, delikatnie owinęła ranę gazą. Chłopiec wzdrygał się, ale już się nie budził. – Noc jest wprawdzie ciepła, ale on cały trzęsie się z gorączki. Potrzebujemy koca.

Laurent po chwili przyniósł koc, którym sam miał owinąć się na noc.

– Posiedzę tu jeszcze chwilę i poleję go zimną wodą, żeby zbić gorączkę i upewnić się, że czuje się tu bezpiecznie – poinformowała Bel Laurenta, który cały czas stał przy niej w maleńkiej kuchence.

Skinął głową i poszedł, aby tuż obok, w atelier, przygotować posłanie dla siebie.

– Kochane dziecko – szeptała, wycierając małemu czoło mokrą szmatką i głaszcząc go po włosach. – Kiedy jutro rano się obudzisz, nie będzie mnie tutaj, ale nic się nie bój. Obiecuję ci, że gdy wrócę, zatroszczę się o ciebie. Ale teraz muszę już iść. Śpij dobrze.

Gdy zaczęła wstawać, nagle spod koca wychynęła ręka i chłopiec chwycił ją za brzeg spódnicy. Miał szeroko otwarte oczy i nie spuszczał z niej wzroku.

Idealną francuszczyzną powiedział:

– Nigdy nie zapomnę, co pani dla mnie zrobiła, mademoiselle. – Potem z westchnieniem ulgi przewrócił się na bok i zamknął oczy.

– Muszę iść – zwróciła się Bel do Laurenta, wychodząc z kuchni. – Gdzie jest klucz do więzienia? – dodała z sarkazmem w głosie.

– Izabelo, wie pani, że chcę jedynie chronić profesora i jego rodzinę. To ich dom i jego wielkie dzieło sztuki – przypomniał jej, wskazując na pół ukończoną postać Chrystusa.

– Oczywiście. Ale proszę mi obiecać, że kiedy rano się obudzi, powie mu pan, że jest tutaj bezpieczny. Sama porozmawiam z profesorem i wszystko mu wytłumaczę, bo to przeze mnie wyniknął ten kłopot. A teraz muszę iść. Sam Bóg raczy wiedzieć, co mnie rano czeka ze strony senhory da Silva Costy. Na pewno jest na mnie wściekła.

– Izabelo... Bel... – Laurent chwycił ją za ramię, kiedy kierowała się do drzwi. Przyciągnął ją do siebie i mocno przytulił. – Jesteś prawdziwie piękna... wewnątrz i na zewnątrz. Nie mogę dłużej znieść tej maskarady, udawania, które jest między nami. Jeśli chcesz, proszę, powiedz, że mam cię puścić, ale, Boże, mi dopo-

254

móż, dzisiaj, kiedy zobaczyłem, ile jest w tobie czułości... – Pokręcił głową. – Chcę przynajmniej dotknąć twoich ust moimi.

Bel mocno się w niego wpatrzyła. Wiedziała, że stoi nad przepaścią, lecz ani jedna jej komórka nie wzbrania się przed tym, aby w nią skoczyć.

– Jestem twoja – szepnęła i ich usta się złączyły.

Obok, w kuchni, mały chłopiec po raz pierwszy od miesięcy spał spokojnie.

25

Następnego dnia o piątej po południu Bel, pełna obaw, wróciła do atelier. Nie dość, że martwiła się o los chłopca, to bała się, czy wyznanie Laurenta i jego pocałunek nie wynikały jedynie z emocjonującej sytuacji.

– O! – przywitał ją Landowski, który właśnie mył się po całym dniu pracy. – Święta Izabela we własnej osobie!

– Jak tam chłopiec, profesorze? – zapytała, rumieniąc się.

– Pani znajdek właśnie zasiada do kolacji z moimi dziećmi – wyjaśnił. – Kiedy zawołałem żonę i zobaczyła, że śpi na kuchennej podłodze jak wychudzony szczurek, podobnie jak pani natychmiast się nad nim zlitowała. Z obawy, że może mieć wszy, kazała go porządnie opłukać szlauchem w ogródku i wyszorowała od stóp do głów szarym mydłem. Potem owinęła go kocem i położyła do łóżka u nas w domu.

– Dziękuję, profesorze. Przepraszam, że sprawiłam pana rodzinie taki kłopot.

– Gdyby chodziło o mnie, wyrzuciłbym go na ulicę, gdzie jest jego miejsce, ale wy, kobiety, macie miękkie serca. Za co my, mężczyźni, jesteśmy wam bardzo wdzięczni.

– Powiedział państwu, skąd pochodzi?

– Nie, ponieważ od kiedy moja żona nim się zaopiekowała, nie wydusił z siebie ani słowa. Żona uważa, że jest niemową.

– Wiem, że nie jest, monsieur. Powiedział coś do mnie wczoraj, zanim wyszłam.

– Naprawdę? To ciekawe. – Landowski w zamyśleniu kiwnął głową. – Jak na razie z nikim innym nie raczył podzielić się swoim darem mowy. Poza tym nosi przy sobie skórzaną sakiewkę, którą żona znalazła po rozebraniu go z brudnych łachmanów. Kiedy usiłowała ją zdjąć, żeby go umyć, zawarczał jak wściekły pies i nie chciał jej oddać. Zobaczymy, co z nim będzie. Tak na oko, moim zdaniem, pochodzi z Polski. Swój zawsze pozna swego – dodał spokojnie. – Dobranoc.

Kiedy wyszedł z atelier, Bel odwróciła się i zobaczyła Laurenta, który stał przed nią ze skrzyżowanymi na piersi rękami.

– Cieszysz się, że twój przybłęda znalazł opiekunów?

– Tak. Tobie także dziękuję, że się nim zająłeś.

– A ty jak się dzisiaj miewasz, Bel?

– Dobrze, monsieur – powiedziała, odwracając wzrok.

– Nie żałujesz tego, co się wczoraj wieczorem między nami stało? – Wyciągnął do niej ręce. Wyzywająco podniosła wzrok i spojrzała mu w oczy.

– Nie żałowałam tego ani przez chwilę.

– Dzięki Bogu – szepnął, pociągnął ją w stronę kuchni, żeby nie było ich widać przez okno, i pocałował ją równie namiętnie jak wieczorem.

*

Tak zaczął się ich romans, który nie wychodził poza pocałunki. Oboje wiedzieli, jakie ponoszą ryzyko, gdyby przyłapał ich Landowski, który często o dziwnych porach wpadał do atelier, by przyglądać się swemu na pół ukończonemu Chrystusowi. Ręce Laurenta szybciej niż kiedykolwiek uwijały się przy rzeźbie Bel. W pośpiechu kończył jej twarz, by po pracy mogli ukraść dla siebie więcej wspólnych minut.

– Mój Boże, Izabelo, zostało nam tak mało czasu. O tej porze za tydzień będziesz odpływała z mojego życia – szepnął, gdy stała wtulona w jego ramiona, a głowę oparła mu na barku. – Jak ja to wytrzymam?

– A ja?

– Kiedy pierwszy raz cię zobaczyłem, zachwyciłem się twoją urodą i przyznam się, że z tobą flirtowałem. – Uniósł brodę Bel, by móc jej patrzeć w oczy. – Ale potem, gdy codziennie przede mną siedziałaś i powoli odkrywałaś swoją duszę, myślałem o tobie jeszcze długo po twoim wyjściu. Aż w końcu wczoraj, kiedy zobaczyłem, z jaką czułością zajmujesz się tym chłopcem, byłem już pewny, że cię kocham. – Westchnął i pokręcił głową. – Czegoś takiego jeszcze nie przeżywałem. Nigdy nie sądziłem, że jestem w stanie tak się zakochać. Niestety, los chciał, byś została przyrzeczona innemu, a ja już nigdy cię nie ujrzę. Wielu moich kolegów pisarzy opisałoby tak tragiczną sytuację w powieściach i poematach. Ale dla mnie jest to smutna prawda.

– Tak. – Bel westchnęła z rozpaczą.

– W takim razie, *ma chérie*, musimy chociaż wykorzystać czas, jaki nam został.

*

Bel przeżywała swój ostatni tydzień w Paryżu w ekstatycznym transie. Nie była w stanie zastanawiać się nad swym nieuchronnym wyjazdem. Przyglądała się, jak pokojówka wnosi do pokoju jej kufer i napełnia go rzeczami, zupełnie jakby należał do kogoś innego. Mimo uszu puszczała rozmowy o rejsie do domu i obawy Marii Georgiany, że będzie na statku sama.

– Oczywiście nic nie możemy na to poradzić. Musisz wrócić, żeby szykować się do ślubu, ale przysięgnij, że w portach pozostaniesz na pokładzie, a już zwłaszcza w Afryce.

– Oczywiście – automatycznie odpowiedziała Bel. – Nic mi się nie stanie.

– Skontaktowałam się z biurem podróży i obiecali mi, że ochmistrz znajdzie jakąś odpowiednią starszą panią, która będzie w podróży pełniła rolę twojej przyzwoitki.

– Dziękuję, senhora – z roztargnieniem odparła Bel. Prawie nie słyszała, co Maria Georgiana mówi, bo właśnie przypinała kapelusz przed wyjazdem do atelier. Myślami była już z Laurentem.

– Heitor twierdzi, że twoja rzeźba jest prawie skończona, więc dzisiaj pojedziesz do atelier Landowskiego po raz ostatni. Jutro urządzamy dla ciebie pożegnalną kolację. – Maria Georgiana uśmiechnęła się.

Bel spojrzała na nią, prawie nie ukrywając przerażenia, lecz po chwili uświadomiła sobie, że zachowuje się niegrzecznie.

– Dziękuję, senhora. To bardzo miłe z pani strony.

Kiedy jechała samochodem, na myśl, że po raz ostatni zobaczy się z Laurentem, ogarnęła ją rozpacz.

W atelier stwierdziła jednak, że jej ukochany sprawia wrażenie zadowolonego i dumnego z siebie.

– Wczoraj po twoim wyjeździe pracowałem do świtu, żeby skończyć rzeźbę – powiedział i wskazał na zasłonięte plandeką dzieło. – Chciałabyś ją zobaczyć?

– Bardzo – bąknęła, nie chcąc, aby jej rozpacz zniszczyła radość Laurenta.

Teatralnym gestem ściągnął z rzeźby zasłonę.

Bel wlepiła wzrok w swoją podobiznę. Jak zazwyczaj przy oglądaniu dzieł sztuki nie od razu była pewna swojej reakcji. Doceniała, jak idealnie Laurent oddał jej kształty, a twarz, która na nią patrzyła, była jej twarzą. Ale najbardziej uderzyła ją atmosfera bezruchu, który emanował z rzeźby, jakby przedstawiona postać pogrążona była w głębokiej kontemplacji.

– Wyglądam na… bardzo samotną. I smutną. Ta postać jest surowa… nie ma w niej nic frywolnego.

– To prawda. Jak wiesz, takiego właśnie stylu uczy nas Landowski, i dlatego jestem w jego atelier. Widział ją przed wyjściem i powiedział, że to najlepsze dzieło, jakie dotąd wyrzeźbiłem.

– W takim razie bardzo się cieszę. Gratuluję.

– Może kiedyś, w przyszłości, zobaczysz ją na wystawie moich prac i będziesz wiedziała, że przedstawia ciebie. Zawsze będzie ci mnie przypominała, a także piękne chwile, które dawno, dawno temu razem spędziliśmy w Paryżu.

– Nie mów tak! Błagam! – jęknęła, tracąc nad sobą panowanie. Ukryła twarz w dłoniach. – Nie mogę tego znieść.

– Proszę cię, nie płacz, Izabelo. – Natychmiast był u jej boku, otoczył ją ramieniem i pocieszał. – Gdybym mógł to zmienić, przysięgam, że na pewno bym to zrobił. Ale pamiętaj, że ja jestem wolny i mogę cię kochać, to ty nie jesteś wolna, aby kochać mnie.

– Wiem – odparła. – W dodatku dziś widzimy się po raz ostatni. Tuż przed moim wyjściem pani da Silva Costa powiedziała mi, że jutro urządzają dla mnie pożegnalną kolacją. A pojutrze wsiadam na statek i wracam do Rio. Poza tym już nie muszę ci pozować. – Wskazała na rzeźbę.

– Zaręczam ci, Bel, że dopiero zacząłem.

Wtuliła głowę w jego ramię.

– Co możemy zrobić? Co w ogóle da się zrobić?

Zapadła chwila milczenia, po czym Laurent powiedział:

– Nie wracaj do Brazylii, Izabelo. Zostań ze mną w Paryżu.

Na moment zaparło jej dech w piersiach. Nie mogła uwierzyć w słowa, które usłyszała.

– Posłuchaj. – Pociągnął ją za sobą na ławkę i posadził koło siebie. – Wiesz, że w porównaniu z twoim bogatym narzeczonym nie mogę ci nic dać. Mam tylko pokój na strychu na Montparnassie, w zimie jest lodowaty, a w lecie gorący jak rozpalony piec. I tylko te ręce, które mogą zmienić moje położenie. Ale przysięgam, Izabelo, że kochałbym cię jak żaden inny mężczyzna.

Wtuliła się w jego ciało, a jego słowa były dla niej niczym krople wody, które wpadają do spierzchniętych z pragnienia ust. Siedząc otulona jego ramieniem, po raz pierwszy wyobraziła sobie ich wspólną przyszłość… Mimo wszystkich niedogodności, które wyliczył, była to dla niej wizja równie cudowna, co nieosiągalna. Wiedziała, że musi ją wymazać z myśli.

– Wiesz, że nie mogę tego zrobić – powiedziała. – Coś takiego załamałoby rodziców. Małżeństwo z Gustavem jest szczytem marzeń mojego ojca. Całe życie na to pracował. Jak mogłabym to zrobić jemu i mojej kochanej mamie?

– Rozumiem, że nie możesz, ale ty zrozum, że bardzo bym chciał, żebyś tak zrobiła.

– Nie jestem taka jak ty. – Bel pokręciła głową. – Może dlatego, że żyjemy w innych światach, a może po prostu, ponieważ ty jesteś mężczyzną, a ja kobietą. W Brazylii rodzina jest wszystkim.

– Szanuję to. Wydaje mi się jednak, że są sytuacje, kiedy człowiek powinien przestać myśleć o innych, a zatroszczyć się o siebie. Wychodzenie za mężczyznę, którego nie kochasz, i godzenie się na życie, którego nie pragniesz, czyli krótko mówiąc, poświęcenie własnego szczęścia, wydaje mi się zbyt dużą ofiarą, nawet ze strony najbardziej oddanej córki.

– Nie mam wyboru – odparła zrozpaczona.

– Rozumiem, dlaczego tak myślisz, ale jak wiesz, każdy człowiek ma wolną wolę; właśnie to odróżnia nas od zwierząt. A poza tym – Laurent przerwał na chwilę, jakby się zastanawiał, jak sformułować następne zdanie – co będzie z twoim narzeczonym? Mówiłaś, że jest w tobie zakochany?

– Tak mi się wydaje.

– Jak poradzi sobie z tym, że poślubił kobietę, która nie jest w stanie odwzajemnić jego uczucia? Czy twoja obojętność i świadomość, że wychodzisz za niego z obowiązku, w końcu nie zniszczą mu duszy?

– Mama mówi, że z czasem go pokocham, i muszę jej wierzyć.

– Więc – ręka Laurenta spadła z jej ramienia – pozostaje mi życzyć ci szczęścia i powodzenia w życiu. Myślę, że między nami na tym się kończy. – Raptownie wstał i wyszedł do głównego pomieszczenia atelier.

– Laurent, proszę cię, nie zachowuj się w ten sposób. To ostatnie chwile, które spędzimy razem.

– Izabelo, nic więcej nie mam do powiedzenia. Wyznałem ci miłość i oddanie. Poprosiłem cię, żebyś nie wracała do domu, tylko została tu ze mną. – Ze smutkiem wzruszył ramionami. – Nic więcej nie jestem w stanie zrobić. Wybacz mi, jeśli nie mogę słuchać, jak mi mówisz, że może kiedyś pokochasz męża.

W głowie Bel kłębiło się od sprzecznych myśli. Serce waliło jej w piersi i czuła się, jakby była chora. Patrzyła na Laurenta zasłaniającego rzeźbę, jak gdyby zakrywał zwłoki krewnego, który właśnie umarł. Nie wiedziała, czy to gest symboliczny, czy ma znaczenie jedynie praktyczne; nie miało to zresztą dla niej znaczenia. Wstała z ławki i podeszła do ukochanego.

– Proszę, musisz mi dać czas na przemyślenie tego wszystkiego... Muszę się zastanowić... – Załkała i przycisnęła palce do skroni.

Laurent na chwilę przystanął, jakby przez sekundę się zawahał, po czym się odezwał:

– Wiem, że nie możesz już przyjechać do atelier. Ale proszę cię, zrób dla mnie jeszcze tylko tę jedną, ostatnią rzecz, o którą cię poproszę: spotkaj się ze mną jutro po południu w Paryżu.

– Czy ma to sens?

– Błagam cię, Izabelo. Powiedz tylko, gdzie i kiedy.

Spojrzała mu w oczy i uznała, że nie ma siły odmówić.

– Przy południowym wejściu do parku na rogu avenue de Marigny i avenue Gabriel. Będę tam o trzeciej.

Popatrzył na nią i kiwnął głową.

– Przyjdę. Dobranoc, Bel.

Wyszła z atelier, bo nic więcej nie miała już do powiedzenia. Idąc przez ogród, zobaczyła chłopca, którego znalazła. Stał samotnie i patrzył w gwiazdy. Podeszła do niego, a on uśmiechnął się na jej widok.

– Dzień dobry – przywitała go. – Wyglądasz dużo lepiej. Jak się czujesz?

Kiwnął do niej głową, więc wiedziała, że ją zrozumiał.

– Pojutrze wyjeżdżam z Francji i wracam do domu, do Brazylii. – Bel wyjęła z torebki ołówek i mały notatnik, a potem coś w nim napisała. – Gdybyś kiedyś czegoś potrzebował, skontaktuj się ze mną, proszę. Tu jest moje imię i adres moich rodziców.

Wyrwała z notesu kartkę i podała ją chłopcu. Popatrzyła jeszcze, jak z niej czyta, uważnie wymawiając słowa. Jeszcze raz sięgnęła do torebki i wyjęła z niej dwudziestopięciofrankowy banknot. Wcisnęła go w jego małą rączkę, schyliła się i pocałowała go w czubek głowy.

– Do widzenia, *querido*. Niech ci sprzyja szczęście.

*

Później, kiedy Bel wspominała Paryż, dokładnie pamiętała spędzone tam długie, bezsenne noce. Maria Elisa smacznie sobie spała, a Bel uchylała odrobinkę zasłony i siadała na parapecie, by przyglądać się paryskim ulicom w dole i marzyć o przyjemnościach na zewnątrz. Ta noc była najdłuższa. Bel siedziała, opierając gorące czoło o zimną szybę, i zadawała sobie pytania o przyszłość. Gdy ciemna noc zaczęła się rozjaśniać, podjęła decyzję. Przeraźliwie smutna, wślizgnęła się do łóżka. Miała podobny nastrój jak szary świt, który zakradał się do pokoju przez szparę między zasłonami.

*

– Przyszłam, żeby się pożegnać – powiedziała do Laurenta.

Z jego twarzy zniknęła nadzieja i rozwiała się jak kurz na kamiennej ścieżce pod ich stopami.

– Nie mogę zawieść rodziców – dodała. – Musisz to zrozumieć.

Patrzył na swoje stopy.

– Rozumiem – rzucił po chwili.

– Lepiej będzie, jeśli już pójdę. Dziękuję, że przyszedłeś ze mną się spotkać, i życzę ci szczęścia i wszelkiej radości, jaka tylko jest w życiu możliwa. Jestem pewna, że kiedyś usłyszę o tobie i o twoich rzeźbach, bo zdobędą uznanie.

Bel wstała. Każdy mięsień jej ciała napiął się ze stresu; nadludzką siłą starała się opanować emocje. Uniosła się na palcach, by pocałować Laurenta w policzek.

– Do widzenia – szepnęła. – Niech Bóg cię błogosławi.

Odwróciła się na pięcie i ruszyła szybkim krokiem.

Kilka sekund później poczuła dłoń na swoim ramieniu.

– Błagam cię, Bel, jeśli kiedykolwiek zmienisz zdanie, wiedz, że będę na ciebie czekał. *Au revoir*, kochana. – Tym razem on się odwrócił i szybko pobiegł przez trawę.

26

Bel jakoś przetrwała następne dwadzieścia cztery godziny i uroczystą kolację, którą przygotowali dla niej da Silva Costowie.

– Niestety, nie będziemy mogli być na twoim ślubie – powiedział Heitor, kiedy wznieśli za nią toast szampanem. – Ale życzymy tobie i twojemu narzeczonemu, abyście byli bardzo szczęśliwi.

Po kolacji podarowali jej piękny porcelanowy serwis do kawy z Limoges na pamiątkę wspólnie spędzonego czasu we Francji. Kiedy odchodzili od stołu, Heitor uśmiechnął się do Bel.

– Cieszysz się, że wracasz do domu, Izabelo?

– Cieszę się, że zobaczę się z rodziną. I oczywiście z narzeczonym – dodała szybko. – Ale będę bardzo tęskniła za Paryżem.

– Może kiedyś zobaczysz posąg Cristo na szczycie Corcovado i opowiesz swoim dzieciom, jak byłaś świadkiem jego tworzenia.

– Tak, jestem zaszczycona, że mogłam to obserwować – podziękowała Bel. – A jak idą prace?

– Jak wiesz, Landowski prawie skończył czterometrowy model. Muszę teraz znaleźć miejsce, w którym rzemieślnicy powiększą go do trzydziestu metrów. W przyszłym tygodniu profesor zacznie pracę nad pełnowymiarową głową i nad dłońmi. Kiedy widziałem się z nim ostatnio, powiedział mi, że monsieur Brouilly zrobił odlewy twoich dłoni i dłoni senhority Lopes de Almeidy i mają mu posłużyć jako ewentualne prototypy. Kto wie, może kiedyś twoje piękne palce będą błogosławiły Rio ze szczytu Corcovado.

*

Maria Georgiana uparła się, żeby ona i Maria Elisa weszły z Bel na statek. Pomogła jej wprowadzić się do kajuty, a potem na szczęście wyszła, żeby porozmawiać z ochmistrzem, i na kilka minut zostawiła dziewczęta same.

– Bądź szczęśliwa, najdroższa Izabelo – powiedziała Maria Elisa, całując przyjaciółkę na pożegnanie.

– Postaram się – obiecała Bel.

– Czy coś się stało? – Maria Elisa badawczo przyglądała się jej twarzy.

– Nie... chyba tylko denerwuję się ślubem.

– Wszystko mi opisz. Zobaczymy się, kiedy wrócę do Rio. Bel...

– O co chodzi?

Rozległ się dzwon okrętowy; za trzydzieści minut statek odpływał.

– Wspominaj Paryż, ale proszę, otwórz się także na przyszłość z Gustavem.

Bel przyjrzała się przyjaciółce. Instynktownie wiedziała, co Maria Elisa chce jej powiedzieć.

– Obiecuję, że to zrobię.

Do kajuty wróciła Maria Georgiana.

– Ochmistrz jest oblegany przez pasażerów, więc nie mogłam z nim porozmawiać, ale pamiętaj, żeby mu się przedstawić. Wie już, że jesteś samotnie podróżującą młodą kobietą, i na pewno znajdzie kogoś odpowiedniego, kto się tobą zaopiekuje.

– Obiecuję, że to zrobię. Do widzenia, senhora. Dziękuję za troskę.

– Przyrzeknij mi, że nie zejdziesz ze statku, póki bezpiecznie nie przycumuje w Pier Mauá. I wyślij telegram, kiedy tylko cała i zdrowa dotrzesz do rodziców.

– Na pewno. Od razu po powrocie do domu.

Bel odprowadziła przyjaciółkę i jej matkę na górny pokład, żeby ostatecznie się pożegnać. Kiedy zeszły po trapie, oparła się o reling. Wyglądała na port Le Havre, wiedząc, że po raz ostatni widzi Francję.

Gdzieś na południu jest Paryż, a tam Laurent. Statek spokojnie odbijał od portu, a Bel stała, patrząc na brzeg, aż w końcu zlał się z horyzontem.

– Do widzenia, kochany, do widzenia – szepnęła i ogarnięta czarną rozpaczą zeszła do kajuty.

*

Wieczorem zjadła kolację w swojej kajucie, bo nie była w stanie znieść wesołej atmosfery jadalni, pełnej osób cieszących się podróżą statkiem. Położyła się na łóżku i poczuła delikatne kołysanie. Powoli zapadała noc, a ona przyglądała się, jak iluminator robi się równie czarny jak jej serce.

Zastanawiała się, czy teraz, kiedy opuściła stały ląd, i zarówno statek, jak i jej przyszłe życie przyjęły kierunek na dom, serce nie będzie ją już bolało tak potwornie. Przecież zobaczy ukochaną matkę i ojca, znajdzie się w znajomym otoczeniu, we własnym kraju.

Przygotowania do ślubu trwały już na dobre. Ojciec pisał o wielkiej wrzawie, jaka temu towarzyszy. Ceremonia miała się odbyć w pięknej katedrze w Rio. Był to zaszczyt, który spotykał nielicznych.

Ale choć bardzo się starała, a statek coraz bardziej oddalał się od Laurenta, serce miała równie ciężkie jak kamienie, które leżały za atelier Landowskiego.

Maja
Czerwiec 2007

Pełnia
13:49:44

27

Kiedy skończyłam czytać ostatni list, zobaczyłam, że jest po północy. Izabela Bonifacio płynęła parowcem. Opuściła Laurenta Brouilly'ego i wracała do człowieka, którego nie kochała.

Lau...

Krew popłynęła mi szybciej w żyłach, ponieważ zrozumiałam, skąd się wzięły pierwsze trzy litery na odwrocie steatytowej płytki: od imienia Laurenta, ukochanego Bel. A rzeźba kobiety na krześle w ogrodzie Casa das Orquídeas była na pewno dziełem, do którego Bel pozowała podczas swych upojnych dni w Paryżu, choć nie miałam pojęcia, jak ta rzeźba dotarła do Brazylii.

Jutro jeszcze raz przeczytam listy, pomyślałam, bo na razie tak zafascynowała mnie sama historia Bel, że niedostatecznie skupiłam się na szczegółach, a poza tym sprawdzę w internecie, kim był monsieur Laurent Brouilly. Jego nazwisko coś mi mówiło. Na razie byłam jednak strasznie zmęczona. Rozebrałam się, przykryłam kołdrą i zasnęłam, nadal trzymając rękę na listach, które być może opisywały życie moich przodków.

*

Obudził mnie ostry, brzęczący dźwięk. Zdezorientowana, dopiero po kilku sekundach stwierdziłam, że dzwoni stojący na stoliku nocnym telefon. Sięgnęłam po słuchawkę, przyłożyłam ją do ucha i mruknęłam:

– Halo?

– Maju, tu Floriano. Jak się czujesz?

– Lepiej – wykrztusiłam i natychmiast poczułam wyrzuty sumienia, że wieczorem go okłamałam.

– To dobrze. A masz siłę dzisiaj się ze mną spotkać? Mam ci wiele do powiedzenia.

A ja tobie, pomyślałam, ale zatrzymałam to dla siebie.

– Oczywiście – rzuciłam.

– Jest piękna pogoda, więc przejdźmy się po plaży. Odpowiada ci, żebym czekał na ciebie w holu na dole o jedenastej?

– Tak, ale proszę cię, Floriano. Jeśli masz jakieś inne obowiązki, to ja...

– Moja droga, jestem pisarzem. Chętnie chwytam się każdego zajęcia, które daje mi wymówkę, by nie siadać przy biurku i nie pisać. Do zobaczenia za godzinę.

Zamówiłam śniadanie do pokoju i jeszcze raz przeczytałam kilka pierwszych listów, aby jaśniej uświadomić sobie ich treść. Kiedy zbliżała się więc pora spotkania, szybko wzięłam prysznic i punktualnie o jedenastej byłam w holu. Floriano już na mnie czekał. Siedział i czytał kartkę z wypchanego plastikowego folderu, który miał na kolanach.

– Dzień dobry – przywitałam go.

– Dzień dobry – odpowiedział, podnosząc na mnie wzrok. – Nie wyglądasz na chorą.

– Jestem już zdrowa. – Usiadłam przy nim i postanowiłam natychmiast wyznać mu prawdę. – Floriano, wczoraj zostałam w pokoju nie tylko z powodu brzucha. Tuż przed naszym wyjściem z Casa das Orquídeas ta leciwa służąca pani Carvalho, Yara, dała mi paczuszkę. I kazała mi przysiąc, że nikomu o niej nie powiem.

– Rozumiem. – Floriano wyraźnie się zdziwił. – A co w niej było?

– Listy, które Izabela Bonifacio napisała do swojej ówczesnej służącej. Nazywała się Loen Fagundes i była matką Yary.

– Aha.

– Przepraszam, że wczoraj nie powiedziałam ci o tych listach. Po prostu chciałam je najpierw przeczytać. I przysięgnij, że nikomu o nich nie powiesz. Yara była przerażona na myśl o tym, że senhora Carvalho może się dowiedzieć, że dostałam od niej te listy.

– Oczywiście. Rozumiem. – Poważnie pokiwał głową. – W końcu to historia twojej, a nie mojej rodziny. A wyglądasz mi na osobę, której trudno komuś zaufać. Jestem pewny, że masz wiele tajemnic, których nikomu nie wyjawiasz. Więc chcesz się ze mną podzielić zawartością tych listów czy nie? To zależy od ciebie. Nie obrażę się, jeśli powiesz, że nie.

– Jasne, że wszystko ci opowiem – zapewniłam go. Poczułam się trochę nieswojo, że tak wnikliwie ocenił mój charakter, a w dodatku powiedział w zasadzie to samo, co tata napisał w swoim liście.

– W takim razie będziemy rozmawiali, spacerując.

Wyszłam za Florianem z holu i razem przeszliśmy przez ulicę na szeroką promenadę ciągnącą się wzdłuż plaży. Stało przy niej mnóstwo kiosków, w których sprzedawano plażowiczom świeżą wodę kokosową, piwo i przekąski. Miały już wielu klientów.

– Pójdziemy na Copacabanę i pokażę ci, gdzie twoja prababcia miała swoje bajeczne wesele.

– Obchodziła tam też osiemnaste urodziny – dodałam.

– Tak, mam zdjęcia także i z tej uroczystości. Znalazłem je w bibliotece, w archiwach gazet. No więc, jeśli ci to nie przeszkadza, Maju, opowiedz mi, czego się dowiedziałaś.

Idąc wzdłuż plaży Ipanema, opowiedziałam mu, tak szczegółowo, jak tylko potrafiłam, czego dowiedziałam się z listów.

Dotarliśmy do miejsca, gdzie jak poinformował mnie Floriano, zaczynała się plaża Copacabana i doszliśmy aż do hotelu Copacabana Palace. Nie sposób byłoby go nie zauważyć. Pięknie odnowiony, błyszczał w słońcu bielą. Niewątpliwie był ikoną, klejnotem w architektonicznej koronie Rio.

– Robi wrażenie – rzuciłam, spoglądając na jego fasadę. – Teraz widzę, dlaczego właśnie tu musiało się odbyć wesele Bel i Gustava. Wyobrażam ją sobie, jak tam stoi w pięknej sukni ślubnej, podziwiana przez wielkich i możnych Rio.

Poranne słońce świeciło już bardzo mocno, więc zajęliśmy dwa stołki w cieniu parasola przy jednym z kiosków na plaży. Floriano zamówił dla siebie piwo, a dla mnie wodę kokosową.

– Po pierwsze, chcę ci powiedzieć, że mój znajomy z Museu da República, ten z działu badania obiektów w świetle UV, potwierdził, że na odwrocie steatytowej płytki odczytał dwa nazwiska. Nadal pracuje nad odcyfrowaniem daty i inskrypcji, ale jest pewny, że to, co ma, zinterpretował prawidłowo: Izabela Aires Cabral i Laurent Brouilly. Oczywiście dzięki listom oboje jesteśmy pewni, kto był ukochanym Bel w Paryżu. Później został we Francji słynnym rzeźbiarzem. Proszę. – Floriano wyjął kilka kartek z plastikowego foldera i podał mi je. – Oto kilka z jego prac.

Przyjrzałam się ziarnistym zdjęciom rzeźb Laurenta Brouilly'ego. Przeważnie były to proste postacie ludzi, podobne do tej, którą widziałam w ogrodzie Casa das Orquídeas. Poza tym było też mnóstwo mężczyzn ubranych w staromodne mundury żołnierskie.

– Nazwisko jako rzeźbiarz wyrobił sobie podczas drugiej wojny światowej. Był we francuskim ruchu oporu – wyjaśnił Floriano. – W Wikipedii piszą, że został odznaczony za odwagę. Na pewno bardzo ciekawy człowiek. O, tu masz jego zdjęcie. Jak widzisz, wyglądał całkiem nieźle.

Przyjrzałam się uważnie przystojnej twarzy Laurenta. Miał wyraźne rysy, ostry kontur szczęki i wydatne kości policzkowe. Zdecydowanie galijski typ urody.

– O, popatrz: Gustavo i Izabela w dniu ich ślubu – powiedział Floriano.

Wzięłam zdjęcie, ale pominęłam Izabelę i najpierw popatrzyłam na Gustava. Trudno byłoby znaleźć kogoś bardziej różniącego się od Laurenta. Widząc jego niepokaźną posturę i drobną twarz zakończoną spiczastą brodą, zrozumiałam, dlaczego Bel i Maria Elisa porównały go do fretki. W jego oczach dostrzegłam jednak dobroć.

Wreszcie spojrzałam na Izabelę, która bardzo przypominała mnie. Miałam już odłożyć zdjęcie, kiedy zauważyłam jej naszyjnik.

– O mój Boże!

– Co takiego?

– Popatrz. – Pokazałam Florianowi, na co powinien zwrócić uwagę na zdjęciu, a palcami instynktownie sięgnęłam do kamienia księżycowego na mojej szyi.

Dokładnie obejrzał zdjęcie i przypatrzył się mnie.

– Tak, Maju, to chyba ten sam naszyjnik. Czy w końcu uwierzyłaś, że jesteś krewną Aires Cabralów? – Uśmiechnął się do mnie.

– Tak. – Po raz pierwszy byłam o tym naprawdę przekonana. – Mamy niepodważalny dowód.

– Na pewno się cieszysz.

– Owszem, ale… – Odłożyłam kartki i westchnęłam głęboko.

Floriano zapalił papierosa i cały czas się we mnie wpatrywał.

– Ale co?

– Bel zostawiła we Francji ukochanego mężczyznę, aby wyjść za Gustava Aires Cabrala, którego nie kochała. To bardzo smutne.

– Jesteś romantyczką, Maju?

– Nie, lecz gdybyś sam przeczytał te listy, nie mógłbyś nie wzruszyć się jej historią.

– Mam nadzieję, że wkrótce pozwolisz mi je przeczytać.

– Oczywiście – odparłam. – Może jednak uczucie Izabeli do Laurenta było tylko drobnym zauroczeniem.

– Może… Tylko że jeśli tak było, to dlaczego ojciec dał ci tę steatytową płytkę jako klucz do twojego pochodzenia? Łatwiej byłoby załączyć zdjęcie twojej babki z mężem.

– Nie wiem. I może nigdy się nie dowiem, bo w październiku tysiąc dziewięćset dwudziestego ósmego roku, kiedy Bel wyjechała z Paryża i wróciła do Rio, listy się kończą. Jestem więc zmuszona założyć, że wyszła za Gustava i tu z nim zamieszkała.

– Hm… nie jest to chyba cała historia. – Floriano pokazał mi następne skserowane zdjęcie. – Zrobiono je w styczniu tysiąc dziewięćset dwudziestego dziewiątego. Przedstawia gipsowy odlew głowy Cristo tuż po zdjęciu jej ze statku, którym przypłynęła z Francji. A ten dziwnie wyglądający przedmiot obok niej to gigantyczny odlew dłoni. Na zdjęciu widać dwóch mężczyzn. Jednego poznaję... to Heitor Levy, kierownik projektu budowy Cristo. Ale przyjrzyj się uważnie temu drugiemu.

Wbiłam wzrok w rysy mężczyzny, który stał oparty o dłoń Cristo. Jeszcze raz porównałam go ze zdjęciem, które Floriano podał mi kilka minut wcześniej.

– Mój Boże, to Laurent Brouilly!

– Tak.

– Więc przypłynął do Rio?

– Na to wygląda. Nie potrzeba chyba geniusza, by domyślić się, że przybył tu z Francji do pracy przy Cristo.

– I może, żeby zobaczyć się z Izabelą?

– Historyk nigdy nie powinien robić takich założeń, zwłaszcza jeśli zna tylko uczucia Izabeli do Laurenta. Nie jesteśmy pewni, co on czuł do niej.

– To prawda, ale w listach opowiadała, jak w studio Landowskiego pozowała do rzeźby, która teraz stoi w ogrodzie Casa das Orquídeas. Poza tym pisała swojej pokojówce Loen, że Laurent błagał ją, by została we Francji i nie wracała do Brazylii. Więc intryguje mnie, czy przypłynął tu za nią.... Ale jak się dowiedzieć, czy się spotkali, kiedy pojawił się w Rio?

– O to zapytajmy twoją zaprzyjaźnioną pokojówkę, Yarę. – Floriano wzruszył ramionami. – Jeśli dała ci te listy, możemy uznać, że z jakiegoś powodu chce, byś poznała prawdę.

– Ona strasznie się boi swojej pani. To, że dała listy, to jedno, a zdradzenie mi, co jeszcze wie, jest czymś całkiem innym.

– Maju, nie bądź taką fatalistką – upomniał mnie Floriano. – Przecież już zaufała ci na tyle, żeby dać ci listy. Ale może teraz wróćmy do hotelu, żebym mógł je przeczytać?

– Dobrze.

*

Floriano usiadł w moim apartamencie i zabrał się do czytania listów, a ja znowu przeszłam przez ulicę na plażę Ipanema, żeby popływać w dzikich falach Atlantyku. Było bosko! Kiedy leżałam w słońcu na ciepłym piasku, doszłam do wniosku, że Floriano ma rację – nie mogłam pozwolić, aby strach powstrzymał mnie od dążenia do odkrycia prawdy o moim pochodzeniu, skoro w tym celu przemierzyłam pół świata.

Zastanawiałam się, czy mój opór wynika z obawy przed tym, co odkryję o swoich biologicznych rodzicach. W końcu każdy krok, który podejmę, zbliżał mnie do ujawnienia, kim byli. Nie miałam pojęcia, czy żyją, czy już zmarli, a nawet dlaczego Pa Salt dał mi wskazówkę, która zaprowadziła mnie znacznie dalej w przeszłość, niż teoretycznie wydawało się to logiczne.

I dlaczego senhora Carvalho tak stanowczo zaprzeczyła, że jej córka miała dziecko? Przecież była w idealnym wieku, aby być moją matką...

Po raz kolejny przypomniałam sobie słowa Pa Salta wyryte na sferze armilarnej.

Nie mogłam uciec. Nie byłoby to w porządku.

*

– Czy możesz już pojechać ze mną do Casa das Orquídeas, żeby sprawdzić, czy Yara jeszcze coś nam powie? – zapytałam Floriana, kiedy wróciłam do apartamentu.

– Pewnie – rzucił, nie podnosząc oczu znad listu, który właśnie czytał. – Zostało mi jeszcze tylko kilka.

– To ja w tym czasie wezmę prysznic.

– W porządku.

Zamknęłam za sobą drzwi łazienki, zdjęłam ubrania i weszłam pod prysznic. Cały czas przenikliwie czułam obecność Floriana w pokoju obok. Choć zaledwie dwa dni temu był dla mnie kimś kompletnie obcym, jego otwartość, spokój i bezpośredniość sprawiły, że miałam wrażenie, jakbym znała go znacznie dłużej.

A jednak książka, którą tłumaczyłam, miała w sobie filozoficzną głębię, była wzruszająca i pełna ludzkich niepokojów. Sądząc po niej, spodziewałam się chyba kogoś znacznie poważniejszego i bardziej zdystansowanego niż mężczyzna, który siedział zaledwie kilka metrów ode mnie. Kiedy wyszłam z łazienki, zobaczyłam, że Floriano ułożył listy w schludny stosik i wyglądał przez okno na plażę.

– Chcesz włożyć je do sejfu? – zapytał.

– Tak.

Podał mi listy, a ja poszłam otworzyć sejf.

– Dziękuję ci, Maju – odezwał się nagle.

– Za co? – zapytałam, wstukując kod.

– Za to, że wtajemniczyłaś mnie w treść tych listów. Jestem pewny, że wielu moich kolegów po fachu z chęcią skorzystałoby z takiego przywileju. Zadziwiające, że twoja prababka z tak bliska obserwowała budowę naszego Cristo, mieszkała pod jednym dachem z rodziną Heitora da Silva Costy i siedziała w studio Landowskiego w trakcie przygotowywania odlewów. Czuję się szczerze zaszczycony. – Złożył przede mną teatralny ukłon.

– To ja tobie powinnam dziękować. Znamy się od niedawna, a już tak mi pomogłeś w uporządkowaniu elementów układanki, która składa się na moją tajemniczą przeszłość.

– W takim razie jedźmy do Casa das Orquídeas, żeby sprawdzić, czy nie uda nam się jeszcze czegoś do niej dołożyć.

– Będziesz musiał poczekać na zewnątrz, Floriano. Obiecałam Yarze, że nikomu nie powiem o listach. Nie chcę zawieść jej zaufania.

– A zatem będę po prostu świadczył senhoricie usługi szoferskie. – Uśmiechnął się do mnie szeroko. – Jedziemy?

Wyszliśmy z apartamentu, ruszyliśmy do windy i Floriano nacisnął guzik, żeby ją wezwać. Kiedy przyjechała i znaleźliśmy się w środku, zobaczyłam, że mój towarzysz uważnie przygląda się mojemu odbiciu w lustrach na ścianach windy.

– Opaliłaś się. Ładnie ci tak. A teraz – drzwi otworzyły się i energicznym krokiem wyszedł na korytarz – w drogę.

*

Dwadzieścia minut później parkowaliśmy po przeciwnej stronie ulicy od Casa das Orquídeas. Przejeżdżając koło metalowej bramy, zauważyliśmy, że po naszej wczorajszej wizycie powieszono na niej duże, mocne kłódki.

– Co się stało? – zdziwiłam się, kiedy wyszliśmy z samochodu. – Sądzisz, że senhora Carvalho przestraszyła się, że znowu przyjdziemy?

– Wiem tyle samo co ty – odparł Floriano i oddalając się ode mnie, ruszył wzdłuż zapuszczonego żywopłotu. – Sprawdzę, czy jest tu jakieś inne wejście, legalne albo i nie.

Zajrzałam przez żelazne pręty i popatrzyłam na dom, czując, jak ogarnia mnie rozczarowanie i zniechęcenie. Być może to, że udało nam się wczoraj wejść, było zbiegiem okoliczności, bo staruszka i Yara już od dawna miały zamiar gdzieś wyjechać – może w odwiedziny do krewnych. A ja właśnie poczułam, że rozpaczliwie pragnę poznać przeszłość, bo uwierzyłam, że jest ona moją przeszłością.

Obok mnie pojawił się Floriano.

– Ta posesja to prawdziwa forteca. Obszedłem ją dookoła i nigdzie nie ma wejścia, chyba że przedarlibyśmy się przez żywopłot, używając piły łańcuchowej. Kiedy z tyłu zajrzałem do środka przez szpary, zobaczyłem, że nawet tam okna są zasłonięte okiennicami. Wygląda na to, że dom jest na dobre zamknięty i nikogo w nim nie ma.

– A jeśli w ogóle tu nie wrócą? – zapytałam, słysząc frustrację we własnym głosie.

– Tego nie wiemy, Maju. Być może po prostu trafiliśmy na nieodpowiedni moment. Patrz, tam jest skrzynka pocztowa, więc proponuję, żebyś zostawiła Yarze karteczkę ze swoim numerem telefonu i adresem hotelu.

– A jeśli znajdzie ją staruszka?

– Gwarantuję ci na sto procent, że senhora Carvalho nie wróci i nie będzie przeglądać poczty. Pochodzi z innej epoki i wyjmowanie korespondencji ze skrzynki jest zadaniem służącej. Prawdopodobnie dostaje listy na srebrnej tacy – dodał z szerokim uśmiechem.

– No dobrze – zgodziłam się niechętnie, wygrzebałam z torebki notes i długopis i napisałam karteczkę do Yary, tak jak sugerował Floriano.

– Już nic więcej tutaj nie zdziałamy. Chodź – powiedział, kiedy otworzyłam zardzewiałą klapkę skrzynki i wrzuciłam liścik do środka.

Podczas dwudziestominutowej jazdy z powrotem do centrum Rio początkowo milczałam. Po emocjach towarzyszących czytaniu listów, które mocno rozbudziły moją ciekawość, opadły mi skrzydła.

– Mam nadzieję, że nie chcesz się poddać. – Floriano jakby czytał w moich myślach. Jechaliśmy wzdłuż plaży Ipanema.

– Oczywiście, że nie. Ale nie mam pojęcia, co dalej robić.

– Kluczem do sukcesu jest cierpliwość, Maju. Musimy po prostu zaczekać i zobaczyć, czy Yara odpowie na twoją kartkę. No i oczywiście musimy od czasu do czasu sprawdzać, czy coś nie dzieje się w Casa das Orquídeas. W takich okolicznościach zwykle nie ma żadnej wielkiej tajemnicy, tylko całkiem racjonalne wytłumaczenie. Tymczasem możemy się zastanowić, jak logicznie wytłumaczyć ich nieobecność.

– Wyjechały w odwiedziny do krewnych – wyraziłam swoje wcześniejsze przypuszczenie.

– Może, ale staruszka była taka słaba, że chyba nie miałaby siły na dłuższe podróże, a po przyjeździe w gości nie nadawałaby się do miłych pogawędek.

– Może wyjechały w obawie, że możemy wrócić?

– Niewykluczone, ale mało prawdopodobne. Senhora Carvalho mieszka w tym domu od urodzenia i choć nie chciała rozmawiać na temat możliwości, że jesteś z nią spokrewniona, to przecież nie groziliśmy jej pistoletem czy nożem – rozważał, prowadząc samochód. – Uważam, że jest tylko jeden racjonalny powód, dla którego w domu nie ma ani pani, ani jej służącej.

– Jaki?

– Pewnie senhora Carvalho zachorowała i musiała iść do szpitala. Podzwonię po okolicznych i dowiem się, czy w ciągu ostatnich dwudziestu czterech godzin nie przyjęto do któregoś mojej „ciotecznej babki".

Popatrzyłam na niego z podziwem.

– Możesz mieć rację.

– Pojedziemy do mnie do domu i sprawdzę numery pobliskich szpitali, a potem podzwonię – powiedział i zamiast dalej jechać wzdłuż wybrzeża do mojego hotelu, skręcił w prawo, w Avenida Vieira Souto.

– Proszę cię, Floriano, nie chcę ci robić kłopotu. Mogę to zrobić na moim laptopie.

– Przestań, Maju. Proszę cię. Od czasu kiedy jestem historykiem, rzadko zdarzało mi się zobaczyć coś tak ciekawego jak te listy. W dodatku jest w nich coś, o czym ci jeszcze nie mówiłem, a co sprawia, że są jeszcze bardziej fascynujące. Być może dzięki temu da się rozwiązać starą tajemnicę związaną z Cristo. Uwierz wreszcie, że pomagamy sobie nawzajem. Ostrzegam cię jednak, że moje mieszkanie nie za bardzo przypomina hotel Copacabana Palace – ostrzegł mnie, podczas gdy nadal oddalaliśmy się od plaży Ipanema.

Po chwili skręcił ostro w prawo i zatrzymał samochód na wąskim pasie betonu przed popadającym w ruinę blokiem. Znajdowaliśmy się nie więcej niż dziesięć minut drogi na piechotę od mojego hotelu, ale odniosłam wrażenie, że jesteśmy w innym świecie.

– Witaj, Maju, *chez moi*. Niestety, nie ma tu windy – odezwał się, wchodząc po schodach prowadzących do drzwi frontowych. Otworzył je i zaczął wbiegać po schodach, pokonując po dwa stopnie naraz.

Wspinałam się za nim wyżej, wyżej i jeszcze wyżej, aż dotarliśmy do maleńkiego podestu. Otworzył drzwi kluczem.

– Nie jestem asem w utrzymywaniu porządku, ale to mój dom – ostrzegł mnie ponownie. – Proszę.

Wszedł, a ja przez chwilę stałam na progu, przerażona, że wchodzę do mieszkania mężczyzny, którego prawie nie znam. Odegnałam od siebie tę myśl, przypomniawszy sobie, że kiedy spotkaliśmy się pierwszego wieczoru, musiał wracać do domu, żeby wpuścić tam dziewczynę, z którą mieszkał, i weszłam za nim do środka.

Salon, w którym się znalazłam, odpowiadał opisowi Floriana: wszędzie porozrzucane były najróżniejsze przedmioty, które po użyciu nie zostały odłożone na miejsce. Na wysłużonej skórzanej kanapie i stoliku przewalały się sterty książek i papierów. Obok stała brudna miseczka z zaschniętym jedzeniem i przepełniona popielniczka.

– Zaprowadzę cię na górę. Przyrzekam, że jest tam znacznie przyjemniej – oznajmił, prowadząc mnie dalej korytarzem.

Znów wspięliśmy się na górę po schodach i znaleźliśmy się w małym korytarzyku z dwojgiem drzwi. Floriano otworzył jedne z nich i ukazał nam się w większości osłonięty stromym dachem taras, na którym stała kanapa, stół i krzesła, a w kącie biurko z laptopem; nad nim wisiała półka z książkami. Przód tarasu – nieosłonięty dachem – był otwarty na żywioły, a wzdłuż jego brzegu stały doniczki pełne kwiatów, które dodawały temu miejscu koloru i atmosfery.

– Tu mieszkam i pracuję. Rozgość się. – Floriano podszedł do biurka, otworzył laptop i usiadł.

Podeszłam do brzegu tarasu i natychmiast poczułam na twarzy palące słońce. Oparłam się łokciami o balustradę i podniosłam wzrok. Zaledwie kilkaset metrów dalej, na stromym zboczu góry, było miasteczko złożone z chaotycznie pobudowanych domów. Zobaczyłam, że z ich dachów ktoś puszcza unoszące się na wietrzyku latawce, i usłyszałam stłumione uderzenia w coś, co przypominało bębny. Wyrwana ze sterylności pokoju hotelowego, nagle poczułam, że trzymam palec na prawdziwym, tętniącym pulsie miasta.

– Ale tu pięknie. – Westchnęłam. – Czy to fawela? – Wskazałam oddalone od nas domy na zboczu góry.

– Tak. Jeszcze kilka lat temu bywało tam bardzo niebezpiecznie. Narkotyki i morderstwa były na porządku dziennym i chociaż tuż obok jest Ipanema, jedna z najbardziej ekskluzywnych dzielnic Rio, nikt nie chciał mieszkać przy tych ulicach – wyjaśnił Floriano. – Teraz zrobiono tam porządek, a rząd nawet wyposażył mieszkańców w kolejkę na górę. Co prawda niektórzy twierdzili, że wydane pieniądze można by lepiej spożytkować, zapewniając tym ludziom choćby podstawową opiekę zdrowotną, ale jest to przynajmniej coś na początek.

– Brazylia bardzo dobrze się rozwija, prawda? – zapytałam.

– Tak, ale jak w każdej gospodarce o wysokim tempie wzrostu na początku z nowego bogactwa korzysta tylko znikomy procent ludności, a dla ogromnej większości biedaków zmienia się niewiele. Tak samo jest teraz w Indiach i Rosji. W każdym razie – Floriano westchnął ciężko – nie ma co rozwijać tematu niesprawiedliwości społecznej w Brazylii. To mój konik, a my musimy skoncentrować się na czymś innym. – Znowu skupił się na komputerze. – Zakładam, że senhora Carvalho należy do tych nielicznych szczęśliwców, których stać na unikanie okropnych publicznych szpitali w Rio. Więc poszukam listy prywatnych szpitali i zadzwonimy do nich. O, już coś mam!

Podeszłam i nachyliłam się nad jego ramieniem, żeby spojrzeć na ekran.

– Znalazłem mniej więcej dziesięć. Wydrukuję numery telefonu.

– Może podzielmy się nimi po połowie? – zaproponowałam.

– Dobra – zgodził się. – Ale osobie w recepcji koniecznie przedstaw się jako jej bliska krewna, na przykład wnuczka. – Floriano spojrzał na mnie ironicznie. – Bo inaczej nic ci nie powiedzą.

Na następne piętnaście minut zniknął wraz ze swoją komórką na dole, a ja zostałam na tarasie z moją i wybierałam kolejne numery. Niestety, szczęście mi nie dopisało – wszyscy, z którymi rozmawiałam, informowali mnie, że w ciągu ostatnich dwudziestu czterech godzin do ich szpitala nie przyjęto żadnej senhory Carvalho. Kiedy w końcu wrócił Floriano, po wyrazie jego twarzy od razu poznałam, że poszło mu tak samo.

Przyszedł z tacą i położył na stole. Zaczął z niej zdejmować najróżniejsze gatunki serów i salami oraz świeżą bagietkę.

– Nie załamuj się, Maju – powiedział. – Zjedzmy i myślmy dalej.

Rzuciłam się na jedzenie jak wygłodniały wilk. Dopiero teraz zdałam sobie sprawę, że jest po szóstej, a ja od śniadania nie miałam nic w ustach.

– Co to za tajemnica, która, twoim zdaniem, może zostać rozwiązana dzięki listom Bel? – zagadnęłam go, kiedy skończył jeść i wyszedł na niezadaszoną część tarasu, by zapalić papierosa.

– Hm… – Oparł się o balustradę i patrzył na zachodzące słońce. – Zawsze uważano, że modelką, której dłonie posłużyły Landowskiemu za wzór dla dłoni Cristo, była młoda kobieta, o której Bel wspomina w swoich listach, Margarida Lopes de Almeida. Bel potwierdza, że Margarida bywała w tamtym czasie w studio Landowskiego. Była też utalentowaną pianistką. Margarida nigdy nie zaprzeczała plotkom, że to jej dłonie zdobią pomnik. Dopiero na łożu śmierci powiedziała, że to nie na jej dłoniach wzorował się Landowski.

Floriano przyglądał się mi, żeby zobaczyć, czy zrozumiałam, do czego zmierza.

– Bel pisze, że w tym samym czasie, kiedy powstały odlewy dłoni Margaridy, Landowski kazał także zrobić odlewy jej dłoni.

– No właśnie! Nie jest wykluczone, że Landowski nie posłużył się żadnym z tych odlewów, a Margarida mogła wiedzieć, że są w tej sprawie wątpliwości. Ale kto wie? Może tak naprawdę są to dłonie Izabeli, która była z nią w tym czasie w atelier.

– O mój Boże – westchnęłam. Trudno było mi uwierzyć w to, co sugeruje Floriano. Być może wyciągnięte dłonie, które z taką miłością obejmują i chronią świat rozciągający się poniżej rzeźby, które stały się ikoną, tak naprawdę są dłońmi mojej prababki.

– Szczerze mówiąc, wątpię, żebyśmy kiedykolwiek byli w stanie stwierdzić, jak to było naprawdę, lecz rozumiesz teraz, dlaczego te listy tak mnie zafascynowały – wyjaśnił Floriano. – Jestem pewny, że gdyby Yara kiedykolwiek zgodziła się na udostępnienie tych listów światu, poruszyłyby emocje wielu innych osób. Tak więc, Maju, zgłębiając historię swojej rodziny, odkrywasz także nowe karty historii Brazylii. I dlatego nie wolno ci się poddawać.

– To prawda – przyznałam. – Ale na razie zabrnęliśmy chyba w ślepy zaułek?

– Co znaczy, że musimy z niego się wycofać i szukać innej drogi do celu.

– Właśnie coś mi przyszło do głowy – odezwałam się.

– Co takiego? – zainteresował się Floriano.

– Yara jasno dała nam do zrozumienia, że jej pani jest poważnie chora, a właściwie umiera. Myślałam, że to wykręt, żeby się nas pozbyć. Ale senhora Carvalho naprawdę wyglądała na bardzo słabą, a stolik, który przy niej stał, zastawiony był buteleczkami pełnymi leków. Chodzi mi o to, że w Szwajcarii ludzie, którzy zbliżają się do kresu życia i cierpią bóle, zazwyczaj zabierani są do hospicjów. Czy w Brazylii też są hospicja?

– Tak, choć tylko dla bogatych. Jedno jest na przykład tuż pod Rio. Prowadzą je siostry zakonne... A przecież Aires Cabralowie to niezwykle pobożni katolicy. Wiesz co, Maju, możesz mieć rację. – Floriano wstał i już szedł w stronę komputera, kiedy nagle otworzyły się z impetem drzwi i do pokoju wpadła mała dziewczynka w koszulce z Hello Kitty i różowych szortach. Od razu wskoczyła prosto w jego objęcia.

– *Papai!*

– Dzień dobry, *minha pequena*. Co u ciebie? – zapytał ją z uśmiechem.

– Dobrze, ale bardzo się za tobą stęskniłam.

Mój wzrok ściągnęła na siebie młoda, niezwykle smukła, wiotka kobieta, która stanęła w drzwiach. Obrzuciła mnie przelotnym spojrzeniem, uśmiechnęła się, a potem znów skupiła się na dziecku.

– Chodź, Valentino, tata jest zajęty, a ty musisz wziąć prysznic. Jest tak ciepło, że po szkole poszłyśmy na plażę – dodała, nie zwracając się do nikogo w szczególności.

– Nie mogę tu z tobą trochę pobyć, *papai*? – Kiedy ojciec postawił ją z powrotem na podłodze, dziewczynka zrobiła z ust podkówkę.

– Idź, weź prysznic, a gdy będziesz gotowa do spania, przynieś tu swoją książkę, to przeczytam ci z niej następny rozdział. – Pocałował ją czule w głowę, a potem delikatnie popchnął w stronę młodej kobiety. – Do zobaczenia, *querida*.

– Ja też już muszę iść – powiedziałam, wstając, kiedy zamknęły się za nimi drzwi. – Zajęłam ci już dosyć czasu.

– Ale najpierw musimy skontaktować się z hospicjum klasztornym, o którym ci mówiłem – odparł Floriano, siadając przy laptopie.

– Masz śliczną córkę. Jest do ciebie podobna. Ile ma lat?

– Sześć – odpowiedział, stukając w klawiaturę komputera. – O, znalazłem. Jest numer telefonu, ale wątpię, żeby o tej porze ktoś jeszcze siedział w recepcji. W każdym razie mogę spróbować.

Przyglądałam się, jak wybiera na komórce numer z ekranu monitora i przykłada telefon do ucha. Kilka sekund później wyłączył aparat.

– Jest tak, jak myślałem. Podano co prawda numer, na który można dzwonić w nagłych sprawach po godzinach pracy recepcji, ale gdybyśmy z niego skorzystali, wzbudziłoby to zbyt dużo podejrzeń. Co prawda zmartwieni krewni mogą dzwonić do szpitala, jeśli nie wiedzą, gdzie podział się ich bliski, ale wątpię, żeby nie wiedzieli, że trafił do hospicjum. Proponuję, żebyśmy jutro pojawili się tam osobiście.

– To może być następna ślepa uliczka.

– Tak, ale instynktownie czuję, że to jedyne rozwiązanie, które ma sens. Świetnie to wymyśliłaś, Maju – pochwalił mnie z ciepłym uśmiechem. – Zrobię jeszcze z ciebie detektywa badającego przeszłość.

– To się okaże jutro. A teraz zostawię cię w spokoju – powiedziałam, wstając.

– Odwiozę cię do hotelu. – Floriano również podniósł się z miejsca.

– Pójdę pieszo – odparłam stanowczo.

– Dobrze. Możemy jutro umówić się na dwunastą? O dziewiątej trzydzieści mam spotkanie w szkole. Podejrzewają, że Valentina ma dysleksję. – Westchnął ciężko.

– Dwunasta to dobra godzina. Przykro mi, że twoja córka ma kłopoty. Chociaż dysleksję ma także jedna z moich sióstr, Elektra, a jest jedną z najbystrzejszych osób, jakie znam – dodałam dla pocieszenia. – Dobranoc, Floriano.

28

Kiedy obudziłam się następnego dnia, wyjęłam z sejfu listy od Yary i jeszcze raz przeczytałam te, które Bel przysłała Loen z Paryża. Tym razem, zamiast rozpaczliwie szukać śladów, które wyjaśniłyby moje pochodzenie, wzorem Floriana popatrzyłam na listy okiem historyka i zrozumiałam, dlaczego tak go zafascynowały. Odłożyłam je i z powrotem położyłam się do łóżka. Rozmyślałam o nim, o jego ślicznej córce i jej matce, która na oko mogła być najwyżej tuż po dwudziestce.

Sama nie wiedziałam dlaczego, ale dziwiłam się, że Floriano wybrał na partnerkę tak młodą osobę. Kiedy matka i córka pojawiły się wieczorem na tarasie, szczerze mówiąc, poczułam leciutkie ukłucie zazdrości. Czasami wydawało mi się, że oprócz mnie wszyscy na świecie są w kimś zakochani.

Wzięłam prysznic, ubrałam się i zeszłam na dół do holu, aby spotkać się z Florianem. Po raz pierwszy się spóźnił, więc usiadłam, żeby na niego poczekać. Pojawił się po piętnastu minutach. Wyglądał na wyjątkowo zatroskanego.

– Przepraszam cię, Maju. Spotkanie w szkole trwało dłużej, niż się spodziewałem.

– Nic się nie stało – zapewniłam go, kiedy wsiadaliśmy do fiata. – Czy wszystko dobrze?

– Jak może być dobrze, kiedy mówią ci, że twoje ukochane dziecko ma kłopoty? Dobrze chociaż, że tak wcześnie zdiagnozowano u niej dysleksję. Przynajmniej jest nadzieja, że Valentina otrzyma wszelką konieczną pomoc i wsparcie. Ale jasne, że cierpię jako pisarz i nie mogę się oprzeć myśli, jaka to ironia losu, że moja córka całe życie będzie zmagała się ze słowami.

– Rozumiem, że to bolesne. Tak mi przykro. – Nie bardzo wiedziałam, co innego mu powiedzieć.

– Jest wspaniałą dziewczynką, a nie ma łatwego życia.

– Z tego, co widziałam wczoraj wieczorem, ma dwoje kochających rodziców.

– Jednego kochającego rodzica – poprawił mnie Floriano. – Moja żona zmarła, kiedy Valentina była niemowlęciem. Poszła do szpitala na prostą operację i wróciła po dwóch dniach, ale rana została zainfekowana. Oczywiście od razu zwróciliśmy się po pomoc medyczną i powiedziano nam, że z czasem wszystko się zagoi. Dwa tygodnie później Andrea umarła na sepsę. Teraz rozumiesz, dlaczego mam tak niskie zdanie o brazylijskiej służbie zdrowia.

– Tak mi przykro, Floriano. Wczoraj myślałam, że…

– Że Petra jest jej matką? – Uśmiechnął się szeroko i jego twarz nieco się rozpogodziła. – Maju, ona nie ma nawet dwudziestu lat. Bardzo mi pochlebia, że twoim zdaniem taki staruszek jak ja mógłby być atrakcyjny dla tak młodej i pięknej kobiety.

– Ojej, przepraszam cię. – Oblałam się rumieńcem.

– Petra studiuje na uniwersytecie i wynajmuje pokój w zamian za to, że czasami zajmuje się moją córką, zwłaszcza podczas wakacji szkolnych. Na szczęście dziadkowie Valentiny mieszkają niedaleko i często ją przygarniają, kiedy piszę. Po śmierci mojej żony zaproponowali, żeby mała na stałe u nich zamieszkała, ale nie zgodziłem się na to. Czasami trudno nam pogodzić wszystkie obowiązki, ale jakoś sobie radzimy. Valentina to naprawdę dobre dziecko.

Zupełnie inaczej popatrzyłam na Floriana. Ten facet bezustannie mnie zadziwiał. Przyszło mi do głowy, że w porównaniu z jego skomplikowanym życiem moje wydaje się puste.

– Masz dzieci, Maju? – zapytał.

– Nie – odpowiedziałam ostro.

– A plany na dzieci w przyszłości?

– Wątpię. W moim życiu nie ma nikogo, z kim mogłabym je mieć.

– A zakochałaś się już kiedyś?

– Raz, ale nic z tego nie wyszło.

– Jestem pewien, że jeszcze kogoś spotkasz. Trudno jest żyć w samotności. Ja mam Valentinę, ale też bywa mi ciężko.

– Tak jest przynajmniej bezpiecznie – wyrwało mi się, zanim zdążyłam się powstrzymać od komentarza.

– Bezpiecznie? – Popatrzył na mnie ze zdziwieniem. – *Meu Deus!* Przeżywałem w życiu głęboki ból, zwłaszcza po śmierci żony, ale nigdy nie zależało mi na bezpieczeństwie.

– Nie to miałam na myśli – wycofałam się, rumieniąc się ze wstydu.

– Moim zdaniem, jednak miałaś. I uważam, że to bardzo smutne. Poza tym ukrywanie się przed światem nigdy się nie sprawdza, ponieważ i tak codziennie rano musimy sobie spojrzeć w oczy w lustrze. Na hazardzistkę byś się nie nadawała. – Uśmiechnął się nagle; najwyraźniej wyczuł moje napięcie i chciał mnie rozluźnić. – Zastanówmy się, co zrobimy, kiedy dojedziemy do klasztoru.

– A co proponujesz? – zapytałam, wytrącona z równowagi.

– Chyba zapytamy, czy przyjęto tam twoją babcię. A dalej zobaczymy.

– Dobrze.

Reszta podróży minęła nam w ciszy. Nadal żałowałam swoich odruchowo rzuconych słów i cierpiałam z powodu uwagi Floriana. Po drodze wyglądałam przez okno. Wyjechaliśmy już z miasta i wspinaliśmy się pod górę.

W końcu skręciliśmy w krętą żwirową alejkę, która doprowadziła nas przed duży szary, surowy budynek. Był to klasztor São Sebastião, patrona Rio, który zbudowano dwieście lat temu i na oko niespecjalnie od tamtej pory modernizowano.

– Idziemy? – zapytał Floriano i dla dodania otuchy ścisnął mi dłoń.

– Tak.

Wysiedliśmy z samochodu i ruszyliśmy w stronę wejścia.

Kiedy znaleźliśmy się w dużym, rozbrzmiewającym echem holu, kompletnie pustym, z niedowierzaniem spojrzałam na Floriana.

– To nie tylko hospicjum, lecz czynny klasztor – powiedział. – Prawdopodobnie ma skrzydło szpitalne. O, zobacz.

Podeszliśmy do staromodnego bakelitowego dzwonka, który zamontowano na ścianie obok drzwi. Nacisnął go i z wnętrza budynku dobiegł nas głośny dźwięk. Kilka sekund później w holu pojawiła się zakonnica.

– W czym mogę państwu pomóc? – spytała, podchodząc do nas.

– Podobno do klasztoru przyjechała babcia mojej żony – powiedział Floriano. – Nie spodziewaliśmy się, że stanie się to aż tak szybko, i oczywiście martwimy się o stan jej zdrowia.

– Jak nazywa się pacjentka?

– Senhora Beatriz Carvalho – odparł Floriano. – Prawdopodobnie przyjechała ze służącą, Yarą.

Zakonnica dobrze nam się przypatrzyła i w końcu skinęła głową.

– Tak, są u nas we dwie ze służącą. Ale przyjechali państwo poza godzinami odwiedzin, a senhora Carvalho prosiła, by nikt jej nie przeszkadzał. Z pewnością wiedzą państwo, jaka jest chora.

– Oczywiście – spokojnie potwierdził Floriano. – Nie chcemy przeszkadzać senhorze Carvalho, ale może będziemy mogli porozmawiać z jej służącą, Yarą, żeby zapytać, czy babcia nie potrzebuje czegoś z domu? Z przyjemnością byśmy jej to przywieźli.

– Proszę tu zaczekać, sprawdzę, czy uda mi się znaleźć senhorę Canterino.

Zakonnica odwróciła się do nas plecami i odeszła, a ja popatrzyłam na Floriana z podziwem.

– Świetnie się spisałeś – pochwaliłam go.

– Zobaczymy, czy Yara zechce z nami rozmawiać, bo zapewniam cię, że wolałbym się zmierzyć z armią uzbrojonych bandytów niż z grupą zakonnic, które chronią kogoś ze swojej trzódki w ostatnich dniach życia na ziemi.

– Przynajmniej wiemy, gdzie jest.

– Tak. Widzisz, Maju? Kiedy zaufasz instynktowi, często oka-
zuje się, że masz rację.

Dla skrócenia czasu oczekiwania wyszłam na zewnątrz i usiadłam na ławce, z której rozpościerał się piękny widok na znajdujące
się w dole Rio. Pomyślałam, że rozgorączkowane ulice miasta tu
wydają się odległym snem. Rozbrzmiało bicie dzwonu na Anioł
Pański wzywającego zakonnice do modlitwy. Poczułam, że pełna
spokoju atmosfera tego miejsca bardzo mnie odpręża, i pomyślałam, że i ja chciałabym tu spędzić swoje ostatnie dni. Miałam uczucie, że klasztor zawieszony jest gdzieś między niebem a ziemią.

Czyjaś dłoń dotknęła mojego ramienia, wyrywając mnie z za-
dumy. Odwróciłam się i zobaczyłam, że obok mnie stoi Floriano
i wyraźnie zaniepokojona Yara.

– Zostawię panie same – dyplomatycznie odezwał się Floriano
i oddalił się.

Wstałam.

– Dzień dobry. Dziękuję, że zechciała się pani ze mną spotkać.

– Jak nas znaleźliście? – syknęła Yara, jakby jej zamknięta
za grubymi murami pani była w stanie nas usłyszeć. – Senhora
Carvalho bardzo by się zdenerwowała, gdyby się dowiedziała, że
przyjechaliście.

– Proszę usiąść. – Wskazałam ławkę.

– Mogę zostać tylko kilka minut, bo gdyby senhora Carvalho
dowiedziała się, że z panią rozmawiam…

– Obiecuję, że kiedy tylko będę mogła, zostawię was w spokoju.
Ale rozumie pani, Yaro, dlaczego po przeczytaniu listów, które mi
pani dała, koniecznie muszę z panią porozmawiać?

W końcu usiadła na ławce.

– Tak. – Westchnęła ciężko. – Cały czas żałuję, że je pani dałam.

– Więc dlaczego pani to zrobiła?

– Ponieważ… – Wzruszyła kościstymi ramionami. – Poczułam,
że powinnam to zrobić. Musi pani zrozumieć, że senhora Carvalho bardzo niewiele wie na temat przeszłości swojej matki. Ojciec
chronił ją przed tym po… – Szczupłymi dłońmi nerwowo wygładziła spódnicę.

– Po czym?

Pokręciła głową.

– Nie mogę tutaj z panią rozmawiać. Przepraszam, ale niczego pani nie rozumie. Senhora Carvalho przyjechała tu umrzeć. Jest bardzo chora i zostało jej niewiele czasu. Trzeba zostawić ją w spokoju.

– Rozumiem. Ale proszę mi powiedzieć, czy pani wie, co się działo po powrocie Izabeli Bonifacio z Paryża?

– Wyszła za pani pradziadka, Gustava Aires Cabrala.

– Tyle wiem. Lecz co się działo z Laurentem Brouillym? Wiem na pewno, że był w Brazylii. Widziałam jego zdjęcie przy posągu Cristo.

– Cicho! – Yara rozejrzała się nerwowo. – Proszę! Nie możemy o tym tutaj rozmawiać.

– W takim razie, gdzie i kiedy będzie to możliwe? – nalegałam, widząc, jak bardzo jest rozdarta między wiernością wobec swojej pani a potrzebą rozmowy ze mną. – Proszę, Yaro, przysięgam, że nie przyjechałam, żeby komukolwiek narobić kłopotów. Chcę tylko się dowiedzieć, skąd pochodzę. Każdy ma chyba do tego prawo? Jeśli pani to wie, błagam, żeby mi pani o tym opowiedziała. Obiecuję, że potem sobie pójdę.

Patrzyłam, jak spogląda w przestrzeń, zatrzymując się na postaci Cristo, którego głowę i dłonie na chwilę zasłoniła chmura.

– Dobrze. Ale nie tutaj. Jutro muszę wrócić do Casa das Orquídeas, żeby wziąć stamtąd kilka rzeczy, o które prosiła senhora Carvalho. Spotkam się tam z panią o drugiej. A teraz proszę już iść!

Yara wstała z ławki, a ja poszłam w jej ślady.

– Dziękuję! – zawołałam za nią, kiedy oddalała się ode mnie szybkim krokiem.

W końcu zniknęła za drzwiami klasztoru. Zobaczyłam, że Floriano stoi oparty o samochód, i ruszyłam w jego stronę.

– Udało się? – zapytał.

– Jutro po południu spotka się ze mną w Casa das Orquídeas – odparłam, gdy otwierał dla mnie drzwi od strony pasażera.

– Świetnie. – Uruchomił silnik i szybko ruszył przed siebie.

290

Kiedy zbliżaliśmy się do miasta, czułam, że jestem na granicy płaczu.

– Nic ci nie jest? – zapytał mnie Floriano, gdy zatrzymaliśmy się przed hotelem.

– Nie, ale dziękuję, że pytasz – odparłam szorstko. Nie ufałam sobie na tyle, żeby powiedzieć coś więcej, bo słyszałam, że drży mi głos.

– Masz ochotę wpaść do mnie wieczorem? Valentina gotuje dzisiaj dla mnie kolację. Byłoby nam miło, gdybyś ją z nami zjadła.

– Nie chcę wam przeszkadzać.

– Naprawdę w niczym nam nie przeszkodzisz. No bo widzisz, dziś są moje urodziny. – Wzruszył ramionami. – W każdym razie, jak już mówiłem, będziesz bardzo mile widziana.

– Wszystkiego najlepszego – rzuciłam, nie wiadomo dlaczego czując wyrzuty sumienia, że o tym nie wiedziałam. A może było mi przykro, że wcześniej nic mi nie powiedział. Tak naprawdę nie miałam pojęcia, co czuję.

– Dziękuję. Ale jeśli nie przyjdziesz do nas wieczorem, to czy mogę jutro po ciebie przyjechać i odwieźć cię do Casa das Orquídeas?

– Już dość dla mnie zrobiłeś. Mogę przecież wziąć taksówkę.

– Proszę cię, Maju. Sprawi mi to przyjemność – zapewnił mnie. – Widzę, że się zdenerwowałaś. Chcesz o tym porozmawiać?

– Nie. Muszę się porządnie wyspać i do jutra mi przejdzie. – Szykowałam się, żeby otworzyć drzwi samochodu, ale Floriano delikatnie położył dłoń na moim nadgarstku.

– Pamiętaj, że jesteś w żałobie. Kilka tygodni temu straciłaś ojca, a ta… odyseja w przeszłość twojej rodziny dostarcza ci dodatkowych emocji. Spróbuj być dla siebie delikatna, Maju – powiedział cicho. – A gdybyś mnie potrzebowała, to wiesz, gdzie jestem.

– Dziękuję. – Wyszłam z samochodu, szybko przecięłam hotelowy hol i wjechałam windą na swoje piętro. Kiedy wreszcie bezpiecznie schroniłam się w pokoju, pozwoliłam sobie, by popłynęły mi łzy.

Ale tak naprawdę, nie miałam pojęcia, dlaczego płaczę.

*

W końcu zasnęłam. Obudziłam się znacznie spokojniejsza. Było po czwartej, więc poszłam na plażę i popływałam w orzeźwiających falach Atlantyku. W drodze powrotnej do hotelu myślałam o Florianie i o tym, że są jego urodziny. Był dla mnie tak uprzejmy i pomocny, że powinnam przynajmniej zanieść mu w prezencie butelkę wina.

Weszłam pod prysznic, by zmyć z siebie piasek z plaży, i wyobrażałam sobie, jak sześcioletnia córka Floriana przygotowuje dla niego urodzinową kolację, co wzruszyło mnie do łez. Wychowywał Valentinę prawie samotnie, choć z łatwością mógł ją oddać dziadkom.

Zdawałam sobie sprawę, że z równowagi wyprowadził mnie obraz ojca z córką i ich rzucającej się w oczy miłości. Nie wspominając już o wnikliwych uwagach Floriana na mój temat, które wyraził podczas jazdy do klasztoru.

Maju, przestań tak się nad sobą rozczulać, przywołałam się stanowczo do porządku. Miałam świadomość, że pod wpływem ostatnich wydarzeń powoli tracę chroniącą mnie przed światem skorupę i odkrywam swoje prawdziwe, podatne na zranienie wnętrze. Najwyższy czas, żebym coś z tym zrobiła.

Ubrałam się i po raz pierwszy od trzech dni odsłuchałam wiadomości nagrane na komórce. Zarówno Tiggy, jak i Ale najwyraźniej dowiedziały się od mamy o moim niespodziewanym wyjeździe i prosiły, żebym do nich zadzwoniła z informacją, gdzie się podziewam. Postanowiłam skontaktować się z nimi po jutrzejszym spotkaniu z Yarą, kiedy może będę w stanie powiedzieć im, dlaczego tu jestem.

Do obu wysłałam SMS-a z informacją, że wszystko u mnie w porządku i niedługo wyślę im dłuższy mail, a potem zgodnie ze swoim wcześniejszym postanowieniem wyszłam z hotelu i energicznym krokiem ruszyłam do centrum Ipanemy. Znalazłam supermarket, kupiłam dwie butelki najlepszego czerwonego wina, jakie mieli, i pudełko czekoladek dla Valentiny. Przeszłam przez tętniący życiem plac, na którym z powodu nocnego targu gromadziły się tłumy okolicznych mieszkańców, i skręciłam w ulicę, przy której mieszkał Floriano.

Weszłam po schodach i zobaczyłam przed sobą pięć przycisków domofonu. Nacisnęłam pierwszy, ale nikt się nie odezwał, a potem drugi i trzeci. Gdy także na ostatni odpowiedziała mi cisza, miałam już podkulić pod siebie ogon i wracać do hotelu, kiedy z góry usłyszałam wołanie:

– Hej, Maju! Naciśnij ostatni przycisk, to cię wpuszczę.

– Dobra! – odkrzyknęłam. Kilka sekund później stałam przy na oścież otwartych drzwiach jego mieszkania.

– Jesteśmy w kuchni! – zawołał. – Idź na taras, a ja za chwilę tam będę.

Zrobiłam, jak mi kazał. Po drodze zauważyłam, że w pomieszczeniach na dole roznosi się zapach spalonego jedzenia. Stanęłam na tarasie i przyglądałam się zachodowi słońca nad górą, na stoku której rozciągała się fawela. W końcu zjawił się spocony nieco Floriano.

– Bardzo cię przepraszam. Valentina uparła się, żeby nie pomagać jej w odgrzewaniu makaronu, który wcześniej przygotowała z Petrą na kolację. Niestety, tak podkręciła gaz, że jej prezent urodzinowy się przypalił. Zostawiłem ją w kuchni, żeby pozbierała, co się da uratować, ale chciałaby wiedzieć, czy zechcesz spróbować jej makaronu. Szczerze mówiąc, z przyjemnością skorzystałbym z pomocy w jedzeniu tego przysmaku – przyznał.

– Jeśli na pewno dla wszystkich wystarczy, to tak, chętnie.

– Ależ mamy tego mnóstwo – powiedział Floriano i zauważył butelki wina oraz czekoladki.

– To prezenty urodzinowe – wyjaśniłam. – A poza tym chciałabym ci podziękować za pomoc.

– Jesteś bardzo miła, Maju. Naprawdę to doceniam. Pójdę po drugi kieliszek, a przy okazji zobaczę, jak sobie radzi kucharka. No i powiem jej, że mamy na kolacji gościa.

Wychodząc, wskazał stół. Zauważyłam, że jest przykryty białym obrusem i pięknie zastawiony na dwie osoby. Pośrodku, na poczesnym miejscu, stała duża własnoręcznie zrobiona kartka urodzinowa. Widniał na niej mężczyzna z patykowatymi rękami i nogami oraz napis: *Feliz Aniversário Papai!*

W końcu Floriano wrócił na górę z tacą, na której był kieliszek, komplet sztućców i dwie miseczki z jedzeniem.

– Valentina kazała nam zacząć jeść – powiedział, stawiając tacę na stole. Następnie otworzył butelkę przyniesionego przeze mnie wina.

– Dziękuję – powiedziałam, gdy przystawił do stołu jeszcze jedno krzesło i ułożył nakrycie dla siebie.

– Naprawdę mam nadzieję, że wam nie przeszkadzam i że Valentina nie ma nic przeciwko temu, że wprosiłam się na jej uroczystą kolację na cześć taty.

– Wręcz przeciwnie, jest zachwycona. Muszę cię jednak ostrzec: ona wciąż powtarza, że jesteś moją dziewczyną. Nie ustaje w wysiłkach, żeby wyswatać swojego biednego staruszka! Po prostu to zignoruj. – Podniósł kieliszek i zbliżył go do mojego. – *Sáude!*

– *Sáude!* I wszystkiego najlepszego z okazji urodzin.

W drzwiach pokazała się Valentina. Przyniosła jeszcze jedną miseczkę z jedzeniem i nieśmiało postawiła ją przede mną.

– Dobry wieczór – przywitała się – Tata powiedział, że nazywasz się Maja. Ładne imię. Ty też jesteś ładna, prawda, tato? – zwróciła się do ojca i usiadła przy stole między nami.

– Tak, to prawda. Maja jest bardzo ładna. A kolacja wygląda na pyszną. Dziękuję ci, *querida*.

– Tato! Przecież się przypaliła i na pewno ma okropny smak. Wcale się nie obrażę, jeśli wszystko wyrzucisz do kosza na śmieci i zamiast tego zjemy czekoladki – praktycznie podpowiedziała Valentina, przyglądając się prezentowi ode mnie. – Nie umiem jeszcze gotować. – Wzruszyła ramionami i spojrzała na mnie ciemnymi oczami. – Masz męża? – zapytała, kiedy niepewnie podnosiliśmy do ust widelce.

– Nie, Valentino. – Powstrzymałam się od uśmiechu, który cisnął mi się na usta, gdy usłyszałam jej bezpośrednie pytanie.

– A chłopaka?

– Też akurat nie mam.

– No to może tata będzie twoim chłopakiem? – zaproponowała, wkładając do ust cały widelec jedzenia. Przez chwilę je żuła, po czym bez ceregieli wypluła je do miseczki.

– Valentino! To było obrzydliwe! – ostro skarcił ją ojciec.

– Bo to jest obrzydliwe. – Wskazała makaron.

– A mnie nawet smakuje. Zawsze lubiłam grillowane jedzenie. – Puściłam do niej oko.

– Przepraszam. Nie musicie tego jeść. Ale przynajmniej mamy dobry deser. Dlaczego do nas przyszłaś, Maju? – Zmieniła nagle temat, cały czas mówiąc na jednym oddechu. – Pomagasz tacie w pracy?

– Tak. Przetłumaczyłam jego książkę na francuski.

– Wcale nie mówisz jak Francuzka, a wyglądasz na Brazylijkę. Prawda, tato?

– Tak, to prawda – zgodził się Floriano.

– Mieszkasz w Paryżu? – zapytała Valentina.

– Nie, w Szwajcarii, na brzegu wielkiego jeziora.

Dziewczynka, z łokciami na stole, oparła brodę na dłoniach.

– Jeszcze nigdy nie byłam poza Brazylią. Możesz mi opowiedzieć o tym miejscu, w którym mieszkasz?

Najlepiej, jak potrafiłam, opisałam jej Szwajcarię. Kiedy wspomniałam, że w zimie pada tam mnóstwo śniegu, oczy Valentiny rozbłysły.

– Śnieg widziałam tylko na obrazkach. Może kiedyś do ciebie przyjadę i będziemy robić na śniegu aniołki, tak jak robiłaś ze swoimi siostrami?

– Valentino, to niegrzecznie wpraszać się do czyjegoś domu. A teraz czas, żebyśmy już sprzątnęli talerze. – Floriano wskazał na do połowy pełne miseczki.

– Tak, tatusiu. Nie zawracaj sobie tym głowy. Zostań tu i porozmawiaj ze swoją dziewczyną, a ja to zrobię.

Zawadiacko puściła do nas oko, ustawiła miseczki na tacy i wyszła. Przez chwilę od strony schodów dochodziło do nas ryzykowne brzęczenie naczyń.

– Przepraszam za nią – odezwał się Floriano. Odszedł od stołu, oparł się o balustradę tarasu i zapalił papierosa. – Jest, niestety, nad wiek rozwinięta. Może dlatego, że jest jedynaczką.

– Wcale nie musisz za nią przepraszać. Zadaje pytania, bo jest bystra i interesuje się światem, który ją otacza. A poza tym – dodałam – z doświadczenia wiem, że nie tylko jedynacy bywają nad wiek rozwinięci. Mam pięć sióstr i najmłodsza jest właśnie taka. Masz cudowną córeczkę.

– Martwię się, że za bardzo ją rozpieszczam, bo chcę jej wynagrodzić brak matki. – Floriano westchnął. – I cokolwiek teraz się o tym mówi, mężczyźni nie mają takich samych instynktów macierzyńskich jak kobiety. Chociaż robię, co mogę, żeby się tego nauczyć.

– Ja uważam, że to nie ma znaczenia, kto wychowuje dziecko: mężczyzna czy kobieta, rodzice biologiczni czy adopcyjni. Najważniejsze, żeby było kochane. Ale nic dziwnego, że tak mówię, prawda? – Wzruszyłam ramionami.

– Pewnie tak. Z tego, co przed chwilą opowiadałaś Valentinie, wynika, że miałaś bardzo szczególne dzieciństwo. Pod wieloma względami było ci pewnie trudno, mimo różnych przywilejów.

– Tak, to prawda. – Uśmiechnęłam się ze smutkiem.

– Kiedyś chciałbym dowiedzieć się o tym nieco więcej. Zwłaszcza o twoim ojcu. Musiał być interesującym człowiekiem.

– Był niezwykle interesujący.

– Jesteś już trochę spokojniejsza niż rano? – zapytał delikatnie.

– Tak. Widzisz, dopiero teraz zaczyna do mnie docierać ogrom straty z powodu odejścia osoby, którą kochałam najbardziej na świecie. Tutaj jest mi łatwiej, bo mogę sobie wyobrazić, że tata został w Szwajcarii. Szczerze mówiąc, na myśl o tym, że wrócę z Rio do domu, a jego tam nie będzie, robi mi się słabo.

– Więc zostań tu dłużej.

– Zobaczymy, co się wydarzy jutro, kiedy spotkam się z Yarą – odpowiedziałam, nie chcąc podejmować teraz decyzji. – Ale postanowiłam, że jeśli to spotkanie do niczego nie doprowadzi, nie będę dłużej walczyła, żeby poznać prawdę. W końcu senhora Carvalho całkiem jasno dała mi do zrozumienia, że nie chce mnie znać, niezależnie od tego, czy jestem jej wnuczką, czy nie.

– Rozumiem. Ale nie wiesz, dlaczego tak na ciebie zareagowała. Ani jakie sama miała dzieciństwo.

– Maju – w drzwiach ukazała się głowa Valentiny. – Czy możesz mi trochę pomóc? Proszę – szepnęła głośno.

– Oczywiście. – Wstałam od stołu i poszłam za nią do kuchni. Wśród chaosu przypalonych garnków stał tam tort ze świeczkami. Valentina ostrożnie go podniosła.

– Możesz je zapalić? Tata nie pozwala mi dotykać zapałek. Ustawiłam na nim dwadzieścia dwie świeczki, bo nie wiem, ile on skończył lat.

– Tak będzie bardzo dobrze. – Uśmiechnęłam się. – Zapalmy je na górze, bo inaczej pogasną nam po drodze.

Na górnym podeście kucnęłyśmy pod drzwiami wychodzącymi na taras i ostrożnie zapaliłam świeczki. Cały czas czułam na sobie wzrok Valentiny. Był równie przenikliwy jak wzrok jej ojca.

– Dziękuję, Maju – powiedziała, kiedy zapaliłam już ostatnią. Zanim wparadowała z tortem do środka, uśmiechnęła się do mnie. – Cieszę się, że jesteś.

– Ja też – odparłam. I uświadomiłam sobie, że jest tak naprawdę.

*

Pół godziny później zostawiłam ich samych, bo zauważyłam, że Valentina ziewa i zaczyna się domagać, żeby tata opowiedział jej coś na dobranoc.

– Mam po ciebie przyjechać, czy wolisz jechać do Casa das Orquídeas sama? – zapytał, kiedy odprowadził mnie do drzwi.

– Będzie mi bardzo miło, jeśli ze mną pojedziesz – przyznałam się szczerze. – Przyda mi się wsparcie.

– No to do zobaczenia jutro o pierwszej. – Ucałował mnie w oba policzki jak dobrą znajomą. – Dobranoc, Maju.

29

Tej nocy spałam dobrze i spokojnie; najwyraźniej moje ciało nareszcie przystosowało się do nowej strefy czasowej. Obudziłam się o dziewiątej i przeszłam przez ulicę na plażę, żeby popływać – już zaczynałam się przyzwyczajać do tej codziennej przyjemności. Potem wróciłam do pokoju, żeby jeszcze raz przeczytać listy i zapisać sobie, jakie pytania chciałabym zadać Yarze. Na tarasie na dachu zjadłam lunch i wypiłam kieliszek wina, aby uspokoić nerwy. Wiedziałam, że jeśli Yara nie zechce mi nic opowiedzieć albo nie będzie wiedziała, dlaczego oddano mnie do adopcji Pa Saltowi, nie będę miała do kogo się zwrócić.

*

– Myślisz, że ci się uda? – zapytał Floriano, kiedy wsiadałam do fiata.
– Tak. A przynajmniej staram się w to wierzyć.
– To dobrze. Dopóki jest nadzieja, trzeba wierzyć.
– Sęk w tym, że nagle poczułam, jakie to dla mnie ważne.
– Wiem. Widzę to po tobie.
Kiedy dojechaliśmy do Casa das Orquídeas, z ulgą dostrzegliśmy, że choć brama nadal jest zamknięta, to nie ma na niej kłódki.
– Na razie idzie nam dobrze – rzucił Floriano. – Będę tu na ciebie czekał.
– Jesteś pewny? Nie mam nic przeciwko temu, żebyś ze mną wszedł.

– Absolutnie. Czuję, że jest to coś, co kobieta najlepiej wyjaśni drugiej kobiecie. Trzymaj się – dodał, ściskając mi dłoń, gdy wysiadałam z samochodu.

– Dziękuję. – Wzięłam głęboki oddech, przeszłam przez ulicę i stanęłam przed wysoką bramą. Popchnęłam jedno skrzydło, a ono z jękiem wskazującym, że od dawna nie było konserwowane, otworzyło się na oścież. Kiedy znalazłam się na terenie posiadłości, zerknęłam jeszcze na drugą stronę ulicy na Floriana, który śledził mnie wzrokiem. Machnęłam mu ręką, po czym odwróciłam się, ruszyłam podjazdem i po chwili wspięłam się na schodki prowadzące do drzwi wejściowych.

Yara otworzyła je tak szybko, że na pewno czekała pod drzwiami. Wprowadziła mnie do środka i zaryglowała drzwi.

– Nie mam dużo czasu – powiedziała nerwowo.

Poszłyśmy w głąb domu ciemnym korytarzem, aż trafiłyśmy do tego samego pokoju, w którym poprzednio razem z Florianem spotkaliśmy się z senhorą Carvalho.

Tym razem jednak żaluzje były całkowicie zamknięte, a jedyne oświetlenie stanowiła prosta lampa, która rzucała na pokój przytłumione, upiorne światło.

– Proszę usiąść – powiedziała Yara.

– Dziękuję. – Usiadłam i popatrzyłam, jak kobieta nerwowo przycupnęła naprzeciwko mnie na krześle. – Tak mi przykro, że mój nagły przyjazd zaniepokoił panią i senhorę Carvalho – zaczęłam. – Mam tylko nadzieję, że istnieje powód, dla którego dała mi pani te listy. Musiała pani też wiedzieć, że kiedy je przeczytam, będę chciała dowiedzieć się czegoś więcej.

– Tak, tak… – Yara potarła czoło. – Musi pani zrozumieć, senhorito, że pani babcia umiera. Nie wiem, co się ze mną stanie po jej śmierci. Nie wiem nawet, czy zostawiła mi jakieś środki do życia.

Natychmiast zaczęłam się zastanawiać, czy Yara chce podzielić się ze mną informacjami w zamian za pieniądze. A jeśli tak, to czy informacje te będą wiarygodne. Musiała zauważyć, że się zachmurzyłam, bo natychmiast rozwiała moje wątpliwości.

– Nie, nie proszę o pieniądze. Chcę tylko powiedzieć, że gdyby senhora Carvalho dowiedziała się, że teraz z panią rozmawiam, mogłaby się wycofać z płacenia mi emerytury, jeśli w ogóle zadysponowała dla mnie coś na starość.

– Ale dlaczego? Co takiego przede mną ukrywa?

– Chodzi o pani matkę, Cristinę. Trzydzieści cztery lata temu opuściła ten dom. Nie chcę, żeby senhora Carvalho ostatnie dni swego życia spędziła w udręce. Rozumie pani?

– Nie, niczego nie rozumiem – odpowiedziałam. Po całym ciele przeszły mi ciarki; po raz pierwszy wspomniano coś o mojej matce... – Więc dlaczego dała mi pani te listy? Napisała je moja prababka, osiemdziesiąt lat temu, trzy pokolenia przed moim urodzeniem!

– Jeśli chce pani zrozumieć, co się z panią stało, musi pani wiedzieć, co działo się przedtem – wyjaśniła Yara. – Chociaż ja mogę powtórzyć tylko opowieści mojej matki, Loen, ponieważ przyszłam na świat po tym, jak senhora Izabela urodziła senhorę Carvalho.

– Błagam panią, niech mi pani opowie wszystko, co pani wie. – Intuicyjnie czułam, że każda sekunda jest cenna, bo Yarę lada chwila może opuścić odwaga. – Przysięgam, że dochowam tajemnicy i nie powiem senhorze Carvalho, że pani ze mną rozmawiała.

– Nawet wiedząc o tym, że może pani odziedziczyć ten dom? – Przyjrzała mi się uważnie.

– Zapewniam panią, że adoptował mnie niezwykle bogaty człowiek i nie mam żadnych potrzeb finansowych. Proszę, Yaro.

Przez kilka minut uważnie się we mnie wpatrywała, po czym westchnęła.

– Listy do mojej matki, które pani czytała – zaczęła – skończyły się wraz z powrotem senhory Izabeli do Rio.

– Tak. Ostatni wysłano ze statku, kiedy w drodze z Francji zawinął do portu w Afryce – potwierdziłam. – Wiem, że Bel wróciła do Rio. Widziałam archiwalne zdjęcia z jej ślubu z Gustavem Aires Cabralem.

– Opowiem pani, co matka opowiedziała mi na temat następnych osiemnastu miesięcy w życiu Izabeli.

Izabela

Rio de Janeiro
Październik 1928

30

– Izabelo, córeczko, jak to dobrze, że wróciłaś do nas cała i zdrowa! – zawołał Antonio, kiedy Bel zeszła z trapu prosto w jego rozpostarte ramiona. Trzymał ją przez chwilę w niedźwiedzim uścisku, po czym zrobił krok w tył, by się jej przyjrzeć. – Co się stało? Zupełnie jakbym obejmował wróbelka. Nic nie jadłaś? Na dodatek jesteś taka blada, księżniczko. To pewnie przez tę północnoeuropejską pogodę. Potrzebujesz gorącego słońca ojczystego kraju, żeby nabrać trochę kolorów. Chodź, twój kufer już ładują do samochodu. Zaparkowaliśmy niedaleko przystani.

– A gdzie jest *mãe*? – zapytała Bel, idąc u jego boku. Jak na październik niebo było nadzwyczaj szare i ponure. Żałowała, że nie ma słońca, bo mogłoby ją trochę rozweselić.

– Odpoczywa w domu – odparł ojciec. – Ostatnio choruje.

– Nic takiego nie pisał *pai* do mnie w listach. – Bel zaniepokoiła się.

– Jestem pewny, że twoja obecność przyśpieszy jej powrót do zdrowia. – Ojciec stanął przy imponującym srebrnym samochodzie, którego szofer otworzył tylne drzwi, żeby Bel mogła wsiąść. – Podoba ci się? – zapytał Antonio, kiedy usiadł obok niej na miękkim szarym fotelu z cielęcej skóry. Sprowadziłem go z Anglii. To rolls-royce phantom, moim zdaniem pierwszy w Rio. Będę dumny, wioząc nim moją księżniczkę do ślubu w katedrze.

– Jest piękny – machinalnie odpowiedziała Bel; cały czas myślała o matce.

– Pojedziemy promenadą wzdłuż plaży, żeby córka mogła popatrzyć na miejsca, za którymi się stęskniła – poinstruował kierowcę. – Mamy sobie tyle do powiedzenia, że nie wiadomo, od czego zacząć – zwrócił się do niej. – Ale jeśli chodzi o firmę, wszystko układa się dobrze. Dzięki popytowi w Ameryce cena kawy codziennie rośnie, więc kupiłem następne dwie plantacje. Poza tym przedstawiono mnie jako ewentualnego kandydata do Senatu Federalnego – dodał z dumą. – Zarekomendował mnie ojciec Gustava, Maurício. Właśnie ukończono wspaniały nowy budynek przy rua Moncorvo Filho, gdzie nawet podłoga i gzymsy ozdobione są ziarnami kawy. Tu, w Brazylii, taka jest moc skromnego ziarenka kawy.

– Cieszę się, *pai*, że ci się wiedzie. – Bel bez entuzjazmu przyglądała się znajomym ulicom.

– Nie mam cienia wątpliwości, że twoje wesele będzie najwspanialsze, jakie Rio kiedykolwiek widziało. Rozmawiałem z Gustavem i Mauríciem o konieczności odnowienia ich domu rodzinnego, ponieważ zamieszkasz tam po ślubie. To piękny, stary budynek, ale zarówno mury, jak i wnętrza bardzo nadgryzł ząb czasu. Zgodziliśmy się, że sfinansuję remont, i prace już się zaczęły. A kiedy dobiegną końca, zamieszkasz, księżniczko, w pałacu!

– Dziękuję, *pai* – odparła Bel z uśmiechem. Bardzo chciała go przekonać, a co ważniejsze, przekonać siebie, że jest mu wdzięczna.

– Ślub planujemy po Nowym Roku. Zostały więc trzy miesiące na przygotowania. Będziesz bardzo zajęta, *querida*.

Bel liczyła się z tym, że każą jej iść do ołtarza zaraz po powrocie do Rio. Nawet taka zwłoka to zawsze coś, pomyślała, gdy przejeżdżali koło hotelu Copacabana Palace. W zadumie wpatrywała się w spienione fale, które z rykiem rozbijały się na piasku.

– Kiedy odpoczniesz po podróży, zorganizujemy uroczysty obiad, na którym podzielisz się swoimi przeżyciami ze Starego Świata. Opowiesz, co widziałaś, kogo poznałaś, i zaimponujesz naszym znajomym wiedzą.

– Uwielbiam Paryż – przyznała się odważnie. – To przepiękne miasto. A profesor Landowski, projektujący na zlecenie senhora da Silva Costy posąg Chrystusa, ma asystenta, który mnie wyrzeźbił.

– Jeśli to wartościowe dzieło, musimy się z nim skontaktować. Kupię je i sprowadzę do Brazylii.

– Wątpię, czy jest na sprzedaż. – Uśmiechnęła się z rozrzewnieniem.

– *Querida*, przy odpowiedniej cenie wszystko jest na sprzedaż – stanowczo stwierdził Antonio. – No, jesteśmy prawie w domu. Mama na pewno wstała z łóżka, żeby cię przywitać.

Choć wcześniej wyraził zaniepokojenie wyglądem córki, jego zdziwienie było niczym w porównaniu z szokiem Bel, kiedy na jej powitanie wyszła matka. Carla, która zawsze odznaczała się bujnymi kształtami, w ciągu ośmiu i pół miesiąca nieobecności córki zrobiła się o połowę szczuplejsza.

– *Mãe!* – zawołała Bel, biegnąc w jej ramiona. – Co mama ze sobą zrobiła? – Mocno się do niej przytuliła. – Chyba była mama na diecie!

Carla z całej siły starała się uśmiechnąć. Bel zauważyła jednak, jak wielkie wydawały się jej brązowe oczy matki na tle mizernej twarzy.

– Chcę być modna na ślubie córki. Prawda, że mi dobrze, kiedy jestem szczuplejsza?

Bel zawsze była przyzwyczajona do jej pokrzepiająco obfitych piersi, które nieraz w dzieciństwie dawały jej poczucie bezpieczeństwa. Teraz, patrząc na mamę, stwierdziła, że nowa figura o ładne parę lat ją postarzyła.

– Tak, *mãe*, świetnie mama wygląda – skłamała.

– To dobrze. Mam ci tyle do powiedzenia, ale na pewno najpierw będziesz chciała odpocząć. – Kiedy wchodziły do środka, Carla wzięła córkę pod rękę.

Bel, która dopiero zeszła z pokładu statku, gdzie nie miała nic do roboty i cały czas wypoczywała, nie była ani trochę zmęczona. Ale gdy matka nagle skrzywiła się z bólu, zrozumiała, że to ona musi odpocząć i stąd ta propozycja.

– Oczywiście. Obie możemy troszkę się przespać, a porozmawiamy później. – Bel zobaczyła na twarzy matki ulgę. – To mama jest zmęczona, *mãe* – dodała, kiedy dotarły do drzwi sypialni rodziców. – Może wejdę i pomogę mamie położyć się do łóżka?

– Nie – stanowczo sprzeciwiła się Carla. – W środku jest już Gabriela i mi pomoże. Do zobaczenia. – Kiwnęła głową, otwierając drzwi, po czym zaraz je za sobą zamknęła.

Bel natychmiast poszła szukać ojca. Znalazła go w gabinecie.

– *Pai*, co się dzieje z *mãe*?

Antonio podniósł wzrok znad papierów i zdjął z nosa okulary, które zaczął nosić, kiedy była w Europie.

– *Querida*, mama nie chciała cię martwić, gdy byłaś za oceanem, ale miesiąc temu miała operację. Wycięto jej guza piersi. Wszystko się udało i chirurdzy uważają, że całkowicie wyzdrowieje. Ale choroba i operacja bardzo ją wymęczyły. To wszystko. Kiedy odzyska siły, znowu będzie zdrowa.

– Ale ona wygląda okropnie! Proszę, *pai*, powiedz mi prawdę. Nie ukrywaj przede mną, jak poważnie jest chora.

– Przysięgam ci, Izabelo, że niczego nie ukrywam. Jeśli mi nie wierzysz, zapytaj lekarzy. Twoja mama potrzebuje tylko odpoczynku i dobrego jedzenia. Po operacji straciła apetyt.

– Jesteś, *pai*, pewny, że wyzdrowieje?

– Tak.

– W takim razie, skoro już jestem w domu, będę się nią opiekować.

*

Paradoksalnie myślenie o zdrowiu matki bardzo pomogło Bel przeżyć następne kilka dni. Miała na czym się skupić, na czymś, co odrywało ją od jej własnego cierpienia.

Osobiście pilnowała, jak Carla jest odżywiana. Nadzorowała personel kuchenny, aby mieć pewność, że mama dostaje pożywne dania, które z łatwością połknie i przetrawi. Rano siadała u niej i wesoło opowiadała o tym, co widziała w Starym Świecie, o Landowskim i szkole Beaux-Arts, a także o pracy senhora da Silva Costy nad jego wspaniałym Cristo.

– Na szczycie Corcovado zaczęli kopać fundament – zauważyła pewnego dnia Carla. – Chciałabym tam pojechać, żeby to zobaczyć.

– Na pewno mamę tam zabiorę – obiecała jej Bel. Bardzo chciała, żeby matka na tyle wyzdrowiała, by było to możliwe.

– Poza tym musimy oczywiście porozmawiać o przygotowaniach do ślubu – dodała Carla, która wcześniej oznajmiła, że ma siłę wyjść na taras przy swojej sypialni. – Tyle jest do omówienia.

– Wszystko w swoim czasie, *mãe*, kiedy będziesz zdrowsza – stanowczo sprzeciwiła się Bel.

Trzy dni po powrocie córki Antonio powiedział jej, że właśnie rozmawiał przez telefon z Gustavem.

– Chciał się dowiedzieć, kiedy może przyjść się z tobą zobaczyć.

– Może niech *mãe* najpierw trochę lepiej się poczuje – zaproponowała.

– Izabelo, nie widział cię od dziewięciu miesięcy. Zaproponowałem, żeby zadzwonił jutro po południu. Gabriela może posiedzieć z mamą, a ty przyjmij narzeczonego.

– Dobrze, *pai* – posłusznie zgodziła się Bel.

– Przecież ty też chcesz się z nim chyba zobaczyć?

– Oczywiście.

*

Następnego dnia Gustavo przyjechał punktualnie o trzeciej po południu. Carla uparła się, aby Bel ubrała się w jedną z nowych sukienek, które uszyto jej w Paryżu.

– Musisz wyglądać jeszcze piękniej, niż cię zapamiętał. Bardzo długo się nie widzieliście, a nie chcielibyśmy, żeby nagle zmienił zdanie. Zwłaszcza że ostatnio jesteś równie mizerna jak ja – docięła córce.

Loen pomogła Bel włożyć suknię, po czym spięła jej włosy w elegancki kok.

– Jak się czujesz przed spotkaniem z narzeczonym? – delikatnie zapytała ją pokojówka.

– Nie wiem – szczerze odparła Bel. – Chyba się denerwuję.

– A ten… drugi mężczyzna, o którym mi pisałaś z Paryża? Jesteś w stanie go zapomnieć?

Bel wlepiła wzrok w swoje odbicie w lustrze.

– Nigdy, Loen, przenigdy.

Kiedy czekała w salonie na Gustava, na dźwięk dzwonka i odgłos drzwi otwieranych przez Gabrielę ogarnęła ją fala trwogi. Usłyszała głos narzeczonego. Ciesząc się, że została jeszcze chwila, zanim on wejdzie do pokoju, błagalnie wzniosła oczy do nieba i pomodliła się, żeby nigdy nie dostrzegł zamętu, jaki panuje w jej sercu.

– Izabelo. – Wszedł i ruszył do niej z wyciągniętymi ramionami.

– Gustavo… – Ona także wyciągnęła ręce, a on ujął je, uważnie jej się przyglądając.

– Europa bardzo ci się chyba podobała, bo wyglądasz jeszcze promienniej niż w moich wspomnieniach. Jesteś teraz piękną, dojrzałą kobietą.

Czuła, że mierzy wzrokiem każdy centymetr jej ciała.

– Było ci tam dobrze? – spytał.

– Tak, cudownie. – Bel dała Gabrieli znak, by przyniosła dzbanek świeżego soku z mango, i gestem zaprosiła Gustava, aby usiadł. – Zwłaszcza w Paryżu.

– No tak. To miasto miłości – skomentował. – Tak mi przykro, że nie mogłem tam być i cieszyć się tym miastem razem z tobą. Ale może Bóg pozwoli, żebyśmy kiedyś pojechali tam razem. Opowiedz mi o swoich podróżach.

Bel zdała mu relację ze wszystkiego, co w ciągu ostatnich kilku miesięcy zobaczyła. Przyglądając się przy tym narzeczonemu, stwierdziła, że wygląda jeszcze mniej ciekawie, niż go zapamiętała. Zmusiła się jednak, żeby zamiast o tym myśleć, skupić się na dobroci bijącej z jego ciepłych brązowych oczu.

– Hm… przeżyłaś wiele wspaniałych chwil – powiedział, sącząc sok. – Ale twoje listy były tak ogólnikowe, że nie byłem pewny, czy ci się tam podoba, czy nie. Nie wspomniałaś, na przykład, o rzeźbiarzu, który poprosił cię, żebyś mu pozowała w Paryżu.

– Skąd o nim wiesz? – Bel była wstrząśnięta, że już o tym słyszał.

– Od twojego ojca. Wspomniał o tym, kiedy wczoraj rozmawialiśmy przez telefon. Na pewno było to dla ciebie ciekawe przeżycie.

– Owszem – przytaknęła cichutko.

– Wiesz – uśmiechnął się – sześć tygodni temu, gdy przygotowywałaś się do wyjazdu z Paryża, miałem dziwne przeczucie,

308

że możesz do mnie nie wrócić. Skontaktowałem się nawet z twoim ojcem, żeby się upewnić, czy zgodnie z planem wsiadłaś na statek. Dałem się owładnąć lękowi. Bo przecież wróciłaś, Izabelo. – Wyciągnął rękę w stronę jej dłoni. – Tęskniłaś za mną tak jak ja za tobą?

– Bardzo.

– Szkoda, że nie możemy pobrać się wcześniej, ale oczywiście musimy dać twojej mamie czas na wyzdrowienie. Jak ona się czuje?

– Jest słaba, ale powoli wraca do sił – odpowiedziała mu Bel. – Nadal jestem zła, że ani ona, ani ojciec nie napisali mi o jej chorobie. Wróciłabym wcześniej.

– Wiesz, Izabelo, może są rzeczy, o których lepiej w listach nie pisać?

Poczuła, że rumieni się pod jego spojrzeniem, bo każde słowo, które wypowiedział, wskazywało na to, że zna jej sekret.

– Nawet jeśli w dobrej wierze starali się mnie chronić, powinni byli mi powiedzieć – skomentowała to szorstko.

– Najważniejsze, że wróciłaś do domu cała i zdrowa, jesteś ze mną, a twoja mama zdrowieje. – Gustavo puścił jej dłoń. – I tylko to się liczy, prawda? Moja mama też nie może się doczekać, kiedy cię zobaczy. Chce już zacząć omawiać sprawy związane ze ślubem i choć przykro jej niepokoić senhorę Carlę, niektóre kwestie trzeba wkrótce ustalić. Na przykład termin. Czy myślałaś już o tym, która część stycznia ci pasuje?

– Wolałabym, żebyśmy się pobrali pod koniec miesiąca. Moja mama miałaby wtedy więcej czasu na dojście do siebie.

– Oczywiście. A może w najbliższych dniach zechciałabyś odwiedzić w Casa das Orquídeas moją matkę i omówić przygotowania do ślubu? Przy okazji zobaczyłabyś, jak razem z twoim ojcem zaplanowałem remont domu. Prace przy głównej bryle budynku już trwają. Twój ojciec znalazł architekta, który ma bardzo nowoczesne pomysły. Zaproponował, żeby przebudować górne piętra i przy głównych sypialniach urządzić łazienki. No i na pewno będziesz chciała zaprojektować wystrój swoich prywatnych apartamentów. Wiem, że w takich sprawach kobiety mają lepszy gust niż mężczyźni.

Na myśl o pokoju – i o łóżku – które będzie dzielić z Gustavem, po kręgosłupie Bel przebiegł dreszcz.

– Z przyjemnością przyjadę, kiedykolwiek pasuje twojej mamie – odparła.

– Mogę zaproponować przyszłą środę?

– Świetnie.

– Mam nadzieję, że się zgodzisz, abym tymczasem mógł się cieszyć twoim towarzystwem. Pozwolisz, żebym cię odwiedził jutro po południu?

– Będę w domu.

Gustavo wstał, a ona za nim.

– Do jutra, Izabelo – mruknął, całując ją w rękę. – Z utęsknieniem czekam dnia, kiedy nie będę już musiał się z tobą umawiać.

Kiedy Gustavo opuścił ich dom, Bel weszła na górę do swojej sypialni, żeby się nieco uspokoić, zanim pójdzie do matki. Stanęła przy oknie i mocno się zbeształa. Gustavo jest miłym, uprzejmym i delikatnym człowiekiem, a ona musi pamiętać, że to nie z jego winy nigdy nie będzie w stanie pokochać go tak, jak on kocha ją. I nie z jego winy pokochała innego…

Z dreszczem przerażenia przypomniała sobie ostrzeżenie Laurenta, że nadejdzie dzień, kiedy jej prawdziwe uczucia wyjdą na jaw. Ochlapała twarz zimną wodą i dopiero wtedy ruszyła do pokoju matki.

*

Tydzień później Bel z przyjemnością zobaczyła, że choć matka nadal jest słaba i wychudzona, czuje się zdecydowanie lepiej.

– Wiesz, kochanie – odezwała się pewnego popołudnia, po tym jak Bel tłumaczyła jej na głos powieść *Pani Bovary* Gustave'a Flauberta z francuskiego na portugalski. – Mam bardzo mądrą córkę! Kto by pomyślał?! – Carla z miłością popatrzyła na Bel i pogłaskała ją po policzku. – Jestem z ciebie bardzo dumna.

– A ja będę dumna z ciebie, jeśli zjesz całą kolację.

Matka wyjrzała przez okno. Było piękne popołudnie, więc

przez chwilę przyglądała się cieniom padającym na bujną roślinność i na stworzenia w ogrodzie.

– W tak słoneczną pogodę tęsknię za moją ukochaną hacjendą – wyznała. – Jej górskie powietrze i spokój zawsze dodawały mi siły.

– Chciałabyś się tam wybrać, *mãe*?

– Przecież wiesz, że uwielbiam hacjendę, Izabelo. Ale ojciec jest bardzo zajęty w biurze i nie zechce wyjechać z Rio.

– Najważniejsze jest twoje zdrowie. A tę sprawę zostaw mnie – zakomenderowała Bel.

Wieczorem przy kolacji z ojcem zaproponowała, że wyjedzie z mamą na hacjendę.

– Myślę, że wzmocni ją to na duchu i korzystnie wpłynie na jej zdrowie. Pozwolisz nam jechać, *pai*? Chociaż na kilka tygodni? W Rio jest teraz strasznie gorąco.

– Izabelo... – Antonio skrzywił się z niezadowoleniem. – Dopiero wróciłaś, a już mówisz o następnym wyjeździe. Można by pomyśleć, że ci się tutaj nie podoba.

– Wiesz, że tak nie jest, *pai*. Ale dopóki mama całkiem nie wydobrzeje, nie bardzo mogę ustalić ostateczny termin ślubu. A przecież wiesz, że chciałabym, żeby to było jak najszybciej. Więc jeśli pobyt na hacjendzie przyśpieszy jej powrót do zdrowia, z przyjemnością będę jej tam towarzyszyć.

– A mnie zostawicie w pustym domu, bez żony i córki?

– Na pewno mógłbyś do nas przyjeżdżać na niedziele, *pai*.

– Może. Ale to nie mnie musicie przekonać, tylko twojego narzeczonego, który może nie chcieć, żebyś znowu od niego wyjeżdżała.

– Porozmawiam z Gustavem.

*

– Oczywiście. – Gustavo skinął głową, kiedy Bel wyjaśniła mu, dlaczego chce wyjechać. – Popieram wszystko, co szybciej zaprowadzi nas przed ołtarz. A poza tym – dodał szybko – twojej mamie pomoże to wyzdrowieć. Przedtem musimy jednak podjąć kilka decyzji.

Bel powiedziała zachwyconej Carli, że w następnym tygodniu wyjadą na hacjendę. Ale w domu Bonifaciów była jeszcze jedna osoba, którą uszczęśliwiła perspektywa wyjazdu. Kiedy Bel poprosiła Loen, by pojechała z nimi w góry, twarz służącej rozpromieniła się. Teoretycznie obecność Loen nie była na hacjendzie konieczna, ponieważ Fabiana i Sandro, którzy opiekowali się majątkiem, na pewno daliby sobie radę, ale Bel wiedziała, że Loen będzie mogła pobyć z ukochanym.

– Och, senhorita Bel! – zawołała Loen z błyskiem szczęścia w oczach. – Aż trudno mi uwierzyć, że znowu go zobaczę! Nie umie czytać ani pisać, więc nie miałam z nim kontaktu, od kiedy ostatni raz się widzieliśmy. *Obrigada! Obrigada!*

Spontanicznie uścisnęła swoją panią i wyszła z pokoju, podskakując. Bel tymczasem postanowiła, że skoro sama nigdy nie będzie mogła połączyć się z ukochanym, może się przynajmniej cieszyć szczęściem Loen.

Następnego dnia zgodnie z umową pojechała na spotkanie z Gustavem i jego matką.

– Wielka szkoda, że z powodu choroby twoja mama nie może pomóc nam w zorganizowaniu tak ważnej uroczystości – powiedziała Luiza Aires Cabral. – My nie mamy jednak wymówki i musimy wykonać tę pracę bez niej.

Bel miała ochotę uderzyć ją w jej arogancką twarz, ale jakoś się od tego powstrzymała.

– Jestem pewna, że mama wkrótce poczuje się lepiej, zwłaszcza kiedy pobędzie na świeżym, górskim powietrzu – odpowiedziała.

– Jeśli uda nam się przynajmniej ustalić termin ślubu, ludzie z Rio nie odczują, że jest to następna wymówka, aby go odwlec. W końcu dopiero co spędziłaś tyle czasu za granicą. – Luiza włożyła okulary, by przestudiować swój kalendarz. – Arcybiskup poinformował mnie, jakie dni ma wolne. Nietrudno sobie wyobrazić, że trzeba się u niego zapisywać na kilka miesięcy naprzód. Gustavo powiedział mi, że chcesz, aby ślub odbył się pod koniec stycznia. Oczywiście w piątek. Śluby weekendowe są w złym guście.

312

– Proszę zrobić tak, jak pani uważa – potulnie zgodziła się Bel.

– Jeśli chodzi o przyjęcie po ślubie, to twój ojciec wymyślił, że weselne śniadanie powinno odbyć się w hotelu Copacabana Palace. Według mnie zaspokaja on raczej pospolite gusta. Wolałabym urządzić mniejsze przyjęcie dla wybranych gości u nas w domu, tak jak każe nasza rodzinna tradycja. Ale twój ojciec postanowił odnowić nasz dom, chociaż nic mu przecież nie brakuje, tak więc nie jest to możliwe. Wszędzie mamy pełno robotników i do stycznia mogą nie zdążyć. Nie powinniśmy ryzykować, więc musimy wybrać inne miejsce.

– Zgadzam się na wszystko, co pani postanowi.

– Jeśli chodzi o druhny i drużbów, to twoja mama podała imiona i nazwiska kilku waszych kuzynów z São Paulo. W sumie jest ich ośmioro – wyjaśniła Luiza. – Z naszej strony jest co najmniej dwanaścioro, których musimy wziąć po uwagę, gdyż są naszymi chrześniakami, więc spodziewają się odegrać ważną rolę w tej uroczystości. Ale tak naprawdę możemy uwzględnić tylko osiem młodych osób, bo inaczej wypadnie to pretensjonalnie. Czy masz kogoś, kto szczególnie zasługuje na miejsce w tym ścisłym gronie?

Bel wymieniła dwie córki kuzynki ze strony matki i chłopca ze strony ojca.

– Resztę możecie państwo wybrać z waszej strony.

Spojrzała na narzeczonego, który uśmiechnął się do niej ciepło i z niejakim współczuciem.

Przez następne dwie godziny Luiza zadawała Bel bardzo szczegółowe pytania dotyczące wszystkich aspektów ślubu. Ale ilekroć Bel odważała się cokolwiek zaproponować, jej pomysły były natychmiast utrącane. Przyszła teściowa uparła się, aby wszystko było tak, jak chce ona.

W jednej sprawie Bel postanowiła stanowczo obstawać przy swoim. Chciała, by po ślubie do jej nowego domu przeprowadziła się Loen i nadal była jej osobistą pokojówką.

Kiedy ośmieliła się poruszyć ten temat, Luiza najpierw usadziła ją lodowatym spojrzeniem, a potem lekceważąco machnęła ręką.

313

– To bez sensu – burknęła. – Mamy służących, którzy potrafią znakomicie cię obsłużyć.

– Ale…

– Mãe – przerwał matce Gustavo, który nareszcie stanął w obronie Bel. – Jeśli Izabela chce zatrzymać służącą, którą zna od dzieciństwa, nie widzę, dlaczego miałoby to nie być możliwe.

Luiza zmierzyła go zirytowanym spojrzeniem spod uniesionych brwi.

– Rozumiem. No dobrze, niech tak będzie. – Skinęła głową, po czym zwróciła się do Bel: – Dobrze, że to wszystko omówiłyśmy. Przynajmniej będę miała nad czym pracować, kiedy ty w przyszłym tygodniu uciekniesz w góry. Tak długo byłaś z dala od mojego syna, że można by odnieść wrażenie, że nie masz ochoty przebywać w jego towarzystwie.

Tym razem znów zainterweniował Gustavo.

– To, co mama mówi, jest niesprawiedliwe. Izabela po prostu chce pomóc swojej matce dojść do zdrowia.

– Oczywiście. Wspomnę o niej w modlitwie, kiedy jutro pójdę na mszę świętą. A tymczasem spełnię swój obowiązek i do momentu, gdy ty i senhora Bonifacio wrócicie, aby mnie odciążyć, będę zarządzać przygotowaniami. A teraz przepraszam. – Luiza zerknęła na zegar stojący na gzymsie kominka. – Za niecałą godzinę mam spotkanie w sierocińcu Sióstr Miłosierdzia. Gustavo, oprowadź Izabelę po ogrodzie. Zaczerpniecie świeżego powietrza, a przy okazji pokażesz jej prace remontowe.

Kiedy Bel przyglądała się, jak jej przyszła teściowa wychodzi z salonu, czuła się jak balon, który tak mocno nadmuchano, że za chwilę pęknie.

– Nie zwracaj na nią uwagi. – Gustavo podszedł do niej i czując, jak jest poirytowana, położył dłoń na jej ramieniu. – Mãe może i narzeka, ale skrycie cieszy się każdą sekundą przygotowań. Od dziewięciu miesięcy nie mówi o niczym innym. A teraz pozwól, że zabiorę cię do ogrodu.

– Gustavo, gdzie będą mieszkali twoi rodzice, kiedy się pobierzemy i wprowadzę się do ciebie? – zapytała Bel, gdy wyszli z domu.

314

Jej pytanie tak go zdziwiło, że uniósł brwi.

– Oczywiście będą dalej mieszkać z nami. Dokąd mieliby iść?

*

Następnego dnia rano Bel wygodnie usadowiła matkę z tyłu rolls-royce'a i usiadła obok niej. Loen zajęła miejsce z przodu, obok kierowcy, i wyruszyli w pięciogodzinną podróż ku skąpanym w orzeźwiającym powietrzu stokom górskiego regionu Paty do Alferes. Przez dwieście lat hacjenda Santa Tereza należała do rodziny portugalskiego szlachcica, który nazywał się właśnie baron Paty do Alferes. Przed ich wyjazdem Antonio podkreślił, że był on dalekim krewnym rodziny Aires Cabralów.

Drogi prowadzące w te okolice okazały się zadziwiająco dobre; bogaci plantatorzy sfinansowali ich budowę, by do Rio i z powrotem przewozić kawę i ludzi. Przez większość czasu Carla mogła spokojnie spać.

Bel wyglądała przez okno. Powoli wspinali się coraz wyżej w góry. Łagodne zbocza opadały ku dolinom poprzecinanym strumieniami płynącymi w wąskich rozpadlinach.

– Jesteśmy na miejscu, *mãe* – oznajmiła, kiedy samochód znalazł się na zakurzonym, wyboistym podjeździe do domu.

Gdy samochód stanął, Carla się obudziła, a Bel wyskoczyła na zewnątrz, by pełną piersią zaczerpnąć cudownego, czystego powietrza, które rozsławiło okolicę. Zapadał już mrok, więc cykady dawały koncert, a Vanila i Donna skomlały radośnie i łasiły się do stóp swojej pani. Były to dwa psy, które siedem lat temu przybłąkały się do ich kuchennych drzwi jako wygłodzone szczeniaczki, a Bel ubłagała rodziców, by mogły u nich zostać.

– Dom. – Westchnęła z rozkoszą. Tuż za psami przybyli na powitanie opiekunowie hacjendy, Fabiana i Sandro.

– Senhorita Izabela! – Fabiana objęła ją serdecznie. – Od czasu kiedy ostatnio panienkę widziałam, jeszcze panienka wypiękniała. Dobrze się panienka czuje?

– Tak, dziękuję. Ale – Bel ściszyła głos – będziesz zszokowana, kiedy zobaczysz mamę. Postaraj się nic po sobie nie pokazać.

Fabiana skinęła głową i przyglądała się, jak kierowca pomaga Carli wysiąść z samochodu. Poklepała Bel po ramieniu, a potem podeszła, by przywitać swoją panią. Jeśli ktokolwiek może wyleczyć mamę, pomyślała Bel, to właśnie Fabiana. Nie dość, że będzie się za nią modliła w maleńkiej kapliczce urządzonej w alkowie tuż obok salonu, to zaaplikuje Carli najróżniejsze tradycyjne leki, mikstury z ziół i kwiatów, które tak obficie rosły w okolicy i słynęły ze swych uzdrowicielskich mocy.

Kątem oka zobaczyła, że w pobliżu kręci się Bruno, ciemnooki syn Fabiany i Sandra. Kiedy całą grupą szli do drzwi domu, dostrzegła, jak Loen nieśmiało się do niego uśmiecha, a Bruno odwzajemnia uśmiech.

Bel weszła za Fabianą i matką do domu. Widząc, że gospodyni objęła Carlę swym matczynym ramieniem, odetchnęła z ulgą. Do tej pory była osamotniona w opiece nad matką, teraz wiedziała, że może się zdać na Fabianę. Kiedy ta zabrała Carlę do sypialni, żeby ją tam urządzić, Bel z radością popatrzyła na salon: na podłogę z szerokich desek i ciężkie meble z mahoniu i drewna różanego. Przeszła przez pokój, a po chwili otworzyła drzwi do sypialni swojego dzieciństwa.

Okna były otwarte na oścież, a zewnętrzne okiennice rozsunięte. Kiedy oparła łokcie na parapecie, owionął ją cudowny, chłodny wietrzyk. Z rozkoszą chłonęła swój ulubiony widok. Zauważyła, że poniżej, na padoku, spokojnie pasie się jej klacz, Loty, i Luppa, ogier ojca. W tyle wznosiła się łagodnie góra, na której tu i ówdzie nadal rosły krzewy kawy. Udało im się jakoś przetrwać, choć od lat nikt ich nie uprawiał. Zbocze usiane było cętkami białych wołów, a na połaci ziemi pokrytej kępami ostrej trawy miejscami gdzieniegdzie widać było glebę o głębokim odcieniu czerwieni.

Odeszła od okna, znów przecięła salon i stanęła w drzwiach frontowych. Po ich obu stronach rosły stare palmy, od których region otrzymał swoją nazwę. Usiadła na znajdującej się na tarasie kamiennej ławeczce i wdychając słodki zapach hibiskusa, który bujnie się tu rozrastał, popatrzyła za ogród, na jezioro, w którym codziennie pływała jako dziecko. Kiedy przysłuchiwała się monotonnemu brzęczeniu unoszących się nad kwiatowymi rabatami ważek i obserwowała, jak tuż przed jej oczami tańczą dwa motyle, poczuła, że częściowo opada z niej wewnętrzne napięcie.

Laurent byłby zachwycony hacjendą, przemknęło jej przez głowę. I choć postanowiła o nim nie myśleć, do oczu napłynęły jej łzy. Kiedy w Paryżu postanowiła go opuścić, wiedziała, że oznacza to między nimi koniec, ale w zakamarkach dziewczęcej wyobraźni zastanawiała się, czy spróbuje się z nią skontaktować. Codziennie rano, gdy przy śniadaniu widziała pocztę przynoszoną na srebrnej tacy, wyobrażała sobie, że dostaje od niego list, w którym błaga ją, żeby wróciła, i zapewnia, że nie może bez niej żyć.

Nic takiego oczywiście się nie wydarzyło. Wraz z upływem tygodni coraz częściej przychodziło jej do głowy, że być może, wyznając jej miłości, chciał ją po prostu uwieść, tak jak sugerowała Margarida. Zastanawiała się, czy Laurent jeszcze o niej kiedykolwiek myśli, czy też ich wspólnie spędzone chwile odfrunęły z jego umysłu jak piórka na wietrze i już o niej zapomniał.

Ale czy to miało jakiekolwiek znaczenie? To ona podjęła ostateczną decyzję i dokonała wyboru, by wrócić do Brazylii i wyjść za mąż. Atmosfera La Closerie des Lilas i dotyk ust Laurenta na jej ustach były już tylko wspomnieniem, krótkim tańcem z innym światem, który postanowiła zakończyć. I choćby nie wiem jakie snuła marzenia i nadzieje, nic nie zmieni życia, które wybrała.

31

Paryż, listopad 1928

– Posąg jest nareszcie skończony. – Profesor Landowski z ulgą
uderzył pięścią w swój stół rzeźbiarski. – Ale teraz ten zwariowany
Brazylijczyk każe mi zrobić pełnowymiarowy model głowy i dłoni Chrystusa. Głowa będzie miała prawie cztery metry wysokości,
więc z trudem zmieści się w studio. Palce niemal dosięgną krokwi,
więc my, czyli wszyscy pracujący w atelier, całkiem dosłownie do-
świadczymy na sobie dłoni Chrystusa – zażartował. – Z tego, co
mówi da Silva Costa, kiedy już skończę, pokroi moje dzieła na kawałki jak wołowinę na obiad, żeby przewieźć je na statku do Rio
de Janeiro. Jeszcze nigdy w ten sposób nie pracowałem. Ale chyba
muszę zaufać temu szaleńcowi – zakończył i westchnął.

– Pewnie nie ma pan innego wyjścia – powiedział Laurent.

– W każdym razie przynajmniej zarabiam na życie, Brouilly,
chociaż do czasu, kiedy głowa i ręce naszego Pan nie opuszczą
atelier, nie mogę przyjąć żadnych innych zleceń. Po prostu na nic
innego nie ma tu miejsca. No to zaczynamy. Przynieś mi odlewy
dłoni tych dwóch pań, które zrobiłeś kilka tygodni temu. Muszę
mieć na czym pracować.

Laurent poszedł po odlewy do magazynu i położył je przed mistrzem, po czym dokładnie im się razem przyjrzeli.

– Obie mają piękne, delikatne palce, ale muszę się zastanowić,
jak będą wyglądały, kiedy każda dłoń zostanie powiększona do ponad trzech metrów – zastanawiał się głośno Landowski. – Brouilly,
czy nie powinieneś już iść do domu?

Był to sygnał, że profesor chce zostać sam.

– Oczywiście. Do jutra.

Gdy Laurent wyszedł z atelier, zobaczył, że chłopiec, który się tu przybłąkał, przycupnął na kamiennej ławce na tarasie. Wieczór był chłodny, ale pogodny, a w górze rozpościerało się rozgwieżdżone niebo. Laurent usiadł obok niego i przyglądał się, jak chłopiec patrzy w gwiazdy.

– Lubisz gwiazdy? – zapytał, choć od dawna pogodził się z tym, że nigdy nie otrzymuje od niego odpowiedzi.

Mały uśmiechnął się przelotnie i skinął głową.

– Tam jest Pas Oriona. – Laurent wskazał go placem. – A niedaleko niego widzimy Siedem Sióstr, których pilnują ich rodzice, Atlas i Plejone. – Laurent widział, że chłopiec podąża wzrokiem za jego palcem i uważnie słucha. – Mój ojciec interesował się astronomią. W jednym z pomieszczeń na strychu, na samej górze naszego château, miał teleskop. Czasami, gdy była ładna pogoda, brał mnie na dach i uczył mnie o gwiazdach. Kiedyś zobaczyłem, jak jedna z nich spada, i wydało mi się to czymś najbardziej magicznym w życiu. – Popatrzył na chłopca. – Masz rodziców?

Ten udał, że go nie słyszy, i dalej patrzył w górę.

– No cóż, muszę już iść. – Laurent poklepał go po głowie. – Dobranoc.

Udało mu się złapać okazję i część drogi na Montparnasse przejechał z tyłu motocykla. Kiedy dotarł do swojego pokoju na strychu, zobaczył, że w jego łóżku leży jakaś zwinięta w kłębek postać. Ktoś inny wyciągnął się na materacu na podłodze. Nie było w tym nic niezwykłego, zwłaszcza że ostatnio często zostawał na noc w atelier.

Zazwyczaj zostawiłby śpiącego na kilka godzin w spokoju, a sam poszedłby pogadać z przyjaciółmi w barach Montparnasse'u. Potem wróciłby, wyrzucił śpiącą osobę ze swojego łóżka i sam się w nim położył. Dzisiaj był jednak potwornie zmęczony i nie miał ochoty na życie towarzyskie. Tak naprawdę, od czasu kiedy Izabela Bonifacio wsiadła na statek, żeby wrócić do Brazylii, całkowicie opuściło go jego normalne *joie de vivre*.

Nawet Landowski zauważył, że jego asystent przycichł; co więcej, profesor skomentował swoje spostrzeżenie.

– Jesteś chory, Brouilly? A może za kimś tęsknisz? – zapytał z takim błyskiem w oku, jakby wiedział, o co chodzi.

– Nic mi nie jest – bronił się Laurent.

– Niezależnie od tego, jaka to choroba, pamiętaj, że z czasem wszystko człowiekowi przechodzi.

Wnikliwa, sympatyczna i pełna współczucia uwaga Landowskiego podniosła Laurenta na duchu. Często miał wrażenie, że profesor jest do tego stopnia zatopiony we własnym świecie, że nie tylko nie dostrzega jego nastrojów, ale nawet obecności. A on czuł się teraz, jakby ktoś wyrwał mu z piersi serce, rzucił je na ziemię i zdeptał.

Podszedł do łóżka i mocno potrząsnął śpiącym, lecz ten tylko chuchnął na niego alkoholem i z powrotem przewrócił się na bok. Laurent wiedział, że nie da się go obudzić, więc z ciężkim westchnieniem postanowił dać mu trochę czasu na otrzeźwienie, a sam poszedł szukać kolacji.

Wąskie ulice Montparnasse'u jak zwykle tętniły życiem, a zewsząd dobiegały rozmowy zadowolonych z życia ludzi. Chociaż wieczór był zimny, w kafejkach na zewnątrz trudno było znaleźć wolne miejsce, a uszy Laurenta atakowała kakofonia różnego rodzaju muzyki dobiegającej z barów. Energia Montparnasse'u zwykle go zachwycała, ale ostatnio zaczęła go irytować. Jak to możliwe, że wszyscy są tacy szczęśliwi, podczas gdy on nie mógł się otrząsnąć z bolesnego otępienia.

Nie chciał iść do La Closerie des Lilas, bo tam spotkałby zbyt wielu znajomych, którzy wciągnęliby go w nic nieznaczące rozmowy, więc wszedł do spokojniejszej kawiarni, usiadł przy barze i zamówił sobie absynt, po czym wypił go jednym haustem.

Rozejrzał się po stolikach i natychmiast zauważył brunetkę, która przypominała mu Izabelę. Oczywiście, kiedy przyjrzał jej się dokładniej, okazało się, że nie ma tak delikatnych rysów, a w jej oczach czai się coś zaciętego. Hm… ostatnio miał wrażenie, że widzi Izabelę wszędzie, gdzie się tylko ruszył.

Zamówił jeszcze jeden absynt i zaczął nad sobą rozmyślać. W przeszłości zdobył sobie reputację Casanovy, czarującego, przystojnego mężczyzny, któremu znajomi zazdrościli, ponieważ wystarczyłoby, żeby mrugnął okiem, a mógłby zwabić do łóżka każdą kobietę, jaką tylko by zechciał. No i owszem, korzystał z tego, ile wlezie, bo lubił kobiety – ze względu na ich ciała, ale też umysły.

Jeśli chodzi o miłość... Dwa razy wydawało mu się, że być może doświadcza tego, co opisywali wszyscy wielcy artyści. Ale za każdym razem uczucie szybko mijało i zaczynał już myśleć, że nigdy się nie dowie, jak z tym jest naprawdę.

Do czasu Izabeli...

Kiedy ją poznał, od razu wykorzystał swoje zwykłe sztuczki, by ją uwieść. Z przyjemnością patrzył, jak się rumieni i powoli poddaje jego urokowi. Był ekspertem w uprawianiu takich gierek. Przeważnie jednak, gdy złapał już rybę na haczyk i mógł z nią robić, co chciał, zaczynała go nudzić i od niej odchodził.

Potem, gdy uświadomił sobie, że Izabela wyjeżdża, a on czuje do niej coś, co być może jest autentyczne, po raz pierwszy w życiu wyznał jej miłość i poprosił, by została w Paryżu.

A ona mu odmówiła.

Przez pierwsze kilka dni po jej wyjeździe wydawało mu się, że cierpi, ponieważ nigdy dotąd nie zdarzyło się, że wybrana przez niego kobieta mu nie uległa. Być może Izabela stała się dla niego tym atrakcyjniejsza, że okazała się nieosiągalna. Sytuacja nabierała jeszcze większego dramatyzmu, gdyż Izabela popłynęła na drugą stronę oceanu, by dać się przykuć do mężczyzny, którego nie kochała.

A jednak... jego cierpienie nie miało nic wspólnego ze zranioną dumą. Chociaż minęło osiem tygodni, chociaż aby o niej zapomnieć, spał z innymi kobietami i upijał się tak, że – ku wściekłości Landowskiego – przesypiał cały następny dzień, nic mu nie pomagało.

Nadal przez cały czas, w każdej chwili na jawie myślał o Izabeli. W atelier czasami stał ze wzrokiem zawieszonym w przestrzeni i wspominał, jak spokojnie siedziała tam, naprzeciwko niego, a on codziennie mógł ją całymi godzinami podziwiać. Dlaczego bardziej tego nie doceniał? Była inna niż jakakolwiek kobieta, którą wcześniej spotkał: niewinna i dobra. Jednocześnie już pierwszego dnia, kiedy ją szkicował, odkrył, że ma w sobie całe pokłady namiętności i pragnienie, aby poznać wszystko, co życie ma do zaoferowania. A tego wieczoru, kiedy z taką czułością niosła na rękach znalezionego chłopca i zdecydowanie odmówiła dyskusji na temat tego, czy dobrze postępuje, okazała prawdziwe serce...

Laurent osuszył kieliszek i zamówił następny. Teraz był już przekonany, że Izabela jest boginią.

Kiedy w nocy leżał w łóżku, często przypominał sobie ich rozmowy i wściekał się na siebie, że grał na jej uczuciach. Z całej siły pragnął odwołać wszystkie dwuznaczniki, którymi ją na początku zawstydzał. Nie zasłużyła na nie.

A teraz odeszła na zawsze. Na wszystko już za późno.

Poza tym, rozmyślał posępnie, cóż mógłbym zaoferować takiej kobiecie jak ona? Brudny strych, który dzielił z innymi, gdzie nawet łóżko wynajmowane było na godziny? Brak jakiegokolwiek stałego dochodu i reputację kobieciarza, która z pewnością do niej dotarła, kiedy bywała na Montparnassie. Dostrzegł nawet, jak Margarida Lopes de Almeida przygląda mu się, widząc, że między nimi iskrzy. Na pewno powiedziała Izabeli, co o nim sądzi.

Zamówił zupę, bo czuł, że za chwilę absynt opanuje mu mózg i spadnie z barowego stołka. Po raz tysięczny rozważał, czy nie wysłać listu, który układał w głowie w każdej godzinie jej nieobecności. Zdawał sobie sprawę, że jeśliby to zrobił, list mógłby wpaść w niepowołane ręce i ją skompromitować.

Bezustannie torturował się rozważaniem, czy już wyszła za mąż i wszystko przepadło. Chciał zapytać o to Margaridę, ale nie bywała już w atelier, bo jej dwumiesięczny staż dobiegł końca. Z plotek na Montparnassie wiedział, że wyjechała z matką do Saint-Paul de Vence, żeby cieszyć się cieplejszą pogodą.

– Brouilly.

Poczuł na ramieniu rękę i odwrócił przekrwione oczy w stronę głosu.

– Jak ci leci?

– Dobrze, Marius – odpowiedział. – A tobie?

– Jak zawsze: jestem biedny, pijany i potrzebuję kobiety. Ale zamiast tego muszę się zadowolić tobą. Napijesz się?

Laurent przyglądał się, jak Marius przyciąga sobie do baru stołek i siada obok niego. Jeszcze jeden nieznany artysta z Montparnasse'u, który spędza życie na piciu taniego alkoholu, seksie i marzeniach o świetlanej przyszłości. Przypomniał mu się dziki lokator w jego łóżku i uznał, że lepiej będzie, jeśli o świcie wytoczy się z baru i prześpi się gdzie popadnie na ulicy.

– Dobrze – zgodził się. – Poproszę jeszcze jeden absynt.

*

Ta noc była pierwszą z serii tych, podczas których Laurent topił swoje smutki. Kiedy w końcu z mętnym wzrokiem zjawił się na progu Landowskiego, nie bardzo cokolwiek z tego okresu pamiętał.

– Popatrz, co za obwieś do nas przyszedł – zwrócił się Landowski do chłopca, który siedział na stołku i z zapartym tchem przyglądał się pracy profesora.

– *Mon Dieu*, profesorze, ale dużo pan zrobił! – Laurent z niedowierzaniem patrzył na ogromną dłoń Chrystusa. Miał wrażenie, że mistrz pracował nad nią ze czterdzieści osiem godzin bez przerwy.

– Nie było pana przez pięć dni, więc ktoś musiał to zrobić. Razem z chłopcem chcieliśmy już wysłać ekipę poszukiwawczą, żeby odszukać pana w rynsztokach Montparnasse'u.

– Mówi pan, że to już środa? – Laurent był zszokowany.

– Owszem – potwierdził Landowski i na powrót skupił uwagę na ogromnym białym kształcie. Wziął do ręki skalpel i zaczął pracować w jeszcze mokrym gipsie. – Teraz będę kształtował paznokcie Naszego Pana – zwrócił się do chłopca, specjalnie ignorując asystenta.

Kiedy Laurent wrócił z kuchni, gdzie opryskał sobie twarz i wypił ze dwie szklanki wody, by przestała go boleć głowa, Landowski obrzucił go krytycznym wzrokiem.

– Jak pan widzi, znalazłem sobie nowego asystenta. – Mrugnął do chłopca. – On przynajmniej nie znika na pięć dni, po których wraca pijany po poprzedniej nocy.

– Przepraszam, profesorze...

– Dosyć tego! Proszę zrozumieć, że ostatni raz toleruję takie zachowanie, Brouilly. Potrzebowałem pana do pomocy, a pana nie było. A teraz, zanim śmie pan dotknąć dłoni mojego Chrystusa, niech pan idzie do domu i powie mojej żonie, że kazałem panu odespać kaca.

– Tak, profesorze.

Laurent wyszedł z atelier z czerwoną twarzą, karcąc się, że dopuścił do takiej sytuacji. Po chwili zawsze wyrozumiała żona Landowskiego, Amélie, zapakowała go do łóżka.

Obudził się cztery godziny później. Zjadł miskę zupy, którą dała mu pani Landowski, po czym wrócił do atelier w dużo lepszej formie.

– No, może być – ocenił profesor, ogarnąwszy wzrokiem postać Laurenta, i pokiwał głową. – Teraz nadaje się pan do pracy.

Ogromna dłoń miała już palec wskazujący. Chłopiec nadal siedział na stołku, tam gdzie Laurent ostatnio go widział, i z uwagą przyglądał się pracy mistrza.

– Teraz będziemy robić czwarty palec. Tam jest model, na podstawie którego pracuję. – Landowski wskazał na jeden z odlewów dłoni Izabeli i Margaridy, które kiedyś wykonał Laurent.

– Czyje ręce w końcu pan wybrał? – zapytał Laurent, podchodząc do modelu.

– Nie mam pojęcia, nie były podpisane. I być może tak powinno zostać. W końcu są to dłonie Naszego Pana i tylko Jego.

Laurent przyjrzał się odlewowi, szukając pęknięcia na małym palcu, w miejscu, w którym tak dokładnie skleił palec zdjęty z dłoni Margaridy. Niczego takiego nie było.

Teraz wiedział już na pewno, że Landowski na wzór dla dłoni Chrystusa z Rio wybrał dłonie Izabeli. Poczuł falę ogromnej radości.

32

Paty do Alferes, Brazylia, listopad 1928

Po dwóch tygodniach pobytu na hacjendzie Bel z radością zaobserwowała, że matka powoli wraca do zdrowia. Nie wiedziała, czy pomogło jej czyste górskie powietrze, piękno i spokój otoczenia, czy zabiegi Fabiany. Najważniejsze, że Carla przybrała trochę na wadze i miała już dość energii, by bez podtrzymywania odbywać krótkie spacery po ich wspaniałym ogrodzie.

Wszystko, co jadły, wyhodowano tu, na farmie, albo przywieziono z najbliższej okolicy: miały mięso z ich własnego bydła, ser i mleko od kóz z dolin, warzywa i owoce z okolicznych gospodarstw. Paty do Alferes słynęło z upraw pomidorów, które Fabiana uważała za niezwykle zdrowe, więc siekała je, drobiła i przeciskała przez sito, przygotowując z nich przeróżne potrawy.

Bel też powoli zaczynała czuć się lepiej. Co rano po przebudzeniu wkładała kostium kąpielowy i brała orzeźwiającą kąpiel w jeziorze, po czym szła na śniadanie i z apetytem jadła pyszną babkę piaskową upieczoną przez Fabianę. Jedną z atrakcji ich posesji był wodospad z krystalicznie czystą wodą spadającą z gór i rozbijającą się o skały. Bel lubiła pod nim siadać. Patrzyła w dal na góry, podczas gdy lodowate strumienie wody masowały jej plecy.

W ciągu dnia, kiedy mama odpoczywała, Bel kładła się na chłodnej werandzie i czytała. Najbardziej lubiła książki filozoficzne albo poradniki poświęcone sztuce osiągania wewnętrznego spokoju, chociaż gdy była młodsza, najchętniej pochłaniała romanse. Zrozumiała już jednak, że są one fikcją literacką, a w prawdziwym życiu miłość nie zawsze kończy się szczęśliwie.

Po południu zwykle siodłała Loty i jeździła na niej po trudno dostępnych górskich ścieżkach i bezdrożach. Odpoczywała na szczytach, gdzie na chwilę zatrzymywała się, by wspólnie z koniem podziwiać fantastyczne widoki.

Wieczory spędzała na grze w karty z mamą. Kiedy na noc wracała do swojego pokoju, była spokojna i śpiąca. Przed zamknięciem oczu modliła się do Boga, prosząc go o zdrowie dla matki, sukcesy w interesach dla ojca i błagając, aby Laurent (który choć fizycznie bardzo oddalony, cały czas był obecny w jej sercu) znalazł w życiu szczęście.

Tylko tyle mogła mu podarować. Bardzo się starała, by ofiarować swą modlitwę ze szczerego serca i bez żalu.

Czasem bywało jej trudno, kiedy podczas wieczornych spacerów spotykała Loen i Bruna. Natychmiast dawało się zauważyć, że nie widzą poza sobą świata. Raz przyłapała ich, jak skrycie się całują, i serce zapiekło ją z zazdrości.

Pewnej nocy, gdy leżała w łóżku i po raz kolejny wspominała dotyk Laurenta, pomyślała, że tu, w górach, świat poza hacjendą wydaje się daleki i nierealny. Podobnego uczucia doświadczyła w Paryżu, kiedy małżeństwo z Gustavem i życie, które miała w przyszłości prowadzić w Rio, wydawały jej się równie odległe, jak teraz labirynt uliczek na Montparnassie, po których zapewne chodzi Laurent...

*

Trzy tygodnie po ich przybyciu na hacjendę przyjechał na weekend Antonio. Atmosfera natychmiast się zmieniła, Fabiana wpadła bowiem w szał sprzątania, a jej mąż zabrał się do koszenia i tak nieskazitelnie zadbanych trawników i polerowania nienagannie błyszczących miedzianych ozdób, które wisiały na ścianie jadalni.

– Jak się czuje mama? – zapytał Antonio, bo zjawił się wczesnym popołudniem w trakcie drzemki żony.

– Dużo lepiej, *pai*. Jeszcze kilka tygodni i będzie miała siłę wrócić do Rio. Fabiana znakomicie się nią opiekuje.

– Sam to zobaczę, kiedy się obudzi. Izabelo, jest prawie grudzień. Pod koniec stycznia bierzesz ślub, a jest jeszcze mnóstwo przygotowań. Jeśli, tak jak mówisz, mama zdrowieje pod opieką Fabiany, musisz ją tu zostawić i wrócić ze mną do Rio.

– Jestem pewna, że wolałaby mnie mieć przy sobie.

– A ja jestem pewny, że mama zrozumie, że narzeczona musi być w Rio i organizować swój ślub – odparował. – Już nie wspominając o tym, że wypadałoby, aby pokazała się narzeczonemu. Moim zdaniem, Gustavo i tak jest niezwykle cierpliwy. Na pewno odczuwa to, że jego wybranka korzysta z każdej okazji, by od niego uciec. Wiem też, że jego rodzice coraz bardziej denerwują się przygotowaniami. Zresztą ja także. Więc wracasz ze mną do Rio i jest to moje ostatnie słowo.

Ojciec wyszedł z pokoju, żeby zobaczyć się z matką, a Bel wiedziała, że musi się poddać.

*

Dwa dni później całowała mamę na do widzenia.

– Proszę cię, pamiętaj, *mãe*, że gdybyś mnie potrzebowała, bardzo chętnie do ciebie wrócę. Fabiana będzie dzwoniła z telefonu w wiosce i dawała mi znać, jak się czujesz.

– Nie martw się o mnie, *piccolina*. – Carla czule głaskała córkę po policzku. – Przyrzekam ci, że wyzdrowieję. Przeproś za mnie senhorę Aires Cabral i powiedz jej, że mam nadzieję wkrótce wrócić do Rio. Chodź tu i uściśnij matkę.

Bel mocno się do niej przytuliła, a już po chwili Carla stała przy drzwiach wejściowych i machała mężowi i córce na pożegnanie. Antonio przesłał jej w powietrzu buziaka i samochód powoli ruszył w drogę po kamienistym podjeździe.

– Bardzo mi ulżyło, że mama czuje się lepiej – odezwał się nagle. – Naprawdę nie wiem, co bym bez niej zrobił.

Bel zdziwiła się, widząc na twarzy ojca tak rzadką u niego czułość. Dotąd miała zwykle wrażenie, że ojciec prawie nie zauważa matki.

*

Następny miesiąc wypełniony był niekończącym się jeżdżeniem do Casa das Orquídeas na spotkania z Luizą i domykaniem spraw związanych ze ślubem. Chociaż Bel z całej siły starała się nie pozwolić, by przyszła teściowa wyprowadziła ją z równowagi, to arogancja i protekcjonalność Luizy często sprawiały, że musiała gryźć się w język.

Początkowo wyrażała swoje zdanie na temat wyboru pieśni liturgicznych czy fasonu sukienek, w które ubiorą się druhny, aby dobrze pasował do jej wspaniałej kreacji, czy też w sprawie menu na weselne śniadanie. Za każdym razem jednak, kiedy miała jakiś pomysł, Luiza znajdowała argumenty na zdyskredytowanie go. W końcu, widząc, że najmniej bolesnym rozwiązaniem jest nic nie mówić, Bel po prostu zgadzała się na wszystko, co proponowała przyszła teściowa.

Gustavo, który czasami dołączał się do ich dyskusji w salonie, przed wyjściem ściskał jej dłoń.

– Dziękuję, że masz tak dobre podejście do mojej matki. Wiem, że potrafi być apodyktyczna.

Bel wracała do domu wyczerpana, a od stresu spowodowanego koniecznością podporządkowania się wszystkiemu, co mówiła Luiza, bolała ją głowa. Zastanawiała się, jak, na litość boską, będzie w stanie się opanować, kiedy zamieszka z nią pod jednym dachem.

W Rio zapanowała pełnia lata, a Bel uznała, że skoro w domu nie ma matki, ojciec zaś od świtu do nocy siedzi w biurze, to ma więcej wolności niż zazwyczaj. Razem z Loen, która wpadła w straszną chandrę, kiedy musiała zostawić Bruna i wrócić do Rio, szły na maleńką stację kolejki i jeździły na górę Corcovado, by zobaczyć, jak postępują prace przy budowie posągu Cristo. Z platformy widokowej widziały, że na placu budowy robota wre jak w ulu. Z pomocą wysięgników osadzano wielkie żelazne drągi i już dało się zauważyć, że przyjmują one kształt krzyża.

Przyglądanie się tym pracom pocieszało Bel. Zresztą pobyt na hacjendzie bardzo ją uspokoił. Wytłumaczyła sobie, że niezależnie od tego, co Laurent o niej myśli i czy darzy ją uczuciem, ona na pewno zawsze będzie go kochała. Zrozumiała też, że walka z tym uczuciem jest absolutnie niemożliwa. Zaakceptowała je zatem, wiedząc, że w skrytości serca do końca życia będzie żywić miłość do Laurenta.

33

Paryż, grudzień 1928

– Są skończone, gotowe do pokrojenia na kawałki i wysłania za morze do tego ich kraju, który tak naprawdę jest wielką fabryką kawy – oznajmił Landowski, uważnie patrząc na głowę i dłonie Chrystusa, które teraz zajmowały każdy wolny centymetr atelier. Mistrz rozmyślał jeszcze nad głową i przyglądał się jej w skupieniu.

– Nadal zastanawia mnie jego broda. Z tej odległości wygląda, jakby wystawała z reszty twarzy niczym ogromna zjeżdżalnia, ale ten szalony Brazylijczyk upiera się, że tak ma być.

– Proszę pamiętać, profesorze, że będzie się ją oglądało z większej odległości – przypomniał mu Laurent.

– Tylko Ojciec Niebieski wie, czy moje dzieło bezpiecznie dotrze do Rio de Janeiro – zrzędził Landowski. – Na przewóz posągu Brazylijczyk zamawia statek towarowy. Miejmy nadzieję, że morze będzie spokojne, a jakiś pojemnik w luku nie zmiażdży mojej pracy. Gdybym mógł, popłynąłbym z nim, żeby dopilnować transportu i przynajmniej początku montażu, ale nie mam czasu. To przedsięwzięcie i tak trwało dwa razy dłużej, niż pierwotnie planowałem, a tymczasem nadal nie skończyłem pomnika Sun Jat-sena i jestem z tym już bardzo opóźniony. No cóż – westchnął – zrobiłem, co mogłem, a reszta przekracza moje możliwości.

Laurent słuchał profesora i w jego myślach zakiełkował pewien pomysł. Na razie nikomu nic nie mówił, bo chciał go dobrze przeanalizować i dopiero wtedy złożyć propozycję.

Następnego dnia do atelier przyszedł senhor da Silva Costa i razem z profesorem podejmowali decyzje, gdzie i jak pociąć dzieło na kawałki. Laurent usłyszał, że Landowski znów wyraża niepokój, czy odlewy będą bezpieczne podczas podróży.

– Ma pan rację – zgodził się Heitor. – Ktoś powinien systematycznie sprawdzać, czy w luku nic się z nimi nie dzieje, ale wszyscy moi rzemieślnicy są mi niezbędni na miejscu. Nie skończyli jeszcze swojej pracy.

– Ja mógłbym pojechać – odezwał się nagle Laurent, wyrażając myśl, która od poprzedniego dnia przybierała coraz bardziej konkretne kształty.

Obaj mężczyźni odwrócili się do niego ze zdziwieniem.

– Pan, Brouilly? Myślałem, że nie może pan żyć bez ulic Montparnasse'u i zwariowanego życia towarzyskiego, które pan tam prowadzi.

– Niestety, nigdy dotąd nie miałem okazji jechać za granicę, profesorze. Może kilka miesięcy w tak egzotycznym kraju poszerzy moje horyzonty artystyczne i mnie zainspiruje.

– A kiedy pan wróci, na pewno wyrzeźbi pan wielkie ziarno kawy – zażartował Landowski.

– Senhor Brouilly – odezwał się Heitor. – Jeśli mówi pan serio, byłby to, moim zdaniem, świetny pomysł. Od samego początku był pan przy tworzeniu rzeźby. Niektóre z jej części są dziełem pana rąk. Jeśli profesor pana puści, mógłby pan go zastąpić przy konstrukcji posągu.

– A kiedy będą wszystko montowali, dopilnować, żeby palec przypadkiem nie trafił do nosa Naszego Pana.

– Jeśli pan zechce, z przyjemnością pojadę, profesorze – zaofiarował się Laurent. – Kiedy byśmy odpływali, monsieur da Silva Costa?

– Zamówiłem statek na przyszły tydzień. Powinniśmy do tej pory zdążyć pociąć odlewy i ostrożnie zapakować je do skrzyń. Im szybciej wszystkie części zostaną bezpiecznie dostarczone do Rio, tym lepiej. Czy może pan wyjechać z tak niewielkim uprzedzeniem?

– Z całą pewnością będzie musiał sprawdzić w kalendarzu, czy uda mu się przesunąć kilka umówionych zleceń – powiedział Landowski, rzucając Laurentowi spojrzenie nakazujące mu siedzieć cicho. – No i zakładam, że dostanie jakąś rekompensatę finansową za podróż i poświęcony czas? Na przykład, pokryjecie mu koszty wyżywienia i zakwaterowania?

– Oczywiście – szybko zgodził się Heitor. – A właśnie! Kilka dni temu miałem telefon od narzeczonego Izabeli Bonifacio, Gustava Aires Cabrala. Słyszał, że ją pan wyrzeźbił, senhor Brouilly, i chciałby podarować przyszłej żonie tę rzeźbę jako prezent ślubny. Obiecałem, że zapytam pana, czy zechce pan ją sprzedać.

– Ja...

Laurent już miał powiedzieć, że pod żadnym warunkiem nigdy nie sprzeda rzeźby swojej ukochanej Izabeli jej narzeczonemu, ale profesor nie dał mu dojść do głosu.

– Jaka szkoda, Brouilly, że dowiaduje się pan o tym akurat teraz, kiedy trafił się na nią bogaty kupiec. Przyjął pan już jego ofertę?

Laurent zupełnie nie wiedział, o co mu chodzi, więc bąknął:

– No, nie...

– W takim razie może narzeczony mademoiselle Bonifacio da panu lepszą cenę i wtedy podejmie pan decyzję. Mówił pan, że tamten kupiec dawał za nią dwa tysiące franków, prawda? – Landowski znów rzucił mu znaczące spojrzenie, dając mu znać, żeby wszedł w jego grę.

– Tak.

– W takim razie, Heitorze, jeśli monsieur Aires Cabral przygotowany jest zapłacić więcej i pokryć koszty transportu do Rio, rzeźba może być jego.

– Dobrze, przekażę mu to. – Wyraz twarzy Heitora zdradzał, że w najmniejszym stopniu nie interesuje go targowanie się o czyjąś rzeźbę, kiedy tyle uwagi musiał poświęcać swojej. – Jestem pewny, że nie będzie z tym kłopotu. Przyjdę jutro i zobaczymy, jak nam idzie z naszą gigantyczną układanką. Do widzenia panom. – Skinął głową i wyszedł z atelier.

– Profesorze, o co panu chodziło? – zapytał Laurent. – Nie mam kupca zainteresowanego rzeźbą Izabeli Bonifacio. A właściwie w ogóle nie miałem zamiaru jej sprzedawać.

– Brouilly, nie widzi pan, że występując w roli pana agenta, zrobiłem panu przysługę? – skarcił go Landowski. – Powinien mi pan podziękować. I niech pan nie myśli, że nie wiem, dlaczego chce pan nagle jechać z kawałkami Chrystusa na drugi koniec świata. Jeśli postanowi pan zostać w Brazylii, będzie pan potrzebował pieniędzy. A po co tam panu pańska cenna rzeźba, skoro będzie pan obok żywej, oddychającej kobiety, która ją zainspirowała? Niech narzeczony ma ją uwiecznioną w kamieniu i niech czci jej zewnętrzne piękno, bo chyba nigdy nie dotrze do jej duszy, co panu najwyraźniej się udało. Moim zdaniem, to całkiem dobra wymiana. – Landowski zaśmiał się. – No to do roboty.

Kiedy tej nocy Laurent rozkładał siennik na podłodze w atelier, wciskając go między głowę Chrystusa a jego ogromny palec, zastanawiał się, co właściwie robi.

Izabela całkiem jasno dała mu do zrozumienia, gdzie widzi swoją przyszłość, a jej ślub na pewno nieuchronnie się zbliża. Do czasu gdy Laurent dopłynie do Rio, pewnie będzie już po wszystkim. Nie bardzo wiedział, co chce osiągnąć swoją podróżą.

Ale, jak wszyscy zakochani, głęboko wierzył w szczęśliwe zrządzenia losu. I kiedy przed zamknięciem oczu spojrzał na ogromną dłoń tuż obok, miał nadzieję, że Pan weźmie jego los w swoje ręce.

34

Rio de Janeiro, styczeń 1929

W dniu ślubu Gustava Maurícia Aires Cabrala z Izabelą Rosą Bonifacio świt wstał gorący i pogodny, a niebo było prawie bezchmurne. Bel niechętnie po raz ostatni wstała ze swojego panieńskiego łóżka. Było wcześnie, więc kiedy wychodziła z sypialni, słyszała tylko dalekie szczękanie garnków z kuchni.

W podskokach zeszła boso po schodach i skierowała się do salonu, a potem do małej alkowy, w której znajdowała się kapliczka. Zapaliła świecę przed ołtarzem, uklękła na obitym czerwonym aksamitem klęczniku, zamknęła oczy i złożyła razem dłonie.

– W dzień mojego ślubu proszę cię, Maryjo Dziewico, daj mi siłę i hart ducha, abym umiała wejść w małżeństwo z otwartym sercem i być dla męża dobrą, kochającą żoną. A także cierpliwą i troskliwą synową dla jego rodziców – dodała z uczuciem. – Daj mi zdrowe dzieci, abym mogła cieszyć się tym, co mam, zamiast skupiać się na kłopotach. Ojcu przynieś jeszcze większe bogactwo, a mojej ukochanej matce uzdrowienie. Amen.

Otworzyła oczy, spojrzała na wyblakłe oczy Madonny i mruganiem rozpędziła łzy.

– Jesteś kobietą, więc mam nadzieję, że wybaczysz mi myśli, które nadal noszę w sercu.

Kilka minut później Bel wstała, głęboko westchnęła i wyszła z kaplicy, by rozpocząć dzień, który miał być najpiękniejszym dniem w jej życiu.

*

Właściwie wszystko w dniu ślubu udało się idealnie. Ulice tłumnie oblegli ludzie, którzy chcieli się przyglądać, jak eskortowana przez ojca Izabela przyjedzie do katedry, i wiwatowali, kiedy wysiadła z rolls-royce'a w oszałamiająco pięknej sukni z koronki Chantilly, którą zaprojektowała dla niej w Paryżu Jeanne Lanvin. Wspaniała katedra wypełniona była po brzegi gośćmi. Idąc z ojcem do ołtarza, Bel ukradkiem wyglądała spod lekkiego jak mgiełka welonu i rozpoznała wiele znajomych twarzy najznamienitszych osób w kraju.

Godzinę później rozdzwoniły się dzwony. Teraz to Gustavo prowadził żonę w stronę wyjścia z katedry i na schody. Tłum znowu wiwatował, a oni wsiedli do konnej karety, która miała ich zabrać do Copacabana Palace. Gdy dotarli na miejsce, Bel stanęła obok męża i razem witali trzystu gości, którzy powoli wchodzili do ogromnej sali.

Po wielu daniach śniadania weselnego Bel i Gustavo poszli do swojego apartamentu, aby odpocząć przed wieczornym balem.

Kiedy tylko zamknęły się za nimi drzwi, mąż wziął ją w ramiona.

– Nareszcie – mruknął i wtulił twarz w jej szyję. – Mogę cię swobodnie całować. Chodź. – Przyciągnął do siebie jej głowę i zaczął całować ją tak zawzięcie, jakby był kompletnie zagłodzony. Jego dłonie osunęły się na cienką warstwę koronki przykrywającej jej piersi i zaczął je brutalnie ściskać.

– Ojej – wykrztusiła. – To boli.

– Wybacz mi, Bel. – Puścił ją i z dużym wysiłkiem odzyskał nad sobą panowanie. – Ale zrozum, że strasznie długo czekałem. No nic – powiedział i puścił do niej oko. – Jeszcze tylko kilka godzin i nareszcie będę mógł cię wziąć w ramiona nagą. Chcesz się napić? – zapytał.

Kiedy się od niej odwrócił, mimowolnie się wzdrygnęła. Patrzyła, jak Gustavo podchodzi do stolika, bierze karafkę i nalewa sobie dużą porcję brandy.

– Nie, dziękuję – rzuciła.

– Może tak jest mądrzej. Nie chciałbym, żebyś wieczorem miała przytępione zmysły. – Uśmiechnął się do niej szeroko i jednym haustem wypił brandy.

W trakcie nielicznych spotkań towarzyskich, podczas których mu towarzyszyła, Bel zauważyła, że Gustavo lubi alkohol. Kilka razy odniosła wrażenie, że kiedy wieczór dobiegał końca, był lekko pijany.

– Muszę ci coś zdradzić... Kupiłem dla ciebie niezwykły prezent ślubny – powiedział. – Niestety, jeszcze nie dotarł, ale będzie, kiedy wrócimy z miesiąca miodowego. Pomóc ci zdjąć suknię, żebyś mogła trochę odpocząć?

Bel spojrzała tęsknie na ogromne małżeńskie łoże, które stało w apartamencie. Bardzo bolały ją stopy wciśnięte w satynowe pantofelki na wysokich obcasach. W tych butach, z tiarą i wysoko upiętymi włosami, była przy ołtarzu prawie osiem centymetrów wyższa od narzeczonego. Wprawdzie pod koronką miała niewygodny gorset, który Loen rano zacisnęła na niej bardzo mocno, ale myśl, że Gustavo ma ją z niego oswobodzić swymi długimi bladymi palcami, wcale jej się nie podobała.

– Idę do łazienki – rzuciła, rumieniąc się ze wstydu.

Skinął głową. Właśnie nalał sobie następny kieliszek brandy.

Bel weszła do wystawnej, pełnej luster łazienki i z wdzięcznością usiadła na krześle. Zamknęła oczy i rozmyślała nad absurdem sytuacji sprawiającej, że pierścionek na palcu i wypowiedzenie kilku krótkich zdań tak drastycznie zmieniły jej życie.

Kontrast między sytuacją niezamężnej kobiety, której cnotę należy za wszelką cenę chronić przed każdym zaborczym mężczyzną, a tym, że zaledwie kilka godzin po ślubie całkiem sama wchodzi do sypialni z mężczyzną i jest z nim w bardzo intymnej sytuacji, wydał jej się absurdalny. Popatrzyła na swoje odbicie w lustrze i westchnęła.

– On jest dla mnie całkiem obcym człowiekiem – szepnęła i wspomniała rozmowę, którą poprzedniego wieczoru odbyła z matką.

Carla wróciła z hacjendy w dużo lepszej formie. Wczoraj weszła do jej sypialni, kiedy Bel miała już wyłączać światło, i ujęła dłoń córki.

– Q*uerida*, powiem ci teraz, co się z tobą będzie działo jutro w nocy – zaczęła.

– *Mãe* – Bel była równie głęboko zawstydzona co jej matka – chyba już wiem.

Carli jakby leciutko ulżyło, ale nie odpuszczała.

– A więc wiesz, że pierwszy raz może być dość… nieprzyjemny? I że możesz krwawić? Chociaż niektórzy mówią, że jeśli dziewczyna jeździła konno, to delikatna błona, dowód, że kobieta jest dziewicą, może zostać przerwana. A ty bardzo często jeździłaś na hacjendzie.

– Tego akurt nie wiedziałam – przyznała się Bel.

– Trzeba trochę czasu, żeby przyzwyczaić się do pożycia, ale jestem pewna, że Gustavo ma już doświadczenie i będzie dla ciebie delikatny.

– A czy damie wypada to lubić, *mãe*? – nieśmiało zapytała Bel.

Carla roześmiała się srebrzyście.

– Oczywiście, *querida*. Będziesz mężatką, a każdy mąż najbardziej ze wszystkiego pragnie żony, która gotowa jest poznawać rozkosze sypialni. Tak zatrzymuje się przy sobie męża i tak ja zatrzymałam twojego ojca. – Jej policzki zabarwił lekki rumieniec. – I pamiętaj, wszystko to służy bożym celom, czyli spłodzeniu dzieci. Związek między mężem i żoną jest święty. Dobranoc, Izabelo. Śpij dobrze i nie bój się jutra. Na pewno będzie lepiej, niż ci się wydaje.

Bel przypomniała sobie tę rozmowę, ale także obrzydzenie, jakie ogarnęło ją wczoraj na myśl, że Gustavo miałby dotykać jej tak, jak to matka subtelnie sugerowała. Wstała z krzesła, żeby do niego wrócić. Miała nadzieję, że po prostu wpadła w panikę przed pierwszym razem, ale potem będzie tak, jak mówiła jej matka.

*

Kiedy Izabela weszła do wielkiej sali balowej we wspaniałej sukni od Jeana Patou z połyskliwego białego materiału, która podkreślała jej krągłości, a z tyłu opadała kaskadą trenu w kształcie rybiego ogona, zapadła pełna podziwu cisza. Gustavo objął ją, wywołując tym aplauz zebranych.

– Pięknie wyglądasz, kochanie. Każdy mężczyzna w sali zazdrości, że to ja będę dziś w nocy dzielił z tobą łóżko – szepnął jej do ucha.

Poza pierwszym tańcem przez trzy godziny prawie nie widziała się z mężem. Oboje zabawiali własne rodziny, a Bel tańczyła z wieloma nieznanymi jej mężczyznami, z których każdy powtarzał jej, jakim to Gustavo jest szczęściarzem. Niewiele piła, ponieważ i tak było jej niedobrze ze strachu, co będzie się działo w nocy. To uczucie zostało jeszcze wzmocnione, kiedy goście zaczęli się zbierać w okolicy głównych schodów, aby wiwatować im w drodze na górę.

– Już czas. – Gustavo pojawił się koło niej i razem stanęli na czele tłumu. Poprosił o ciszę. – *Meus senhores, senhoras e amigos*. Dziękuję wam, że przyszliście, aby uczcić z nami ten wielki dzień. Teraz nadszedł już jednak czas, bym wziął żonę za rękę i poprowadził ją na górę.

Rozległy się znaczące gwizdy i sprośne okrzyki.

– Więc chciałbym się z wami pożegnać i życzyć wam dobrej nocy. Chodź, Izabelo.

Podał jej ramię, a ona oparła się na nim. Odwrócili się i ruszyli po schodach na górę.

Tym razem, kiedy zamknęły się za nimi drzwi, Gustavo nie był już taki subtelny. Bez ceregieli popchnął ją na łóżko i unieruchomił nadgarstki Bel, pokrywając jej twarz i szyję gorączkowymi pocałunkami i szarpiąc jej suknię.

– Chwileczkę – szepnęła. – Odwrócę się na brzuch i będziesz mógł porozpinać mi guziki – powiedziała, z ulgą odwracając się od smrodu alkoholu, którym zionął jego oddech. Czuła, jak jego dłonie niezdarnie odpinają maleńkie perłowe guziki sukni i jak go to denerwuje. Wreszcie pociągnął za materiał i po prostu go rozdarł.

Ściągnął z niej suknię, rozpiął biustonosz, a potem odwrócił ją na plecy i sięgnął ustami prosto do sutków, gmerając ręką między obleczonymi w pończochy udami. W końcu włożył dłoń pod trójkąt jedwabiu, który zakrywał jej najbardziej intymną część ciała.

Po kilku następnych sekundach szamotania się z jej ubraniami rozdarł jedwab, ukląkł, by rozpiąć sobie guziki spodni i obnażyć się. Nadal w pełni ubrany, przycisnął sztywny członek do delikatnej skóry Bel, jęcząc z rozczarowania, że nie może znaleźć dla niego wejścia. W końcu pomógł sobie ręką, znalazł to, czego szukał, i z całej siły wepchnął się do środka.

Bel leżała pod nim i z bólu gryzła się w rękę. Zamknęła oczy i cały świat zrobił się dla niej czarny. Oddychała głęboko, aby powstrzymać atak paniki. Na szczęście już po kilku sekundach Gustavo wydał dziwnie wysoki – prawie kobiecy – okrzyk i bezwładnie na nią opadł.

Leżała nieruchomo, słuchając, jak dyszy jej w ucho. Głowę miał tuż przy jej głowie, twarz opadła mu na narzutę łóżka; leżał na Bel całym swoim ciężarem, podczas gdy ona zwisała z brzegu łóżka – miała ugięte kolana, a nogi opadały jej na podłogę. W końcu, kiedy się poruszyła, by się spod niego wyplątać, podniósł głowę i spojrzał na nią.

– Nareszcie jesteś naprawdę moja. – Uśmiechnął się i dotknął jej policzka. – Teraz idź się wytrzeć. Wiesz, że przy pierwszym razie…

– Wiem – powiedziała szybko i czym prędzej wycofała się do łazienki, nie dając mu szansy na snucie dalszych wywodów.

Cieszyła się, że matka porozmawiała z nią w noc przed ślubem, bo chociaż w środku wszystko Bel bolało, to kiedy się wycierała, nie zauważyła ani śladu krwi. Rozpuściła włosy i ubrała się w koszulę nocną i peniuar, które pokojówka wcześniej przewidująco powiesiła na drzwiach. Gdy wróciła do sypialni, Gustavo już leżał nago w łóżku Na jego twarzy malowało się zdziwienie.

– Sprawdzałem, ale na narzucie nie było krwi. – Popatrzył na nią. – Jak to możliwe?

– Moja mama mówiła, że jeśli jej nie będzie, to dlatego, że jako dziecko dużo jeździłam konno na hacjendzie – odparła zawstydzona bezpośredniością jego pytania.

– Aha. Może to wszystko wyjaśnia. Ale byłaś dziewicą?

– Obrażasz mnie, Gustavo! – Bel poczuła, że wzbiera w niej złość.

– Oczywiście, oczywiście. – Poklepał miejsce na materacu obok siebie. – Chodź i połóż się obok męża.

Zrobiła, jak jej kazał, ale wciąż nie mogła się uspokoić po jego insynuacji.

Objął ją ramieniem, przyciągnął do siebie i sięgnął, aby zgasić światło.

– Teraz możemy chyba powiedzieć, że naprawdę jesteśmy małżeństwem.

– Tak.

– Kocham cię, Izabelo. To najszczęśliwsza noc mojego życia.

– I mojego. – Mimo niewypowiedzianego sprzeciwu, który rozbrzmiewał echem w głębi jej duszy, udało jej się wydusić z siebie słowa, których się spodziewał.

Kiedy nie mogła zasnąć, leżąc u boku poślubionego zaledwie kilka godzin wcześniej męża, do przystani na obrzeżach Rio de Janeiro przybił statek towarowy z głową i dłońmi Chrystusa.

I z Laurentem Brouillym na pokładzie.

35

Po pierwszej nocy spędzonej w Rio Laurent obudził się mokry w przesiąkniętej potem pościeli. Nawet najgorętsze noce na Montparnassie nie przypominały piekielnego upału w Rio. Chwiejnym krokiem podszedł do stołu, na którym pokojówka zostawiła dzbanek z wodą. Podniósł go i chciwie, z wdzięcznością, wypił wodę, czując, jak przechodzi mu pragnienie. Wszedł do maleńkiej łazienki przylegającej do jego pokoju, odkręcił kran nad umywalką i podstawił pod niego głowę. Nagie ciało owinął ręcznikiem i poczuł się troszeczkę lepiej. Potem wrócił do pokoju i podciągnął do góry żaluzje.

Wczoraj, kiedy po północy dotarł do hotelu, który polecił mu na początek Heitor, było tak ciemno, że nie bardzo widział, gdzie jest. Gdy położył się do łóżka, słyszał odgłosy rozbijających się o brzeg fal, co znaczyło, że znajduje się gdzieś w pobliżu morza.

Ale rano… przywitał go niezwykły widok! Tak daleko, jak sięgał jego wzrok, w dole, po drugiej stronie ulicy, rozciągała się najwspanialsza plaża, jaką kiedykolwiek widział: kilometry czystego białego piasku. Na razie z powodu wczesnej godziny było tam pusto. Podziwiał, jak wysokie – pewnie dwumetrowe – fale z niesłabnącym impetem rozpryskują się o brzeg wspaniałą grzywą piany.

Sam ten widok nieco go ochłodził. Kiedy jeździł z rodziną do ich domku letniskowego niedaleko Saint-Raphaël, lubił pływać w Morzu Śródziemnym. Teraz chętnie wybiegłby z hotelu, przeszedł przez ulicę i wskoczył do wody. Najpierw musiał jednak sprawdzić, czy ocean jest bezpieczny. Nie miał pojęcia, czy nie ma w nim, na przykład, rekinów albo innych ryb ludojadów. Przed wyjazdem z Paryża ostrzegano go, że w tropikach należy zachowywać przesadne bezpieczeństwo.

Nawet zapach powietrza był dla niego nowy i egzotyczny. Jak wielu jego rodaków, korzystał z tego, co oferowała im Francja: z cudownych ośnieżonych szczytów Alp i niezrównanych uroków południa, z pięknymi widokami i wspaniałą pogodą. W związku z tym jakoś go nie kusiło, by podróżować za granicę.

Teraz jednak, kiedy stał w oknie, poczuł wstyd za swoje przekonanie, że żaden kraj poza Francją nie może mu nic zaoferować.

Chciał zwiedzać Rio, ale najpierw musiał spotkać się z kierownikiem budowy monsieur da Silva Costy, Heitorem Levym, który zostawił mu w hotelu wiadomość, że przyjedzie po niego o jedenastej przed południem. Wczoraj w nocy, zanim jeszcze statek zacumował w głównym porcie, rozładowano z niego głowę i dłonie Chrystusa i umieszczono gdzieś na farmie pana Levy'ego niedaleko portu. Laurent miał nadzieję, że delikatne kawałki odlewów bez uszczerbku przetrwały podróż. Na statku cztery razy dziennie sprawdzał, co się z nimi dzieje w luku, ale teraz mógł się tylko modlić, by nie ucierpiały przy rozładunku.

Kiedy się ubierał, zauważył, że nogi ma pokryte małymi bąblami. Podrapał je i włożył spodnie. To na pewno jakieś głodne brazylijskie komary zrobiły sobie z niego w nocy ucztę.

Gdy zszedł na śniadanie, w jadalni zobaczył mnóstwo egzotycznych owoców, które porozkładano dla gości na długim stole. Nie miał pojęcia, co je, ale spróbował wszystkiego, tak bardzo chciał poznać tu wszystko. Poczęstował się także pysznym, jeszcze ciepłym ciastem. Kelnerka podała mu mocną, gorącą kawę. Wypił ją, konstatując z ulgą, że chociaż niektóre rzeczy są takie same jak w domu.

O jedenastej udał się do recepcji i zobaczył stojącego przy kontuarze mężczyznę, który zerkał na zegarek. Domyślił się, że jest to monsieur Levy, podszedł do niego i przedstawił się.

– Witamy w Rio, monsieur Brouilly. Jak minęła panu podróż?

– Dziękuję, była bardzo wygodna. Od marynarzy nauczyłem

się mnóstwa gier karcianych i sprośnych kawałów – odpowiedział Laurent z uśmiechem.

– Świetnie. Pojedziemy do mojej hacjendy samochodem.

Kiedy jechali przez miasto, Laurent dziwił się, że jest ono takie nowoczesne. Landowski najwyraźniej z niego żartował, kiedy mówił, że mieszkają tu sami rdzenni Brazylijczycy, którzy biegają po ulicach nago, rzucają dzidami i jedzą niemowlęta. Rio sprawiało wrażenie równie cywilizowanego jak miasta francuskie.

Dziwił się, widząc mocno opalonych tubylców w dokładnie takich samych, modnych ubraniach, jakie noszono teraz we Francji. A kiedy wyjechali na przedmieścia, zobaczył slumsy.

– Slumsy mają u nas swoją nazwę. Fawele – wyjaśnił Levy, widząc, jak Laurent przypatruje się ruderom. – Niestety, mają zbyt wielu mieszkańców.

Laurent pomyślał, że w Paryżu biedacy są prawie niewidoczni. Tutaj bogactwo i bieda jakby całkowicie się od siebie odseparowały.

– Tak, senhor Brouilly. – Levy zgadł, o czym myślał – U nas, w Brazylii, bogaci są bardzo bogaci, a biedni… głodują.

– Jest pan Portugalczykiem, monsieur?

– Nie. Moja matka jest Włoszką, a ojciec Niemcem. No i jestem Żydem. Tu, w Brazylii, znajdzie pan tygiel wszelkich narodowości. Mamy imigrantów z Włoch, Hiszpanii i oczywiście Afrykanów, których Portugalczycy sprowadzili jako niewolników do pracy na plantacjach kawy. Teraz do Rio przyjeżdża mnóstwo Japończyków. Wszyscy chcą tu znaleźć dla siebie legendarny garnek złota. Niektórzy go znajdują, ale inni, niestety, nie i kończą w fawelach.

– Zupełnie inaczej niż we Francji. U nas większość mieszkańców to rdzenni Francuzi – powiedział Laurent.

– To jest Nowy Świat, monsieur Brouilly. Wspólnie budujemy ten kraj, nieważne, kto skąd pochodzi.

*

Laurent miał do końca życia zapamiętać dziwny widok ogromnej głowy Chrystusa ustawionej na polu. Dookoła niej chodziły kury i dziobały ziemię, a na nosie duży kogut czyścił sobie pióra.

– O piątej rano zadzwonił do mnie senhor da Silva Costa, żeby się dowiedzieć, czy jego bezcenny Cristo bezpiecznie dotarł na miejsce. Postanowiłem więc zrobić tu od razu rekonstrukcję i poskładać wszystkie części, żeby się upewnić, czy nic nie uległo uszkodzeniu. Jak na razie wszystko jest w porządku – oznajmił Levy.

Na widok głowy, którą ostatnio Laurent w całości widział w atelier Landowskiego, a teraz znalazła się tu, w Rio, tysiące kilometrów dalej, poczuł ucisk w gardle.

– Wydaje mi się, że miała ochronę w podróży. Być może aż z samego nieba. – Levy także był wzruszony tym widokiem. – Na razie nie będę próbował złożyć dłoni, ale dobrze im się przyjrzałem i wygląda na to, że dotarły bez najmniejszego zadrapania. Jeden z moich pracowników zrobi zdjęcie, by utrwalić to wydarzenie dla nas wszystkich. Wyślę też fotografie do senhora da Silva Costy i oczywiście do profesora Landowskiego.

Zrobili zdjęcie, po czym Laurent dokładnie obejrzał głowę i ręce, aby także napisać do mistrza i uspokoić go, że wszystko jest w porządku. Miał nadzieję, że rzeźba Bel, która leżała gdzieś zapakowana w skrzyni w doku głównego portu, również dotarła bez uszczerbku.

Początkowo rozpaczał, że ma być sprzedana, ale posłuchał rady Landowskiego i postanowił przyjąć dwa i pół tysiąca franków zaproponowane przez senhora Aires Cabrala. Profesor miał rację – zawsze mógł wyrzeźbić drugą Izabelę, a nie stać go było na odrzucenie takiej kwoty, niezależnie od tego, co miała przynieść mu przyszłość.

– A więc pana misja została szczęśliwie zakończona – powiedział Levy. – Ale jestem pewny, że nie może się pan doczekać, aż znajdzie się pan na placu budowy na górze Corcovado. A jest na co popatrzeć. Mieszkam tam z robotnikami, bo mamy stosunkowo mało czasu, by zakończyć przedsięwzięcie.

– Bardzo chciałbym wszystko zobaczyć – z zapałem potwierdził Laurent. – Wciąż trudno mi było sobie wyobrazić, jak można wybudować tak wielki pomnik na szczycie góry.

343

– Wszyscy mieliśmy z tym kłopot – przyznał Levy. – A tymczasem wygląda na to, że to możliwe. Senhor da Silva Costa napisał mi, że na czas swojego pobytu w Rio potrzebuje pan mieszkania. Prosił mnie, żebym panu w tym pomógł, bo przecież na pewno nie zna pan ani słowa po portugalsku.

– Tak, to prawda.

– Tak się składa, że mam puste mieszkanie. Znajduje się w dzielnicy Ipanema, niedaleko plaży Copacabana, gdzie teraz pan mieszka. Kupiłem je jako kawaler, jeszcze przed ślubem, i nie miałem serca z nim się rozstać. Chętnie pozwolę panu z niego korzystać tak długo, jak pan tutaj będzie. Oczywiście senhor da Silva Costa pokryje wszelkie koszty, zgodnie z umową, którą zawarliście we Francji. Myślę, że lokum się panu spodoba, bo rozciąga się z niego piękny widok i jest bardzo jasne. Idealne dla rzeźbiarza.

– Dziękuję, monsieur Levy. Jestem pod wrażeniem pana wspaniałomyślności.

– Pojedziemy je zobaczyć. I jeśli się panu spodoba, możne pan się wprowadzić już dzisiaj.

Późnym popołudniem Laurent był już dumnym lokatorem przestronnego apartamentu w pięknej kamienicy niedaleko plaży Ipanema. Znalazł się w przyjemnych, wysokich pokojach, które elegancko umeblowano, a kiedy otworzył drzwi na ocieniony balkon, zobaczył w oddali plażę. Ciepły wiatr przynosił charakterystyczny zapach oceanu.

Levy zostawił go, aby się zadomowił, i obiecał, że wróci później i przedstawi mu służącą, która w czasie jego pobytu będzie mu sprzątać i gotować.

Laurent chodził z pokoju do pokoju z szeroko otwartymi oczami. Po zapyziałym pokoiku na strychu na Montparnassie luksus mieszkania w tak wspaniałym apartamencie, i to bez współlokatorów, był dla niego czymś wręcz niewiarygodnym. W dodatku będzie miał służącą! Usiadł na ogromnym mahoniowym łóżku i odpoczywał, ciesząc się powiewem z wiatraka na suficie, który głaskał mu twarz jak malutkie skrzydełka. Westchnął z zadowolenia i po chwili zasnął.

Wieczorem Levy przyprowadził Monicę, Afrykankę w średnim wieku.

– Ostrzegłem ją, że nie zna pan portugalskiego, ale jeśli pan się zgodzi, panie Brouilly, będzie panu sprzątała mieszkanie, robiła zakupy na pobliskim targu i przygotowywała wieczorny posiłek. Jeśli potrzebowałby pan jeszcze czegoś, to w salonie jest telefon. Proszę dzwonić do mnie o dowolnej porze.

– Naprawdę nie wiem, jak mam dziękować za pana życzliwość, monsieur Levy.

– Tu, w Brazylii, jest pan naszym honorowym gościem i nie możemy pozwolić, aby powiedział pan senhorowi Landowskiemu i reszcie Paryża, że mieszkamy jak dzikusy. – Levy uśmiechnął się i znacząco uniósł brew.

– Oczywiście, monsieur. Z tego, co na razie widziałem, odnoszę wrażenie, że jesteście bardziej cywilizowani niż my w Paryżu.

– A właśnie! Czy pana rzeźba dotarła bezpiecznie? – zapytał Levy.

– Tak, jest w doku, którego kierownik powiedział, że zawiadomi kupującego i dopilnuje, by została dostarczona.

– Aires Cabralowie na pewno wyjechali w podróż poślubną. Wczoraj wzięli ślub.

Zszokowany Laurent popatrzył na Levy'ego.

– Mademoiselle Izabela wyszła wczoraj za mąż?

– Tak. Ich zdjęcie jest dzisiaj na pierwszej stronie wszystkich gazet. Wyglądała przepięknie. Mieli prawdziwy ślub z wyższych sfer. Wygląda na to, że bohaterka pana rzeźby dobrze się ustawiła.

Na tę wiadomość Laurentowi zrobiło się słabo. Nie mógł znieść tej ironii losu: przyjechał do Rio akurat tego dnia, kiedy Izabela brała ślub.

– No cóż. Muszę już iść. Dobranoc, senhor Brouilly.

Levy zostawił go samego, przypominając mu, że przyjedzie po niego o drugiej po południu w poniedziałek, aby zabrać go na plac budowy na szczycie Corcovado. W kuchni Monica stukała garnkami i dochodził stamtąd cudowny zapach.

Laurent czuł potrzebę napicia się. Wyjął z walizki butelkę francuskiego wina, odkorkował ją i wyniósł na taras. Położył nogi na stole, nalał sobie wina do kieliszka i powoli je sączył. Smak trunku natychmiast przypomniał mu dom. Z ciężkim sercem przyglądał się, jak słońce zachodzi za góry.

– Izabelo – szepnął w przestrzeń. – Jestem tutaj, w twoim pięknym kraju. Przyjechałem taki kawał, aby cię odnaleźć, ale jest już chyba za późno.

36

Bel wróciła z podróży poślubnej spięta i zmęczona. Spędzili tydzień w regionie Minas Gerais w starym, niegdyś pięknym domu należącym do ciotecznej babki Gustava i jej męża. Było duszno i gorąco, a temperatury nie obniżał ani wiatr od morza, ani góry, więc kiedy Bel oddychała, miała wrażenie, że powietrze pali jej od środka nozdrza.

Na dodatek musiała uczestniczyć w niekończących się obiadach, ponieważ przedstawiano ją starszym członkom rodziny Gustava, którzy nie mieli siły pojechać na wesele. Ale wszystko to byłoby do zniesienia, gdyby nie noce.

Matka nie powiedziała jej, jak często uprawia się miłość. Bel wydawało się, że może raz w tygodniu, ale Gustavo miał nienasycony apetyt. Starała się, jak mogła, rozluźnić się i polubić to, co z nią robił – a były to rzeczy, o których nikt jej nie mówił i na samą myśl o nich oblewała się rumieńcem – lecz bezskutecznie.

Gdy tylko zamykały się drzwi sypialni, Gustavo rzucał się na nią i zszarpywał z niej ubrania; kilka razy nie zrobił nawet tego i wziął ją w ubraniu. Leżała pod nim, a on dźgał jej obolałe, posiniaczone wnętrze. Czekała tylko, kiedy skończy.

Na szczęście po wszystkim natychmiast zasypiał. Niestety, czasem rano sięgał po nią tuż po obudzeniu i znowu czuła na sobie ciężar jego ciała.

Ostatniej nocy wbrew jej woli usiłował wepchnąć się do jej ust. Zaczęła się dławić, a on skwitował to śmiechem i powiedział, że z czasem się do tego przyzwyczai i że wszystkie żony sprawiają mężom w ten sposób przyjemność, więc nie ma czego się wstydzić.

Bel rozpaczliwie pragnęła z kimś o tym porozmawiać, dowiedzieć się, czy to naprawdę normalne i czy będzie to musiała znosić do końca życia. A gdzie czułość i łagodność, o której opowiadała jej matka? – pytała się w myślach, wchodząc do świeżo wyremontowanej małżeńskiej sypialni w Casa das Orquídeas. Nagle ciężko usiadła na krześle. Przyszło jej do głowy, że czuje się jak szmaciana lalka, którą mąż ciągnie i popycha, jak tylko mu się podoba.

W domu ojciec miał garderobę z łóżkiem i często tam sypiał. Tu nie ma takich luksusów, pomyślała z rozpaczą, wchodząc do nowo zainstalowanej łazienki przy sypialni. A może Gustavo da jej spokój, jeśli zajdzie w ciążę?

Pocieszała się chociaż tym, że w ciągu dnia zachowywał się wobec niej z czułością. Stale sięgał po jej dłoń i kiedy szli gdzieś razem, obejmował ją ramieniem. Każdemu, kto chciał tego słuchać, opowiadał, jaki jest szczęśliwy. Gdyby tylko skończył się ten conocny koszmar, jakoś dałaby sobie radę w nowym otoczeniu. Niestety, na razie codziennie rano budziła się przerażona.

– Jesteś blada, kochanie – powiedziała przy kolacji Luiza. – Może jesteś już brzemienna? – Z dumą spojrzała na Gustava.

– Może, *mãe*. Zobaczymy – odparł.

– Chciałabym jutro odwiedzić mamę w Cosme Velho. – Bel odważnie przerwała ciszę, która zapadła w jadalni. – Chciałabym zobaczyć, jak się czuje.

– Oczywiście, Izabelo – zgodził się jej mąż. – Ja mam ochotę iść do klubu, więc podwiozę cię po drodze samochodem, a w drodze powrotnej po ciebie przyjadę.

– Dziękuję – rzuciła, idąc do salonu, gdzie udawali się na kawę.

Kiedy rozmawiała z teściem, kątem oka zauważyła, że mąż nalewa sobie kolejny duży kieliszek brandy.

– Jutro rano, Izabelo, chciałabym, żebyś przyszła do biblioteki i omówiła ze mną rachunki za prowadzenie domu – powiedziała Luiza. – W domu twoich rodziców pewnie nie trzeba było oszczędzać, ale my nie lubimy marnotrawstwa.

– Tak, oczywiście.

Bel powstrzymała się od uwagi, że to jej ojciec zapłacił za remont ich rodzinnego domu. A poza tym, jak dobrze wiedziała, po ślubie dał zięciowi bardzo pokaźną sumę na ich koszty utrzymania czy jej garderobę.

– Czas spać, kochanie – odezwał się Gustavo i Bel poczuła nieprzyjemne kołatanie serca. Na dodatek zalegał jej w żołądku ciężkostrawny, przesolony posiłek przygotowany przez starzejącą się kucharkę. Gustavo dał znak, żeby wstała. – Dobranoc, *mãe* i *pai*. – Lekko skłonił w ich stronę głowę. – Do zobaczenia rano.

Kiedy prowadził ją za rękę po schodach, Bel dla uspokojenia głęboko oddychała.

*

– *Querida* – powiedziała Carla, witając Bel przy drzwiach wejściowych. – Stęskniłam się za tobą. Wejdź i opowiedz mi o podróży poślubnej. Na pewno było cudownie!

Widok matki bardzo podniósł Bel na duchu. Miała ochotę rzucić się w jej ramiona, przytulić się do niej i wypłakać.

– Tak – odparła cicho, kiedy matka prowadziła ją przez salon. – Krewni Gustava byli dla mnie bardzo mili.

– To dobrze – ucieszyła się Carla. – A Gustavo? – spytała, gdy Gabriela przyniosła im kawę. – Jest zdrowy i szczęśliwy?

– Tak. Dzisiaj poszedł do swojego klubu. Szczerze mówiąc, nie mam pojęcia, co tam robi.

– To męskie sprawy. Pewnie sprawdza kursy swoich akcji. Jeśli idzie mu tak jak twojemu ojcu, to bardzo dobrze. Handel kawą nadal kwitnie. W ubiegłym tygodniu *pai* znowu kupił dwie nowe plantacje. Kiedyś je odziedziczysz, a tym samym także Gustavo. Jak wam się układa w małżeństwie?

– Powoli się… przyzwyczajam.

– Przyzwyczajasz? – Carla zachmurzyła się. – Izabelo… Nie jesteś szczęśliwa?

– Mamo…

– Proszę cię, powiedz, o co chodzi.

– Muszę wiedzieć... czy... no... czy Gustavo zawsze będzie chciał co noc być taki aktywny w sypialni?

Carla przyjrzała się córce i zachichotała.

– Rozumiem! Masz gorącego męża, który bardzo się cieszy swoją piękną, młodą żoną. To dobrze, córeczko. To znaczy, że cię kocha i pożąda. Chyba to rozumiesz?

Bel rozpaczliwie chciała porozmawiać o tym, co Gustavo z nią robi i czego od niej oczekuje, ale nie mogło jej to przejść przez gardło.

– Ale mamo, jestem tym okropnie zmęczona.

– Niewiele sypiasz, co jest normalne. – Carla uparcie nie chciała widzieć, jak bardzo córka jest spięta, albo naprawdę tego nie dostrzegała. – Pamiętam, jak to było ze mną po ślubie. To naturalne, *querida*, ale tak: po pewnym czasie oczywiście trochę się uspokoi. Może kiedy zajdziesz w ciążę, a z tego, co słyszę, pewnie wkrótce to nastąpi – dodała z uśmiechem. – Zawsze chciałam być babcią.

– A ja matką.

– Jak ci się mieszka w twoim nowym, pięknym domu? Czy senhora Aires Cabral jest dla ciebie serdeczna?

– Przywitała mnie miło – odparła Bel zwięźle. – Dzisiaj rano rozmawiałyśmy o wydatkach. Oni żyją znacznie oszczędniej niż my.

– Ale to się chyba zmieni, skoro ojciec dał Gustavowi tak okrągłą sumę? Mam ci zresztą coś do powiedzenia. Zaczekajmy z tym jednak, aż przyjedzie ojciec. Powiemy ci razem.

– Dobrze się czujesz, *mãe*? – Bel zmieniła temat, bo zrozumiała, że mama po prostu nie chce wysłuchiwać narzekań córki ani nawet wiedzieć o jej kłopotach. Poza tym nadal wydawała jej się bardzo szczupła i blada.

– Świetnie – wesoło odparła Carla. – Choć bez ciebie w domu jest jakoś tak dziwnie. Kiedy popłynęłaś do Europy, zawsze wiedziałam, że wrócisz. Teraz wiem, że to już nigdy nie nastąpi. Ale nie jesteś daleko i mam nadzieję, że będziemy się często widywały.

– Oczywiście, że tak. – Bel zrobiło się przykro, poczuła bowiem, jakby między nią a matką pojawił się dziwny dystans. Zupełnie jakby Carla zaakceptowała, że córka już nie należy do niej, ale do męża i jego rodziny.

– O, jest ojciec. Powiedziałam mu, że nas odwiedzisz, i obiecał, że wróci z biura wcześniej, żeby się z tobą zobaczyć.

Antonio był jak zwykle wesoły i dobroduszny. Uściskał córkę, usiadł koło niej i ujął jej dłonie.

– Chciałem zaczekać, aż wrócisz z podróży poślubnej, żeby ci powiedzieć, jaki dostajesz od nas prezent z okazji ślubu. Wczoraj przepisałem na ciebie, Izabelo, własność hacjendy Santa Tereza.

– *Pai!* – Bel patrzyła na ojca z ogromną radością. – Mówisz mi, że hacjenda jest moja? I tylko moja?

– Tak, Izabelo. Jest jednak drobna komplikacja, o której powinnaś wiedzieć. – Antonio przerwał i przez chwilę w zamyśleniu gładził się po brodzie. – Może o tym nie wiesz, ale zgodnie z prawem obowiązującym obecnie w Brazylii mąż nabywa prawa do całości majątku żony. Ale twoja mama nalegała, żeby hacjenda była tylko twoja, więc musiałem coś… wymyślić. Założyłem na twoje nazwisko fundusz powierniczy, którym będzie zarządzał mój prawnik. Hacjenda jest jednym z aktywów tego funduszu, więc masz prawo do wszelkich zysków z farmy. Poza tym wolno ci tam mieszkać aż do śmierci. Miejmy nadzieję, że zanim to nastąpi, nasze przestarzałe prawa się zmienią i będziesz mogła oficjalnie mieć hacjendę na własność. Jest tam także ustęp, który zezwala, by dziedziczyły ją twoje dzieci.

– Rozumiem. Dziękuję wam obojgu – szepnęła Bel tak wzruszona, że z trudem mówiła. – Nie moglibyście mnie bardziej uszczęśliwić. – Wstała, by uściskać matkę; wiedziała, że to głównie jej zawdzięcza tak wspaniały prezent.

– Uznałam, że ojciec był zbyt hojny dla rodziny twego męża – powiedziała Carla. – Nawet gdyby Gustavo wiedział o hacjendzie, choć nie wie, nie mógłby narzekać, że jego teść chce być równie hojny dla córki. Zwłaszcza że twój ojciec całe życie tak ciężko pracował na to, aby móc cię zabezpieczyć.

Bel zrozumiała ją. Wiedziała, że mama w pewien sposób buntuje się przeciwko wspaniałomyślności męża wobec rodziny, której członkowie nie przepracowali ani jednego dnia w życiu.

– Proszę... – Antonio wyjął plik papierów z koperty, którą ze sobą przyniósł. – Podpiszmy to. Mama i Gabriela wystąpią w roli świadków.

Bel podpisała się na dokumentach pod ojcem, a potem Carla i Gabriela jako świadkowie.

Myśl, że ma dom, który naprawdę do niej należy, bardzo podniosła ją na duchu.

– Doskonale! – Ojciec uśmiechnął się, ponieważ nic tak go nie uszczęśliwiało jak własna hojność. – Zawiozę to do prawnika – powiedział i schował dokumenty do szuflady biurka.

*

Godzinę później przyjechał po nią Gustavo. Przywitał się oficjalnie z teściami i oznajmił, że muszą jechać, żeby zdążyć na kolację z jego rodzicami.

– Wrócę do ciebie jak najszybciej, *mãe*, i może uda nam się wjechać kolejką na górę Corcovado, żeby zobaczyć, jak idą prace przy posągu.

– Bardzo chciałabym się tam wybrać. Może w czwartek?

– Dobrze. To do zobaczenia. – Bel posłusznie wyszła za mężem do samochodu.

W drodze do domu postanowiła, że nie wspomni mu o prezencie, który dostała od rodziców. Była to jej piękna tajemnica i chciała ją zatrzymać dla siebie. Kiedy mijali Estação do Corcovado, zobaczyła, jak na maleńki peron wysiadają pasażerowie kolejki. Nagle zauważyła, że wąską ścieżką idzie w jej stronę... Na chwilę serce zatrzymało jej się w piersiach, ale on zbyt szybko skręcił w ulicę, więc nie była do końca pewna, czy się nie pomyliła.

Zamknęła oczy i pokręciła głową. Oczywiście, że to nie mógł być Laurent, tylko ktoś bardzo do niego podobny. W końcu co robiłby w Brazylii?

– Jutro dostarczą do Casa das Orquídeas mój prezent ślubny dla ciebie – odezwał się Gustavo, wyrywając ją z rozmarzenia. Położył rękę na jej dłoni. – Widziałem go i uważam, że jest piękny. Mam nadzieję, że i tobie się spodoba.

– W takim razie nie mogę się go doczekać. – Wykrzesała z siebie tyle entuzjazmu, ile była w stanie.

Po kolacji poczuła się bardzo zmęczona. Mężczyzna, którego zobaczyła przy stacji kolejki, wytrącił ją z równowagi. Poza tym rozbolał ją brzuch. Kiedy weszli z Gustavem do sypialni, szybko pobiegła do łazienki. Przebrała się w koszulę nocną, umyła zęby i wyszczotkowała włosy. Gdy wróciła do sypialni, Gustavo był już rozebrany i czekał na nią w łóżku. Wyciągnął do niej ręce, lecz pokręciła głową.

– Przepraszam, ale dziś to niemożliwe. Mam okres.

Kiwnął tylko głową, wyszedł z łóżka i włożył szlafrok.

– Położę się w moim starym pokoju, a tobie dam odpocząć. Dobranoc, kochanie.

Kiedy zamknęły się za nim drzwi, Bel usiadła na łóżku i roześmiała się. Dobrze, że przynajmniej przez kilka dni w miesiącu będzie mogła spokojnie spać sama.

*

Dwa dni później Bel wróciła do swojego starego domu, aby zabrać matkę na Corcovado. Kiedy wsiadły do jednego z wagoników i kolejka zaczęła się wspinać po zboczu góry, Carla ze strachu chwyciła córkę za ramię.

– Czy to bezpieczne? Zbocze jest takie strome. Jak ten wagonik dotrze na szczyt?

– Nie bój się, *mãe*. Warto tam wjechać. Zobaczysz, jaki piękny widok Rio rozciąga się z góry.

Gdy wysiadły, powoli ruszyły po schodach. Co jakiś czas Carla musiała się zatrzymać, żeby złapać dech. Bel zaprowadziła matkę do pawilonu widokowego.

– Prawda, że tu pięknie? – Uśmiechnęła się. – A tam oczywiście budują konstrukcję dla Cristo. I pomyśleć, że na własne oczy widziałam projektowanie rzeźby, a potem pracę nad nią w atelier profesora Landowskiego! Wzięli nawet odlewy moich dłoni, żeby ewentualnie wykorzystać je jako modele rąk Cristo...

Kiedy Bel odwróciła oczy od rozciągającego się w dole widoku, żeby popatrzeć na budowę konstrukcji posągu, zobaczyła, że w jej stronę idzie dwóch zatopionych w rozmowie mężczyzn. Patrzyła z niedowierzaniem, a serce prawie stanęło jej w piersiach, bo oto spojrzał na nią w górę Laurent. On też ją zobaczył.

Przez kilka sekund patrzyli na siebie, a potem uśmiechnął się do niej i skupił uwagę na schodach. Zszedł na dół za swoim towarzyszem i zniknął z pola jej widzenia.

– Kto to był?

Carla z ciekawością przypatrywała się córce.

– To senhor Levy, kierownik projektu senhora da Silva Costy.

– Tak, rozpoznałam go ze zdjęcia w gazecie. Ale kim jest ten drugi mężczyzna?

– Nie wiem, czy dobrze go rozpoznałam, ale wydaje mi się, że to asystent profesora Landowskiego.

– Rozumiem. Odniosłam wrażenie, że cię rozpoznał.

– Tak, spotkaliśmy się w Paryżu. – Bel rozpaczliwie starała się uspokoić. Każda cząsteczka jej ciała krzyczała, żeby wybiec z pawilonu, popędzić po schodach i rzucić się w ramiona Laurenta. Bel musiała użyć całej siły woli, żeby się od tego powstrzymać.

Piętnaście minut później, kiedy Carla stwierdziła, że ma dosyć panującego na górze potwornego skwaru, i powolutku zeszły po schodach na platformę, aby poczekać na kolejkę, dwaj mężczyźni gdzieś zniknęli.

Gdy podjechały pod dom, matka zaproponowała jej coś do picia, ale Bel odmówiła i kazała kierowcy jechać prosto do Casa das Orquídeas. Potrzebowała nieco czasu, żeby się uspokoić, a poza tym wiedziała, że gdyby została z matką, mogłaby się zdradzić.

Jak to możliwe, że on tu jest? Po co przyjechał?

Oczywiście Laurent był z senhorem Levym, więc nietrudno było się domyślić, że Landowski wysłał go, by w jego imieniu nadzorował budowę Cristo.

Tak, pomyślała, wychodząc z samochodu i powoli idąc po frontowych schodach, na pewno tak jest. Obecność Laurenta w Rio nie ma w sobie nic tajemniczego. Bel poszła prosto na górę do swojej sypialni. Wiedziała, że Gustavo jeszcze przez kilka godzin nie wróci z klubu, i bardzo się z tego cieszyła.

Położyła się na łóżku. Oddychała głęboko, usiłując racjonalnie myśleć. Mało prawdopodobne, żeby ona i Laurent spotkali się na jakichś imprezach w Rio, ponieważ inżynier Levy nie należał do ich kręgów towarzyskich, a Heitor da Silva Costa nadal przebywał w Paryżu. To okrutny zbieg okoliczności, że zobaczyła dziś Laurenta. Całym sercem wspominała piękny uśmiech, którym ją obdarzył, kiedy przez chwilę na siebie patrzyli, ale wolałaby go nie ujrzeć.

*

Następnego wieczoru Gustavo wcześniej wrócił z klubu i powiedział jej, żeby nie wchodziła do salonu, dopóki jej nie powie. Z wyrazu jego twarzy widziała, że jest zadowolony z prezentu, który jej kupił. Przygotowywała się, żeby koniecznie ucieszyć się z jego niespodzianki.

– Dziś wieczorem przychodzą na obiad twoi rodzice i pewien tajemniczy gość, więc włóż swoją najpiękniejszą suknię – zasugerował jej mąż.

*

Laurent był także mocno poruszony, kiedy zobaczył Izabelę w pawilonie widokowym. Gdy spojrzał w górę, zobaczył ją na tle słońca, co sprawiło, że wyglądała prawie jak anioł – była cała rozświetlona. Od czasu kiedy usłyszał od Levy'ego o jej ślubie, na jego radość z przyjazdu do Rio padł cień rozpaczy. Doszedł do wniosku, że najlepiej będzie, jeśli jak najszybciej zakończy nadzorowanie konstrukcji Cristo, aby móc powiedzieć Landowskiemu, że jego rzeźba prezentuje się dobrze. Potem zobaczy może jeszcze coś więcej w kraju, do którego tak daleko płynął, i wróci do Francji. Wiedział już na pewno, że Izabela nigdy nie będzie należeć do niego, więc nie miał co tu robić. Strofował się za swą impulsywną decyzję, by wsiąść na statek i przemierzyć Atlantyk. Był już jednak w Rio prawie miesiąc i wiedząc, że Izabela w końcu wróci z podróży poślubnej, ślepo ufał, że być może przypadkiem się spotkają.

Nagle wczoraj monsieur Levy powiedział mu, że skontaktował się z nim monsieur da Silva Costa z prośbą o numer telefonu Laurenta.

– Wygląda na to, że Gustavo Aires Cabral chciałby osobiście poznać artystę, który wyrzeźbił jego żonę. Zaprosił pana na kolację w ich pięknym domu. Wydaje mi się, że poza tym chce panu zapłacić – dodał Levy. – Zadzwoni do pana, żeby się umówić.

– Dziękuję.

Najpierw Laurent postanowił, że oczywiście nie przyjmie zaproszenia na kolację i umówi się z mężem Izabeli w jego klubie w Rio, aby tam odebrać zapłatę. Gustavo Aires Cabral nie był człowiekiem, którego miał ochotę poznać.

Ale wczoraj po południu ją zobaczył...

Po niekończących się debatach z samym sobą zadecydował, że chociaż będzie tam jej mąż, pozwoli sobie na wieczór, podczas którego będzie miał przyjemność jeszcze raz popatrzeć na jej piękną twarz. Tak więc, kiedy monsieur Aires Cabral do niego zadzwonił, przyjął jego zaproszenie na kolację.

Taksówka, która wiozła Laurenta, najpierw krążyła ulicami Ipanemy, a potem wjechała w rzadziej zabudowane przedmieścia. Po drodze zastanawiał się, co go opętało. Przecież kilka godzin w jej obecności oznacza samobójstwo dla jego serca. Na nowo rozbudzi w nim namiętność. Tak czy inaczej, pomyślał, kiedy samochód skręcił w długi podjazd do eleganckiego domu w stylu kolonialnym, już tu jest i po prostu musi stanąć na wysokości zadania.

Wysiadł z taksówki, zapłacił kierowcy i na chwilę przystanął, by podziwiać piękno fasady budynku, z całą pewnością jednego z najbardziej imponujących, jakie do tej pory widział w Rio. Wszedł na marmurowe schody i nacisnął dzwonek.

Pokojówka, która mu otworzyła, zaprowadziła go do salonu, gdzie już siedziały dwie pary w średnim wieku. W rogu stała przykryta obrusem rzeźba Bel. Rozpoznał ją po kształcie.

– Jest pan! – Tuż za nim wszedł do salonu szczupły mężczyzna o rysach, które przypominały mu jakiegoś gryzonia. – Rzeźbiarz we własnej osobie! – Uśmiechnął się i wyciągnął do niego bladą dłoń. – Gustavo Aires Cabral. A pan to na pewno senhor Laurent Brouilly.

– Tak. Miło mi pana poznać, senhor. – Laurent zarejestrował, że uścisk dłoni mężczyzny jest dość słaby, a poza tym Gustavo jest od niego co najmniej dziesięć centymetrów niższy. Pomyślał, że ten wątły, brzydki mężczyzna nie może chyba być niedawno poślubionym mężem Izabeli?

– Szampana, senhor? – zapytała pokojówka i podała mu kieliszek z tacy.

– *Merci* – odpowiedział, po czym przywitał się z rodzicami Gustava. Następnie przedstawiono go matce i ojcu Izabeli.

Antonio Bonifacio, przystojny, wysoki mężczyzna o szpakowatych włosach, mocno uścisnął mu dłoń, a Carla uśmiechnęła się do niego ciepło. Była piękną kobietą i Laurent widział, że Izabela odziedziczyła jej zmysłową urodę brunetki. Żadne z nich nie znało francuskiego, więc Gustavo pełnił rolę tłumacza.

– Senhor Bonifacio mówi, że moja żona dużo im opowiadała o senhorze Landowskim i o tym, jak pozowała panu w jego atelier. Nie może się doczekać, żeby zobaczyć, czy wystarczająco dobrze pan uchwycił urodę jego córki – tłumaczył Gustavo.

– Mam taką nadzieję, senhor – odparł Laurent, czując na sobie taksujący wzrok matki Bel. Rozpoznał w niej kobietę, która wczoraj była z Izabelą na szczycie góry Corcovado.

– Senhora Carla mówi, że moja żona nie wie o tym, że w salonie jest jej rzeźba. I nie wie też, że pan się tu pojawił – ciągnął Gustavo. – Więc bardzo się zdziwi, kiedy do nas zejdzie.

– Na pewno – rzucił Laurent.

*

– Jesteś gotowa? – zapytał Gustavo, kiedy wszedł do sypialni i zastał żonę siedzącą w zamyśleniu na łóżku.

Odwróciła się do niego z uśmiechem.

– Tak.

Przyjrzał się jej. Ubrała się w piękną suknię z zielonego jedwabiu, a w uszach i na szyi miała szmaragdy, które ojciec podarował jej na osiemnaste urodziny.

– Wyglądasz olśniewająco, *querida* – powiedział i podał jej ramię. – Idziemy?

– Nie mam pojęcia, co może wymagać aż takiego audytorium – odezwała się Bel, idąc po schodach.

– Zaraz zobaczysz – odparł Gustavo tajemniczym głosem i otworzył drzwi do salonu. – Jest Izabela – powiedział do zebranych, a Bel uśmiechnęła się, kiedy rodzice podeszli, żeby się z nią przywitać.

Gustavo ruszył z nią w stronę swoich rodziców, którzy rozmawiali z jeszcze jednym gościem.

– To pierwsza część niespodzianki, która pomoże ci zgadnąć, jaki to prezent. Pozwól, że ci przedstawię: monsieur Laurent Brouilly, prosto z Paryża.

Bel tępo patrzyła na Laurenta, wiedząc, że oczy wszystkich zgromadzonych w salonie skupiły się na nich dwojgu w oczekiwaniu reakcji. Była tak zszokowana, że nie przychodziło jej do głowy nic, co mogłaby powiedzieć. Czuła, że jej milczenie trwa już wieczność, a sekunda goni sekundę.

– Madame Aires Cabral – odezwał się Laurent, ujmując jej dłoń i ratując sytuację. – Cóż za ogromna przyjemność znowu panią zobaczyć. – Pocałował ją w rękę, a potem dobrze jej się przyjrzał. – Kilka minut temu pani ojciec zapytał, czy dobrze oddałem pani urodę, ale teraz, kiedy znowu panią widzę, obawiam się, że nie.

Bel zmusiła mózg, by kazał ustom się otworzyć, i odezwała się po francusku:

– Monsieur Brouilly, cóż za miła niespodzianka! Nie spodziewałam się pana w Rio.

– Akurat szczęśliwie się złożyło, że senhor Brouilly jest w Brazylii z powodu pracy przy Cristo – wtrącił Gustavo. – Teraz już na pewno zgadłaś, jaki mam dla ciebie prezent?

Bel miała głowę tak pełną Laurenta, że nawet nie zaczęła rozmyślać, jaki może być związek między jego obecnością a prezentem od męża. Na szczęście, zanim zdążyła się odezwać, Gustavo zaprowadził ją do przedmiotu, który stał zakryty prześcieradłem. Wszyscy zebrali się w pobliżu.

– Mogę zdjąć zasłonę? – zapytał Gustavo.

– Tak – odpowiedziała Bel, z trudem przełknąwszy ślinę. W końcu zrozumiała, o co chodzi.

Kiedy rzeźba została odkryta, wszyscy aż jęknęli z podziwu. Bel dziękowała Bogu, że Laurent przedstawił ją jako cnotliwą młodą kobietę. Nikt przyglądający się rzeźbie nie mógłby powiedzieć, że jest w niej cokolwiek nieprzyzwoitego.

– No i jak? – Gustavo omiótł wzrokiem zebranych, starając się odczytać, co myślą o rzeźbie.

Pierwszy odezwał się Antonio.

– Wprost niewiarygodne podobieństwo. Doskonale przedstawił pan moją córkę, senhor Brouilly.

– Tak, to naprawdę jest nasza córka – z aprobatą potwierdziła Carla.

Gustavo przetłumaczył oba komentarze, a Laurent skłonił głowę z wdzięcznością przed rodzicami Bel.

– Nie jestem pewna, czy oddał pan całkiem wiernie jej usta – powiedziała po francusku Luiza, która w swoich uwagach zawsze starała się przemycić coś negatywnego.

– No cóż, senhora, kiedy przyglądam się pani synowej po ślubie, widzę, że zdecydowanie rozkwitła od czasu, gdy widziałem ją po raz ostatni. Z pewnością dlatego, że bardzo jej odpowiada bycie żoną i wszystkie z tym związane przyjemności.

Bel prawie zakrztusiła się, słysząc jego odpowiedź na krytyczną uwagę Luizy. Była ona na pozór grzeczna, lecz tak przesycona podtekstami, że nikomu nie mogło to umknąć. Luiza zachowała się na tyle przyzwoicie, że się zarumieniła.

– A ty co myślisz o moim prezencie, Izabelo? – zapytał Gustavo, władczo obejmując żonę w pasie.

– Nie mogę chyba mówić o zaletach rzeźby, która mnie przedstawia, by nie wydać się arogancką, ale to bardzo przemyślany prezent, Gustavo. Niezwykle mnie nim uszczęśliwiłeś.

Równie mechanicznie, jak przed momentem mówiła, złożyła na policzku męża pocałunek. W każdej chwili ich rozmowy czuła na sobie palący wzrok Laurenta, a może tylko wydawało jej się, że go czuje.

Do salonu wszedł kamerdyner w starszym wieku i oznajmił, że podano kolację. Bel była wdzięczna, że Laurent siedział między Luizą a Carlą. Ona zajęła miejsce między ojcem a teściem, a Gustavo zasiadł u szczytu stołu. Niestety, Laurent siedział naprzeciwko niej, więc widziała go za każdym razem, kiedy podnosiła wzrok. Pomyślała, że takie usadzenie gości jest dość przerażającą parodią wielu godzin, które przesiedzieli naprzeciwko siebie w atelier we Francji.

Dla uspokojenia wzięła duży łyk wina, odwróciła się w prawo i zaczęła rozprawiać z teściem o wszystkim, co tylko przyszło jej do głowy. Kiedy jej ojciec usłyszał, że omawiają ceny kawy, wkrótce się do nich przyłączył. Mężczyźni wyrazili zaniepokojenie, że z powodu nadprodukcji kawy w Brazylii powstają zapasy, które powodują obniżenie cen.

– Moi znajomi w senacie omawiają możliwość magazynowania kawy – skomentował Maurício.

– Tak. Mam zamiar na plantacjach pójść w ich ślady – powiedział Antonio. – W ciągu zaledwie ostatniego miesiąca ceny spadły, a zyski nie są już takie jak wcześniej.

Bel nie bardzo potrafiła nadążyć za ich rozmową, więc kiedy dwaj mężczyźni rozmawiali nad jej głową, przesunęła się nieco w tył. Oznaczało to, że często patrzyła przed siebie, prosto na Laurenta.

Gdy ich oczy spotkały się na kilka sekund, wiedzieli, że nic się nie zmieniło.

Przy kawie w salonie rozmawiali w trójkę – ona, jej mąż i Laurent.

– Kiedy wraca pan do Paryża? – zapytał Gustavo.

– Nie podjąłem jeszcze decyzji – odpowiedział Laurent. – Wszystko zależy od tego, jak ułożą się moje sprawy i jakie możliwości pracy znajdę tu, w Rio. – Zerknął na Bel. – Pańska matka, monsieur, była tak miła, że obiecała przedstawić mnie kilku potencjalnym klientom, którzy będą być może chcieli, abym wyrzeźbił członków ich rodzin. Kto wie? Może zakocham się w waszym pięknym kraju i postanowię zostać tu na zawsze.

– Jeśli zdobył pan poparcie i mecenat mojej matki, to może się tak zdarzyć – przyznał Gustavo. – Jeszcze brandy? – zapytał i wstał z kanapy, na której siedział obok Bel.

– Nie, dziękuję, senhor – odmówił mu Laurent.

Gustavo odszedł, a oni po raz pierwszy znaleźli się obok siebie tylko we dwójkę.

– Jak ci się żyje, Izabelo? – zapytał.

Kierowała wzrok na stół, na deski podłogi, na cokolwiek, byle tylko nie patrzyć mu w oczy. Miała mu mnóstwo do powiedzenia, ale nie była w stanie nic wykrztusić. Wreszcie wydobyła z siebie dwa słowa:

– Jestem… mężatką.

Podniosła wzrok, by zobaczyć, jak na to zareagował, i zauważyła, że Laurent ukradkiem lustruje pokój, sprawdzając, czy ktoś na nich patrzy.

– Bel – szepnął, pochylając się w jej stronę tak daleko, jak tylko miał odwagę – przypłynąłem tu, żeby cię odnaleźć. Musisz to wiedzieć. Jeśli powiesz, żebym wsiadł na najbliższy statek i wrócił do Francji, to tak zrobię. Ale chcę usłyszeć to z twoich ust. A teraz – śpieszył się, ponieważ widział, że Gustavo już przechylił karafkę i nalewa brandy do kieliszka – powiedz mi, czy jesteś szczęśliwa z mężem.

Nie mogła wydobyć z siebie głosu. Zobaczyła, że Gustavo zamyka karafkę kryształową zatyczką.

– Nie mogę – wykrztusiła w końcu, wiedząc, że uciekają im wspólne sekundy.

– Nadal mnie kochasz?

– Tak. – Patrzyła, jak Gustavo nachyla się nad swoją matką i szepcze jej coś do ucha.

– W takim razie spotkaj się ze mną jutro po południu. Przy rua Visconde de Pirajá siedemnaście. To kamienica w Ipanemie. Mieszkam na ostatnim piętrze pod szóstką.

Zapisała to w pamięci. Tymczasem chwiejnym krokiem zbliżał się do nich jej mąż. Widziała, że Laurent zauważył, jaki jest pijany, i wzdrygnęła się, kiedy Gustavo usiadł przy niej, gwałtownie ją objął i przyciągnął do siebie, by ją pocałować.

– Prawda, że moja żona jest piękna? – zwrócił się do Laurenta.

– Tak, monsieur.

– Czasami wydaje mi się, że na nią nie zasługuję. – Gustavo ponownie łyknął brandy. – Jak pan sobie może wyobrazić, bardzo się cieszę pierwszymi tygodniami małżeństwa.

– O, tak, świetnie to sobie wyobrażam. A teraz proszę mi wybaczyć, ale muszę już iść. – Nagle wstał i odszedł, by pożegnać się z pozostałymi.

– Jesteś już zdrowa? – szepnął Gustavo do ucha Bel, kiedy Laurent całował dłoń Carli.

– Niestety, nie, ale może jutro.

– Szkoda. Chciałbym już dziś pokochać się z moją piękną żoną.

Laurent wrócił i stanął przed nimi.

– Pragnę się pożegnać i bardzo państwu obojgu podziękować.

Gustavo i Bel wstali, a Laurent podał rękę najpierw jemu, a potem na chwilę ujął dłoń Bel i ją pocałował.

– *Á bientôt*, madame Aires Cabral.

– *Bonne nuit*, senhor Brouilly.

Kiedy Laurent wyszedł, rodzice Bel zaczęli szykować się do wyjścia.

– Dobranoc, *querida* – pożegnała ją matka na progu. – Przyjedź do mnie wkrótce – dodała, rzucając córce dziwne spojrzenie.

Na górze, pod drzwiami ich sypialni, Gustavo namiętnie pocałował Bel.

– Nie mogę się doczekać jutrzejszego wieczoru – powiedział.

Bel zamknęła drzwi, rozebrała się i weszła do łóżka, dziękując Bogu, że jest dziś w nocy sama.

37

Następnego ranka Bel obudziła się z przeświadczeniem, że poprzedniego wieczoru chyba za dużo wypiła, a co najmniej krew uderzyła jej do głowy. Jak inaczej wytłumaczyć to, że zgodziła się spotkać z Laurentem w jego mieszkaniu?

Przekręciła się na drugi bok i jęknęła. W nocy, leżąc w łóżku, z radością jeszcze raz przeżywała każde gorące spojrzenie i słowo, które wymienili, ale teraz wyobraziła sobie straszliwe konsekwencje obecności Laurenta w Rio.

Od niecałego miesiąca była żoną Gustava. Mimo to wyznała Laurentowi, że nie jest szczęśliwa w małżeństwie; nie dość tego – powiedziała, że nadal go kocha…

Co za szaleństwo ją opętało?

Szaleństwo miłości…

Niezależnie od rodzaju choroby, która nią zawładnęła, to gdyby Gustavo się dowiedział, co łączyło ich we Francji, a co gorsza, o ewentualnym dalszym ciągu ich romansu w Rio, konsekwencje byłyby zbyt straszne, by w ogóle brać je pod uwagę.

Wstała i poszła do łazienki. Popatrzyła na swoje odbicie w lustrze i zapytała go, co powinna zrobić. Najbezpieczniejszym wyjściem było po prostu nie spotykać się dziś z Laurentem. Jeśli będzie się od niego trzymać z daleka, on na pewno to zaakceptuje i nie będzie już zawracał jej głowy.

Ale jej oczy w lustrze natychmiast zamieniły się w pełne miłości i obietnicy spełnienia oczy Laurenta. Mimo woli zadrżała z rozkoszy.

*

Kiedy wyszła z łazienki, zastała w swojej sypialni Loen.

– Jak się pani miewa, senhora? – zapytała pokojówka, wieszając piękną jedwabną suknię, którą Bel niedbale rzuciła wieczorem na podłogę.

– Jestem… trochę zmęczona – przyznała.

– On tu był wczoraj wieczorem, prawda? Pani rzeźbiarz? – powiedziała Loen, porządkując pokój.

– Tak. Och, Loen. – Bel opadła na łóżko, położyła głowę na dłoniach i rozpłakała się.

Loen podeszła do swojej pani i objęła ją.

– Proszę nie płakać. Przecież jest pani chyba szczęśliwa, że przyjechał do Brazylii?

– Tak… nie… – Bel podniosła na nią wzrok. – Zrobiłam coś bardzo głupiego – przyznała. – Obiecałam mu, że dziś po południu spotkam się z nim w jego mieszkaniu w Ipanemie.

– Rozumiem. – Pokojówka spokojnie pokiwała głową. – Pójdzie pani?

– Jak mogłabym? Jestem mężatką, a zgodziłam się spotkać z innym mężczyzną! A ty co byś zrobiła, Loen? Proszę, powiedz mi.

– Nie wiem. – Loen westchnęła. – Chcę pani powiedzieć, że oczywiście spotkanie się z nim będzie czymś niedobrym… ale, gdyby chodziło o Bruna, to wątpię, czy potrafiłabym się powstrzymać. Zwłaszcza gdybym wiedziała, że jest tu tylko tymczasowo.

– Zachęcasz mnie, żebym poszła. – Bel przyjrzała się jej uważnie. – A powinnaś mi powiedzieć, że to szaleństwo.

– Bo to jest szaleństwo, ale o tym i tak już pani wie. Być może najlepiej byłoby spotkać się z nim ten jeden raz i powiedzieć mu, że nie może pani więcej się z nim widywać. No i ostatecznie się z nim pożegnać.

– Tylko jak miałabym to zrobić? Senhora Aires Cabral cały czas mnie obserwuje.

– O drugiej po południu ma pani przymiarkę ubrań na nowy sezon u madame Duchaine – przypomniała jej Loen. – Możemy tam iść, a potem powie pani, że źle się pani czuje i wyjdzie od krawcowej. Dałoby to pani dość czasu, żeby spotkać się ze swoim rzeźbiarzem. Mielibyście dla siebie kilka godzin.

– Loen, co ty ze mną robisz? – z rozpaczą odezwała się Bel, wiedząc, jak łatwo jest wykonać plan służącej.

– Jestem pani przyjaciółką, Bel, tak jak pani zawsze była moją. Od czasu ślubu codziennie widzę w pani oczach, jak bardzo jest pani nieszczęśliwa. Chcę, żeby zaznała pani szczęścia. Życie jest krótkie, a małżeństwo z kimś, kogo się nie kocha, bardzo długie. A więc proszę podjąć decyzję, a ja pomogę we wszystkim, co pani zadecyduje.

– Dziękuję. Muszę się zastanowić.

*

– Dzień dobry – przywitała ją Luiza, kiedy Bel zjawiła się przy stole. – Dobrze spałaś, moja droga?

– Tak. Dziękuję.

– Rano dostałam liścik od znajomej. Szukają młodych dam, które chciałyby się spotykać w Igreja de Nossa Senhora da Glória do Outeiro. To kościół niedaleko domu twoich rodziców. Senhor da Silva Costa, inżynier, który prowadzi budowę Cristo, postanowił udekorować posąg mozaiką ze steatytu. Szuka bardzo wielu rąk, które, trójkąt po trójkącie, przyklejałyby steatyt do siatki. Jest to praca, która zajmie dużo czasu, ale z tego, co mówi mi znajoma, będą ją wykonywać kobiety z najlepszych domów. Zauważyłam, jak niewiele masz tu, w Rio, odpowiednich dla ciebie przyjaciółek. Byłaby to idealna okazja, żeby się z kimś zaprzyjaźnić.

– Z przyjemnością pomogę – zgodziła się Bel. – Zwłaszcza że to praca w szczytnym celu, który jest bliski memu sercu.

– W takim razie powiem jej, że się zgłaszasz. Pewnie będziesz mogła zacząć od jutra.

– Dobrze – powiedziała Bel, kiedy pokojówka podawała kawę. Po śniadaniu poszła do ogrodu na spacer i zatopiła się w głębokich rozmyślaniach. Prace przy mozaice przynajmniej pozwolą jej zająć się czymś sensownym. Stało się już oczywiste, że nie ma szans być panią we własnym domu. Chociaż Luiza rzuciła jej ochłap, informując ją o domowych wydatkach, to nadal wszystko organizowała sama. Jeśli Bel zaproponowała jakieś danie na kolację, jej pomysł był odrzucany, a gdy wczoraj zapytała, czy zamiast zastawy Wedgwood nie mogą używać serwisu obiadowego z Limoges, usłyszała, że Limoges wyjmowany jest tylko z okazji świąt rodzinnych, takich jak urodziny albo rocznice.

Codziennie tuż po obiedzie Gustavo jeździł do swojego klubu. Oznaczało to, że Bel nieskończone godziny spędzała sama. Nagle ścisnął się jej żołądek. A co zrobi z dzisiejszym popołudniem?

Aż do obiadu miotały nią sprzeczne uczucia. O wpół do pierwszej wezwała samochód.

– Jadę do miasta, do madame Duchaine, i biorę ze sobą Loen – poinformowała teściową, kiedy odnalazła ją w salonie przy pisaniu listów. – Może to trochę potrwać, ponieważ krawcowa zdejmuje mi miarę na zimową garderobę.

– Słyszałam, że madame Duchaine jest bardzo droga, a klientki nie zawsze są zadowolone z jej pracy. Mogę ci dać kontakt do innej krawcowej, która jest znacznie tańsza i można na niej polegać.

– Ale madame Duchaine zawsze świetnie wszystko mi szyła – odparowała Bel. – Do zobaczenia na kolacji.

Nie oglądając się za siebie, by zobaczyć zdziwienie teściowej, że odważyła się zakwestionować jej zdanie, podeszła do drzwi i przypięła do włosów kapelusz.

Loen już na nią czekała.

– No i co? – szepnęła, kiedy szły w stronę samochodu.

– Nie wiem – jęknęła Bel.

– Jedziemy do madame Duchaine, a jeśli zdecyduje się pani udać ból głowy, zrobię, co pani każe – powiedziała Loen, gdy wsiadały do samochodu.

Kierowca ruszył, a Bel niewidzącym wzrokiem patrzyła przez okno. Serce tak mocno waliło jej w piersiach, że czuła się, jakby miało za chwilę pęknąć.

Kiedy samochód zatrzymał się pod pracownią madame Duchaine, wysiadły.

– Nie musisz na nas czekać, Jorge – zwróciła się Bel do kierowcy. – Będę tu dość długo. Proszę, przyjedź po mnie o szóstej.

– Tak jest, senhora.

Poczekała, aż samochód odjedzie, i weszła z Loen do salonu. Dziesięć minut później stała przed dużym lustrem. W głowie miała mętlik, a madame Duchaine skakała wokół niej z centymetrem i ze szpilkami. Bel nadal strasznie cierpiała, nie mogąc podjąć decyzji. Żołądek podchodził jej do gardła. Jeśli szybko czegoś nie postanowi, zrobi się za późno, myślała.

Nagle madame Duchaine wstała i przesunęła się za Bel, aby zza ramienia klientki przyjrzeć się w lustrze swej pracy. Kiedy jej świdrujący wzrok przesunął się na twarz Bel, zachmurzyła się.

– Nie wygląda pani dobrze, senhora. Jest pani bardzo blada. Niedobrze pani czy coś takiego?

– Jest mi trochę słabo – przyznała Bel.

– Może przełożymy miarę na inny dzień? Moim zdaniem, powinna pani trochę odpocząć – powiedziała krawcowa, dyskretnie zerkając na brzuch klientki.

W pewnym momencie Bel na ułamek sekundy spojrzała w oczy Loen i już wiedziała, że decyzja została za nią podjęta.

– Tak, być może ma pani rację. Jutro zadzwonię i umówię się na następny raz. Chodź, Loen – zwróciła się do służącej. – Idziemy.

Kiedy wyszły z pracowni i znalazły się na ulicy, rzuciła:

– No więc idę. Pewnie postradałam zmysły, ale spotkam się z nim. Życz mi szczęścia.

– Tylko proszę nie zapomnieć, żeby tu wrócić, gdy przyjedzie po nas samochód. I senhora Bel – dodała cichutko Loen – nawet jeśli postanowi pani, że nie może pani już nigdy więcej z nim się spotkać, to, moim zdaniem, teraz podejmuje pani słuszną decyzję.

– Dziękuję.

Bel szybkim krokiem przemierzyła ulice Ipanemy w stronę rua Visconde de Pirajá. Dwa razy zawróciła z drogi, ale potem zmieniła zdanie i znów poszła naprzód, aż wreszcie znalazła się przed kamienicą Laurenta.

Tak, powiedziała do siebie. Wejdę do środka i osobiście powiem mu, że już nigdy więcej nie zobaczę się z nim. A potem wyjdę.

Gwałtownie otworzyła drzwi i wpadła do budynku, wbiegła na schody i zaczęła się po nich wspinać, po drodze sprawdzając numery mieszkań.

Kiedy dotarła do numeru szóstego, zawahała się, a potem zamknęła oczy i modląc się bezgłośnie, zastukała.

Usłyszała kroki na deskach podłogi, a gdy otworzyły się drzwi, stał przed nią Laurent.

– *Bonjour*, madame Aires Cabral. Proszę wejść.

Uśmiechnął się do niej, przytrzymując drzwi. Zamknął je na dwa zamki, na wypadek gdyby niespodziewanie przyszła służąca, Monica. Nareszcie był sam na sam z Bel, więc nie chciał, żeby ktokolwiek im przeszkadzał.

– Co za piękny widok – odezwała się, nerwowo stając w salonie i wyglądając na ocean.

– Tak, prawda?

– Laurent...

– Izabelo...

Uśmiechnęli się do siebie, bo odezwali się jednocześnie.

– Usiądziemy? – zapytała. Podeszła do krzesła i opadła na nie. Starała się uspokoić oddech, lecz na próżno.

Laurent przyciągnął drugie krzesło i usiadł twarzą do niej.

– O czym chciałabyś porozmawiać?

– Ja... – Pokręciła głową i westchnęła. – To nie ma sensu. Nie powinnam tu być.

– Ja też nie. Ale wygląda na to, że choć oboje nie chcemy tu być, to jednak jesteśmy.

– Tak. – Bel odetchnęła głęboko. – Przyszłam ci powiedzieć, że nie możemy się już więcej spotykać.

– To samo powiedziałaś w parku w Paryżu. I zobacz, do czego to doprowadziło.

– Nie prosiłam cię, żebyś przyjeżdżał do Rio.

– Nie. A żałujesz, że przyjechałem?

– Tak... Nie... – rzuciła z rozpaczą.

– Jesteś mężatką – stwierdził bez ogródek.

– Tak. Wiem, że znaleźliśmy się w okropnej sytuacji.

– Bel... – Wstał z krzesła i szybko do niej podszedł, ukłęknął przed nią i ujął jej dłonie. – Wczoraj wieczorem zapytałem, czy jesteś szczęśliwa, i powiedziałaś, że nie.

– Ale...

– A potem zapytałem, czy mnie kochasz, i powiedziałaś, że tak.

– Ja...

– Cicho, daj mi skończyć. Rozumiem, w jakiej znalazłaś się sytuacji i jak nieodpowiedni i źle zaplanowany w czasie jest mój przyjazd. Obiecuję ci, że jeśli powiesz mi teraz prosto w oczy, żebym się zabierał, tak jak to zrobiłaś w Paryżu, przysięgam, że najszybciej, jak tylko uda mi się zarezerwować miejsce na statku, opuszczę Rio. Ale musisz mi powiedzieć, czego chcesz. Bo ja chyba dostatecznie jasno wyraziłem, czego pragnę.

– Chcesz być moim kochankiem? – Nie spuszczała z niego wzroku. – Bo tylko tyle mogę ci ofiarować. Choć zasługujesz na znacznie więcej – dodała.

– To, na co zasługuję, nie ma wpływu na sytuację. Jesteś kobietą, której pragnę, tak chciał los. Idealnie byłoby, gdybym cię teraz porwał, wsadził do walizki i zabrał do Francji, żebyśmy mogli być razem do końca życia. Ale jestem gotowy na kompromis. A ty? – Jego pełne smutku oczy nerwowo szukały jakiegoś znaku na jej twarzy, jakiejkolwiek wskazówki, i napawały się pięknem jej rysów.

Bel zastanawiała się, jak kiedykolwiek mogła wątpić w jego uczucie. Zostawił swoje życie we Francji i przemierzył dla niej pół świata, chociaż nie miał gwarancji, że ją tu w ogóle odnajdzie. A jej biedny mąż niechcący przyczynił się do ich spotkania. Myśl o Gustavie w końcu ją otrzeźwiła.

– Co było, minęło – powiedziała tak stanowczo, jak tylko była w stanie. – Z twojej strony to nie fair, że przyjeżdżasz tutaj i zmuszasz mnie, bym sobie ciebie przypomniała, po tym, jak zrobiłam wszystko co w mojej mocy, żeby się z tobą pożegnać i spróbować o tobie zapomnieć… – Oczy zalały jej łzy, a głos zamarł w gardle.

– Wybacz mi. Ostatnią rzeczą, jakiej chcę, jest, żebyś przeze mnie płakała. Ale tak, masz rację – przyznał. – Kazałaś mi odejść, a ja cię nie posłuchałem. Więc wina leży po mojej, a nie twojej stronie.

– Powiedz mi, skąd mam wziąć siłę, żeby po raz drugi się z tobą pożegnać? – Łkała rozpaczliwie, a on wziął ją w ramiona. – Nie wiesz, ile mnie to kosztowało za pierwszym razem. A żeby to po-wtórzyć…

– Więc nie rób tego. Powiedz, że chcesz, żebym został, to tak zrobię.

– Ale ja…

Laurent powoli schylił głowę i zaczął całować jej szyję. Robił to tak delikatnie, że miała wrażenie, że jej skórę muska skrzydło mo-tyla. Jęknęła.

– Proszę, proszę, nie utrudniaj tego jeszcze bardziej.

– Bel, przestań się torturować. Po prostu bądźmy razem, dopó-ki możemy. Kocham cię, *chérie*, tak bardzo cię kocham… – Wytarł palcami łzy z jej policzków.

Sięgnął po jej dłoń i uścisnął ją.

– Nie masz pojęcia, jak za tobą tęskniłam – mówiła, łkając.

– A ja za tobą. – Schylił się w jej stronę i pocałował ją w usta.

Topniała w jego ramionach i powoli się poddawała, wiedząc, że już dłużej nie może walczyć z tym uczuciem.

– *Chérie* – powiedział, kiedy wreszcie rozłączyli usta – wezmę cię do łóżka. Zgadzam się, abyśmy tylko koło siebie poleżeli, ale chcę cię poczuć w ramionach.

Nie czekając na jej odpowiedź, podniósł Bel z krzesła, zaniósł ją do sypialni i delikatnie położył na materacu.

Przygotowała się na szaleńczy atak, do którego przyzwyczaił ją Gustavo, ale nic takiego się nie wydarzyło. Laurent położył się ko-ło niej, objął ją i przytulił. Znów ją pocałował i przez ubrania pal-cami delikatnie obrysowywał kontury jej piersi i talię. Robił to tak długo, aż nie mogła już myśleć o niczym innym, tylko o obietnicy jego nagiego ciała na jej ciele.

– Rozebrać cię, czy sama to zrobisz? – szepnął jej do ucha.

Bel z ochotą przeturlała się na brzuch, by mógł odpiąć guziki z tyłu jej sukni. Robił to powoli, całując każdy centymetr ciała, które ukazywało się po rozpięciu kolejnego guzika, a potem ściągnął rękawy. Następny był biustonosz, a kiedy i jego już się pozbył, rzucił go na podłogę i delikatnie odwrócił ją twarzą do siebie, by móc na nią patrzeć.

– Jesteś piękna, przepiękna – szepnął, gdy wygięła się w jego stronę. Całym ciałem pragnęła jego dotyku. Kiedy jego usta odszukały jej sutki, wydobył się z niej jęk.

Dłoń Laurenta powoli poruszała się po idealnie płaskim brzuchu Bel, a gdy podniósł głowę z jej piersi, wzrokiem poprosił o pozwolenie, by iść dalej. Także wzrokiem dała mu pozwolenie, a on delikatnie rozpiął jej pas i zdjął pończochy. Każde muśnięcie jego palców przeszywało ją prądem pożądania. W końcu leżała przed nim całkowicie naga.

Dysząc ciężko, na chwilę się zatrzymał i objął wzrokiem całe jej ciało.

– Wybacz mi, ale chciałbym cię teraz wyrzeźbić.

– Nie…

Uciszył ją pocałunkiem.

– Żartuję sobie z ciebie, moja piękna Bel. Chcę się z tobą tylko kochać.

Wkrótce także i on był nagi, a kiedy nieśmiało na niego spojrzała, zauważyła, że jest piękny. Poczuła na sobie jego ciężar i wreszcie w nią wszedł, najpierw upewniwszy się, że jest gotowa. Jej ciało przyjęło go ochoczo, wręcz z ekstazą, i nagle zrozumiała, o czym opowiadała jej matka.

*

Już po wszystkim leżeli spokojnie spleceni ramionami. W końcu uległa pragnieniu, by go dotykać, pieścić każdy centymetr jego ciała, odkrywać jego fizyczność. Czuła też potrzebę, aby on to samo robił z nią.

Choć bardzo się starała od tego powstrzymać, kiedy Laurent na chwilkę przy niej zasnął, porównywała to, co robili, z tym, co musiała znosić z Gustavem. Jak to możliwe, że ten sam akt wywołuje tak odmienne reakcje w jej ciele i umyśle?

Nagle z pełną jasnością zrozumiała, że Laurent miał rację, kiedy mówił, że nie powinna wychodzić za Gustava. Nic nie zmieni faktu, że nie może i nigdy nie będzie mogła odwzajemnić miłości męża.

Fizyczna odraza, jaką do niego czuła, nie była jego winą. Nie był złym człowiekiem, tyranem, który o nią nie dba. Być może dbał o nią aż za bardzo i chciał jej to okazać w jedyny sposób, jaki był dla niego dostępny.

– Co ci jest?

Laurent obudził się i bacznie się w nią wpatrywał.

– Myślałam o Gustavie.

– Staraj się tego nie robić, Bel. Nic dobrego z tego nie wyniknie.

– Nie rozumiesz. – Westchnęła i przekręciła się na bok, odwracając się do niego plecami. Poczuła, jak jego dłoń pieści jej biodro, a potem ześlizguje się do zagłębienia talii. Wreszcie przyciągnął ją do siebie i leżeli przytuleni, jak gdyby byli jednym ciałem.

– Wiem, *ma chérie*, wiem. Strasznie to wszystko pogmatwane. Oboje musimy się starać chronić twego męża.

Przesunął dłoń i objął jej pierś, na co Bel westchnęła z rozkoszy, prężąc się i przytulając do Laurenta. Kompletnie zapomnieli o Gustavie, bo ponownie zaczęli się kochać, co przeniosło ją w krainy rozkoszy, jakich jeszcze nigdy przedtem nie zaznała.

Kiedy skończyli, na chwilkę zasnęła. Po przebudzeniu spojrzała na zegarek i podskoczyła z przerażenia.

– *Meu Deus!* Muszę iść. Pod pracownią madame Duchaine będzie na mnie czekał kierowca – wysapała i w panice wygrzebała się z łóżka. – Zebrała porozrzucane w pościeli i na podłodze ubrania i jak najszybciej się ubrała.

Laurent cały czas w milczeniu przyglądał jej się z materaca.

– Kiedy znów cię zobaczę? – zapytał.

– Jutro nie, bo muszę się pokazać w kościele, gdzie mam pomagać w układaniu mozaiki, którą będzie od zewnątrz wyłożony

Cristo. Ale może w poniedziałek? – zaproponowała, w pośpiechu doprowadzając do porządku włosy. Przypięła do nich kapelusz i ruszyła w stronę drzwi.

Laurent natychmiast znalazł się u jej boku i mocno ją objął.

– Będę za tobą tęsknił, w każdej sekundzie.

Bel zadrżała, kiedy poczuła, jak przytula się do niej jego nagie ciało.

– A ja za tobą.

– Do zobaczenia, *ma chérie*. Kocham cię.

Spojrzała na niego po raz ostatni i wyszła.

38

Następne kilka miesięcy Bel przeżyła unoszona na fali silnych emocji. Czuła się, jakby całe jej życie przed pamiętnym lutowym popołudniem w mieszkaniu Laurenta było zaledwie szarą, nudną egzystencją bez żadnego znaczenia. Teraz, kiedy co rano po przebudzeniu leżała i myślała o Laurencie, czuła, jak całe jej ciało drży z podniecenia. Błękit nieba za oknem wydawał jej się prawie oślepiający swą intensywnością, a kwiaty w ogrodzie eksplodowały przed jej oczami egzotycznym kalejdoskopem kolorów.

Kiedy codziennie rano szła po schodach na śniadanie i siadała naprzeciwko teściowej, z jej zawsze napiętą i niezadowoloną miną, myślała o Laurencie i na ustach Bel pojawiał się tajemniczy uśmiech. Nic nie mogło jej dotknąć, nikt nie mógł jej już zrobić przykrości. Była nie do ruszenia, pod specjalną ochroną ich miłości.

Niestety, jeśli przez kilka dni nie mogła go odwiedzić, spadała na dno otchłani cierpienia i torturowała się wyobrażeniami, gdzie Laurent się podziewa, co robi i z kim jest. Opadał ją lodowaty strach, krew zamarzała jej w żyłach i Bel drżała, choć palące słońce wyciskało pot na jej czole. Prawda była taka, że jej ukochany był wolny i mógł kochać, kogo zechce. A ona nie.

– *Mon Dieu, chérie* – powiedział, kiedy kilka dni temu leżeli w jego wielkim mahoniowym łóżku. – Przyznaję, że coraz trudniej przychodzi mi się tobą dzielić. Myśl o tym, że on w ogóle cię dotyka, przyprawia mnie o dreszcze, a co dopiero dotyka cię tak, jak ja przed chwilą – dodał i leciutko musnął palcami jej nagą pierś. – Ucieknij ze mną, Bel. Wrócimy do Paryża. Dość ukrywania się. Przed nami byłyby tylko niekończące się godziny wypełnione dobrym winem, pysznym jedzeniem, rozmowami i miłością... – Jego głos przycichł do szeptu, po czym całkiem zamilkł, bo zaczęli się całować.

Dobrze przynajmniej, że teściowa Bel niechcący pomogła jej kochankowi zostać w Rio. Zgodnie z obietnicą, Luiza przedstawiła go swoim licznym bogatym znajomym, którzy po zobaczeniu rzeźby Bel chcieli, by w podobny sposób zostali uwiecznieni członkowie ich rodzin. Laurent właśnie pracował nad zleceniem wyrzeźbienia chihuahua, którego bardzo kochali jego bogaci właściciele. Teściowa Bel właściwie została mecenaską Laurenta. Oczywiście Bel widziała paradoks tej sytuacji.

– Niekoniecznie jest to praca, którą chcę wykonywać, ale przynajmniej trzyma mnie w ryzach, gdy ciebie nie ma – powiedział Laurent.

W te popołudnia, kiedy Bel nie mogła się do niego wymknąć, kuł blok steatytu, który Luiza zdobyła dla niego od krewnego, właściciela kopalni. Propozycja Luizy, aby Bel zgłosiła się do pomocy w ubieraniu Cristo w tysiące kafelków ze steatytu w Igreja da Glória, stanowiła idealne alibi dla wychodzenia z Casa das Orquídeas. Kiedy jej dłonie dotykały chłodnych, gładkich trójkątów, myślała o tym, że Laurent pracuje w takim samym kamieniu, i ta świadomość bardzo podnosiła ją na duchu. Tylko Luiza wiedziała, kiedy jej synowa wychodzi z domu i kiedy wraca, ponieważ Gustavo coraz więcej czasu spędzał w klubie i przychodził przed kolacją, cuchnąc alkoholem. Rzadko pytał Bel, co robi w ciągu dnia.

Właściwie, pomyślała, gdy zakładała kapelusz, a Loen już poszła zawołać kierowcę Jorgego, ostatnio Gustavo prawie jej nie zauważa. Od czterech miesięcy, czyli od czasu, kiedy zaczął się jej romans z Laurentem, troska, jaką jej okazywał na początku małżeństwa, kompletnie znikła. Co prawda w nocy, gdy z niepokojem wchodziła do ich wspólnego łóżka, nadal usiłował się z nią kochać, ale przeważnie nie był w stanie się spisać. Uznała, że to pewnie dlatego, że przed tym najczęściej nie był w stanie prosto stać na nogach. Nieraz tracił świadomość w trakcie wysiłków, by w nią wejść. Staczała go z siebie, a potem leżała, słuchając jego pijanych pomruków i wdychając kwaśne opary jego oddechu, które przesycały całą sypialnię. Rano wstawała, ubierała się i jadła śniadanie, zanim się obudził.

Jeśli jej teściowie dostrzegali problem syna, nie robili na ten temat żadnych aluzji. Luiza pytała synową o ich życie małżeńskie tylko po to, by się dowiedzieć, czy wkrótce będzie miała wnuka. Kiedy Bel mówiła, że na razie nie, teściowa sarkała z niezadowoleniem.

Bel niepokoiła się, że jej ciało, które nie zareagowało na nerwowe próby Gustava, by począć spadkobiercę, może się poddać delikatnemu i namiętnemu dotykowi Laurenta. Gdy zobaczył, że się tym martwi, wytłumaczył jej pewnego popołudnia, jak stara się unikać, by zaszła w ciążę. Wyjaśnił jej funkcjonowanie jej ciała tak szczegółowo, jak nigdy nie zrobiła to jej matka, i poradził, jak pilnować okresów płodnych.

– Nie jest to metoda całkowicie bezpieczna, *chérie*, i dlatego tylu katolików nadal ma tak duże rodziny. – Uśmiechnął się ze smutkiem. – Ale ja też mogę się starać zapobiegać ciąży, kiedy jesteś w najbardziej niebezpiecznym okresie.

Bel spojrzała na niego z podziwem.

– Skąd to wszystko wiesz?

– Na Montparnassie jest wielu takich jak ja artystów, którzy chcą się trochę zabawić, ale niekoniecznie pragną, aby potem ścigała ich jakaś kobieta, mówiąc, że nosi ich dziecko. – Laurent zobaczył jej zbolałą minę, i natychmiast objął ją ramieniem i przyciągnął do piersi. – *Chérie*, niestety na razie jest, jak jest, ale nie chciałbym cię skompromitować. Ani patrzeć, jak moje dziecko wychowywane jest przez twojego męża. Więc na razie musimy uważać.

Bel wyszła z domu, wsiadła do samochodu i wyglądała przez okno, podczas gdy kierowca wiózł ją do pobliskiego domu jej rodziców w Cosme Velho. Wszystkie wolne chwile poza domem spędzała z Laurentem, nie widziała więc rodziców od ponad miesiąca. Ale wczoraj Loen zapytała ją, kiedy odwiedzi matkę.

– Wkrótce – odpowiedziała Bel, czując wyrzuty sumienia.

– Wiem, że jest pani... zajęta, ale może powinna pani jechać z nią się zobaczyć – z naciskiem powiedziała Loen, pomagając Bel włożyć suknię. – Moja mama martwi się o nią.

– Jest chora?

– Nie wiem – ostrożnie odparła Loen.

– Pojadę tam jutro i sama zobaczę.

Kiedy samochód stał już na podjeździe przy Mansão da Princesa, Bel zleciła Jorgemu, aby odebrał ją o szóstej trzydzieści spod hotelu Copacabana Palace.

Rano powiedziała Luizie, że po wizycie u matki umówiła się w hotelu na herbatę ze swoją nową koleżanką Heloise, którą poznała w Igreja da Glória. Wiedziała, że teściowej spodoba się ten pomysł; Luiza od dawna ją zachęcała, by zaprzyjaźniła się z odpowiednimi damami z ich sfer, a Heloise pochodziła z bardzo starej, arystokratycznej rodziny. Ponadto Bel wiedziała, że teściowej nie podobał się krzykliwy styl hotelu, więc założyła, że nie wpadnie ona na pomysł, żeby do nich dołączyć.

Kiedy szła w stronę frontowych drzwi swego starego domu, poczuła uścisk żołądka na myśl, że ktoś mógłby przyłapać ją na kłamstwie, ale nie miała wyboru. Niestety, od dwóch miesięcy, choć niechętnie, zmieniła się we wprawną kłamczuchę.

Drzwi otworzyła Gabriela; jej twarz rozpromieniła się na widok Bel.

– Senhora, jak miło panią widzieć. Pani mama akurat odpoczywa, ale prosiła mnie, żebym ją obudziła, kiedy pani przyjdzie.

– Czy mama jest chora? – Bel zachmurzyła się, idąc za Gabrielą do salonu. – Loen mówiła, że się o nią martwisz.

– Nie wiem. – Gabriela się zawahała. – Nie wiem, czy jest chora, ale na pewno jest bardzo zmęczona.

– Sądzisz, że to nawrót choroby?

– Nie wiem, senhora. Może musi ją pani sama o to zapytać. I przekonać ją, żeby poszła do lekarza. Co pani przynieść do picia?

Gabriela wyszła, by obudzić jej matkę i przynieść sok pomarańczowy, a Bel niespokojnie chodziła po tak dobrze jej znanym pokoju. Kiedy matka w końcu przyszła do salonu, Bel zauważyła, że nie tylko jest blada i zmęczona, ale od ostatniego razu, gdy się widziały, jej skóra nabrała dziwnego, żółtawego odcienia.

– Wybaczyć, *mãe*, że tak dawno tu nie byłam. Jak się czujesz? – zapytała, usiłując stłumić w sobie strach i poczucie winy, że nie przyjechała tu szybciej. Podeszła do Carli i pocałowała ją na powitanie.

– Jestem zdrowa. A ty?

– Też, *mãe*...

– Usiądziemy? – Carla ciężko osunęła się na krzesło, jakby nogi nie miały już siły jej dźwigać.

– Przecież widzę, *mãe*, że nie jesteś zdrowa. Coś cię boli?

– Tylko trochę. Jestem pewna, że to nic takiego.

– Proszę, *mãe*... Przecież wiesz, że to poważne. *Pai* na pewno zauważył, że jesteś chora.

– Ojciec ma w tej chwili inne zmartwienia. – Carla westchnęła. – Plantacje kawy nie przynoszą tyle zysków co kiedyś, a plan magazynowania proponowany przez rząd nic nie pomaga.

– Nie sądzę, żeby interesy *pai* były ważniejsze od zdrowia jego żony – odparowała Bel.

– *Querida*, ojciec jest tak spięty, że nie chcę jeszcze bardziej go obciążać.

Bel miała oczy pełne łez.

– Może to nieodpowiedni moment, ale chyba rozumiesz, *mãe*, że nie ma nic ważniejszego niż twoje zdrowie? A może boisz się najgorszego?

– To moje ciało, ja w nim jestem i świetnie rozumiem i czuję, co się z nim dzieje – twardo przerwała jej Carla. – Nie chcę poddawać ani siebie, ani ciebie i twojego ojca rozpaczliwym procedurom, które i tak doprowadzą do tego samego końca.

– *Mãe* – z trudem wykrztusiła Bel; czuła w gardle wielką gulę. – Proszę, umów się przynajmniej z lekarzem, który ostatnio cię leczył. Masz do niego zaufanie, prawda?

– Tak, moim zdaniem, w Rio nie ma nikogo lepszego. Ale naprawdę, Bel, wiem, że już nie będzie mógł mi pomóc.

– Nie mów tak, *mãe*. Potrzebuję cię. *Pai* także.

– Może... – Carla uśmiechnęła się ponuro. – Ale, Izabelo, nie jestem ziarnem kawy ani banknotem realowym. A zapewniam cię, że to te rzeczy twój ojciec kocha najbardziej.

– Nie masz racji, *mãe*! Może tego nie widzisz, ale jako córka wiem, że jesteś dla niego wszystkim i bez ciebie jego życie stałoby się bezwartościowe.

Przez chwilę siedziały w ciszy.

– Jeśli chcesz, Izabelo, możesz mnie umówić do lekarza i wybrać się tam ze mną. Jestem pewna, że potwierdzi każde słowo, które ci przed chwilą powiedziałam. Ale zanim zgodzę się iść do lekarza, proszę cię tylko o jedno.

– Co takiego?

– Na razie nie mów nic ojcu. Nie zniosłabym, gdyby musiał cierpieć dłużej, niż to konieczne.

*

Pół godziny później Bel wyszła z domu, ponieważ matka przyznała się, że musi się położyć, i poprosiła kierowcę, by zabrał córkę do Ipanemy. Bel nie mogła się otrząsnąć z szoku. Myślała, że matka wpadła w panikę i zapewne przesadza.

Wyszła z samochodu dwie przecznice od mieszkania Laurenta i gdy tylko wóz zniknął jej z oczu, zaczęła biec, w miarę zbliżania się do celu coraz prędzej. Fizycznie i psychicznie pragnęła jak najszybciej znaleźć się przy jedynej osobie, która mogła ją pocieszyć.

– *Chérie!* – przywitał ją na progu Laurent. – Myślałem, że nie przyjdziesz. *Mon Dieu!* Co ci jest? Co się stało?

– Moja mama – wysapała Bel, dysząc. – Wydaje jej się, że umiera. – Rozpłakała się na jego ramieniu.

– Co takiego?! Czy powiedział jej to lekarz?

– Nie, ale rok temu miała raka, a teraz jest pewna, że nastąpił nawrót choroby. Uważa, że to dla niej koniec, ale nie chce martwić ojca, który ma kłopoty z firmą. Powiedziałam jej, żeby koniecznie

379

poszła do lekarza... pójdę z nią... Nie widziałam jej miesiąc i bardzo w tym czasie zmarniała. Tak się boję, że jej przeczucia mogą okazać się prawdą. – Spojrzała Laurentowi w oczy.

– Bel... – Wziął ją za obie ręce, delikatnie podprowadził ją do kanapy, posadził i usiadł obok niej. – Oczywiście musisz iść z nią do lekarza. Może jednak nie jest tak źle, jak jej się wydaje – próbował ją uspokoić. – Mówisz, że twój ojciec ma kłopoty z firmą? – spytał po chwili. – Wydawało mi się, że jest bogaty jak Krezus.

– No bo jest. Jeśli ma jakieś kłopoty, to na pewno je wyolbrzymia. A ty? – zapytała, usiłując się pozbierać. – Dobrze się czujesz?

– Tak, *chérie*, dobrze, ale chyba nie musimy zadawać sobie tak konwencjonalnych pytań. Nie sądzisz? Przez ostatnie kilka dni strasznie za tobą tęskniłem.

– Ja też. – Przytuliła się do jego piersi, aby stłumić ból ostatnich dwóch godzin.

Laurent delikatnie gładził ją po włosach i usiłował znaleźć jakiś temat, który oderwałby ją od rozmyślania o swoim nieszczęściu.

– Rano właśnie się zastanawiałem, co będę ze sobą robił, kiedy za kilka dni skończę tego strasznego pieska, gdy ktoś zadzwonił... Madame Silveira. Chce, żebym wyrzeźbił jej córkę w prezencie na jej dwudzieste pierwsze urodziny.

– Alessandrę Silveirę? Znam ją... – Bel się zaniepokoiła. – Jej rodzina to dalecy krewni Aires Cabralów. Była na moim weselu. Pamiętam, że jest bardzo piękna.

– Na pewno ładniejsza od chihuahua – bez entuzjazmu zgodził się z nią Laurent. – I na pewno lepiej mi się będzie z nią rozmawiać. Mówi nieźle po francusku.

– A poza tym, o ile pamiętam, jest niezamężna – dodała Bel na pozór obojętnym głosem. Jej serce jeszcze mocniej ścisnął strach.

– Tak, to prawda. – Laurent nadal gładził jej włosy. – Może jej rodzice mają nadzieję, że rzeźba rozreklamuje jej urodę i wyrafinowanie, dzięki czemu znajdzie odpowiedniego męża.

– A może za odpowiedniego kandydata na narzeczonego uznają utalentowanego rzeźbiarza z Francji – odparowała Bel i odsunęła się od niego, krzyżując ramiona na piersiach.

– Izabelo! Tylko mi nie mów, że jesteś zazdrosna.

– Oczywiście, że nie jestem. – Przygryzła wargę. Myśl o tym, że inna kobieta będzie codziennie siedziała naprzeciwko Laurenta, tak jak ona w Boulogne-Billancourt, sprawiła, że po całym ciele przeszedł jej dreszcz zazdrości. – Ale nie zaprzeczysz, że ostatnio często zapraszano cię na wieczorki towarzyskie i stałeś się niezwykle popularny?

– Tak, ale nie sądzę, by ktokolwiek uznał mnie za odpowiednią partię dla młodych dam, które tam były. Jestem raczej kimś nowym, ciekawostką.

– Zapewniam cię, że samo to, że jesteś z Francji, ze Starego Świata, a co więcej, cieszysz się mecenatem mojej teściowej, w takim mieście jak Rio sprawia, że jesteś kimś znacznie więcej niż ciekawostką.

Laurent odrzucił głowę do tyłu i roześmiał się.

– Jeśli masz rację, to bardzo się z tego cieszę – odezwał się w końcu. – We Francji ja i tacy jak ja artyści uważani są za coś najgorszego na świecie. Już ci kiedyś mówiłem, że francuskie matki wolałyby, żeby ich córki umarły, niż związały się z biednym artystą.

– Tu jesteś postrzegany inaczej. – Bel wiedziała, że zachowuje się szorstko, ale nie mogła się powstrzymać.

Laurent przechylił głowę i uważnie jej się przypatrzył.

– Rozumiem, *chérie*, że zdenerwowała cię wiadomość o mamie. Ale chyba widzisz, że to, co mówisz, jest bez sensu? W końcu to nie ja muszę uciekać do męża w te popołudnia, kiedy udaje nam się spotkać. To nie ja co noc dzielę z kimś łóżko. I to nie ja odmawiam wzięcia pod uwagę zmiany sytuacji, w której się znaleźliśmy. Ale to ja muszę to wszystko wytrzymywać. To mój żołądek zaciska się za każdym razem, kiedy sobie wyobrażę, jak mąż się z tobą kocha. To ja muszę być gotowy za każdym razem, gdy pstrykniesz palcami i powiesz, że może mnie odwiedzisz. I to ja, nie chcąc zwariować, muszę czymś wypełnić samotne godziny, podczas których myślę o tobie!

Bel oparła głowę na kolanach. Laurent po raz pierwszy tak bezpośrednio i z taką złością skomentował ich sytuację. Chciałaby nie dopuścić jego słów do serca i umysłu. Niestety, wiedziała, że są prawdziwe.

Przez chwilę siedzieli w ciszy, aż wreszcie Bel poczuła jego dłoń na ramieniu.

– *Chérie*, wiem, że nie jest to odpowiedni czas, aby o tym rozmawiać. Ale proszę, zrozum, że jestem tu, w Brazylii, i spędzam ten czas najlepiej, jak potrafię, tylko z jednego powodu. Z twojego powodu.

– Wybacz mi – mruknęła, wciąż nie podnosząc głowy. – Jestem dziś na dnie rozpaczy. Co możemy zrobić?

– To nie jest odpowiedni czas, aby o tym rozmawiać. Musisz skupić się na matce i na jej zdrowiu. Zresztą, chociaż bardzo nie chcę ci o tym przypominać, natychmiast musisz wziąć taksówkę do hotelu Copacabana Palace i wyjść stamtąd, jakbyś była na herbatce z przyjaciółką. Jest już po szóstej.

– *Meu Deus!* – Bel wstała i ruszyła do drzwi.

Laurent chwycił ją za ramię i przyciągnął do siebie.

– Bel – powiedział, głaszcząc ją po policzku. – Proszę cię, pamiętaj, że to ciebie kocham i ciebie pragnę. – Pocałował ją czule, a jej oczy wypełniły się łzami. – A teraz uciekaj, bo za chwilę porwę cię i zamknę na klucz w moim mieszkaniu, żeby mieć cię tylko dla siebie.

39

Dwa dni później Bel wyszła ze szpitala sama. Lekarz, do którego się zwróciły, nalegał, by Carla została w szpitalu na badania, a córka miała po nią przyjść o szóstej.

Teściowa i mąż wiedzieli, że Bel jest w szpitalu, więc mogłaby spędzić popołudnie w ramionach Laurenta, nie miała jednak na to siły. Męczyło ją poczucie winy, że z powodu Laurenta samolubnie zaniedbała matkę. Kiedy Carli robiono badania, Bel siedziała odrętwiała, przyglądając się, jak przez drzwi szpitala przewija się korowód ludzkich nieszczęść.

O szóstej, tak jak ją proszono, zgłosiła się na oddział, na który przyjęto jej matkę.

– Lekarz prosił, żeby pani do niego przyszła – poinformowała ją pielęgniarka. – Proszę za mną.

– Jak się czuje moja mama? – zapytała ją Bel, kiedy szły korytarzem.

– Siedzi na krześle i pije herbatę – poinformowała ją pielęgniarka, energicznie pukając do drzwi gabinetu.

Bel weszła, a lekarz zaprosił ją, aby usiadła na krześle naprzeciwko jego biurka.

*

Piętnaście minut później Bel pożegnała się z lekarzem i na miękkich nogach szła po matkę. Doktor potwierdził, że Carla ma przerzuty w wątrobie i najprawdopodobniej również w innych miejscach. Przeczucie nie zmyliło matki. Nie było dla niej nadziei. Kiedy wracały do domu samochodem, Carla najwyraźniej czuła ulgę, że opuściła szpital. Żartowała, zastanawiała się, czy kucharka pamiętała, że Antonio na wieczór prosił o rybę. Gdy dojechały do domu, ujęła dłonie córki.

– Nie zadawaj sobie trudu, żeby wejść, *querida* – poprosiła. – Wiem, że widziałaś się z lekarzem, i wiem, co ci powiedział, ponieważ przedtem rozmawiał ze mną. Pojechałam dzisiaj z tobą tylko po to, aby cię przekonać, że mam rację. A teraz, skoro obie już to wiemy, nie będziemy o tym z nikim rozmawiały. Zwłaszcza z ojcem.

Bel widziała rozpacz w żarliwym spojrzeniu matki.

– Ale przecież…

– Powiemy mu, kiedy to będzie konieczne – zadecydowała Carla, a Bel wiedziała, że to jej ostatnie słowo na ten temat.

Tej nocy Bel wróciła do Casa das Orquídeas z poczuciem, że świat przewrócił się do góry nogami. Po raz pierwszy była zmuszona zmierzyć się ze śmiertelnością matki. A przez to także ze swoją własną. Wieczorem usiadła do kolacji i najpierw popatrzyła na siedzącego obok niej Gustava, a potem na teściów po drugiej stronie stołu. Zarówno mąż, jak i jego matka wiedzieli, gdzie była całe popołudnie. Mimo to żadne z nich nie zadało sobie trudu, by zapytać o zdrowie Carli, o to, czego Bel dowiedziała się w szpitalu. Gustavo był już pijany i nie nadawał się do sensownej rozmowy, a Luiza prawdopodobnie stwierdziła, że konwersacja na niezbyt przyjemny temat zaburzy jej trawienie wołowiny, która była tak twarda, że stanowiłaby wyzwanie dla najbardziej kanibalistycznych siekaczy.

Po kolacji, niekończących się rundach kart i niezliczonych kieliszkach brandy wypitych przez męża poszła z nim na górę.

– Idziesz do łóżka, *querida*? – zapytał Gustavo i rozebrał się, po czym padł na materac.

– Tak – odpowiedziała, kierując się w stronę łazienki. – Przyjdę za kilka minut.

Zamknęła za sobą drzwi, opadła na brzeg wanny i schowała głowę w dłoniach, mając nadzieję, że zanim wyjdzie z łazienki, mąż będzie już chrapał. Siedząc pogrążona w rozpaczy, przypomniała sobie, jak mama opowiadała jej przed ślubem, że musiała przyzwyczaić się do Antonia i nauczyć się go kochać.

Kiedyś Bel w głębi ducha wyśmiewała uległość matki wobec męża i zastanawiała się, jak znosi jego arogancję i nienasyconą potrzebę akceptacji towarzyskiej; dziś po raz pierwszy zrozumiała siłę miłości, jaką matka czuła do ojca.

Nigdy bardziej jej nie podziwiała.

*

– Jak czuje się twoja mama?

Kilka dni później, kiedy stanęła na progu mieszkania Laurenta, przywitał ją z zatroskaną twarzą.

– Umiera, tak jak mówiła.

– Tak mi przykro, *chérie*. I co teraz będzie? – zapytał, wprowadzając ją do salonu.

– Nie wiem... Nadal się nie zgadza, żeby powiedzieć ojcu – mruknęła i gwałtownie usiadła na krześle.

– Bel, kochanie, musi być ci teraz bardzo trudno. Jesteś taka młoda, nie masz jeszcze dwudziestu lat, a cały świat wali ci się na głowę. I wyobrażam sobie, że w tej sytuacji zaczęłaś się przyglądać własnemu życiu.

Bel nie wiedziała, czy jego słowa ukoiły ją, czy poczuła się potraktowana z góry.

– Tak... to prawda.

– Domyślam się, że gnębi cię poczucie winy. Czujesz, że musisz coś postanowić. Zastanawiasz się, czy nie skupić się na lepszym spełnianiu obowiązków córki i wiernej żony i nie zapomnieć mnie. A może to, że nagle zrozumiałaś, jak krótkie jest życie, uświadomiło ci, że powinnaś skorzystać z czasu, którego dotąd nie ceniłaś, i żyć zgodnie z tym, co dyktuje ci serce.

Bel spojrzała na niego ze zdziwieniem.

– Skąd wiesz, że właśnie tak myślałam?

– Ponieważ również jestem człowiekiem. – Laurent wzruszył ramionami. – Wierzę, że ta siła, która kieruje naszym życiem, stawia przed nami takie dylematy, abyśmy w pełni uświadomili sobie swoją sytuację. Ale decyzję musimy podjąć sami.

– Jesteś bardzo mądry – rzuciła cicho Bel.

– Nie, nie jestem mądry. Po prostu jestem człowiekiem, trochę od ciebie starszym, więc byłem zmuszony podejmować decyzje, które wymagały odpowiedzi na te same pytania. Rozumiem cię i nie chcę wywierać na ciebie presji. Ale zapewniam cię, że jeśli tylko zechcesz, żebym w tym trudnym dla ciebie czasie został w Brazylii, to zostanę. Bo cię kocham, Bel, i chcę tu być dla ciebie. I zrozumiałem, że dzięki miłości do ciebie stałem się lepszym człowiekiem. Ja też wiele się nauczyłem! – Laurent uśmiechnął się do niej ironicznie. – Ale nadal... nie do końca pozbyłem się ego. A więc, jeśli zostanę, musisz mi obiecać, że kiedy ta... sytuacja z twoją matką się rozwiąże, oboje podejmiemy decyzję co do naszej przyszłości. Ale nie teraz. No, chodź, daj się przytulić.

Rozłożył ramiona, a ona powoli wstała i do niego podeszła.

– Kocham cię, Bel – powiedział, głaskając ją czule po włosach.

– Dziękuję ci. Dziękuję.

*

Czerwiec przeszedł w lipiec. Pewnego dnia, kiedy wróciła do domu po całym popołudniu spędzonym na pracy przy układaniu steatytowej mozaiki w Igreja da Glória, Bel usłyszała od Loen, że w salonie czeka na nią ojciec.

– Jak wygląda? – zapytała służącą, zdejmując kapelusz i podając go jej.

– Chyba schudł – odparła ostrożnie Loen. – Ale musi go pani sama zobaczyć.

Bel wzięła głęboki oddech i otworzyła drzwi do salonu, po którym nerwowo przechadzał się jej ojciec. Gdy odwrócił się do niej, zobaczyła, że faktycznie schudł. Ale nie była to największa zmiana, jaka w nim nastąpiła. Jego przystojna twarz wyglądała na wymizerowaną, a skórę pokryła delikatna siateczka zmarszczek. Do

niedawna czarne falowane włosy, na których widać było tylko leciutki szron siwizny w okolicach skroni, zrobiły się prawie całkiem
siwe. Bel odniosła wrażenie, że od czasu, kiedy widziała go po raz
ostatni, postarzał się o dziesięć lat.

– Księżniczko – odezwał się, po czym podszedł do niej i ją objął. – Bardzo dawno się nie widzieliśmy.

– Tak, pewnie ze trzy miesiące.

– Jesteś teraz mężatką i masz własne życie, więc brak ci czasu
dla starego *pai* – spróbował raczej kiepskiego żartu.

– Od kilku tygodni bardzo często odwiedzam *mãe*. Ale ciebie
nigdy nie zastałam. Wydaje mi się, że to *pai* był nieosiągalny.

– Tak, to prawda. Teść na pewno ci powiedział, że handel kawą
przeżywa ostatnio poważny kryzys.

– W każdym razie cieszę się, że w końcu się widzimy. Proszę,
pai, usiądź. – Bel wskazała krzesło. – Poproszę, żeby przyniesiono
nam coś do picia.

– Nie, na nic nie mam ochoty – odparł, ale usiadł, tak jak go
córka prosiła. – Izabelo, co się dzieje z twoją mamą? W niedzielę
większość dnia spędziła w łóżku. Powiedziała, że ma migrenę, jak
zresztą często w ciągu ostatnich kilku miesięcy.

– *Pai*...

– Chyba nie jest znowu chora? Dziś rano nic nie zjadła na
śniadanie i zauważyłem, że jej skóra nabrała jakiegoś strasznego
koloru.

Bel przez chwilę patrzyła na ojca.

– Dopiero dzisiaj zauważyłeś te objawy, *pai*?

– Byłem zajęty w biurze. Często wychodzę, zanim *mãe* wstanie,
a do domu wracam, kiedy już śpi. Ale tak... – Opuścił głowę. –
Pewnie powinienem był to zauważyć, ale nie chciałem. A więc –
dodał z pełnym rezygnacji westchnieniem – czy wiesz, jak bardzo
jest chora?

– Tak, *pai*. Wiem.

– Czy to... czy...? – Nie był w stanie wymówić dalszych słów.

– Tak – potwierdziła Bel.

Wstał i z rozpaczy uderzył się dłonią w skroń.

– *Meu Deus!* Oczywiście, że powinienem był to wiedzieć. Co ze mnie za człowiek?! Jaki ze mnie mąż?!

– Rozumiem, *pai*, że masz poczucie winy, ale *mãe* z uporem ukrywała swój stan, bo uznała, że wystarczy ci kłopotów w firmie. Ona też miała w tym swój udział.

– Jakby praca miała znaczenie w porównaniu ze zdrowiem mojej żony! Pewnie uważa, że jestem potworem, skoro tyle czasu się przede mną ukrywała! A ty, dlaczego nic mi wcześniej nie powiedziałaś, Izabelo?! – krzyknął ze złością.

– Ponieważ obiecałam *mãe*, że tego nie zrobię – odparła Bel. – Niewzruszenie twierdziła, że nie chce, żeby *pai* się o tym dowiedział, póki nie jest to konieczne.

– Teraz już wiem…. – Nieco się opanował. – Możemy zebrać najlepszych lekarzy i chirurgów, zrobić wszystko, żeby wyzdrowiała.

– Już mówiłam, że *mãe* była u lekarza, a ja jej towarzyszyłam. Powiedział mi, że nie ma już nadziei. Przykro mi, *pai*, ale nadszedł czas, by zmierzyć się z prawdą.

Przez chwilę Antonio stał przed nią bez słowa, a jego twarz wyrażała mieszaninę emocji – od niedowierzania po złość i rozpacz.

– Chcesz mi powiedzieć, że ona umiera? – szepnął w końcu.

– Tak. Ogromnie mi przykro.

Bezwładnie opadł na krzesło, ukrył twarz w dłoniach i zaczął głośno szlochać.

– Nie, nie… nie moja Carla, proszę, nie moja Carla.

Bel wstała i podeszła do niego. Objęła ramieniem jego zgarbione plecy, które trzęsły się z emocji.

– I pomyśleć, że tak długo musiała sama nosić ten ciężar i nie zaufała mi na tyle, żeby mi powiedzieć.

– *Pai*, przysięgam ci, że nawet gdyby ci o tym powiedziała, już nic nie dałoby się zrobić – powtórzyła Bel. – *Mãe* nie życzy sobie męki dalszego leczenia. Mówi, że osiągnęła spokój i zaakceptowała swój los, a ja jej wierzę. Musisz uszanować jej decyzję. To, czego teraz potrzebuje już od nas obojga, to tylko miłości i wsparcia.

Antonio nagle opuścił ramiona, jakby stracił całą swoją energię. Mimo złości, że tyle czasu mu zajęło, by zauważyć chorobę żony, Bel poczuła dla niego falę współczucia.

Podniósł na nią wzrok; jego oczy przepełniał ból.

– Nieważne, co sobie o mnie myślicie, ty i ona. Carla jest dla mnie wszystkim i bez niej nie wyobrażam sobie życia.

Bel bezsilnie przyglądała się, jak ojciec wstaje, odwraca się i wychodzi z salonu.

40

– Co się z tobą ostatnio dzieje? – wybełkotał Gustavo, gdy Bel w koszuli nocnej wyszła z łazienki. – Przy kolacji już się prawie nie odzywasz. A kiedy jesteśmy sami, rzadko ze mną rozmawiasz. Gdy kładła się obok niego na łóżku, wlepił w nią pytający wzrok.

Minął tydzień, od kiedy jej ojciec zjawił się w Casa das Orquídeas i wyszedł zrozpaczony straszną wiadomością. Następnego dnia, gdy Bel pojechała odwiedzić matkę, siedział przy jej łóżku. Trzymał ją za rękę i cichutko łkał.

Carla uśmiechnęła się blado do wchodzącej córki i wskazała męża.

– Mówiłam mu, żeby szedł do biura, bo nie jest w stanie zrobić nic, czego nie zrobiłaby Gabriela, ale odmawia i siedzi nade mną jak kwoka na jajach.

Bel widziała, że pomimo tych słów obecność męża uspokoiła i ucieszyła Carlę. Sądząc po tym, jak źle wygląda, był na to najwyższy czas. Kiedy w końcu przekonały ojca, żeby na kilka godzin poszedł do biura i zostawił je same, Carla cicho odezwała się do córki:

– Teraz, gdy on już wie, powiem ci, co chciałabym zrobić z czasem, który mi został...

Od tamtej pory Bel zbierała się na odwagę, żeby powiedzieć Gustavowi, gdzie jej matka chce spędzić swe ostatnie dni. Ona oczywiście musiała jej towarzyszyć, lecz zdawała sobie sprawę, że mąż nie będzie zadowolony z jej nieobecności.

Powoli usiadła na brzegu łóżka i przyjrzała się jego czerwonym oczom i powiększonym od alkoholu źrenicom.

– Gustavo – zaczęła – moja matka umiera.

– Co? – Odwrócił głowę w jej stronę. – Pierwsze słyszę. Od kiedy o tym wiesz?

– Od kilku tygodni, ale matka uparła się, żeby nikomu nie mówić.

– Nawet mężowi?

– Tak. Nie mówiła o tym nawet swojemu mężowi i chciała, żeby on pierwszy się o tym dowiedział.

– Rozumiem. To nawrót raka, tak?

– Tak.

– Ile życia jej zostało?

– Niewiele... – Gustavo podszedł do tego tak zimno, że głos Bel drżał z emocji. Zebrała się jednak w sobie, żeby powiedzieć mu, o co jej chodzi. – Poprosiła, by zabrać ją w góry, żeby mogła swoje ostatnie chwile spędzić na ukochanej hacjendzie. Pozwolisz mi, żebym jej tam towarzyszyła?

Spojrzał na nią szklistymi oczami.

– Jak długo?

– Nie wiem. Może kilka tygodni... z bożą pomocą może dwa miesiące.

– Wróciłabyś na początek sezonu?

– Ja... – Bel nie mogła przecież określić, jak długo będzie umierała jej matka, i to tylko po to, by zadowolić męża. – Wydaje mi się, że tak.

– Chyba nie bardzo mogę ci odmówić. Oczywiście wolałbym, żebyś była tutaj, u mojego boku. Tym bardziej że nie ma w drodze dziedzica, a twój wyjazd to odwlecze. Moja matka zaczyna się poważnie martwić, że możesz być bezpłodna.

– Przepraszam. – Bel opuściła wzrok. Chętnie odparowałaby, że to nie jej wina. Od co najmniej dwóch miesięcy Gustavowi ani razu się nie udało. I pewnie nawet tego nie pamiętał.

– Spróbujemy dziś wieczorem – powiedział, po czym chwycił ją gwałtownie i rzucił na łóżko.

Po chwili już był na niej i nieporadnie podwijał jej koszulę nocną. Poczuła, że szturcha ją i dźga stwardniałym członkiem, ale nie udaje mu się trafić do celu. Zaczął się na niej poruszać, jak gdyby myślał, że już znalazł się w jej wnętrzu. Jak zwykle, tuż przed końcem jeszcze bardziej poczuła na sobie ciężar jego ciała, aż wreszcie jęknął z ulgą i stoczył się z niej. Poczuła lepkość, która już ścinała się na jej udach, i popatrzyła na niego z mieszaniną obrzydzenia i litości.

– Może w końcu udało nam się zrobić dziecko – wybełkotał, zanim jego oddech zmienił się w pijackie chrapanie.

Bel wstała i poszła do łazienki, żeby go zmyć ze swego ciała. Nie śmiała kwestionować jego naiwnego przekonania, że żałosne wysiłki zbliżenia między nimi mogą zaowocować cudem, jakim jest dziecko. Jeśli kiedykolwiek choć trochę spisywał się w roli kochanka, była to już przeszłość. Zresztą w oparach pijaństwa nie był nawet w stanie zapamiętać, co z nią robi.

Wracając do sypialni, pomyślała jednak, że jeśli to, co musiała wycierpieć, umożliwi jej wyjazd z matką z Rio i towarzyszenie jej aż do końca jej dni, jest to cena, którą była gotowa zapłacić.

*

Następnego ranka Bel zostawiła śpiącego Gustava i zeszła na śniadanie. Przy stole siedzieli jej teściowie.

– Dzień dobry, Izabelo – odezwała się Luiza.

– Dzień dobry – uprzejmie odpowiedziała Bel i usiadła.

– Gustavo nie dołączy do nas?

– Na pewno zaraz zejdzie. – Bel zastanawiała się, czy musi chronić męża przed jego matką.

– Dobrze spałaś?

– Owszem, dziękuję.

Taka wymiana zdań stała się ich codziennym rytuałem, a ponadto zarówno początkiem, jak i końcem rozmowy. Resztę śniadania przerywały tylko zadowolone lub potępiające pomruki Maurícia, które dochodziły zza jego gazety.

– Moja mama jest, niestety, bardzo ciężko chora – odezwała

się Bel, mieszając kawę. – Prawdopodobnie nie dożyje następnego lata.

– Bardzo mi przykro, Izabelo – odpowiedziała teściowa. Poza tymi słowami jej jedyną reakcją na tę wiadomość było lekkie uniesienie brwi. – Co za niespodziewana wiadomość! Jesteś całkiem pewna?

– Niestety, tak. Wiem o tym od pewnego czasu, ale matka nie pozwoliła mi nikomu mówić, zanim nie będzie to absolutnie konieczne. Ten czas już nadszedł, a mama chciałaby spędzić swoje ostatnie dni na naszej hacjendzie. To pięć godzin drogi stąd. Mama poprosiła, żebym z nią tam pojechała i była z nią aż... do końca. Wczoraj wieczorem rozmawiałam o tym z Gustavem i zgodził się.

– Naprawdę? – Luiza, wyraźnie niezadowolona, nadęła swoje cienkie usta. – To bardzo wspaniałomyślne z jego strony. A dokładnie, jak długo cię nie będzie?

– No... – Bel czuła, że oczy nabrzmiewają jej łzami.

– Zapewne tyle, ile będzie trzeba, kochanie – niespodzianie odezwał się zza gazety Maurício. Ze współczuciem skinął głową, patrząc na Bel. – Przekaż, proszę, mamie moje najlepsze życzenia.

– Dziękuję – szepnęła Bel, wzruszona tym nagłym wsparciem i współczuciem. Wyjęła chusteczkę i skrycie otarła sobie oczy.

– Może przynajmniej powiesz nam, kiedy chcesz wyjechać? – nie dawała za wygraną teściowa.

– Pod koniec tego tygodnia – poinformowała ją Bel. – Pojedzie ze mną ojciec i zostanie z nami przez kilka dni, ale potem będzie musiał wrócić do biura w Rio.

– Tak – rzucił z powagą Maurício. – Wiem, że na pewno jest mu teraz ciężko. Podobnie jak nam wszystkim.

*

Dwa dni później, po południu, kiedy Bel siedziała przy stole z innymi kobietami w Igreja da Glória i razem naklejały na siatkę trójkąciki steatytu, pomyślała, że godziny spędzone w chłodnym kościele pozwalają jej się wyciszyć.

Chociaż zgromadzone tam panie, jak to kobiety, lubiły czasami pogawędzić, to zwykle nie były zbyt gadatliwe i w skupieniu wykonywały swoją pracę. Wszystkie ogarnęła atmosfera spokoju i harmonii.

Heloise, koleżanka, która kiedyś posłużyła Bel jako alibi do spotkania z Laurentem, siedziała przy stole tuż koło niej. Bel zauważyła, że pisze coś na odwrocie steatytowego trójkąta, więc pochyliła się nad nim, aby dobrze go obejrzeć.

– Co robisz? – zapytała.

– Zapisuję imiona mojej rodziny. I mojego ukochanego. W ten sposób na zawsze staną się częścią Chrystusa i będą uwiecznieni na szczycie góry Corcovado. Wiele kobiet tak robi, Izabelo.

– Piękny pomysł... – Bel westchnęła, przyglądając się ze smutkiem imionom matki i ojca Heloise, a także jej braci, sióstr i... ukochanego. Popatrzyła na swoją płytkę, którą właśnie miała smarować klejem, i pomyślała, że najbliższa osoba z jej rodziny już niedługo pożyje na tej ziemi i nigdy nie zobaczy skończonego Cristo. Oczy Bel wypełniły się łzami.

– Będę mogła od ciebie pożyczyć pióro, kiedy skończysz swoje napisy? – zapytała Heloise.

– Oczywiście.

Kiedy koleżanka podała jej pióro, Bel zapisała na trójkąciku imię matki, potem ojca, a wreszcie swoje własne imię. Pióro jeszcze jakiś czas unosiło jej się nad kamieniem, ale choć chciała, nie była w stanie zmusić się, by zapisać imię męża.

Sprawdziła, czy atrament jest suchy, naniosła na kafelek gęsty klej i przykleiła go do siatki. Tymczasem kobieta, która nadzorowała ich pracę, poinformowała je, że nadszedł czas na przerwę. Bel zobaczyła, że wolontariuszki wstają z ławek. Instynktownie wzięła steatytowy trójkąt ze sterty na środku stołu i po kryjomu schowała go w swojej małej torebce leżącej przy jej stopach pod stołem. Wstała i podeszła do grupy kobiet, które na tyłach kościoła piły kawę. Odmówiła kawy zaproponowanej przez służącą i zwróciła się do kierowniczki:

– Proszę mi wybaczyć, senhora, ale, niestety, muszę już wyjść.

– Oczywiście. Komitet jest wdzięczny za każdą pomoc, jaką może pani ofiarować, senhora Aires Cabral. Proszę jak zwykle wpisać swoje nazwisko na liście, żeby było wiadomo, kiedy będzie pani mogła przyjść następnym razem.

– Przez pewien czas nie będzie to, niestety, możliwe, senhora. Moja mama jest poważnie chora i muszę jej towarzyszyć w jej ostatnich chwilach.

– Rozumiem. Proszę przyjąć moje wyrazy współczucia. – Kobieta dotknęła jej ramienia.

– Dziękuję.

Bel wyszła z kościoła i szybko pobiegła do Jorgego, który czekał na nią na zewnątrz. Wsiadła do samochodu i kazała się zawieźć do pracowni madame Duchaine w Ipanemie.

Gdy piętnaście minut później byli na miejscu, poprosiła, żeby Jorge wrócił po nią o szóstej. Poszła w stronę frontowych drzwi do pracowni i udała, że naciska dzwonek, po czym dyskretnie odwróciła głowę, by się upewnić, że kierowca odjeżdża. Dwie, trzy minuty zaczekała na progu, a potem szybkim krokiem ruszyła ulicą w kierunku mieszkania Laurenta.

Nie będzie go widziała pewnie przez dwa miesiące, więc szkoda jej było czasu na dyskusje z krawcową na temat mody w następnym sezonie. Wiedziała, że na kilka godzin nie będzie miała alibi, ale kiedy wchodziła po schodach do mieszkania Laurenta, po raz pierwszy było jej to obojętne.

– Strasznie jesteś blada, *chérie*. Wejdź szybciutko, zrobię ci coś do picia – powiedział Laurent, gdy stanęła pod jego drzwiami, dysząc z wysiłku i trzęsąc się z nerwów.

Pozwoliła wprowadzić się do środka i posadzić na krześle.

– Poproszę o trochę wody – mruknęła, bo nagle zrobiło jej się słabo. Kiedy Laurent poszedł do kuchni, położyła głowę na kolanach, by opanować zawroty głowy.

– Źle się czujesz? – spytał, gdy wrócił.

– Nie... nic mi nie będzie. – Wzięła od niego wodę i szybko ją wypiła.

– Co się stało, Bel? – Usiadł koło niej i ujął jej dłonie.

– Mam ci coś... do powiedzenia.

– Co takiego?

– Mama poprosiła, żeby na jej ostatnie dni zabrać ją na naszą hacjendę w górach. Muszę z nią jechać – wyrzuciła z siebie. Całe napięcie ostatnich tygodni znalazło ujście i na dobre się rozszlochała. – Przepraszam cię, ale nie mam wyboru. Matka mnie potrzebuje. Mam nadzieję, że mi wybaczysz i zrozumiesz, dlaczego na jakiś czas muszę wyjechać z Rio.

– Za kogo ty mnie masz, Bel? Oczywiście, że musisz jechać i być z matką. Dlaczego myślałaś, że będę zły? – zapytał delikatnie.

– No bo... bo powiedziałeś, że jesteś w Rio tylko dla mnie, a ja wyjeżdżam. – Patrzyła na niego zrozpaczona.

– Zgadzam się, że nie jest to idealny układ. Ale jeśli chcesz znać prawdę, to chociaż przez jakiś czas nie będę cię widywał, wolę taki układ, bo przynajmniej na pewno nie będziesz dzielić łóżka z mężem i będę mógł wierzyć, że naprawdę jesteś moja. No i możemy chyba do siebie pisać? Mogę wysyłać listy na adres twojej służącej.

– Dobrze – zgodziła się Bel i wydmuchała nos w chusteczkę, którą jej podał. – Wybacz mi, ale mąż i teściowa tak zimno podeszli do mojej prośby, że tego samego spodziewałam się po tobie.

– Powstrzymam się od komentarza na temat twojego męża i teściowej, ale zapewniam cię, że szczerze ci współczuję. Poza tym – w jego oczach nagle pojawił się błysk, a na ustach uśmiech – przecież do twojego powrotu mam do towarzystwa ponętną Alessandrę Silveirę.

– Laurent...

– Izabelo, wiesz, że tylko się z tobą droczę. Z wyglądu rzeczywiście jest atrakcyjna, ale ma osobowość kamienia, z którego ją rzeźbię. – Roześmiał się.

– Któregoś dnia widziałam w gazecie twoje zdjęcie w Parque Lage, na przyjęciu charytatywnym słynnej Gabrielli Besanzoni – ponuro powiedziała Bel.

– Tak. Wygląda na to, że w Rio zrobiła się na mnie moda. Ale wiesz, że bez ciebie jest to bez znaczenia, *chérie*. Mam nadzieję, że twoje życie beze mnie też jest puste.

– Tak.

– A twój ojciec? Jak się czuje?

– Jest załamany. – Bel ze smutkiem wzruszyła ramionami. – *Mãe* między innymi dlatego chce jechać na hacjendę, żeby oszczędzić mu widoku jej powolnego umierania. W miarę możliwości będzie nas odwiedzał. Na jej miejscu zrobiłabym tak samo. Mężczyźni słabo sobie radzą z chorobami.

– Większość mężczyzn. Ale proszę, nie wrzucaj nas wszystkich do jednego worka – skarcił ją Laurent. – Gdybyś to ty umierała, chciałbym przy tobie być. Zobaczymy się jeszcze przed twoim wyjazdem?

– Nie. Wybacz mi, ale nie mogę już przyjść. Mam mnóstwo do zrobienia, muszę iść z mamą do lekarza po leki i po morfinę. Musimy ją mieć.

– W takim razie nie traćmy już czasu. Spędźmy te ostatnie wspólne godziny, myśląc tylko o sobie nawzajem. – Laurent wstał, pomógł jej się podnieść i poprowadził ją do sypialni.

41

Kiedy ojciec pomagał swojej osłabionej żonie wsiąść na tył rolls-royce'a, Bel czuła, że w powietrzu wisi coś ostatecznego. Antonio zajął miejsce za kierownicą, a Loen usiadła obok niego z przodu. Tymczasem Bel umościła matkę obok siebie na tylnym siedzeniu i podparła jej kruche ciało poduszkami. Ojciec uruchomił silnik, a gdy odjeżdżał spod domu, Bel zauważyła, że matka z trudem wykręca szyję, aby jeszcze raz popatrzyć na dom. Zrozumiała, że Carla świadomie żegna się z nim na zawsze.

Na hacjendzie Fabiana zebrała wszelkie siły, aby przywitać swoją panią promiennym uśmiechem. Carla była tak wyczerpana podróżą, że kiedy przy pomocy męża wyszła z samochodu, zatoczyła się ze zmęczenia. Antonio natychmiast wziął ją w ramiona i wniósł do domu.

Przez następne kilka dni Bel czuła się niepotrzebna, ponieważ ojciec, wiedząc, że wkrótce będzie musiał wyjechać do Rio, by zająć się wciąż pogarszającą się sytuacją firmy, spędzał z żoną cały czas, kiedy tylko nie spała. Bel z Fabianą ze łzami w oczach przesiadywały razem w kuchni, na razie niepotrzebne, gdyż zastąpił je pielęgniarz, po którym nigdy by się tego nie spodziewały.

– Nie przypuszczałabym, że twój ojciec tak potrafi się nią zająć – po raz setny powtórzyła Fabiana, wycierając łzy z oczu. – Tyle miłości do kobiety... Serce mi się kraje.

– Tak. Mnie też. – Bel westchnęła.

W domu była jedna szczęśliwa osoba, choć ze względu na okoliczności starała się to ukryć. Loen nareszcie mogła wrócić do swojego Bruna. Na początek Bel dała jej kilka dni wolnego, bo dziewczyna i tak teraz niewiele miałaby do roboty. Wiedziała, że w miarę jak z matką będzie coraz gorzej, Loen okaże się niezbędna.

Znów z zazdrością przyglądała się, jak Loen i Bruno razem spędzają każdą możliwą godzinę. Patrząc na nich, Bel zastanawiała się nad tym, jak bardzo zmieniło się jej własne życie od momentu, gdy ostatnio była na hacjendzie. Miała teraz dużo czasu na pisanie długich listów do Laurenta. Skrycie przekazywała je Loen z prośbą, by wysyłała je podczas spacerów z Brunem do pobliskiej wioski. Laurent regularnie odpowiadał; tak jak ustalili, adresował listy do Loen. Bel czytała je w kółko z przeświadczeniem, że jeszcze nigdy tak bardzo za nim nie tęskniła.

O mężu myślała jak najmniej. Mimo okropnych okoliczności wyjazdu czuła ulgę, że uciekła od klaustrofobicznej, ponurej atmosfery Casa das Orquídeas i ciągłej świadomości, że poślubiła mężczyznę, którym coraz bardziej pogardza.

Dziesięć dni po przyjeździe na hacjendę siwy i wymizerowany Antonio musiał wracać do Rio. Mocno przytulił Bel i ze łzami w oczach ucałował ją w oba policzki.

– Wrócę w przyszły piątek wieczorem, ale na miłość boską, Izabelo, proszę, dzwoń do mnie codziennie i mów mi, jak mama się czuje. A gdyby zaszła potrzeba, żebym przyjechał wcześniej, musisz dać mi znać. Błagam cię, dość tych tajemnic.

– Zrobię, o co prosisz, *pai*, ale na razie nic się chyba z *mãe* nie dzieje.

Na pożegnanie smutno kiwnął głową, wszedł do rolls-royce'a i odjechał tak szybko, że spod kół samochodu wzniósł się za nim tuman kurzu i żwiru.

*

Gustavo siedział w klubie, czytając gazetę. Zauważył, że tego popołudnia biblioteka jest nadzwyczaj pusta. Podobno prezydent Washington Luís zwołał największych producentów kawy na nadzwyczajne spotkanie w sprawie gwałtownego spadku cen. W czasie lunchu pusta była także restauracja.

Pił trzecią whisky, rozmyślając o żonie i o tym, jaką miała bladą, wymęczoną twarz, kiedy trzy tygodnie temu się żegnali. Od czasu jej wyjazdu straszliwie za nią tęsknił. Bez niej dom jakby się skurczył, wrócił do stanu sprzed ślubu z Izabelą.

Gdy u jego boku nie było żony, jeszcze dotkliwiej odczuwał, że matka traktuje go jak małego niegrzecznego chłopca i wciąż patrzy na niego z góry. Ojciec założył natomiast, że syn nie zna się na finansach, więc kiedy ten zadawał mu pytania o zarządzanie rodzinnym majątkiem, odganiał go jak natrętną muchę.

Gustavo zamówił jeszcze jedną whisky i skrzywił się na wspomnienie, jak zimno początkowo potraktował żonę, gdy powiedziała mu o chorobie matki. Zawsze był dumny ze swego dobrego serca, choć kiedy był dzieckiem, matka potępiała go za to i sarkała, kiedy płakał nad martwym ptakiem albo po laniu, które dostał od ojca.

– Masz w sobie stanowczo zbyt dużo wrażliwości – mawiała. – Jesteś chłopcem, Gustavie, i nie możesz okazywać uczuć.

Rzeczywiście, gdy pił, znacznie łatwiej znosił swoją nadwrażliwość. Przed ślubem z Izabelą wierzył, że małżeństwo wpłynie pozytywnie na jego poczucie wartości. Niestety, jeśli cokolwiek się od tego czasu pod tym względem zmieniło, to tylko na gorsze. Przez co jeszcze częściej zaglądał do kieliszka.

Westchnął ciężko. Chociaż wiedział, że Izabela nie kocha go tak jak on ją, miał nadzieję, że jej uczucie rozwinie się po ślubie. Ale od początku czuł jej powściągliwość – zwłaszcza w łóżku. Ostatnio za każdym razem, kiedy na nią spojrzał, widział w jej oczach coś w rodzaju litości, która czasem przechodziła w wyraźną odrazę. Myśl, że żona zawiodła się na nim, podobnie jak rodzice, jeszcze bardziej wzmogła jego niechęć do siebie.

Fakt, że Izabela nadal nie była w ciąży, zaostrzył jego poczucie klęski. Z oczu matki wyczytał, że nawet nie jest w stanie wypełnić swojej powinności jako mężczyzna. I choć po ślubie to on oficjalnie został panem ich domu, a Izabela jego panią, Gustavo wiedział, że nic nie zrobił, aby zaznaczyć swój autorytet czy ukrócić potrzebę rządzenia matki.

Kelner przeszedł obok niego z tacą i zabrał pustą szklankę.

– Jeszcze raz to samo? – zapytał automatycznie, a spodziewając się, że jak zwykle zobaczy skinienie głową, już prawie odchodził, kiedy Gustavo z wysiłkiem wykrztusił:

– Nie, dziękuję. Czy może mi pan przynieść kawę?

– Oczywiście, proszę pana.

Pijąc gorący, gorzki płyn, Gustavo rozważał krótki okres swego małżeństwa z Izabelą i po raz pierwszy szczerze przyznał przed sobą, że ich relacje bardzo się pogorszyły. Sześć miesięcy po ślubie miał wrażenie, że żyją oddzielnie, obok siebie. Brutalnie przyznał się przed sobą, że jest to w dużej mierze jego wina; zbyt wiele czasu spędzał w klubie, topiąc swoje poczucie niskiej wartości w alkoholu.

Nagle wyraźnie zrozumiał, jak bardzo zawiódł żonę.

Nic dziwnego, że sprawia wrażenie nieszczęśliwej. Złapana w potrzask między zimną naturą jego matki a jego pijaństwem, na pewno czuje, że popełniła straszny błąd.

– Ale ja ją kocham – z rozpaczą szepnął w stronę dna filiżanki po kawie.

Przecież nie może być za późno, żeby to naprawić. Wrócić do ich relacji sprzed ślubu, kiedy czuli do siebie sympatię. Pamiętał, że w tamtych czasach Izabela przynajmniej go lubiła.

Zapanuję nad tym, przysiągł sobie. Podpisał rachunek i wyszedł z klubu na ulicę, gdzie czekał już na niego samochód. Twardo postanowił, że po powrocie do Casa das Orquídeas porozmawia z rodzicami. Wiedział, że jeśli tego nie zrobi, straci żonę.

*

Przez ostatnie dwa tygodnie życia Carli Bel i Loen siedziały przy niej na zmianę, tak by nigdy nie była sama. Pewnego wieczoru, w jednej ze swych rzadkich chwil przytomności umysłu, Carla słabą ręką sięgnęła po dłoń córki.

– *Querida*, muszę ci coś powiedzieć, póki jeszcze mogę – odezwała się niemal szeptem, tak że Bel musiała się nachylić, aby usłyszeć jej słowa. – Wiem, że życie małżeńskie okazało się dla ciebie trudne, i uważam za swój obowiązek udzielić ci rady.

– Proszę cię, *mãe*... – z rozpaczą przerwała jej Bel. – Tak jak wszystkie małżeństwa, Gustavo i ja mamy swoje problemy, ale nie jest to nic, czym musiałabyś się teraz martwić.

– Może i tak... Ale jesteś moją córką i znam cię lepiej, niż to sobie wyobrażasz. Nie umknęło mojej uwadze, jaka jesteś... przywiązana do pewnego człowieka, który nie jest twoim mężem. Zobaczyłam to tego wieczoru w Casa das Orquídeas, kiedy przyszedł odsłonić swoją rzeźbę.

– To naprawdę nic ważnego, *mãe*. On jest... był tylko moim znajomym – powiedziała Bel do głębi wstrząśnięta, że matka zauważyła, co ich łączy.

– Wątpię. – Carla uśmiechnęła się ponuro. – Pamiętaj, że widziałam także spojrzenie, które wymieniliście tamtego dnia na górze Corcovado. Udawałaś, że go nie znasz, ale widziałam, że znasz go bardzo dobrze. Chciałabym cię ostrzec, że podążanie tą drogą wszystkim, których to dotyczy, może przynieść tylko cierpienie. Błagam cię, Izabelo, jesteś tak krótko po ślubie. Daj Gustavowi szansę, aby cię uszczęśliwił.

Izabela nie chciała jeszcze bardziej denerwować matki, więc kiwnęła głową na zgodę.

– Obiecuję, że tak zrobię.

*

Dwa dni później o świcie do pokoju Bel przyszła Fabiana.

– Senhora, chyba nadszedł czas, aby wezwać pani ojca.

Antonio natychmiast przyjechał i przez ostatnie godziny życia żony prawie nie odchodził od jej boku. Koniec nadszedł spokojnie. Antonio i Bel stali objęci u nóg łóżka i cicho szlochali.

Po pogrzebie razem pojechali do Rio. Carla koniecznie chciała być pochowana na małym cmentarzu w Paty do Alferes. Oboje byli zrozpaczeni.

– Proszę, *pai* – powiedziała Bel, kiedy dojechali do Mansão da Princesa i musiała się szykować, by wrócić do Casa das Orquídeas. – Musisz mi mówić o wszystkim, czego ci potrzeba. Czy mam jutro przyjechać i zobaczyć, jak *pai* się czuje? Jestem pewna, że Gustavo nie miałby nic przeciwko temu, żebym pobyła tu przez następne kilka dni.

– Nie, nie, *querida*. Masz własne życie. A ja... – Antonio rozejrzał się po salonie, w którym tyle godzin spędził z żoną. – Mnie nic już nie zostało.

– Proszę, nie mów tak, *pai*. Przecież ostatnim życzeniem *mãe* było, żebyś spróbował znaleźć szczęście na tę resztę życia, która ci została na ziemi.

– Wiem, księżniczko, i obiecuję, że się o to postaram. Ale wybacz mi, w tej chwili, kiedy wracam do tego pustego domu, jest to niemożliwe.

Widząc, że Jorge już podstawił samochód, aby zabrać ją do Casa das Orquídeas, Bel podeszła do ojca i mocno go uścisnęła.

– Pamiętaj, *pai*, że nadal masz mnie. A ja cię kocham.

Gdy wyszła z salonu i znalazła się w holu, zobaczyła, jak Loen i Gabriela o czymś szepczą.

– Przyjechał Jorge, Loen, i musimy jechać – powiedziała, po czym zwróciła się do jej matki: – Widzisz, w jakim stanie jest ojciec...

– Senhora, zrobię wszystko, co w mojej mocy, aby go pocieszyć. Może jakoś z boską pomocą podźwignie się z tego. Proszę pamiętać, że czas to najlepsze lekarstwo.

– Dziękuję. Przyjadę do niego jutro. Chodź, Loen.

Bel przyglądała się, jak matka i córka się żegnają, co tylko podkreśliło poczucie jej straty.

*

Podczas krótkiej drogi do Casa das Orquídeas Bel zastanawiała się, co tam zastanie po powrocie. Na ile tylko miała odwagę, ignorowała częste telefony Gustava, prosząc Fabianę, by odpowiadała mu, że jest przy matce. Rozmawiała z nim jedynie w razie konieczności. Zdziwiła się, że kiedy powiedziała mu o śmierci matki, zareagował z dużym współczuciem, a w dodatku sprawiał wrażenie trzeźwego. Gdy zapewniła go, że nie musi przyjeżdżać na pogrzeb, bo matka życzyła sobie, by była na nim tylko najbliższa rodzina, Gustavo powiedział, że to rozumie i z utęsknieniem będzie czekał jej powrotu.

W tym dziwnym stanie oczekiwania na śmierć matki Bel niewiele czasu spędzała na rozważaniu swojej przyszłości, kiedy jednak zbliżała się do Casa das Orquídeas, posiadłości, która od czasu ślubu stała się jej domem, zdała sobie sprawę, że musi się zmierzyć z wieloma ważnymi sprawami, a zwłaszcza z czymś, o czym tydzień wcześniej rozmawiała z Loen, gdy służąca zapewniła ją, że być może to, czym się niepokoiła, wynika ze stresu. Pozwoliła, aby teoria służącej ją uspokoiła, ponieważ z sercem pogrążonym w żałobie nie była w stanie rozważać skomplikowanej sytuacji, do której by doszło, gdyby potwierdziły się jej podejrzenia.

Weszła do domu i jak zawsze zauważyła różnicę między ciepłem panującym na zewnątrz a chłodem w środku. Kiedy Loen pomagała jej zdjąć kapelusz, Bel zadrżała z zimna. Zastanawiała się, czy iść od razu na górę do sypialni, czy też szukać męża lub jego rodziców. W każdym razie na pewno nie czekał tu na nią współczujący komitet powitalny.

– Wezmę walizkę na górę, rozpakuję ją i napuszczę pani wody do wanny, senhora. – Loen wyczuła jej zakłopotanie i zanim ruszyła, ze zrozumieniem poklepała ją po ramieniu.

– Halo?! – zawołała Bel w głąb pustego korytarza.

Nie było odpowiedzi. Zawołała ponownie i znów nikt się nie odezwał, więc w końcu postanowiła wejść na górę za Loen.

Nagle z salonu wyłoniła się jakaś postać.

– Widzę, że w końcu wróciłaś.

– Tak.

– Przykro mi z powodu twojej straty. Mój mąż też bardzo nad nią ubolewa.

– Dziękuję.

– Kolacja jest o zwykłej porze.

– Pójdę na górę i przygotuję się.

Teściowa tylko szorstko kiwnęła głową, więc Bel weszła po schodach na górę, stawiając stopy jedna po drugiej, automatycznie. Gdy znalazła się w sypialni, ucieszyła się, że przynajmniej tu ma przy sobie miłe, wspierające towarzystwo Loen. Pozwoliła służącej się rozebrać, choć na hacjendzie nigdy jej o to nie prosiła; w obliczu potrzeby, aby w pełni skupić się na Carli, zapomniały o codziennych rytuałach. Kiedy teraz stanęła przed Loen nago, zobaczyła, że ta patrzy na nią ze zdziwieniem.

– O co chodzi?

Oczy służącej przesunęły się na jej brzuch.

– Nic, myślałam… nic takiego. Napuściłam wody do wanny. Proszę wejść, póki jest jeszcze ciepła.

Bel położyła się w wannie. Popatrzyła na siebie i w pełni uświadomiła sobie zmianę, jaka zaszła w jej ciele. Na hacjendzie nie było kąpieli. Oblewali się tylko wiadrami wody ogrzanej przez słońce. Poza tym od tygodni prawie nie przyglądała się sobie w lustrze.

– *Meu Deus!* – zawołała i dotknęła palcami ledwie widocznej, ale wyraźnej krągłości brzucha, który zazwyczaj był całkiem płaski, a teraz wyglądał z wody w wannie jak na pół wyrośnięty suflet. Piersi miała pełniejsze i cięższe. – Jestem w ciąży – szepnęła, a serce mocno jej załomotało.

Nie miała już czasu, żeby dalej zastanawiać się nad tym, co właśnie zobaczyła, ani karcić się, że tak ślepo posłuchała Loen, która twierdziła, że brak okresu spowodowany jest po prostu stresem. Z pokoju obok dobiegł piskliwy głos Gustava. Ubrała się szybko, wyszła z wanny i włożyła szlafrok, po czym upewniła się, że go luźno zawiązała, na wypadek gdyby mąż zauważył zmianę jej kształtów, i weszła do sypialni.

Zobaczyła tam Gustava, który miał nieco nieufną i nieśmiałą minę.

– Dziękuję ci, Loen. Możesz nas zostawić – powiedział.

Służąca wyszła z pokoju, a Bel czekała, aż mąż odezwie się pierwszy.

– Tak mi przykro z powodu twojej straty, Izabelo – powtórzył słowa swojej matki.

– Dziękuję. Przyznaję, że nie było mi łatwo.

– Mnie też nie było tu łatwo bez ciebie.

– Rozumiem i bardzo mi przykro.

– Proszę, nie przepraszaj – zaoponował pośpiesznie. – Tak się cieszę, że wróciłaś. – Uśmiechnął się niepewnie. – Tęskniłem za tobą.

– Dziękuję ci, Gustavo. Muszę się teraz przygotować do kolacji... ty zresztą też.

Skinął do niej głową, poszedł do łazienki i zamknął za sobą drzwi.

Bel podeszła do okna. Zauważyła, że światło na zewnątrz miało nieco inny odcień z powodu zmiany pory roku. Było po siódmej wieczorem, ale słońce dopiero zaczynało obniżać się nad ziemią. Zdała sobie sprawę, że jest połowa października, co w Rio oznacza pełnię wiosny. Odwróciła się w stronę łóżka. Nadal była oszołomiona odkryciem dokonanym w wannie. Zobaczyła, że Loen rozłożyła dla niej dość luźną suknię, którą rzadko zakładała. Gustavo wolał, kiedy żona nosiła ubrania, które uwydatniały jej piękną figurę. Na myśl o troskliwości służącej w oczach Bel pojawiły się łzy. Kiedy już się ubrała, zostawiła Gustava na górze i zeszła po schodach do salonu. Nie chciała być z mężem sama. Na dole tęsknie spojrzała na drzwi wyjściowe, z całego serca żałując, że nie może ich otworzyć i natychmiast pobiec do Laurenta. Nie miała bowiem cienia wątpliwości, że to jego dziecko nosi pod sercem.

*

Przy kolacji zorientowała się, że od jej wyjazdu niewiele się zmieniło. Teściowa nadal była zimna i traktowała wszystkich z góry. Nie była zbyt szczodra w wyrażaniu współczucia. Maurício próbował pocieszyć synową, ale większość wieczoru i tak spędził na dyskusji z Gustavem nad czymś, co nazywał indeksem Dow Jones, i nad zawiłościami giełdy przy Wall Street, na której w czwartek masowo sprzedawano akcje.

– Dzięki Bogu, że sprzedałem swoje akcje w ubiegłym miesiącu. Mam nadzieję, że twój ojciec też tak zrobił – powiedział Maurício. – Zresztą i tak nie miałem ich zbyt wiele. Nigdy nie ufałem Jankesom. W tej chwili usiłują wzmocnić rynek, mając nadzieję, że przez weekend się ustabilizuje, ale sadzę, że najgorsze jeszcze przed nami. Jeśli nastąpi krach, będzie to miało na dłuższą metę druzgocący wpływ na naszą produkcję kawy. Popyt z Ameryki, gdzie wysyłamy większość plonów, na pewno spadnie na łeb. Co gorsza, od kilku lat Brazylia ma dużą nadprodukcję – dodał ponuro.

– Dzięki Bogu nasza rodzina na czas wycofała się z amerykańskiego rynku – z naciskiem powiedziała Luiza, obrzucając znaczącym wzrokiem Bel. – Zawsze uważałam, że chciwość nie popłaca.

Bel spojrzała na męża, a ten po uwadze rzuconej przez matkę uśmiechnął się ze współczuciem.

– Może nie jesteśmy już bogaci, kochanie, ale przynajmniej stabilnie stoimy na nogach – skomentował uwagę żony Maurício.

Kiedy wieczorem szli na górę, Bel zwróciła się do Gustava:

– Wiesz, na ile poważna jest sytuacja w Ameryce? Martwię się o ojca. Cały ubiegły tydzień był poza Rio, więc może tego wszystkiego nie wie.

– Dotąd nie interesowałem się specjalnie rynkami finansowymi – przyznał Gustavo, otwierając drzwi sypialni. – Ale z tego, co mówi mój ojciec, i na podstawie faktów, które dopiero zaczynam rozumieć, sytuacja jest bardzo poważna.

Bel weszła do łazienki; w głowie kręciło jej się od wydarzeń ostatnich kilku godzin. Rozebrała się i znów nie mogła się powstrzymać od spojrzenia na małe, lecz widoczne wybrzuszenie; łudziła się, że może przedtem się pomyliła. Włożyła koszulę nocną i nie miała pojęcia, co dalej robić. Jednego była pewna – nie zniesie, jeśli mąż jej dzisiaj dotknie. Myła się najdłużej, jak mogła, a kiedy wychodziła z łazienki, miała nadzieję i modliła się o to, by Gustavo już spał. Ale on leżał w łóżku całkowicie rozbudzony i przyglądał się jej.

– Tęskniłem za tobą, Izabelo. Chodź do męża.

Niepewnie położyła się koło niego. Przez głowę przechodziły jej miliony wymówek. Żadna z nich nie była jednak dostatecznie dobra dla męża, który od dwóch miesięcy jest bez żony.

Zdała sobie sprawę, że nadal jej się przygląda.

– Izabelo, wyglądasz na przerażoną. Naprawdę, aż tak bardzo się mnie boisz?

– Nie, nie… oczywiście, że nie.

– *Querida*, rozumiem, że jesteś w żałobie i być może potrzebujesz nieco czasu, zanim uda ci się w pełni rozluźnić. A więc pozwól, że cię po prostu przytulę.

Słowa Gustava były dla niej kompletną niespodzianką. W obliczu wszystkiego, co ją spotkało – uświadomienia sobie, że jest w ciąży, bólu przyglądania się, jak umiera matka, i wiadomości o sytuacji w Ameryce – jego nagła empatia wystarczyła, aby w jej oczach znów pojawiły się łzy.

– Nie bój się mnie, Izabelo. Obiecuję, że dziś wieczór chcę cię tylko pocieszać – powtórzył, wyciągając rękę, by zgasić światło.

Pozwoliła mu wziąć się w ramiona i leżała z głową na jego piersiach, szeroko otwartymi oczami wpatrując się w ciemność. Czuła, jak gładzi jej włosy. Gdy pomyślała o maleńkim serduszku, które w niej bije, jej emocje dokonały zwrotu o sto osiemdziesiąt stopni. Zawładnęło nią poczucie winy.

– Kiedy cię nie było, miałem mnóstwo czasu na rozmyślanie – odezwał się cicho Gustavo. – Przypomniałem sobie, jak się do siebie odnosiliśmy tuż po poznaniu, jak rozmawialiśmy o sztuce i śmialiśmy się razem. Ale czuję, że od ślubu coraz bardziej się od siebie oddalamy, i winę za to w dużej mierze biorę na siebie. Wiem, że za dużo czasu spędzałem w klubie. Jeśli mam być szczery, to częściowo po to, by uciec z tego domu. Oboje wiemy, że tutejsza atmosfera jest nieco… surowa.

Bel leżała w ciemności, słuchając, co mówi, ale postanowiła nie komentować, dopóki mąż nie skończy.

– Tylko że to również jest moją winą. Po tym, jak się z tobą ożeniłem, powinienem był bardziej stanowczo postępować z matką. Wyraźnie jej powiedzieć, że teraz to ty będziesz zarządzała domem, a ona musi się z klasą wycofać, żeby ci na to pozwolić. Wybacz mi, Izabelo, okazałem się słaby i kiedy trzeba było to zrobić, nie stanąłem ani w twojej obronie, ani w swojej.

– Gustavo, to nie twoja wina, że twoja matka mnie nie lubi.

– Wątpię, żeby dotyczyło to ciebie – odparł gorzko. – Nie polubiłaby nikogo, kto zagrażałby jej pozycji w domu. Zasugerowała mi nawet, że skoro nie zaszłaś w ciążę, może powinienem porozmawiać z biskupem, aby anulować nasze małżeństwo. Na podstawie przypuszczenia, że nie łączą nas intymne stosunki.

Bel nie mogła się powstrzymać, by nie westchnąć z przerażenia, zwłaszcza wobec tajemnicy, która umościła się w jej ciele. Gustavo uznał, że jej reakcja to szok z powodu zachowania jego matki, która chciała przekreślić ich małżeństwo, i przytulił Bel mocniej.

– Oczywiście wściekłem się na nią i powiedziałem, że jeśli jeszcze raz powie coś takiego, to sama znajdzie się na ulicy, a nie moja żona. I postanowiłem działać. Poprosiłem ojca, by przepisał dom na moje nazwisko, co powinien był zrobić zaraz po ślubie, ponieważ takie są reguły. Zgodził się i przekaże mi także prowadzenie rodzinnych finansów, kiedy tylko poczuję, że mam dostateczną wiedzę, by sobie z tym poradzić. Tak więc zamiast tracić czas w klubie, przez następne kilka tygodni dużo będę przebywał z ojcem i uczył się od niego. Gdy już zdobędę dość wiedzy, wszystko, co dotyczy prowadzenia domu, przekażę tobie. A matka, chcąc nie chcąc, będzie musiała się z tym pogodzić.

– Rozumiem. – Bel usłyszała w głosie męża zupełnie dla niego nowe zdecydowanie i żałowała, że jej to nie pociesza.

– Tak więc, choć z opóźnieniem, będziemy wspólnie zarządzać naszym domem. A jeśli chodzi o moje picie… Wiem, że ostatnio bardzo z tym przesadzałem, Izabelo, ale przysięgam ci, że od kilku tygodni piję tylko trochę do kolacji i na tym koniec. Możesz mi wybaczyć, że nie potrafiłem tego wszystkiego zrobić wcześniej? Rozumiem, jak trudne były dla ciebie ostatnie miesiące. Ale chciałbym zacząć od nowa. Mam nadzieję, że ty też możesz to zrobić, bo bardzo cię kocham.

– Ooo… oczywiście, że ci wybaczam – wyjąkała, bo nic innego nie była w stanie odpowiedzieć na jego serdeczne słowa.

– A poza tym od tej pory nie będzie przymusowych… – Gustavo szukał odpowiedniego słowa – poczynań w sypialni. Jeśli powiesz, że nie chcesz się ze mną kochać, zaakceptuję to. Mam tylko nadzieję, że kiedyś, gdy zobaczysz, że naprawdę mam zamiar wprowadzić w życie to, co powiedziałem, sama będziesz tego chciała. A teraz, *querida*, po tym, co przeżyłaś przez ostatnie parę tygodni, mam nadzieję, że mogę potrzymać cię w ramionach, aż zaśniesz.

Kilka minut później Bel usłyszała leciutkie chrapanie Gustava i wydostała się z jego ramion, aby położyć się na boku. Gdy rozważała swoją sytuację, serce mocno jej waliło, a w dole brzucha czuła coś niezwykłego. Czy była jakakolwiek szansa, by nosiła dziecko męża? Rozpaczliwie przypominała sobie, kiedy ostatni raz udało im się w pełni uprawiać miłość, i wiedziała, że odpowiedź brzmi: nie.

Powoli mijały godziny nocy, a Bel przewracała się z boku na bok. Wiedziała, że musi szybko podjąć decyzję. W końcu Laurent może być przerażony, kiedy mu powie, że jest z nim w ciąży. Żadne z nich czegoś takiego nie planowało, więc robił, co mógł, by ją od tego chronić. Bel wróciła myślami do ostrzeżenia Margaridy, że tacy mężczyźni jak Laurent nie chcą stałych związków, i wzięła je do serca jeszcze bardziej niż kiedykolwiek przedtem.

Gdy przez szczeliny w żaluzjach zaczął zaglądać świt, coraz bardziej osaczały ją wszystkie dawne wątpliwości odnośnie do Laurenta.

Mogła zrobić tylko jedno – jak najszybciej się z nim zobaczyć.

42

– Dokąd dzisiaj idziesz, *meu amor*? – zapytał Gustavo, uśmiechnął się do żony i dolał sobie kawy ze srebrnego dzbanka, który stał
na stole nakrytym do śniadania.

– Na ostatnią miarę do madame Duchaine przed nowym sezo-
nem. – Bel promiennie odwzajemniła uśmiech. – Mam nadzieję,
że pod koniec tygodnia będę mogła odebrać stroje.

– To dobrze.

– Jeśli to możliwe, chciałabym nie wracać na obiad, żeby móc
odwiedzić ojca. Dzwoniłam do niego wcześnie rano, ale Gabriela
powiedziała, że nawet się nie ubrał i nie planuje dzisiaj iść do biura. – Bel się zachmurzyła. – Martwię się stanem jego ducha.

– Oczywiście – zgodził się Gustavo. – Ja jadę z ojcem do senatu. Prezydent Washington Luís zwołał nadzwyczajne zebra-
nie wszystkich baronów kawowych, aby przedyskutować kryzys
w Ameryce.

– Myślałam, że twój ojciec pozbył się inwestycji związanych
z kawą? – zainteresowała się.

– Ma ich bardzo niewiele, ale jest tu, w Rio, członkiem starszyz-
ny, więc prezydent poprosił go o przybycie.

– Mój ojciec też powinien tam chyba być?

– Tak, oczywiście. Sytuacja pogarsza się z dnia na dzień. Ale
przekaż mu, proszę, że chętnie streszczę mu wszystko, co zostało
ustalone. Do zobaczenia przed kolacją, *querida*. – Gustavo delikatnie pocałował Bel w policzek i wstał od stołu.

Kiedy tylko wyjechał z ojcem do senatu, Bel, wiedząc, że teściowa zaszyła się w kuchni z kucharką, żeby ułożyć jadłospis na następny tydzień, szybciutko pobiegła na górę po notatnik z adresami i numerami telefonów. Zbiegła z powrotem do holu, drżącymi rękami podniosła słuchawkę i poprosiła o połączenie z numerem, który podał jej Laurent.

– Proszę, bądź w domu – szepnęła, kiedy usłyszała dzwonek po drugiej stronie.

– *Ici* Laurent Brouilly.

Słysząc jego głos, poczuła ściskanie w brzuchu.

– Tu Izabela Aires Cabral – odpowiedziała na wypadek, gdyby Luiza postanowiła niespodziewanie wychynąć z kuchni i wejść do holu. – Czy mogę się umówić dzisiaj po południu o drugiej?

Nastąpiła krótka przerwa, po czym Laurent odpowiedział:

– Madame, z pewnością uda mi się znaleźć dla pani czas. Czy przyjedzie pani tutaj?

– Tak.

– Z wielką przyjemnością będę pani oczekiwał.

Niemal słyszała, jak dołączając się do jej gry, uśmiecha się ironicznie.

– W takim razie do widzenia.

– *A bientôt, ma chérie* – szepnął Laurent, zanim gwałtownie odłożyła słuchawkę.

Jej palce przez chwilę unosiły się jeszcze nad telefonem z zamiarem zadzwonienia do madame Duchaine, aby umówić się z nią dla wyrobienia sobie alibi, ale wiedziała, że nie zniesie jej przenikliwych oczu na swoim dopiero co zaokrąglonym brzuchu i świadomości, że będzie o tym plotkować z klientkami. Zadzwoniła więc i umówiła się za dwa dni. Wzięła kapelusz i poinformowała teściową, że jedzie najpierw odwiedzić ojca, a potem do krawcowej, po czym wsiadła do samochodu i poprosiła Jorgego, żeby zawiózł ją do Mansão da Princesa.

Gabriela stała przy drzwiach, jeszcze zanim Bel zdążyła wejść na schody. Wyglądała na bardzo zatroskaną.

– Jak on się czuje? – zapytała Bel, wchodząc do środka.

– Nadal jest w łóżku i mówi, że nie ma siły wstać. Powiedzieć mu, że pani przyjechała, senhora?

– Nie, sama do niego pójdę.

Zapukała do drzwi sypialni ojca, a kiedy nie usłyszała odpowiedzi, otworzyła je i weszła. Okiennice były szczelnie zamknięte, by nie wpuścić ostro grzejącego południowego słońca, więc z trudem wypatrzyła skuloną pod kołdrą postać.

– *Pai*, to ja, Izabela. Jesteś chory?

Odchrząknął, ale się nie odezwał.

– Otworzę okiennice, żebym mogła cię zobaczyć, *pai*. – Podeszła do okna i szeroko je rozwarła. Odwróciła się i zobaczyła, że ojciec udaje, że śpi, więc podeszła do łóżka i usiadła obok niego.

– *Pai*, proszę, powiedz mi, co się dzieje.

– Nie mogę bez niej żyć – jęknął. – Czy cokolwiek w ogóle ma sens, jeśli jej nie ma?

– Na łożu śmierci *mãe* obiecałeś jej, że dasz sobie radę. W tej chwili zapewne patrzy z nieba i krzyczy na ciebie, żebyś wstał z łóżka!

– Nie wierzę ani w niebo, ani w Boga – mruknął ponuro. – Co to za Bóg, skoro zabrał moją ukochaną Carlę, która przez całe życie nie popełniła ani jednego złego uczynku?

– Ale ona wierzyła i ja też – stanowczo odparła Bel. – Oboje wiemy, że takie rzeczy dzieją się bez powodu. Przeżyliście ze sobą dwadzieścia dwa cudowne lata. Przecież jesteś chyba za nie wdzięczny, *pai*? I dla uczczenia jej pamięci postarasz się spełnić jej życzenie, będziesz sobie jakoś radził?

Ojciec nie odpowiedział, więc Bel spróbowała innej taktyki.

– Na pewno wiesz, co się teraz dzieje w Ameryce. Wczoraj wieczorem mój teść powiedział, że w każdej chwili może nastąpić kolejny krach. Właśnie teraz w senacie odbywa się nadzwyczajne spotkanie, aby przedyskutować wpływ tych wydarzeń na Brazylię. Są tam wszyscy wielcy producenci kawy. Ty też powinieneś tam chyba być, *pai*?

– Nie, Bel, już za późno. – Antonio westchnął. – Nie sprzedałem swoich akcji, kiedy powinienem był to zrobić, bo uważałem, że inni panikują. Wczoraj po twoim wyjściu zadzwonił do mnie makler, żeby mi powiedzieć, że rynek kompletnie się załamał i wiele z moich akcji już całkiem straciło wartość. Mówi, że dzisiaj będzie jeszcze gorzej. Izabelo, zainwestowałem na Wall Street większość naszej gotówki. Wszystko straciłem.

– Ależ, *pai*, to nie może być prawda! Nawet jeśli straciłeś akcje, masz przecież wiele plantacji, które na pewno warte są masę pieniędzy. Nawet jeśli w najbliższej przyszłości kawa nie będzie się sprzedawała aż tak dobrze, to masz przecież nieruchomości.

– Izabelo... – Antonio cicho westchnął. – Proszę, nie próbuj zrozumieć interesów. Aby kupić plantacje, pożyczyłem pieniądze z banków. Póki plony kawy i jej ceny były wysokie, banki bardzo chętnie mi pożyczały. W miarę jak ceny spadały, z trudem nadążałem ze spłacaniem długów. Banki chciały lepszych zabezpieczeń, więc musiałem przepisać na nie dom. Rozumiesz, Izabelo? Zabiorą mi wszystko, co mam, na poczet długów. A skoro straciłem także akcje w Ameryce, zostałem z niczym. Nie mam nawet dachu nad głową.

Bel słuchała osłupiała i była na siebie zła, że tak niewiele rozumie z finansów. Gdyby lepiej znała się na tych sprawach, może potrafiłaby coś powiedzieć, by przywrócić ojcu tak konieczną mu nadzieję.

– Czy w tej sytuacji, tym bardziej nie powinieneś dzisiaj być w senacie, *pai*? Nie ty jeden znalazłeś się w takim położeniu. Już wcześniej mówiłeś mi, że gospodarka Brazylii stoi na kawie. Rząd na pewno nie pozwoli, żeby wszystko tak po prostu się zawaliło.

– *Querida*, zachodzi tu bardzo prosta zależność: jeśli nikt nie ma pieniędzy, żeby kupić od nas ziarno, żaden rząd nic z tym nie zrobi. I zapewniam cię, że Amerykanie będą się teraz zastanawiać, jak przetrwać, a nie nad tym, czy stać ich na luksus picia kawy. – W zdenerwowaniu potarł dłonią czoło. – Senat usiłuje sprawiać wrażenie, że coś z kryzysem robi, ale każdy wie, że jest już za późno. Więc dziękuję, że mówisz mi o tym spotkaniu, lecz ja ci mówię, że to tylko nic niedający gest.

– Przynajmniej poproszę teścia, żeby ci opowiedział, o czym dyskutowano – rezolutnie zapewniła go Bel. – Poza tym nawet jeśli masz rację i zostałeś z niczym, pamiętaj, że to ja jestem właścicielką hacjendy. Więc nie będziesz bezdomny. Jestem też pewna, że Gustavo weźmie pod uwagę hojny posag, który dostał, kiedy mnie poślubił, i nie pozwoli ci głodować.

– A co, twoim zdaniem, miałbym całkiem sam robić na hacjendzie? – gorzko zapytał Antonio. – Bez firmy, którą mogę prowadzić, i bez ukochanej żony?

– Dosyć tego, *pai*! Sam mówiłeś, że w takim położeniu jak ty jest wielu ludzi. Niektórzy będą pozbawieni wszelkich środków do życia, więc powinieneś być zadowolony, że nie znajdziesz się w aż tak rozpaczliwej sytuacji. Masz czterdzieści osiem lat i z pewnością możesz zacząć od nowa.

– Izabelo, moja reputacja legła w gruzach. Nawet gdybym chciał zacząć od nowa, żaden brazylijski bank nie pożyczy mi pieniędzy. Wszystko dla mnie skończone.

Ojciec ponownie zamknął oczy, a ona myślami wróciła do sytuacji sprzed zaledwie kilku miesięcy, kiedy z taką dumą prowadził ją do ołtarza. Choć nigdy nie znosiła ostentacji, z jaką obnosił się ze swym nowo zdobytym bogactwem, z całego serca pragnęłaby mu je przywrócić. Dopiero teraz zrozumiała, że to na nim opierało się całe poczucie własnej wartości Antonia. Na dodatek stracił ukochaną żonę, więc rozumiała, dlaczego czuje, że nic mu nie zostało.

– Masz mnie – odezwała się cicho. – A ja cię potrzebuję, *pai*. Naprawdę jest mi wszystko jedno, czy masz majątek, czy nie. Nadal cię kocham, *pai*, i szanuję.

Po raz pierwszy oczy Antonia otworzyły się na chwilę i Bel ujrzała w nich cień uśmiechu.

– Masz rację – zgodził się. – Z całego mojego życia tylko z ciebie jestem naprawdę dumny.

– W takim razie wysłuchaj mnie, bo powiem tak, jak zrobiłaby to *mãe*: jeszcze nie jesteś pokonany. Proszę, *pai*, otrząśnij się i razem pomyślimy, co dalej robić. Pomogę ci w każdy możliwy dla mnie sposób. Mam swoje klejnoty, a także klejnoty *mãe*, które podarowała mi przed śmiercią. Jeśli je sprzedamy, na pewno uzbiera się spora suma, którą mógłbyś zainwestować w nowe przedsięwzięcie.

– Pod warunkiem że po tym krachu finansowym znajdzie się ktoś, kto będzie miał pieniądze, by cokolwiek kupić – brutalnie odparł Antonio. – Dziękuję ci, że przyszłaś, Izabelo, i wstydzę się, że zobaczyłaś mnie w tym stanie. Obiecuję, że wstanę, kiedy tylko stąd wyjdziesz. Ale teraz chciałbym po prostu zostać sam i trochę pomyśleć.

– Obiecujesz mi, *pai*? Ostrzegam, że później zadzwonię do Gabrieli, żeby się dowiedzieć, czy dotrzymałeś obietnicy. A jutro znów przyjadę zobaczyć, jak się miewasz. – Bel schyliła się, aby go pocałować, a on uśmiechnął się do niej.

– Dziękuję ci, księżniczko. Do jutra.

Bel chwilę porozmawiała z Gabrielą i powiedziała jej, że później zatelefonuje, a potem wsiadła do czekającego na nią samochodu i poprosiła Jorgego, by zawiózł ją do pracowni madame Duchaine w Ipanemie. Jak zwykle kazała mu wrócić o szóstej, po czym odczekała, aż odjedzie, i szybkim krokiem ruszyła w stronę domu Laurenta.

– *Chérie!* – zawołał Laurent. Już na progu porwał ją w ramiona i zaczął pokrywać jej twarz i szyję pocałunkami. – Nie masz pojęcia, jak za tobą tęskniłem.

Bel przylgnęła do niego z ulgą i nie protestowała, kiedy przeniósł ją do sypialni. Na kilka cennych minut zniknęły wszystkie straszne myśli, które kłębiły jej się w głowie, i znowu stali się jednym.

Potem leżeli obok siebie w plątaninie pościeli, a Bel odpowiadała na liczne pytania, które Laurent zadawał jej z wielką subtelnością.

– No a ty? – zapytała w końcu. – Udało ci się znaleźć jakieś zajęcie?

– Niestety, od czasu Alessandry Silveiry nie otrzymałem żadnego zlecenia. Wszyscy denerwują się kryzysem na rynku kawy w Brazylii i na giełdzie w Nowym Jorku. Ludzie nie wydają już pieniędzy na takie zbytki jak rzeźby. Więc od miesiąca tylko jem, piję i pływam w morzu. Izabelo – twarz Laurenta nagle nabrała powagi – niezależnie od tego, że sytuacja w Brazylii z dnia na dzień się pogarsza, uważam, że i tak jestem tutaj dłużej, niż powinienem. Tęsknię za Francją i najwyższy czas, żebym przestał dreptać w miejscu. Wybacz mi, *chérie*, ale muszę wracać do domu. – Sięgnął po jej dłoń i pocałował ją. – Moje pytanie brzmi: czy pojedziesz ze mną? Bel nie była w stanie na to odpowiedzieć. W milczeniu leżała w jego ramionach, mocno zacisnęła oczy i miała wrażenie, że wszystko sprzysięgło się przeciwko niej i w jakimś potwornym crescendo nabrało natężenia, które jest nie do wytrzymania.

– Senhor da Silva Costa zarezerwował dla mnie kajutę na parowcu, który odpływa w najbliższy piątek – dodał Laurent z napięciem w głosie. – Muszę nim popłynąć, bo wiele firm przewozowych należy do Amerykanów. Jeśli sytuacja finansowa jeszcze się pogorszy, być może z portu w Rio przez całe miesiące w ogóle nie będą odpływały statki.

Bel, słuchając go, w końcu zrozumiała, jak głęboko sięga kryzys w Ameryce.

– Odpływasz w piątek? – udało jej się w końcu wyszeptać.

– Tak. I błagam cię, *mon amour*, żebyś ze mną popłynęła. Tym razem nadszedł czas, żebyś to ty podążyła za mną – nalegał. – Bardzo cię kocham, ale nie mam tu nic do roboty, nie czeka mnie tu żadne życie, a w obecnych warunkach na pewno nie takie, które mógłbym dzielić z tobą. Mam poczucie winy, zmuszając cię do decyzji w chwili, kiedy twoja matka jeszcze nie ostygła w grobie. Ale wierzę, że rozumiesz, dlaczego muszę jechać. – Szukał odpowiedzi w jej twarzy.

– Tak, czekałeś na mnie dostatecznie długo. – Bel usiadła prosto i naciągnęła prześcieradło na swoje nagie piersi. – Muszę ci coś powiedzieć...

*

Gustavo z ulgą wyszedł z zatłoczonego budynku senatu. Wewnątrz zarówno temperatura sali, jak i napięcie osiągnęły stan wrzenia, ponieważ zrozpaczeni producenci kawy domagali się od rządu rozwiązań, które by ich uratowały. Doszło nawet do ręko-

czynów; na myśl, że z dnia na dzień ich fortuny bez reszty prze-
padły, cywilizowani mężczyźni posunęli się do przemocy.

Wytrzymał tam tak długo, jak był w stanie. Choć niewiele potrafił im doradzić, chciał przynajmniej okazać wsparcie. Teraz
najbardziej na świecie miał ochotę się napić. Zrobił kilka kroków
w stronę klubu, ale się opanował.

Nie. Musi oprzeć się pokusie, bo znów znajdzie się tam, gdzie
przedtem, a przecież nie dalej niż wczoraj wieczorem zapewniał
Izabelę, że się zmienił.

Przypomniał sobie, że przy śniadaniu mówiła mu, że wybiera
się na przymiarkę do krawcowej w Ipanemie. Jaj pracownia znajdowała się dziesięć minut spacerem od miejsca, w którym był Gustavo, więc pomyślał, że zrobi żonie niespodziankę. Może potem
pójdą na spacer promenadą, usiądą w kawiarni na plaży i razem
popatrzą na świat. Czyż nie coś takiego właśnie robią małżeństwa,
które lubią ze sobą przebywać?

Skręcił w lewo i ruszył w stronę Ipanemy.

Piętnaście minut później wyszedł z pracowni madame Duchaine
całkiem zbity z tropu. Przysięgał, że Izabela powiedziała, że po od-
wiedzinach u ojca pójdzie do krawcowej, lecz madame Duchaine
zapewniała go, że żona nie umawiała się z nią na to popołudnie.
Gustavo wzruszył ramionami, wyszedł na ulicę i przywołał taksówkę, by dojechać do domu.

*

Laurent wlepił w nią wzrok, a po jego twarzy widać było, że jest
kompletnie wstrząśnięty.

– Jesteś pewna, że to moje dziecko?

– Wiele razy zastanawiałam się, czy może to być dziecko Gustava, ale sam mówiłeś, że zajście w ciążę nie jest możliwe, jeśli nie
ma pełnej… penetracji. – Zaczerwieniła się ze wstydu, że omawia
swoje intymne relacje z mężem. – Przez dwa miesiące przed moim
wyjazdem na hacjendę nic takiego między nami się nie wydarzyło. Choć mój mąż był w takim stanie, że pewnie nawet tego nie
zauważył – dodała.

– Twoim zdaniem, jesteś w końcu trzeciego miesiąca?

– Może w czwartym, ale nie potrafię tego dokładnie określić. Nie mogłam iść do rodzinnego lekarza, zanim nie porozmawiałam z tobą.

– Mogę zobaczyć twój brzuch?

– Tak, choć jeszcze nie bardzo cokolwiek widać.

Bel przyglądała się, jak Laurent zdejmuje z jej ciała nakrycie i delikatnie kładzie rękę na maleńkim wybrzuszeniu. Oderwał wzrok od brzucha i popatrzył jej w oczy.

– Możesz mi przysiąc, że jesteś pewna, że to moje dziecko?

– Nie mam co do tego wątpliwości. – Wytrzymała jego spojrzenie. – Gdyby było inaczej, w ogóle bym tu nie przyszła.

– No tak… – Westchnął. – Biorąc pod uwagę wszystko, o czym rozmawialiśmy, zanim mi to powiedziałaś, tym bardziej musimy jak najszybciej wrócić razem do Paryża.

– Czy to znaczy, że chcesz tego dziecka?

– Mówię, że chcę ciebie, Izabelo. A jeśli to – wskazał maleńkie wybrzuszenie – jest częścią ciebie i mnie, to choć jest niespodzianką, oczywiście, że go chcę.

Oczy Bel zamgliły się od łez.

– Myślałam, że go nie zechcesz. Przygotowywałam się na to.

– Przyznam, że jeśli okaże się podobne do fretki, mogę zmienić zdanie, ale oczywiście, że ci wierzę, Bel. Nie przychodzi mi żaden powód, dla którego miałabyś mnie okłamywać, zwłaszcza biorąc pod uwagę, jak niewiele mogę zaproponować dziecku w porównaniu z możliwościami twojego męża. – Laurent odwrócił od niej wzrok i znów westchnął. – Musisz wiedzieć, że nie mam pojęcia, jak przetrwamy. Nawet ja rozumiem, że wychowanie dziecka na moim stryszku na Montparnassie nie byłoby dla niego dobre. Ani dla ciebie.

– Mam biżuterię, którą moglibyśmy sprzedać – po raz drugi tego dnia zaproponowała Bel. – I trochę pieniędzy na początek.

Spojrzał na nią z podziwem.

– *Mon Dieu!* O wszystkim już pomyślałaś.

– Od kiedy wiem na pewno, rozmyślałam o tym bez przerwy – przyznała. – Ale…

– Zawsze jest jakieś „ale". – Przewrócił oczami. – A jakie jest twoje?

– Zanim przyszłam do ciebie, odwiedziłam ojca. Jest w takiej depresji, że nawet nie wstał z łóżka. Powiedział mi, że wszystko stracił na amerykańskiej giełdzie. Jest zrujnowany i załamany śmiercią matki.

– Więc masz wyrzuty sumienia nie tylko z powodu opuszczenia męża, ale i ojca?

– Oczywiście! – Bel zirytowała się, że Laurent nie rozumie powagi jej decyzji. – Jeśli z tobą wyjadę, *pai* naprawdę poczuje, że wszystko stracił.

– Ale jeśli tego nie zrobisz, nasze dziecko straci ojca. A ty i ja siebie nawzajem. *Chérie*, nie mogę ci pomóc w podjęciu decyzji. Mogę tylko powiedzieć, że przebyłem pół świata, żeby być przy tobie, i przez dziewięć miesięcy siedzę w tym mieszkaniu, żyjąc tylko dla naszych wspólnych chwil. Zrozumiem, jeśli zdecydujesz się zostać, ale odnoszę wrażenie, że zawsze masz jakieś powody, żeby nie brać pod uwagę własnego szczęścia.

– Bardzo kochałam matkę i kocham ojca. Proszę, pamiętaj, że to nie dla Gustava wróciłam do Rio z Paryża – błagała go Bel ze łzami w oczach. – Nie chciałam złamać serca rodzicom.

– Uważam, że potrzebujesz trochę czasu, żeby się nad tym zastanowić. – Laurent ujął jej brodę i leciutko pocałował ją w usta. – Kiedy podejmiesz decyzję, nie będzie już powrotu. Niezależnie od tego, jaka ona będzie.

– Przyznam, że w tej chwili nie wiem, co mam zrobić.

– Niestety, żaden moment nie jest dobry na podejmowanie takich decyzji. Niemniej jednak proponuję, żebyśmy spotkali się tutaj za dwa dni, powiesz mi, co postanowiłaś, i coś zaplanujemy.

Bel zeszła z łóżka i zaczęła się ubierać. Przypinając kapelusz, skinęła głową na znak, że zgadza się z jego propozycją.

– Cokolwiek się wydarzy, *querida*, będę tu o drugiej w czwartek.

*

Po powrocie do Casa das Orquídeas Bel zadzwoniła do Gabrieli, żeby dowiedzieć się o ojca. Służąca potwierdziła, że wstał z łóżka i powiedział, że popołudnie spędzi w biurze. Bel ulżyło i postanowiła, że zamiast natychmiast iść na górę, poprosi Loen, aby przyniosła jej na taras sok z mango, i powygrzewa się tam w łagodnym wieczornym słońcu.

– Nic więcej pani nie potrzebuje, senhora? – zapytała Loen, stawiając na stole koło swojej pani szklankę i dzbanek z sokiem.

Bel kusiło, aby opowiedzieć jej o swoim strasznym dylemacie. Wiedziała jednak, że choć Loen jest jej najbliższą przyjaciółką, nie może aż tak bardzo jej obciążać.

– Nie, dziękuję, Loen. A czy mogłabyś za dziesięć minut nalać mi wody do wanny? Zaraz pójdę na górę.

Przyglądała się, jak służąca znika z boku domu i wchodzi do kuchni. Skoro nie ma już matki, sama musi podjąć decyzję. Powoli sączyła sok i usiłowała racjonalnie zanalizować fakty. Chociaż przez ostatnie dwadzieścia cztery godziny Gustavo zachowywał się bez porównania lepiej niż w ciągu poprzednich kilku miesięcy, to sądząc po tym, co robił w przeszłości, powinna uznać, że ta zmiana jest tymczasowa. Mimo jego obietnic wątpiła, czy wystarczy mu determinacji, by przeciwstawić się matce.

Co ważniejsze, nic do niego nie czuła; nie miała nawet odrobiny wyrzutów sumienia. Gdyby go opuściła, to teściowa obmyśliła już plan awaryjny. Małżeństwo zostałoby unieważnione i Gustavo byłby wolny i mógłby sobie znaleźć bardziej odpowiednią żonę niż ona. Bel była pewna, że tym razem to matka wyszukałaby mu narzeczoną.

Prawdziwym problemem był jej ojciec. Zadręczała się, że matka nigdy by jej nie wybaczyła, gdyby zostawiła Antonia w godzinie potrzeby. Pamiętała też, co Carla powiedziała jej przed śmiercią – pójście za sercem i zostanie z Laurentem mogło doprowadzić jedynie do katastrofy.

No i oczywiście musiała wziąć pod uwagę nową osobę w swoim życiu, zastanowić się, co będzie lepsze dla maleństwa, które w niej rośnie. Jeśli zostanie z Gustavem, da mu nie tylko bezpieczeństwo, ale i nazwisko, dzięki któremu może lekko przejść przez życie. Wyobrażała też sobie wyraz twarzy *pai*, gdyby dowiedział się, że spodziewa się jego pierwszego wnuka. Samo to wystarczyłoby, aby miał powód dalej żyć.

Z drugiej strony, czy chciała, by jej dziecko dorastało pod pozbawionym emocji, surowym dachem Aires Cabralów? Zostałoby obciążone matką, która do końca życia żałowałaby decyzji, żeby zostać, i w tajemnicy marzyłaby o świecie, który odrzuciła. I ojcem, który byłby nim tylko z nazwy...

Bel westchnęła z rozpaczą. W żaden sposób nie mogła znaleźć rozwiązania.

– Witaj, Izabelo. – Zza rogu domu wyszedł na taras Gustavo. – Co tu robisz?

– Rozkoszuję się chłodem wieczornego powietrza – odparła i zaczerwieniła się z powodu swoich wcześniejszych myśli.

– Rzeczywiście jest tu miło – przyznał i usiadł. – A w senacie było dziś bardzo gorąco. Podobno na Wall Street dzisiejszy dzień nazwali czarnym wtorkiem. Indeks Dow Jones od wczoraj stracił dodatkowe trzydzieści punktów, a rodzina Rockefellerów skupuje mnóstwo akcji, aby wesprzeć rynek. Moim zdaniem, nic to nie pomoże, ale dopiero jutro dowiemy się dokładnie, ile wyniosły straty. W każdym razie w ostatnich miesiącach przynajmniej mój ojciec podjął kilka rozsądnych decyzji, choć nie można tego powiedzieć o innych. A jak czuł się dzisiaj twój ojciec? – zapytał.

– Okropnie. Wygląda na to, że był jednym z tych, którzy zaryzykowali i stracili.

– Nie ma się czego wstydzić. Wielu ludzi znalazło się w podobnej sytuacji. Nie byli w stanie tego przewidzieć. Nikt z nas nie przypuszczał, że tak będzie.

Bel zwróciła się do niego z wdzięcznością za te spokojne, mądre słowa.

– Może poszedłbyś porozmawiać z moim ojcem? Mógłbyś mu powiedzieć to samo co mnie.

– Oczywiście.

– Jest już prawie siódma i ostygnie mi kąpiel – powiedziała Bel, wstając z ławki. – Dziękuję ci, Gustavo.

– Za co?

– Za twoje zrozumienie.

Właśnie miała przejść za róg domu i wejść do środka, kiedy zapytał:

– A tak w ogóle, jak poszła twoja dzisiejsza miara u krawcowej? – Przyglądał się uważnie, jak żona się zatrzymuje, choć była do niego odwrócona plecami.

– Świetnie. Dziękuję, że o to pytasz. – Odwróciła się i uśmiechnęła do niego, a potem odeszła poza zasięg jego wzroku.

43

Po następnej niespokojnej nocy Bel obudziła się półprzytomna i bardzo zmęczona, ponieważ usnęła dopiero o świcie. Zobaczyła, że obok niej, tam gdzie spał Gustavo, jest pusto. Poszła do łazienki, cały czas się dziwiąc, bo to było niezwykłe: nigdy nie wstawał wcześniej od niej. Być może naprawdę zamierzał rozpocząć nowe życie. Kiedy zeszła na śniadanie, przy stole zastała tylko teściową.

– Mój mąż razem z twoim siedzą w gabinecie i czytają poranną prasę. Jestem pewna, że Gustavo powiedział ci wczoraj o następnym krachu na Wall Street. Obaj wkrótce jadą do senatu dyskutować, co można zrobić, żeby po tej katastrofie uratować produkcję kawy w naszym kraju. Jedziesz dzisiaj do Igreja da Glória? – zapytała Luiza głosem tak obojętnym, jakby od wczoraj nic się nie zmieniło, a ludzie w połowie świata nie obudzili się ze świadomością, że są bankrutami.

– Nie. Muszę jechać do ojca. Nietrudno sobie wyobrazić, że… słabo się czuje – dopowiedziała Bel równie oschłym tonem.

– No cóż… Zawsze mówiłam, że każdy zbiera to, co zasieje. Skoro ty tam nie jedziesz, to ja spełnię za ciebie nasz rodzinny obowiązek w kościele.

Bel przyglądała się, jak teściowa zamaszyście wychodzi z pokoju. Gruboskórność Luizy wręcz zaparła jej dech w piersiach. Jej zachowanie było tym bardziej trudne do zniesienia, że swą obecną stabilność finansową, a także świeżo wyremontowany dom zawdzięczała hojności Antonia i jego pieniędzy zarobionych ciężką pracą.

Bel wzięła z misy pomarańczę i w poczuciu bezsilności rzuciła nią o ścianę. Gustavo, który właśnie w tym momencie wszedł do pokoju, ze zdziwienia zmarszczył czoło, przyglądając się, jak owoc toczy się pod stołem w stronę Bel.

– Dzień dobry, Izabelo – powiedział i ukłęknął, by podnieść pomarańczę i odłożyć ją z powrotem do stojącej na stole misy. – Ćwiczysz się w tenisie?

– Wybacz mi, ale twoja matka powiedziała przed chwilą coś szczególnie przykrego.

– No tak. Pewnie dlatego, że ojciec przed śniadaniem poinformował ją, że od tej pory przejmiesz od niej rachunki za prowadzenie domu. Możesz sobie wyobrazić, że nie była zachwycona. Obawiam się, że będziesz musiała ignorować napady złości, które może miewać z powodu tej zmiany.

– Postaram się – zgodziła się Bel. – Podobno dzisiaj znowu jedziesz do senatu?

– Tak. Powoli nadchodzą wiadomości z Nowego Jorku. Wczoraj doszło tam podobno do masakry. – Gustavo westchnął. – Na Wall Street ludzie rzucali się z okien. Giełda straciła trzydzieści miliardów dolarów. W ciągu kilku godzin runęły ceny kawy.

– Więc mój ojciec miał rację, że jest skończony?

– Na pewno jest to straszna katastrofa dla wszystkich producentów, a co ważniejsze, dla gospodarki Brazylii. Czy mogę zaproponować, aby twój ojciec przyszedł dziś do nas na kolację? Może znajdziemy jakiś sposób, żeby mu pomóc, a skoro nie jest w stanie sam przyjść do senatu, przynajmniej powiemy mu razem z ojcem, jakie jest stanowisko rządu.

– Byłoby to z twojej strony niezwykle miłe, Gustavo. Pojadę do niego i zaproszę go – z wdzięcznością odpowiedziała Bel.

– Przepięknie dziś wyglądasz. – Delikatnie pocałował ją w czubek głowy. – Do zobaczenia na obiedzie.

Bel zadzwoniła do Gabrieli i dowiedziała się, że ojciec wybrał się rano do biura. Poprosiła służącą, by przekazała mu zaproszenie na kolację. Potem weszła po schodach do sypialni i przez okno zobaczyła, że po odwiezieniu Maurícia i Gustava do senatu w Rio wrócił Jorge. Dwadzieścia minut później samochód znów odjechał, tym razem z Luizą.

Bel zeszła na dół, a kiedy znalazła się na korytarzu, ciesząc się, że cały dom ma tylko dla siebie, zauważyła, że na srebrnej tacy leży zaadresowany do niej list. Wzięła go, otworzyła drzwi frontowe i obeszła dom, aby usiąść na tarasie z tyłu budynku.

> *Apartament 4*
> *Avenue de Marigny 48*
> *Paryż*
> *Francja*

> *5 października 1929*

Najdroższa Bel,

> *nie mogę uwierzyć, że minął rok, od kiedy ostatni raz Cię widziałam przed Twoim wyjazdem z Paryża. Piszę, żeby Ci powiedzieć, że wracamy do Rio. Pai skończył swoje obliczenia do Cristo i chce nadzorować ostatnie etapy budowy posągu na miejscu. Zanim to przeczytasz, będziemy już gdzieś na Atlantyku. Może Cię ucieszy, że będę mogła z Tobą porozmawiać po francusku. Dzięki lekcjom i pracy w szpitalu umiem rozmawiać w tym języku biegle, choć jeszcze nie płynnie. Opuszczam Paryż z mieszanymi uczuciami. Może pamiętasz, że tuż po przyjeździe tutaj prawie się bałam tego miasta, ale teraz mogę powiedzieć, że niemal na pewno będę tęskniła za jego różnorodnością. W porównaniu z Paryżem Rio może mi się wydać klaustrofobiczne. Niemniej jednak wielu rzeczy nie mogę się już doczekać – między innymi spotkania z Tobą, najdroższa przyjaciółko.*
> *Jak czuje się Twoja mama? W ostatnim liście pisałaś, że się o nią martwisz. Mam nadzieję, że już całkiem*

wyzdrowiała. Skoro mówimy o zdrowiu, to napisałam
do szpitala Santa Casa de Misericórdia i po powrocie
zapisuję się tam na kurs szkolenia pielęgniarek. Na
pewno utrzyma mnie to w ryzach. Niestety, nie udało mi
się tu spotkać mojego wymarzonego francuskiego hrabiego
i żaden mężczyzna się mną nie zainteresował, więc
postanowiłam, że na razie poślubię mój zawód.
Jak tam Gustavo? Spodziewacie się już może
dzidziusia? Na pewno bardzo chcesz być mamą, zresztą
dla mnie też jest to aspekt małżeństwa, do którego
tęsknię.
Nasz parowiec przybija do Rio w połowie listopada.
Przyjdę do Ciebie, kiedy będę już w domu, i wszystko
sobie opowiemy ze szczegółami.
À propos – masz najlepsze pozdrowienia od Margaridy.
Nadal jest w Paryżu i rozwija swój talent. Powiedziała,
że pytał o Ciebie profesor Landowski. Podobno w Rio jest
Laurent Brouilly i pracuje przy Cristo. Czy widziałaś się
z nim?
Z najlepszymi pozdrowieniami.

Twoja przyjaciółka
Maria Elisa

Bel przypomniała sobie, jak stosunkowo proste było życie, gdy osiemnaście miesięcy temu wyjeżdżała do Paryża, i ogarnął ją smutek. Oboje rodzice byli zdrowi, żyli i cieszyli się, że zaplanowali dla niej przyszłość – choć jej wcale nie była ona w smak. Teraz, kiedy tak siedziała sobie na ławce, była żoną jednego mężczyzny, kochanką innego, jedno z jej rodziców zmarło, a drugie zbankrutowało i załamało się, a w jej brzuchu rosło dziecko, które za wszelką cenę musi chronić. Poczuła, że życie jest huśtawką między rozkoszą a bólem. Jeden dzień nie przypomina drugiego i nic nie jest pewne.

Zamyśliła się nad losem tysięcy, może milionów ludzi, którzy kilka dni temu mieli zabezpieczenie finansowe, a kiedy obudzili się dziś rano, okazało się, że wszystko stracili.

A oto i ona: siedzi sobie w tym pięknym domu, ma męża, który nie jest może przystojnym księciem, o jakim marzyła, gdy była młodsza, ale który daje jej wszystko, czego potrzebuje. Czy ma choćby najmniejsze prawo narzekać? I jak mogła nawet rozważać zostawienie swego biednego ojca, skoro on tak ciężko pracował, aby osiągnęła swoją obecną pozycję?

Co do dziecka, to kiedy zaczęła się zastanawiać nad pomysłem pojechania do Paryża, gdzie czekała ją niepewna przyszłość, a ono mogłoby cierpieć biedę, podczas gdy tu, w Rio, byłoby bezpieczne, uzmysłowiła sobie, że miłość do Laurenta zrobiła z niej egoistkę.

Chociaż perspektywa zostania w Rio doprowadzała ją do rozpaczy, Bel zmusiła się, żeby ją rozważyć. Co prawda była pewna, że Gustavo nie jest ojcem dziecka, ale miała dostatecznie dużo dowodów, by przekonać go, że nim jest. Wyobraziła sobie jego twarz na wieść o jej ciąży. Taka wiadomość na pewno wzmocniłaby jego postanowienie, aby zacząć wszystko od nowa, a Luiza raz na zawsze zostałaby usadzona na swoim miejscu.

Bel spojrzała przed siebie w przestrzeń. Oczywiście oznaczało to rezygnację z człowieka, którego kochała najbardziej na świecie… i z szansy na szczęście, o którym oboje tak często marzyli. Ale czy w życiu chodzi tylko o własne szczęście? Zresztą, czy mogłaby być szczęśliwa, wiedząc, że w godzinie potrzeby zostawiła owdowiałego ojca? Wiedziała, że nigdy by sobie tego nie wybaczyła.

– Senhora Bel? – Na tarasie pojawiła się Loen. – Może przynieść pani coś do picia? Słońce tak mocno dzisiaj grzeje.

– Dziękuję ci, Loen. Poproszę o trochę wody.

– Oczywiście, senhora. Wszystko u pani w porządku?

Zanim Bel odpowiedziała, chwilę się zastanowiła.

– Będzie w porządku – rzuciła w końcu. – Na pewno będzie.

*

Wieczorem ojciec Bel przyszedł na kolację. Gustavo ciepło go przywitał i mężczyźni na godzinę zamknęli się w gabinecie Maurícia. Kiedy wychodzili, Antonio był dużo spokojniejszy.

– Wygląda na to – zwrócił się do córki – że twój życzliwy mąż będzie w stanie mi pomóc, a przynajmniej ma jakieś pomysły. Zawsze to jakiś początek, Izabelo. Jestem bardzo wdzięczny. – Skłonił głowę w stronę Gustava.

– To nic takiego. W końcu jesteśmy rodziną.

Bel wzięła głęboki oddech, wiedząc, że to, co ma do powiedzenia, musi przekazać teraz, bo inaczej opuści ją odwaga i zmieni zdanie.

– Gustavo, czy przed kolacją mogę z tobą chwilę porozmawiać na osobności?

– Oczywiście, kochanie.

Maurício i Antonio przeszli do jadalni, a Bel zaprowadziła męża do salonu i zamknęła za nimi drzwi.

– Nie ma czym się martwić – szybko zapewniła go Bel. – Tak naprawdę mam nadzieję, że uznasz tę wiadomość za dobrą. Chciałam ci o tym powiedzieć teraz, żebyśmy przy kolacji mogli to oznajmić razem. Gustavo, spodziewam się dziecka.

Zobaczyła, jak mina męża natychmiast zmieniła się ze zmartwionej na radosną.

– Mówisz mi, że jesteś w ciąży?

– Tak.

– *Meu Deus!* Nie mogę w to uwierzyć! Wspaniała, cudowna dziewczyna! – zawołał i podszedł, by ją objąć. – Ta wiadomość na zawsze uciszy moją matkę.

– I mam nadzieję, że ucieszy jej syna – dodała Bel z uśmiechem.

– Oczywiście, oczywiście, *querida!* – Gustavo uśmiechał się od ucha do ucha. – Chyba nigdy nie byłem tak szczęśliwy. To zdarzyło się w najlepszym możliwym czasie, i to dla każdego w rodzinie. Dla ciebie, Izabelo, po twojej niedawnej stracie. I oczywiście dla twojego ojca, któremu obaj z moim ojcem chyba będziemy w stanie pomóc. Nalegałem na to – dodał. – Tak absolutnie wypada, bo przecież był dla nas bardzo hojny. Jesteś całkiem pewna co do ciąży, Izabelo?

– Tak. Lekarz to potwierdził. Byłam u niego wczoraj, a dziś rano do mnie zadzwonił.

– To wszystko wyjaśnia! – powiedział Gustavo z wyraźną ulgą na twarzy. – Wczoraj po południu, gdy skończyło się spotkanie w senacie, poszedłem po ciebie do krawcowej. Madame Duchaine powiedziała mi, że nie umawiałaś się z nią i nie byłaś w jej pracowni. A ty w tym czasie poszłaś do lekarza, prawda?

– Tak – skłamała Bel, czując, jak strach ściska jej serce.

– Kiedy wczoraj stałem na ulicy i zastanawiałem się, dlaczego mnie okłamałaś, przez chwilę myślałem nawet, że może masz kochanka. – Gustavo roześmiał się i pocałował ją w czoło. – Ale się pomyliłem! Czy wiesz, kiedy dziecko się urodzi?

– Za sześć miesięcy.

– W takim razie najbardziej niebezpieczny okres już minął i musimy to ogłosić. – Ruszył w stronę drzwi w niemal dziecięcych podskokach. – Sprawiłaś, kochanie, że jestem najszczęśliwszym mężczyzną na świecie. Przysięgam, że od tej pory będę robił wszystko, by być ojcem, na jakiego zasługuje nasze dziecko. A teraz idź do jadalni, a ja pójdę do piwnicy po butelkę najlepszego szampana!

Przesłał jej w powietrzu pocałunek i wyszedł, a Bel jeszcze przez kilka sekund stała w miejscu, wiedząc, że już wyznaczyła swoją przyszłość i choćby nie wiadomo co się działo, do końca życia będzie musiała żyć w kłamstwie.

*

Przy kolacji świętowali wspaniałą wiadomość. Widok szczęścia, które pojawiło się na twarzy jej ojca, kiedy Gustavo ogłosił nowinę, potwierdził Bel, że podjęła właściwą decyzję. A widok lodowatego oblicza teściowej dał jej przyjemne poczucie satysfakcji. Po kolacji Gustavo zwrócił się do żony:

– Jest już po dziesiątej, kochana, i na pewno jesteś zmęczona. Chodź – powiedział, odsunął jej krzesło i pomógł z niego wstać. – Zaprowadzę cię na górę.

– Ale naprawdę czuję się świetnie. – Zawstydziła się.

– I ty, i dziecko macie za sobą kilka trudnych tygodni, więc teraz musimy się o was troszczyć – dodał, patrząc prosto na matkę.

Bel pożegnała się ze wszystkimi i obeszła stół, by nie zważając na etykietę, mocno objąć ojca. – Dobranoc, *pai*.

– Śpij dobrze, córeczko, a tobie, maleństwo, obiecuję, że będziesz jeszcze dumne ze swojego dziadka – szepnął, wskazując na jej brzuch. – Odwiedź mnie wkrótce.

– Chętnie, *pai*.

Gustavo wszedł za żoną do sypialni i stanął tam niepewnie.

– Izabelo, skoro jesteś... w tym stanie, musisz mi powiedzieć, czy do rozwiązania wolisz spać sama. Wydaje mi się, że małżeństwa tak postępują w tym okresie.

– Jeśli uważasz, że tak będzie lepiej...

– Od tej pory musisz jak najwięcej odpoczywać. Nie możesz się męczyć.

– Gustavo, przecież nie jestem chora, tylko w ciąży. Chciałabym żyć możliwie jak najbardziej normalnie. Jutro po południu naprawdę muszę iść do madame Duchaine i poprosić ją, żeby poprzerabiała mi ubrania, uwzględniając moją zmieniającą się figurę. – Uśmiechnęła się.

– Oczywiście. – Podszedł do niej i ucałował ją w oba policzki. – Dobranoc, kochanie.

– Dobranoc, Gustavo.

Bel patrzyła, jak przed wyjściem z sypialni mąż się do niej uśmiecha. Gdy opadła na brzeg łóżka, w jej sercu miotały się sprzeczne emocje. Myślami powędrowała do Laurenta i do tego, że jutro będzie na nią czekał w swoim mieszkaniu. Wstała, podeszła do okna i popatrzyła na gwiazdy, które dojmująco przypomniały jej, jak jasno świeciły nad atelier Landowskiego w Boulogne-Billancourt. Szczególnie wyraźnie pamiętała wieczór, kiedy pod krzakami w ogrodzie znalazła małego chłopca, którego cierpienie okazało się katalizatorem dla jej romansu z Laurentem.

– Zawsze będę cię kochać – szepnęła do gwiazd.

Przygotowała się do spania, a potem podeszła do sekretarzyka, który stał przy oknie. Wczoraj Gustavo poszedł za nią do madame Duchaine – co prawda zrobił to z miłości, a nie w wyniku podejrzeń, ale wiedziała, że nie może ryzykować i iść jutro do Laurenta.

Wybierze się więc do krawcowej, a do Laurenta jako swoją wysłanniczkę wyśle Loen. Da jej list, który teraz napisze…

Wyjęła z szuflady kartkę papieru i pióro i popatrzyła w rozgwieżdżoną noc, prosząc niebiosa o pomoc w napisaniu jej ostatnich słów do ukochanego.

Dwie godziny później po raz ostatni przeczytała list.

Mon chéri,

kiedy otrzymasz tę kopertę od Loen, będziesz już wiedział,
że nie mogę z Tobą jechać do Paryża. Chociaż piszę to
ze złamanym sercem, to znam swoje obowiązki. Dlatego
nawet z miłości do Ciebie nie mogę się od nich uchylać.
Mam jedynie nadzieję i modlę się o to, byś zrozumiał, że
decyzja ta podyktowana jest tylko moimi powinnościami,
a nie tym, że mniej Cię kocham i pożądam. Pragnę
być z Tobą na wieczność. Siedzę tu, patrzę na gwiazdy
i całym sercem żałuję, że nie mogliśmy spotkać się
w innych czasach, bo wtedy na pewno bylibyśmy razem.
Nie taki przypadł nam jednak los. Mam nadzieję, że to
zaakceptujesz, tak jak ja jestem do tego zmuszona. Możesz
być pewny, że przez całe życie będę się budziła, myśląc
o Tobie, modląc się za Ciebie i kochając Cię z całego serca.
Najbardziej boję się tego, że Twoja miłość do mnie
może zmienić się w nienawiść z powodu mojej zdrady.
Błagam Cię, nie dopuszczaj do siebie nienawiści, ale noś
w sercu to, co było między nami, i niech służy to Twojej
przyszłości, która mam nadzieję w końcu przyniesie Ci
szczęście i zadowolenie.

Au revoir, mon amour,
Twoja Bel

Złożyła list i zapieczętowała go w kopercie. Na wierzchu nie napisała nazwiska, na wypadek gdyby ktoś go znalazł. Otworzyła szufladę i schowała list z tyłu, pod czystymi kopertami.

Kiedy zamykała szufladę, jej wzrok padł na steatytowy trójkąt, którego używała jako podstawki pod kałamarz. Wzięła go
do ręki i pogłaskała, delektując się jego gładkością. Następnie,
pod wpływem impulsu odwróciła go i ponownie zanurzyła pióro
w kałamarzu.

30 października 1929
Izabela Aires Cabral
Laurent Brouilly

Poniżej cierpliwie wykaligrafowała jeden z jej ulubionych cyta-
tów z przypowieści Gilberta Parkera.

Gdy atrament wysechł, schowała kafelek obok listu pod stertą
kopert. Rano, kiedy Loen przyjdzie ją ubrać, powie jej, co z nimi
zrobić. Choć kafelek nie może się znaleźć na posągu Cristo, będzie
przynajmniej dla Laurenta pamiątką ich wspólnie spędzonego
czasu.

Bel powoli wstała od sekretarzyka i położyła się do łóżka. Sku-
liła się jak rosnące w niej maleństwo, jak gdyby jej skrzyżowane na
piersiach ramiona były w stanie podtrzymać złamane serce.

44

– Izabela nie przychodzi dzisiaj na śniadanie? – zapytała syna Luiza.

– Nie. Poprosiłem Loen, żeby zaniosła jej na górę tacę z posiłkiem – odparł Gustavo, kiedy dosiadł się do matki przy stole.

– Jest chora?

– Nie, *mãe*, ale przez dwa miesiące w dzień i w nocy opiekowała się matką. Co, jak nietrudno sobie wyobrazić, wiele ją kosztowało.

– Mam nadzieję, że nie będzie zanadto cackała się z ciążą. Ja tak nie robiłam.

– Naprawdę? Wczoraj wieczorem rozmawiałem z ojcem i powiedział mi, że *mãe* przez kilka tygodni prawie nie wstawała z łóżka, kiedy mnie nosiła – odparował, nalewając sobie kawy. – W każdym razie czekałaś, *mãe,* na tę wiadomość, prawda? I pewnie bardzo się cieszysz.

– Tak, ale… – Luiza dała pokojówce znak, żeby wyszła. – Proszę, zamknij za sobą drzwi – dodała.

– O co znowu chodzi, *mãe*? – zapytał Gustavo, ciężko wzdychając.

– Dziś rano bardzo długo i żarliwie modliłam się w kaplicy, prosząc o radę, czy powinnam ci powiedzieć to, co wiem.

– Skoro właśnie wyprosiła *mãe* pokojówkę, zakładam, że decyzja została podjęta. I zapewne chodzi o jakieś wykroczenie, które popełniła moja żona. Mam rację?

Twarz Luizy wyrażała przesadny ból.

– Niestety, tak.

– W takim razie niech *mãe* wyrzuci to z siebie. Mam przed sobą ciężki dzień.

– Mam powody sądzić, że podczas waszego małżeństwa twoja żona nie była ci... wierna.

– Co takiego?! – ze złością krzyknął Gustavo. – Mam poważne podejrzenia, że zaczyna *mãe* mieć ułudy! Jakie są na to dowody?

– Gustavo, rozumiem, że jesteś zły i nie chcesz mi wierzyć, ale zapewniam cię, że to nie ułudy. No i owszem, mam dowody.

– Naprawdę? Jakie?

– Nasz kierowca Jorge, który, jak wiesz, pracuje u mnie od wielu lat, widział, jak Izabela wchodzi do kamienicy pewnego młodego – Luiza prychnęła – dżentelmena.

– To znaczy, że zawiózł ją gdzieś w mieście, może w odwiedziny do kogoś znajomego, a mama przerobiła to na jakieś absurdalne oskarżenie? – zapytał, wstając od stołu. – Nie mam zamiaru dłużej słuchać takich jadowitych bredni. Co mama chce przez to osiągnąć?

– Proszę cię, Gustavo, uspokój się i usiądź. Twoja żona nigdy nie prosiła Jorgego, żeby zawiózł ją bezpośrednio do tego pana. Zawsze wysadzał ją przed domem madame Duchaine. Pewnego popołudnia Jorge utknął w korku i zobaczył, jak Izabela kilka minut po przyjeździe do krawcowej odchodzi spod jej drzwi i szybko znika na ulicach Ipanemy.

Gustavo usiadł ciężko.

– Czy Jorge z własnej woli przyszedł do mamy z tą informacją?

– Nie – przyznała Luiza. – Nabrałam podejrzeń, kiedy pewnego dnia w maju poszłam do Igreja da Glória. Godzinę wcześniej, wychodząc z domu, twoja żona powiedziała, że się tam wybiera. Ale jej tam nie było. Wieczorem poprosiłam Jorgego, żeby mi powiedział, skąd Izabela kazała mu się tego dnia odebrać. Odparł, że spod pracowni madame Duchaine, i wyznał to, co ci przed chwilą powiedziałam. Kazałam mu, aby następnym razem, kiedy zobaczy, że twoja żona po kilku minutach odchodzi spod pracowni krawcowej, jechał za nią i sprawdził, dokąd idzie.

– To znaczy, że kazała mama ją szpiegować?

– Jeśli chcesz to w ten sposób ująć, to tak. Ale wiedz, synu, że chciałam cię tylko chronić, i musisz przyznać, że moje intencje były jak najlepsze. Zwłaszcza że jest coś, co martwiło mnie od początku twego małżeństwa.

– Co takiego?

Luiza miała w sobie dość przyzwoitości, by się zarumienić.

– Jestem twoją matką i chciałam się upewnić, że twoja noc poślubna była udana. Poprosiłam więc o pomoc pokojówkę w hotelu Copacabana Palace.

– Co takiego?! – Gustavo natychmiast zerwał się na nogi i z wściekłością w oczach ruszył w stronę matki.

– Proszę cię, Gustavo! – Uniosła ramiona w obronnym geście. – Twoja żona dopiero co wróciła po wielomiesięcznym pobycie w Paryżu. Uważałam za swój obowiązek sprawdzić, czy nadal jest… niewinna. Pokojówka poinformowała mnie, że ani na prześcieradle, ani na kołdrze nie było śladu krwi.

– Przekupiła *mãe* pokojówkę, żeby dowiedzieć się, czy moja żona była niewinna. – Gustavo kręcił głową, usiłując opanować wściekłość, ale jednocześnie wiedział, że matka nie kłamała.

– W takim razie ty mi powiedz, czy pościel była poplamiona. – Luiza wlepiła w niego uważny wzrok.

– Jak mama śmie mnie o to pytać? – odparował. – To prywatna sprawa między mną a moją żoną.

– To znaczy, że nie była – rzuciła niemal z zadowoleniem. – Mam mówić dalej, Gustavo? Widzę, że coraz bardziej się denerwujesz. Jeśli chcesz, możemy na tym przerwać temat.

– Nie, *mãe*, za daleko zabrnęłaś. A poza tym jestem pewny, że nie możesz się doczekać, by poinformować mnie, z kim Izabela spotykała się w tajemnicy.

– Zapewniam cię, że mówienie ci tego nie sprawia mi najmniejszej przyjemności. – Wyraz triumfu na twarzy Luizy sugerował coś wręcz przeciwnego. – Tą osobą jest ktoś, kogo wszyscy świetnie znamy.

Gustavo bezskutecznie przeszukał pamięć, żeby samemu coś wymyślić, zanim matka mu powie.

– Kto?

– Młody człowiek, który cieszył się gościnnością pod naszym dachem. Ktoś, komu zapłaciłeś mnóstwo pieniędzy, chcąc dać żonie nadzwyczajny prezent ślubny. Mieszkanie, do którego regularnie chodziła Izabela, zajmuje nie kto inny jak rzeźbiarz, senhor Laurent Brouilly.

Gustavo otworzył usta, aby coś powiedzieć, ale nie wydobył się z nich żaden dźwięk.

– Rozumiem, że to dla ciebie straszny szok, ale biorąc pod uwagę fakt, że twoja żona jest brzemienna... choć przez kilka miesięcy nie mogła zajść w ciążę... uznałam, że postąpię słusznie, jeśli ci o tym powiem.

– Dosyć tego! – krzyknął Gustavo. – Zgadzam się, że Izabela być może odwiedzała tego człowieka podczas jego pobytu w Brazylii. Przecież zaprzyjaźnili się w Paryżu. Poza tym wysłała mama do niego Alessandrę Silveirę. Ale insynuacja, że moja żona nosi nieślubne dziecko, jest, szczerze mówiąc, nieprzyzwoita.

– Rozumiem, że tak na to reagujesz – spokojnie zgodziła się z nim Luiza. – I jeżeli mam rację, to rzeczywiście jest to nieprzyzwoite.

Dla uspokojenia Gustavo przechadzał się nerwowo tam i z powrotem po pokoju.

– W takim razie powiedz mi, proszę, mãe, dlaczego objęłaś swoim patronatem mężczyznę, którego podejrzewałaś o to, że jest kochankiem mojej żony? To mama wprowadziła go do towarzystwa w Rio i dzięki swoim rekomendacjom pomogła mu zdobyć zlecenia. A o ile dobrze pamiętam, aby mógł tu pracować, pomogła mu mama nawet zdobyć blok steatytu z kopalni swoich krewnych! To mama przedłużyła jego pobyt w Rio. Dlaczego to zrobiłaś, jeśli podejrzewałaś go o romans z Izabelą? – Gustavo ze wściekłością zmierzył ją wzrokiem. – Myślę, że zrobiłaś to celowo, aby oczernić moją żonę. Od początku jej nie lubiłaś. Od dnia ślubu traktowałaś ją z góry i dawałaś jej do zrozumienia, że jest tu czystym utrapieniem, które jakoś trzeba znosić. Wcale bym się nie zdziwił, gdybyś chciała, żeby nasze małżeństwo się rozpadło, zanim jeszcze na dobre się zaczęło! – Gustavo krzyczał na matkę zza stołu. – Nie chcę więcej o tym słuchać. I zapewniam cię, *mãe*, że chcę, aby Izabela jak najszybciej zajęła swoje prawowite miejsce w tym domu. A jeśli jeszcze raz wtrącisz się do naszego małżeństwa, natychmiast się stąd ciebie pozbędę. Zrozumiałaś, *mãe*?

– Tak – odpowiedziała bez cienia emocji. – I nie musisz się już martwić o senhora Brouilly'ego. Jutro odpływa do Paryża.

– Nadal go szpiegujesz? – zagrzmiał Gustavo.

– Nie. Wkrótce po wyjeździe twojej żony z matką na hacjendę wstrzymałam swój patronat. Wiedziałam, że jeśli nie będzie miał zleceń, a twojej żony zabraknie w Rio, wkrótce postanowi wrócić do Paryża. Dwa dni temu napisał do mnie list, w którym poinformował mnie o swoim wyjeździe i podziękował mi za pomoc. Proszę. – Luiza podał mu kopertę. – Sam możesz go sobie przeczytać. I zauważ, że na górze znajduje się jego adres w Ipanemie.

Gustavo chwycił kopertę z rąk matki i popatrzył na nią z nienawiścią. Ręce tak mu się trzęsły, że z trudem wepchnął kopertę do kieszeni.

– Chociaż mówisz, *mãe*, że zrobiłaś to z miłości do mnie, ani trochę w to nie wierzę. I ani słowa więcej nie chcę o tej sprawie słyszeć. Czy wyraziłem się dość jasno?

– Tak.

Luiza z uśmieszkiem przyglądała się, jak syn wychodzi z pokoju.

*

Gustavowi udało się jakoś zachować zewnętrzny spokój, kiedy Izabela wychodziła z pokojówką do madame Duchaine. Pomyślał, że mógłby natychmiast się dowiedzieć, ile prawdy jest w opowieściach matki, gdyby na przykład zapytał o to kierowcę. Biorąc jednak pod uwagę, że Jorge pracował u jego matki od ponad trzydziestu lat, Gustavo nie wierzył, że powie mu prawdę. Kiedy wszedł do salonu, jego pierwszym odruchem było sięgnąć po butelkę whisky. Powstrzymał się jednak, wiedząc, że jeśli wypije raz, będzie miał ochotę na więcej, a potrzebował jasnej głowy, żeby coś wymyślić.

Chodził tam i z powrotem po salonie i zastanawiał się, jak to możliwe, że radość, z którą rano się obudził, tak szybko się rozpierzchła, a zamiast niej, dwie godziny później, miał w sobie tyle gniewu i wątpliwości. Starał się racjonalnie przemyśleć wszystko, co powiedziała mu matka. Nawet jeśli w jej słowach było ziarno prawdy, to oskarżenie Izabeli, że wpycha mu dziecko innego mężczyzny, musiało być szaloną brednią. W końcu mężatki miewają przecież adoratorów i Gustavo nie był na tyle głupi, by przypuszczać, że nie dotyczy to jego pięknej żony. Być może ten Brouilly polubił ją podczas ich sesji w Paryżu, a może nawet poprosił ją, żeby w Rio znowu posłużyła mu za modelkę, ale Gustavo nie był w stanie uwierzyć, że mu się oddała.

W tym, co powiedziała matka, coś go jednak zaniepokoiło, a mianowicie brak śladów krwi po nocy poślubnej. Nie był biologiem i być może Izabela powiedziała mu prawdę, ale...

Bezwładnie opadł na krzesło i zrozpaczony ukrył twarz w dłoniach.

Jeśli skłamała, to ogrom jej zdrady był zbyt straszny, aby w ogóle go rozważać. Zachęcił Izabelę, by pojechała do Paryża z przyczyn czysto altruistycznych, ponieważ naprawdę ją kochał i jej ufał.

Pewnie najlepiej będzie zostawić tę ohydną sprawę w spokoju. List, który Brouilly przysłał jego matce, potwierdzał, że jutro odpływa parowcem do Paryża. Nawet jeśli w przeszłości coś się wydarzyło między tą dwójką, to teraz sprawa jest już zamknięta.

Tak, postanowił Gustavo, po czym wstał i zdecydowanie wszedł do biura ojca, żeby przeczytać gazety. Ale kiedy siedział, usiłując skoncentrować się na masakrze finansowej, która rozgrywała się zarówno w Brazylii, jak i w Ameryce, stwierdził, że nie jest w stanie się skupić. Słowa matki na dobre zasiały w jego głowie ziarno wątpliwości, o czym ona doskonale wiedziała. Gustavo poczuł, że nie spocznie, dopóki nie dowie się prawdy. Kiedy zobaczył, że Jorge wrócił po odwiezieniu Izabeli do miasta, chwycił kapelusz i sam wsiadł do samochodu, aby za nią jechać.

*

Bel stała przed lustrem, a madame Duchaine obsypywała ją gratulacjami i zapewniała, że przerobienie jej ubrań tak, aby dostosować je do pączkujących kształtów klientki, nie jest trudnym zadaniem.

– Zawsze uważałam, że figura kobiety w ciąży ma specyficzną magię – trajkotała krawcowa. Tymczasem Bel spojrzała w oczy Loen i prawie niezauważalnie kiwnęła do niej głową.

Służąca wstała z krzesła i podeszła do swojej pani.

– Senhora, powinnam pójść do apteki po lek na wzmocnienie, który zalecił pani lekarz. To niedaleko, tuż za rogiem, więc wrócę najszybciej, jak będę mogła.

Bel stłumiła smutny uśmiech, który pchał jej się na usta, kiedy służąca jak papuga powtarzała zdanie, którego ją nauczyła.

– Na pewno będę bezpieczna w zdolnych rękach pani Duchaine – odpowiedziała.

– Oczywiście. – Krawcowa dobrotliwie uśmiechnęła się do Bel.

Loen kiwnęła głową i wyszła z pracowni. Bel zauważyła, że ze strachu jakby powiększyły jej się oczy. Wiele wymagała od służącej, ale czy miała wybór? Niech Bóg ma cię w swojej opiece, szepnęła w duchu, a potem wzięła głęboki oddech i odwróciła się z powrotem w stronę lustra.

*

Gustavo kazał Jorgemu zawieźć się do klubu, który znajdował się zaledwie kilka minut spaceru zarówno od pracowni madame Duchaine, jak i od miejsca zamieszkania Laurenta Brouilly'ego. Po chwili wyszedł z klubu i szybkim krokiem ruszył ulicą; uznał, że skoro ma około dwudziestu minut opóźnienia w stosunku do żony, pójdzie prosto do mieszkania rzeźbiarza. Okazało się, że po drugiej stronie ulicy znajduje się kawiarnia, i ukrył się w rogu jej tarasu. Czuł się głupio, więc zasłonił się gazetą. Wodził nad nią oczami i cały czas obserwował ruchliwą ulicę. Kiedy podeszła do niego kelnerka, by przyjąć zamówienie, nie odrywając wzroku od ulicy, poprosił o kawę.

Dwadzieścia minut później nadal nie było śladu jego żony śpieszącej na spotkanie z rzekomym kochankiem. Całą swą istotą pragnął już odejść i o wszystkim zapomnieć. Pomyślał jednak, że logicznie rozumując, Izabela może najpierw odbyć miarę, aby zdobyć alibi. Zacisnął zęby i zmusił się, żeby jeszcze zostać.

Wkrótce potem w tłumie przechodniów zauważył znajomą twarz. Nie była to jego żona, ale jej służąca, Loen. Wstał jak rażony piorunem, ze stukotem przewrócił nadal pełną filiżankę z kawą, rzucił na stolik kilka monet, jak strzała wybiegł na zewnątrz i lawirując między pojazdami, przebiegł na drugą stronę ulicy. Minął kamienicę rzeźbiarza, przez co oddalił się nieco od Loen, która zbliżała się do budynku z wahaniem, jakby nie była pewna, dokąd zmierza, a następnie schował się w drzwiach sąsiadujących z wejściem do domu Laurenta Brouilly'ego.

Modlił się, aby znalazła się tu tylko przypadkiem. Niestety, kilka sekund później Loen zatrzymała się przed oddalonym od niego zaledwie o kilka metrów wejściem, więc już wiedział, że tak nie jest. Właśnie miała wejść do kamienicy, kiedy zastąpił jej drogę.

– Witaj, Loen – odezwał się najmilej, jak potrafił. – Dokąd idziesz?

Jeśli chciał dowodu winy żony, znalazł go we wlepionych w niego oczach służącej i na jej przerażonej twarzy.

– Ja...

– Słucham? – Gustavo skrzyżował ręce na piersi i czekał na jej odpowiedź.

– Ja...

Nagle zauważył, że służąca jedną z dłoni ochronnym gestem trzyma nad kieszenią fartucha. Sądząc po kształcie, była to koperta.

– Może masz coś zanieść w imieniu swojej pani?

– Myślałam, że to wejście od apteki, senhor. Pomyliłam adres. Przepraszam.

– Naprawdę? Masz receptę na lekarstwo dla mojej żony?

– Tak. – W oczach Loen nagle pojawiła się ulga, jakby cieszyła się, że znalazł dla niej wytłumaczenie. – Apteka jest pewnie gdzieś dalej.

– Tak się składa, że dobrze wiem, gdzie jest. No więc daj mi, proszę, tę receptę, a ja zaniosę ją do apteki.

– Ale, senhor, senhora Bel kazała mi przysiąc, że zaniosę… tę receptę osobiście i dostarczę ją prosto do rąk aptekarza.

– Jestem jej mężem, więc i w moich rękach będzie przecież bezpieczna.

– Tak. – Służąca z rezygnacją opuściła wzrok. – Oczywiście.

Gustavo wyciągnął dłoń, a Loen wyjęła kopertę z kieszeni. Kiedy mu ją podawała, w jej oczach odczytał błaganie.

– Dziękuję – powiedział i włożył kopertę do kieszeni marynarki. – Obiecuję ci, że bezpiecznie dostarczę ją do właściwego odbiorcy. A teraz biegnij do swojej pani, która na pewno zastanawia się, gdzie się podziałaś.

– Proszę, senhor…

Gustavo gestem dłoni powstrzymał jej dalsze wywody.

– Jeśli nie chcesz bez referencji wylądować na ulicy, i to natychmiast po moim powrocie do domu, proponuję, abyś nawet nie pisnęła mojej żonie o naszym spotkaniu. Choćbyś była wobec niej nie wiem jak lojalna, to ja decyduję, kogo w domu zatrudniamy do służby. Zrozumiałaś?

– Tak, senhor, zrozumiałam – odpowiedziała trzęsącym się głosem i ze łzami w oczach Loen.

– A teraz biegnij do madame Duchaine i weź z apteki lekarstwo. Wydaje mi się, że jest ona na tej samej ulicy co pracownia krawiecka. Powinnaś przecież mieć alibi.

– Tak, senhor.

Loen dygnęła chwiejnie, odwróciła się od niego i ruszyła w kierunku, z którego przyszła.

Gustavo natychmiast zatrzymał przejeżdżającą taksówkę. Wiedział, że bez mocnej whisky nie da rady przeczytać tego, co znajdzie w kopercie, więc kazał kierowcy jechać do klubu.

*

Loen schowała się za rogiem, ponieważ nogi odmówiły jej posłuszeństwa i nie chciały jej już dalej nieść. Trzęsły się pod nią jak młode drzewka podczas huraganu. Kiedy zobaczyła, że Gustavo przejeżdża koło niej taksówką, przykucnęła pod najbliższymi drzwiami.

Wtuliła głowę między kolana i kilka razy głęboko odetchnęła. Usiłowała uspokoić umysł po szoku, jakiego właśnie doznała. Chociaż nie do końca wiedziała, co jest w kopercie, mogła sobie to wyobrazić. Nie miała pojęcia, co robić, i żałowała, że nie ma przy niej Bruna, który coś by jej doradził.

Sama też miała kłopoty. Na razie nie odważyła się o nich wspomnieć swojej pani: najpierw, aby uszanować jej rozpacz po śmierci matki, a ostatnio przez emocje związane z odkryciem ciąży.

Tak naprawdę senhora Bel nie była jedyną kobietą mieszkającą w Casa das Orquídeas, która spodziewała się dziecka. Ona także od trzech tygodni wiedziała, że nosi pod sercem nowe życie. Tuż przed wyjazdem z hacjendy powiedziała o tym Brunowi, a on kazał jej obiecać, że porozmawia o tym z Bel. Miała zamiar błagać panią, aby pozwoliła jej na stałe pracować na farmie, by mogli pobrać się z Brunem i razem wychowywać tam dziecko.

Loen nie miała pojęcia, kto jest właścicielem hacjendy, ale wydawało jej się, że po ślubie własność żony zazwyczaj przechodzi na męża. Jeśli tak, to Gustavo miał moc sprawić, aby ani ona, ani Bruno nigdy więcej nie pracowali w ich rodzinie. Co oznaczało, że wszystkie ich plany na przyszłość ległyby w gruzach. Byliby jeszcze jednym biednym czarnoskórym małżeństwem, które znalazło się na ulicy bez grosza przy duszy i do tego z nią w ciąży. W takiej sytuacji czekała ich tylko fawela, która codziennie pęczniała od coraz większej liczby głodujących mieszkańców.

Będzie tak… jeżeli powie pani, co się przed chwilą zdarzyło.

Oddychała coraz wolniej i jaśniej myślała. Palcami instynktownie pogładziła brzuch, w którym rosło nowe życie. Tak jak Bel, także ona musiała podjąć decyzję. I to szybko. Pan prosił ją o milczenie, co w zasadzie oznaczało sprzeniewierzenie się zaufaniu, które zawsze pokładała w niej pani. W każdych innych okolicznościach przeciwstawiłaby się jego rozkazowi, nieważne, ile by ją to miało kosztować. Pobiegłaby prosto do madame Duchaine, poprosiła Bel, żeby poszła z nią na krótki spacer, i wszystko by jej wyznała, aby pani mogła przygotować się na to, co może ją czekać po powrocie do domu.

W końcu jest z senhorą Bel od dziecka. I podobnie jak jej matka, wszystko, co miała, zawdzięczała rodzinie Bonifaciów.

Teraz jednak Loen wiedziała, że musi myśleć o sobie. Przesunęła palce z brzucha do drugiej kieszeni fartuszka i dotknęła gładkiej powierzchni leżącego tam kafelka. Być może kłamstwo pójdzie jej łatwiej, jeśli wypełni choć połowę swojej misji.

Podjęła decyzję. Wiedziała, że senhor Gustavo przynajmniej przez parę następnych minut nie wróci z miejsca, do którego pojechał taksówką, więc wstała i na oślep pognała w stronę mieszkania Laurenta Brouilly'ego. Kilka minut później stanęła zdyszana pod jego drzwiami i głośno zapukała.

Drzwi natychmiast się otworzyły i zobaczyła wyciągnięte w jej stronę ramiona.

– Zaczynałem się martwić, *chérie*, ale...

Laurent zorientował się, że to nie jego ukochana. Loen zobaczyła, jak radość na jego twarzy natychmiast ustępuje miejsca przerażeniu, bo zrozumiał, co to znaczy.

– Wysłała ciebie? – zapytał i zataczając się lekko, oparł się o drzwi.

– Tak.

– To znaczy, że nie przyjdzie?

– Niestety, nie, senhor. Bardzo mi przykro. Poprosiła mnie, żebym coś panu przyniosła.

Loen wyciągnęła w jego stronę steatytowy kafelek i patrzyła, jak on po niego sięga.

– Wydaje mi się, że z tyłu jest jakaś wiadomość – szepnęła.

Wolno odwrócił go w dłoni i przeczytał napis. Gdy podniósł na nią wzrok, zobaczyła, że ma w oczach łzy.

– *Merci...* to znaczy, *obrigado*.

I zatrzasnął przed nią drzwi.

*

Gustavo usiadł cicho w zacisznym kącie biblioteki, wdzięczny, że sala jest praktycznie pusta – zresztą jak zwykle od czasu kryzysu na Wall Street.

Zamówił tak niezbędne mu whisky i przyglądał się kopercie, która leżała przed nim na stole. Jednym haustem wychylił zawartość szklaneczki i poprosił o dolewkę. Kiedy miał już przy sobie zapas alkoholu, wziął głęboki oddech i otworzył list. Kilka minut później poprosił kelnera o trzecią whisky. Siedział skamieniały niczym katatonik i patrzył w przestrzeń.

Czegokolwiek list dowodził, bądź też nie, w odniesieniu do insynuacji jego matki, bez najmniejszych wątpliwości wynikało z niego, że Izabela namiętnie pokochała innego mężczyznę. Tak bardzo, że rozważała nawet ucieczkę z nim do Paryża.

Samo to wystarczyło, aby ją pogrążyć, ale między wierszami Gustavo zrozumiał jeszcze jedno: jeśli Bel poważnie rozważała wyjazd z tym Brouillym, to na pewno wiedział on o jej aktualnym stanie. A to z kolei znaczyło, że maleństwo, które jego żona nosi, prawie na pewno jest dzieckiem jej kochanka...

Jeszcze raz przeczytał list i rozpaczliwie uchwycił się myśli, że można go też zinterpretować jako sposób, aby raz na zawsze pozbyć się pana Brouilly'ego i uniknąć publicznego skandalu z jego strony. Mając świadomość, że wybranka zawsze będzie go kochała, ale że znaleźli się w sytuacji bez wyjścia, żarliwy i zrozpaczony mężczyzna powinien na tyle się uspokoić, by z własnej woli się wycofać i pogodzić z faktem, że nie mogą być razem.

Gustavo westchnął, bo rozumiał, że się oszukuje. Przywołał w myślach postawną postać Laurenta Brouilly'ego i jego przystojne galijskie rysy. Był to niewątpliwie mężczyzna, którego każda kobieta uznałaby za atrakcyjnego, a dla wielu dodatkowym afrodyzjakiem z pewnością był jego talent. Bel godzinami siedziała w jego atelier w Paryżu... Jeden Bóg wie, co się wtedy między nimi działo.

A on puścił ją tam jak owieczkę na rzeź, choć matka zawsze przypuszczała, jak to się skończy.

Przez następne pół godziny opróżniał jedną whisky za drugą,

miotany przeróżnymi emocjami: od smutku i rozpaczy po straszliwy gniew na myśl o tym, że żona zrobiła z niego rogacza. Wiedział, że ma pełne prawo iść do domu, pokazać Izabeli list i natychmiast wyrzucić ją na ulicę. A przecież zaproponował jej ojcu sporą sumę pieniędzy, by pomóc mu stanąć na nogi i spłacić nieco długów; chciał, żeby teść miał szansę zawalczyć o swoją przyszłość. Mając dowód w postaci listu, Gustavo mógł na zawsze zrujnować reputację żony oraz jej ojca i rozwieść się z nią z powodu cudzołóstwa.

Tak, tak, wszystko to mogę zrobić, pomyślał Gustavo, odzyskując nieco równowagi. Przecież nie jestem potulnym, wystraszonym chłopczykiem, za jakiego uważa mnie matka.

Ale nie byłby w stanie znieść jej zadowolonej z siebie, pełnej pychy miny na wieść o tym, że miała rację co do Izabeli...

Mógłby także iść i skonfrontować się z tym Brouillym – w końcu dobrze wiedział, gdzie mieszka. Mało kto by go obwiniał, gdyby na miejscu zastrzelił rzeźbiarza. A w najgorszym wypadku mógłby wydusić z niego prawdę. Na pewno by mu się udało, bo wyjawiając ją, Brouilly nie miał nic do stracenia. Ostatecznie Izabela zostaje przecież z mężem.

Zostaje ze mną...

Ta myśl uspokoiła Gustava. Chociaż żona wyznała kochankowi miłość, to nie poddała się jej i nie ucieka z nim do Paryża. Może Brouilly nie wie, że Izabela jest w ciąży. W końcu gdyby naprawdę wierzyła, że to kochanek jest ojcem jej dziecka, pojechałaby z nim bez względu na konsekwencje.

Godzinę później, kiedy Gustavo opuszczał klub, zdążył sobie wytłumaczyć, że cokolwiek łączyło jego żonę z rzeźbiarzem, to przecież wybrała męża, czyli jego. Jutro Brouilly wypływa do Paryża i na zawsze zniknie z ich życia.

Chwiejnym krokiem zszedł po schodach prowadzących z klubu i ruszył pobliskimi ulicami w stronę plaży, aby tam spróbować wytrzeźwieć. Wiedział już, co zrobi.

Tłumaczył sobie, że Izabela nie jest jedyną kobietą z jego sfery, która miała romans. Mężczyźni też je mają. Przypomniał sobie pewien grzeszek ojca – kiedyś na balu charytatywnym spotkał kobietę, która wyraźnie dawała do zrozumienia, że łączy ich coś bardziej intymnego niż przyjaźń.

W ostatecznym rozrachunku więcej satysfakcji da mu, jeśli wróci do domu i powie matce, że dokładnie przyjrzał się sprawie i nie znalazł najmniejszych dowodów, które obciążałyby Izabelę, niż gdyby miał przedstawić żonie dowód jej winy w postaci listu.

Gustavo wpatrzył się w fale, które bezustannie rozbijały się o miękki piasek, i westchnął z rezygnacją.

Niezależnie od tego, co zrobiła, i tak ją kochał.

Wyjął list z kieszeni, zbliżył się do brzegu, po czym podarł kartkę na kawałki, a strzępy rzucił do góry. Jakiś czas przyglądał się, jak łopoczą na wietrze niczym miniaturowe latawce, aż w końcu opadają i znikają w morzu.

45

Paryż, grudzień 1929

– A więc wróciłeś, Brouilly, cały i zdrowy! – Landowski wlepił wzrok we wchodzącego do atelier Laurenta. – A ja na dobre spisałem cię już na straty. Myślałem, że przyłączyłeś się do jakiegoś plemienia w Amazonii i ożeniłeś się z córką wodza.

– Tak, wróciłem. Jest tu jeszcze dla mnie miejsce?

Profesor odwrócił uwagę od ogromnej kamiennej głowy Sun Jat--sena i dokładnie przyjrzał się byłemu asystentowi.

– Może – rzucił i zagadnął chłopca, który od czasu, kiedy Laurent widział go po raz ostatni, urósł i przybrał na wadze. – Jak myślisz? Mamy dla niego pracę?

Laurent poczuł na sobie wzrok chłopca. Po chwili mały odwrócił się do Landowskiego i skinął głową.

– Mówi, że tak. A w dodatku z tego, co widzę, niewiele z ciebie zostało i teraz to ciebie trzeba by odkarmić. Co sprawiło, że tak schudłeś? Dezynteria czy miłość? – zapytał Landowski.

Jego były asystent żałośnie wzruszył ramionami.

– Wydaje mi się, że twój fartuch nadal wisi na tym samym haczyku, na którym go powiesiłeś – powiedział profesor. – Idź go włożyć i pomóż mi dokończyć gałkę oczną, nad którą tak się napracowałeś, zanim porzuciłeś nas dla dżungli.

– Dobrze, profesorze. – Laurent zbierał się, aby podejść do haczyków przy drzwiach.

– Wiesz co, Brouilly?

– Słucham?

– Jestem pewny, że wszystkie swoje niedawne przeżycia, i złe, i dobre, będziesz mógł wyrazić w rzeźbie. Przed wyjazdem zdobyłeś kompetencje techniczne. Teraz możesz już zostać mistrzem. Chcąc osiągnąć wielkość, człowiek musi cierpieć. Rozumiesz?

– Tak, profesorze – odparł Laurent załamującym się głosem. – Rozumiem.

*

Tego wieczoru Laurent z westchnieniem wytarł ręce w fartuch. Landowski już kilka godzin wcześniej wyszedł do domu obok, do żony i dzieci. Laurent szedł ze świecą w stronę kuchni, aby zmyć z dłoni glinę, kiedy nagle się zatrzymał. Gdzieś z bliska doszedł go cichutki, ale wyjątkowo piękny dźwięk skrzypiec. Ktoś grał przejmująco smutne pierwsze takty *Umierającego łabędzia*.

Dłonie Laurenta znieruchomiały pod kranem, a w oczach poczuł pieczenie łez, których do tej pory nie był w stanie uronić. I oto w maleńkiej kuchence, tam gdzie przyglądał się, jak Izabela z czułością zajmuje się cierpiącym dzieckiem, i gdzie zrozumiał, że ją kocha, rozpłakał się. Ze swojego powodu, z jej powodu, z powodu wszystkiego, co mogłoby być, ale czego już nigdy nie będzie.

Kiedy muzyka zbliżała się do wzruszającego zakończenia, z grubsza wytarł oczy szmatką i wyszedł z kuchni, by poszukać muzyka, za sprawą którego przerwała się tama uczuć kumulujących się w nim od czasu, gdy w Rio Loen przyniosła mu steatyt od Izabeli.

Melodia zmieniła się i teraz słyszał urzekające dźwięki *Poranka* Griega. Jak zawsze, utwór ten wprawił go w nastrój nowego dnia i nowego początku. Poczuł, że muzyka nieco go ukoiła. Wziął świeczkę, poszedł z nią przez ogród w stronę dźwięku i oświetlił nią skrzypka.

Na ławce przed atelier siedział chłopiec. Trzymał zniszczone skrzypce, których dźwięk wcale nie odpowiadał ich sfatygowanemu wyglądowi. Był czysty, przyjemny dla ucha, wprost niezwykły.

– Gdzie nauczyłeś się tak grać? – zapytał ze zdziwieniem, kiedy utwór się skończył.

Jak zwykle, w odpowiedzi uzyskał tylko przeszywające spojrzenie.

– Kto ci dał skrzypce? Profesor?

Chłopiec kiwnął głową.

Laurent przypomniał sobie słowa Landowskiego i dokładnie przyjrzał się chłopcu.

– Rozumiem – rzucił cicho. – Jak każdy artysta przemawiasz swoją sztuką. Jesteś prawdziwie uzdolniony. Dbaj o swój talent jak o skarb.

Mały kiwnął głową i nagle podarował mu uśmiech wdzięczności. Laurent położył dłoń na jego ramieniu, leciutko machnął mu na pożegnanie i odszedł, by użalać się nad swoją niedolą w barach Montparnasse'u.

Maja

Lipiec 2007

Ostatnia kwadra

16:54:44

46

Yara w końcu zamilkła, a ja nadal jej się przyglądałam. Mój wzrok przeniósł się na wiszący nad kominkiem portret Izabeli. Moja prababcia musiała podjąć potwornie trudną decyzję. Nie wiedziałam, jak zachowałabym się na jej miejscu. Pomyślałam, że chociaż przyszło nam żyć w innych czasach i w różnych kulturach, podstawowe dylematy kobiet niewiele się zmieniły...

– Czy Gustavo kiedykolwiek przyznał się Bel, co odkrył? – spytałam.

– Nie. Nigdy. Ale moja mama zawsze mówiła, że widziała w jego oczach cierpienie. Zwłaszcza gdy patrzył na córkę.

– Na senhorę Carvalho? Ma na imię Beatriz, prawda?

– Tak. Pamiętam, jak kiedyś senhor Gustavo wszedł do bawialni i długo przyglądał się córce, jakby była kimś zupełnie obcym. Miałyśmy dziesięć lub jedenaście lat. Wtedy nie zastanawiałam się nad tym, ale gdy teraz przypominam sobie tę sytuację, dochodzę do wniosku, że próbował ocenić, czy może mieć jego geny. Bo musi pani wiedzieć, że senhora Beatriz ma zielone oczy. Moja mama wspomniała kiedyś, że to po senhorze Laurencie.

– A więc pani matka podejrzewała, że to on był biologicznym ojcem Beatriz?

– Przed śmiercią opowiedziała mi tę historię i wyznała, że nie ma co do tego żadnych wątpliwości. Według niej senhora Beatriz wyglądała jak wierna kopia senhora Brouilly'ego i odziedziczyła po nim uzdolnienia artystyczne. Jako nastolatka namalowała ten oto portret Izabeli. – Yara wskazała obraz. – Pamiętam, co powiedziała. Że w ten sposób chce oddać hołd swojej biednej zmarłej mamie.

– Izabela zmarła, gdy Beatriz była dzieckiem?

– Tak – przytaknęła Yara. – Miałyśmy po osiemnaście miesięcy. W tysiąc dziewięćset trzydziestym pierwszym roku, kiedy odbywała się uroczystość poświęcenia posągu Cristo na górze Corcovado i udostępnienia jej zwiedzającym. W Rio wybuchła epidemia żółtej febry. Senhora Beatriz i ja zostałyśmy w domu, ale senhora Izabela uparła się, żeby pójść na ceremonię. Ze względu na jej przeżycia z przeszłości wiele to dla niej znaczyło. Trzy dni później zachorowała i już nie wyzdrowiała. Miała zaledwie dwadzieścia jeden lat.

Na tę myśl poczułam gulę w gardle. Co prawda Floriano pokazywał mi datę jej narodzin i śmierci, ale jakoś to do mnie wtedy nie dotarło.

– Tyle przeszła, a tak młodo zmarła – odezwałam się zdławionym z emocji głosem.

– Tak, ale… wybacz mi, Panie, że to mówię. – Yara się przeżegnała. – Kilka dni później choroba zabrała także senhorę Luizę, co w całej tej sytuacji było prawdziwym błogosławieństwem. Pochowano je razem w rodzinnym grobowcu.

– Mój Boże, biedna Bel… Skazana na wieczny spoczynek u boku tej kobiety – wyszeptałam.

– Tymczasem jej córeczka wychowywała się bez matki w domu pełnym mężczyzn. Jej ojciec był po śmierci żony zrozpaczony, bo mimo wszystko nadal ją kochał. Niestety, szukał pocieszenia w butelce i z dnia na dzień coraz bardziej się staczał. Senhor Maurício wychowywał wnuczkę najlepiej, jak potrafił. Zawsze był dobrym człowiekiem, zwłaszcza po śmierci żony. Zatrudnił nauczyciela, który przychodził, aby udzielać lekcji senhorze Beatriz. Dziadek dał jej więcej niż ojciec.

– Mieszkałaś wtedy w Casa das Orquídeas? – spytałam.

– Tak. Gdy moja mama poinformowała senhorę Izabelę, że również jest w ciąży, poprosiła o przeniesienie na hacjendę, aby mogła być z moim ojcem, ale Izabela nie chciała się na to zgodzić. W zamian za to, mój ojciec, Bruno, przyjechał tutaj i pracował jako złota rączka i kierowca, ponieważ Jorge był już przed emeryturą. Więc jest to także i mój dom rodzinny, choć podejrzewam, że mam stąd dużo lepsze wspomnienia niż moja pani.

– Jestem zaskoczona, że Gustavo zgodził się, by Loen tu została. W końcu była jedyną osobą poza nim, która znała prawdę.

– Prawdopodobnie wiedział, że nie ma innego wyjścia. – Oczy Yary wyrażały zrozumienie. – Łączyła ich tajemnica, dzięki której, mimo relacji pan–służąca, każde z nich miało władzę nad drugim.

– Dorastała pani z Beatriz?

– Tak. Może zresztą właściwiej byłoby powiedzieć, że to ona wychowywała się z nami. Senhora Izabela kazała wybudować dla moich rodziców i dla mnie mały domek w głębi ogrodu. Senhora Beatriz więcej czasu spędzała u nas niż w dużym domu. A moja rodzina była jej bliższa niż własna. Była uroczą dziewczynką, dobrą i kochającą. Ale bardzo samotną – dodała ze smutkiem Yara. – Jej ojciec był zbyt pijany, żeby w ogóle ją dostrzegać. A może ją ignorował, bo zawsze przypominała mu o wątpliwościach, które miał w stosunku do jej zmarłej matki. Jego śmierć była zbawieniem dla siedemnastoletniej senhory Beatriz. Odziedziczyła dom i cały rodzinny majątek. Przed śmiercią senhor Gustavo nigdy nie pozwalał jej rozwijać swojego talentu artystycznego, ale później nic nie mogło jej powstrzymać – wyjaśniła.

– Rozumiem, dlaczego nigdy nie wspierał pasji swojej córki. To, że miała talent plastyczny, musiało być dla niego niezwykle bolesne. Tak naprawdę bardzo mu współczuję – przyznałam.

– Nie był złym człowiekiem, pani Maju, tylko po prostu słabym – przyznała Yara. – Gdy Beatriz skończyła osiemnaście lat, oznajmiła dziadkowi, że jedzie do Paryża, aby podjąć naukę w École Nationale Supérieure des Beaux-Arts, tak jak kiedyś jej matka. Mieszkała tam pięć lat i wróciła do Rio dopiero na pogrzeb dziadka, Maurícia. Podejrzewam, że w Paryżu miała wiele przygód – na twarzy starej kobiety pojawił się pełen tęsknoty uśmiech – a ja cieszyłam się jej szczęściem.

Osoba, którą opisywała, w niczym nie przypominała tej, którą poznałam pięć dni temu w ogrodzie. Zdałam sobie sprawę, że wyobrażałam ją sobie raczej jak Luizę. Być może po prostu nie chciała mnie poznać z powodu swojego podeszłego wieku.

– A co się stało z Antoniem? – spytałam.

– Tak jak zawsze przypuszczała moja mama, doszedł do siebie. – Yara się uśmiechnęła. – Zamieszkał w posiadłości Santa Tereza i z drobną pomocą finansową Gustava kupił farmę pomidorów. Wspominałam już, że Paty do Alferes w dużej mierze utrzymuje się z uprawy pomidorów. Ze swoją głową do interesów przed śmiercią stworzył pomidorowe imperium. Był w posiadaniu większości gospodarstw wokół hacjendy. Pamiętam, że senhora Beatriz uwielbiała tam jeździć, zupełnie jak wcześniej jej matka. Antonio bardzo kochał wnuczkę. Nauczył ją jeździć konno i pływać. Zapisał jej całe gospodarstwo, które po śmierci męża zapewniło jej stały dochód. Nie jest tego wiele, ale wystarcza na opłacenie rachunków.

– Kim był mąż Beatriz, mój dziadek? – spytałam.

– Evandro Carvalho. Był utalentowanym pianistą, dobrym człowiekiem i bardzo się kochali. Senhora Beatriz nie miała łatwego dzieciństwa, więc cieszyliśmy się, że w końcu jest szczęśliwa. A dom nareszcie zaczął tętnić życiem. Beatriz i Evandro często organizowali przyjęcia dla społeczności artystów Rio. Założyli także fundację wspierającą tutejsze fawele. Proszę mi wierzyć, że wiek i cierpienie bardzo ją teraz odmieniły, ale w młodości była piękną kobietą. Wszyscy szanowali ją i kochali.

– Wobec tego szkoda, że nie poznałam jej wcześniej.

– To prawda... – Yara westchnęła ciężko. – Śmierć jest nieunikniona i dotyka nas wszystkich.

– Ale... – zdobyłam się na pytanie, które od dziesięciu minut chodziło mi po głowie. – Beatriz i Evandro mieli dziecko, prawda?

Yara zaczęła nerwowo rozglądać się po pokoju.

– Tak.

– Jedno?

– Był jeszcze chłopiec, ale zmarł w wieku niemowlęcym, więc tak, jedno.

– Dziewczynkę?

– Tak.

– I miała na imię Cristina?

– Tak, senhorita. Pomagałam w jej wychowaniu.

Milczałam. Nie wiedziałam, co powiedzieć. W jednej chwili skończył się potok słów, który przez ostatnią godzinę wypływał z ust Yary. Patrzyłam na nią wyczekująco i pragnęłam, by mówiła dalej.

– Myślę, że dobrze zrobiłam, że opowiedziałam pani to wszystko, ale… – westchnęła – resztę powinien opowiedzieć pani ktoś inny.

– Kto? – spytałam błagalnie.

– Senhora Beatriz.

Pragnęłam wydobyć z niej coś więcej, ale zaczęła niecierpliwie spoglądać na tykający na ścianie zegar.

– Mam coś dla pani – powiedziała i sięgnęła do jednej ze swoich obszernych kieszeni, po czym wręczyła mi cztery koperty. Czułam, że chce mi zrekompensować to, że musi już zamilknąć. – To listy, które Laurent Brouilly wysyłał za pośrednictwem mojej mamy do senhory Izabeli, gdy mieszkały na hacjendzie przed śmiercią senhory Carli. Ukazują uczucie między nimi w sposób, jakiego nigdy nie potrafiłabym opisać.

– Dziękuję – odparłam, patrząc, jak wstaje. Z trudem powstrzymałam się od przytulenia się do niej, byłam jej bowiem bardzo wdzięczna, że w końcu poznałam swoje pochodzenie i tragiczną historię, która się za nim kryła.

– Muszę wracać do senhory Beatriz.

– Oczywiście. – Wstałam zesztywniała od siedzenia w bezruchu, aby dobrze usłyszeć każde słowo Yary.

– Odprowadzę panią do drzwi, senhorita.

– Możemy podwieźć panią do klasztoru – zaproponowałam, gdy szłyśmy korytarzem w kierunku drzwi wejściowych. – Na zewnątrz czeka na mnie samochód.

– Dziękuję, ale mam tu coś do zrobienia. – Widziała, że chcę jeszcze o coś spytać, więc patrzyła na mnie wyczekująco.

– Dziękuję za wszystko, co mi pani powiedziała. Czy mogę zadać ostatnie pytanie?

– To zależy od tego, co to jest. – W jej oczach dostrzegłam pragnienie, abym znalazła się już za progiem i sobie poszła.

– Czy moja matka żyje?

– Nie wiem, senhorita. – Westchnęła głęboko. – Naprawdę nie wiem.

Wiedziałam, że nasze spotkanie dobiegło końca i niczego już się nie dowiem.

– Do widzenia, Yaro. – Odwróciłam się i niechętnie zeszłam po schodach. – Proszę pozdrowić ode mnie senhorę Beatriz.

Nic nie odpowiedziała; odezwała się dopiero, gdy przechodziłam obok zniszczonej marmurowej fontanny.

– Porozmawiam z nią, senhorita. Do widzenia.

Kiedy przemierzyłam prowadzący do bramy podjazd, usłyszałam, jak zatrzaskuje i rygluje drzwi. Dotknęłam gorącego żelaza rdzewiejącej bramy, otworzyłam ją i wyszłam. Spojrzałam na zachmurzone niebo. Zanosiło się na burzę.

– Jak było? – Floriano siedział w cieniu na trawniku; obok niego leżała sterta niedopałków.

– Wiele się dowiedziałam – odparłam, a on wstał i otworzył drzwi samochodu.

– To dobrze. – Wsiedliśmy i uruchomił silnik.

W drodze do Ipanemy nie zadawał więcej pytań. Być może wyczuwał, że potrzebuję czasu, aby wrócić myślami z przeszłości. Ja też milczałam, rozmyślając o tym, co usłyszałam.

– Jesteś pewnie wykończona i potrzebujesz pobyć sama – powiedział, kiedy zajechaliśmy pod hotel. – Wiesz, gdzie mnie szukać, jeśli byś zgłodniała i potrzebowała towarzystwa. Obiecuję, że dzisiaj to ja będę szefem kuchni, a nie moja córka. – Puścił do mnie oko.

– Dziękuję – rzuciłam i wysiadłam z samochodu. – Za wszystko – dodałam.

Pokiwał głową i wjechał na jezdnię. Miałam wrażenie, jakby moje nogi przypominały mocno zakorzenione pnie drzewa, które muszę wyrywać za każdym razem, kiedy chcę zrobić krok. Wolno przeszłam przez hol, wjechałam windą na górę i jak pijana skierowałam się do mojego apartamentu. Resztkę energii spożytkowałam na otworzenie drzwi. Weszłam do pokoju, padłam na łóżko i od razu zasnęłam.

*

Obudziłam się dwie godziny później z okropnym bólem głowy. Czułam się, jakbym miała gigantycznego kaca, więc zażyłam ibuprofen i popiłam go dużą ilością wody. Leżałam na łóżku, nasłuchiwałam zbliżającej się burzy, która złowrogo dudniła na szaroblękitnym niebie, i obserwowałam nadciągające chmury. Byłam zbyt zmęczona, żeby się ruszyć, więc znowu zapadłam w sen. Obudziłam się godzinę później i zobaczyłam, że burza rozhulała się na dobre. Nieregularne błyskawice rozświetlały ciemne niebo nad wzburzonymi falami, a grzmoty dudniły mi w uszach. Jeszcze nigdy nie przeżyłam tak głośnej burzy.

Gdy pierwsze krople deszczu zaczęły stukać w parapet, spojrzałam na zegarek. Była prawie dziewiętnasta. Przysunęłam krzesło i usiadłam przy oknie. W osłupieniu obserwowałam rozszalały żywioł. Deszcz zacinał z taką siłą, że krople odbijały się od każdej pionowej powierzchni prawie pod kątem prostym. Drogi i chodniki zamieniły się w rwące potoki. Otworzyłam okno i wychyliłam się na zewnątrz. Chłodne, czyste krople deszczu spadały mi na głowę i moczyły ramiona.

Nieoczekiwanie roześmiałam się na głos, zachwycona tą wspaniałą, przepotężną siłą natury. Czułam się, jakbym była częścią jakiegoś wodnego wiru, który w naturalny sposób łączy niebo z ziemią. Nie byłam w stanie pojąć cudu, który go stworzył. Mogłam jedynie chłonąć go ze świadomością, że do niego przynależę.

Poczułam się, jakbym za chwilę miała utonąć, więc cofnęłam się do środka i zamknęłam okno. Ociekająca wodą, pobiegłam do łazienki, żeby wziąć prysznic. Ból głowy był już tylko wspomnieniem, a ja czułam się tak świeżo jak burzowe powietrze wokół mnie. Położyłam się na łóżku i spojrzałam na listy, które dostałam od Yary. Próbowałam ułożyć sobie w głowie wszystko, co mi powiedziała. Moje myśli uciekały jednak w kierunku Floriana. Wykazał się taką cierpliwością, czekając na mnie całe popołudnie. A później niezwykłą wrażliwością. Naprawdę pragnęłam podzielić się z nim zawartością tych listów. Wzięłam telefon i wybrałam jego numer.

– *Olá*, Floriano, tu Maja – rzuciłam, gdy odebrał telefon.

– Jak się masz, Maju?

– Obserwuję burzę. Czegoś takiego jeszcze nie widziałam.

– Burza z pewnością należy do rzeczy, które nam, *cariocas*, wychodzą nadzwyczaj dobrze – przyznał. – Nie miałabyś ochoty wpaść na kolację? Niestety, nie mam nic szczególnego, ale jesteś mile widziana.

– Bardzo chętnie przyjadę, jak tylko przestanie padać.

– Sądząc po niebie, myślę, że potrwa to jeszcze jakieś dziewięć minut. Więc widzimy się za dwadzieścia minut, tak?

– Dobrze. Dziękuję, Floriano.

– Naciesz się kałużami. – W jego głosie słychać było rozbawienie. – *Tchau*.

Dokładnie dziewięć minut później zdecydowałam się zjechać na parter i wyjść na dwór. Moje stopy w japonkach aż po kostki zanurzyły się w potoku, który nadal płynął chodnikami wprost do przepełnionych studzienek ściekowych. Powietrze było cudownie świeże, a po drodze spotykałam coraz więcej ludzi, którzy zdecydowali się wyjść na ulice.

– Zapraszam na górę – powiedział Floriano, gdy zadzwoniłam domofonem.

Przywitał mnie z palcem na ustach.

– Valentina właśnie poszła spać. Jeśli usłyszy, że jesteś, natychmiast wstanie – wyszeptał.

Pokiwałam głową i poszłam za nim na niebywale teraz przytulny, zadaszony, suchy taras.

– Nalej sobie wina, a ja zejdę na dół i zajmę się kolacją.

Nalałam do kieliszka trochę czerwonego wina i zrobiło mi się głupio, że przyszłam z pustymi rękami. Obiecałam sobie, że następnym razem zaproszę Floriana na kolację, by odwdzięczyć mu się za gościnność. Zmrok już zapadł na dobre, więc na stole stały zapalone świeczki, a z zawieszonych przy dachu głośników dochodził nastrojowy jazz. Było niezwykle spokojnie, co zaskoczyło mnie o tyle, że znajdowałam się w centrum tętniącego życiem miasta.

– Enchilada z różnymi dodatkami – oznajmił, gdy pojawił się z tacą. – Kilka lat temu byłem w Meksyku i zakochałem się w ich kuchni.

Wstałam i pomogłam mu ustawić na stole gorącą enchiladę, miseczki z guacamole, śmietanę i salsę. Zastanawiałam się, czy takie kolacje jada na co dzień.

– Proszę, częstuj się – zachęcił mnie i usiadł.

Jadłam z apetytem. Byłam pod dużym wrażeniem jego kulinarnych umiejętności. Myślę, że z taką swobodą nie potrafiłabym podać nawet najprostszego dania. Prawdę mówiąc, odkąd trzynaście lat temu przeprowadziłam się do pawilonu, nie urządziłam ani jednego przyjęcia.

– A więc – zaczął Floriano, gdy skończyliśmy jeść i zapalił papierosa – dowiedziałaś się dzisiaj wszystkiego, co chciałaś?

– Wiele się dowiedziałam, ale nie tego, po co przyjechałam do Brazylii.

– Podejrzewam, że masz na myśli swoją matkę?

– Tak. Yara uznała, że o niej powinien opowiedzieć mi ktoś inny.

– No tak. Zwłaszcza jeśli twoja matka żyje.

– Gdy spytałam o to Yarę, powiedziała, że nie wie. I chyba jej wierzę.

– W takim razie… – Floriano przyglądał mi się z uwagą. – Jaki masz teraz plan?

– Sama nie wiem. Z tego, co pamiętam, mówiłeś, że w rejestrach nie znalazłeś aktu zgonu Cristiny.

– Tak, ale wiemy, że wyjechała z Brazylii za granicę. Maju, czy

461

dasz radę opowiedzieć mi, co dzisiaj usłyszałaś od Yary? – spytał. – Przyznam, że po tym, co już wiem, zżera mnie ciekawość, jaki jest dalszy ciąg.

– Pod warunkiem że nie wykorzystasz tej historii w jednej ze swoich powieści – powiedziałam pół żartem, pół serio.

– Moje powieści to fikcja. A to jest rzeczywistość, więc masz moje słowo.

Przez następne pół godziny powtarzałam mu wszystko, co zapamiętałam z opowieści Yary. Następnie sięgnęłam do torebki i wyciągnęłam cztery koperty, które dostałam od niej tuż przed wyjściem.

– Jeszcze ich nie otworzyłam. Prawdopodobnie denerwuję się zupełnie jak Gustavo, gdy otwierał list, który zabrał Loen – przyznałam i wręczyłam je Florianowi. – Yara powiedziała, że są to listy, które Laurent napisał do Izabeli, kiedy ona opiekowała się matką na hacjendzie. Chciałabym, żebyś najpierw ty przeczytał któryś z nich.

– Będę zaszczycony.... – Aż zaświeciły mu się oczy. Zrozumiałam, że dzięki temu listowi będzie miał twarde dowody na uzupełnienie historycznej układanki.

Wyjął pożółkłą kartkę z pierwszej koperty i zaczął czytać. W końcu spojrzał na mnie. Był wyraźnie poruszony.

– Hm… monsieur Laurent Brouilly niewątpliwie był wybitnym rzeźbiarzem, ale po przeczytaniu tego listu mogę stwierdzić, że świetnie radził sobie także ze słowami. – Przechylił głowę. – Dlaczego wszystko, co jest napisane po francusku, brzmi tak poetycko? Proszę. – Podał mi list. – Przeczytaj to, a ja korzystając ze swoich wątpliwych umiejętności językowych, które wyniosłem ze szkoły, spróbuję uporać się z kolejnym z nich.

Zagłębił się w lekturze.

– *Meu Deus*, te listy są w stanie doprowadzić do łez nawet takiego starego cynika jak ja – odezwał się parę minut później, zupełnie jakby czytał w moich myślach.

– To prawda. Mimo że Yara mówiła mi o miłości, która łączyła Bel i Laurenta, to te listy sprawiają, że oboje stają się dla nas ludźmi z krwi i kości – wyszeptałam. – Historia życia Izabeli zakończyła się wprawdzie tragicznie, ale muszę przyznać, że w pewnym sensie jej zazdroszczę. – Nalałam sobie kolejny kieliszek wina.

– Byłaś kiedyś zakochana? – spytał Floriano, jak zwykle bezceremonialnie.

– Tak, raz. Chyba już ci o tym wspominałam – odpowiedziałam szybko. – I mówiłam, że nic z tego nie wyszło.

– A… racja. Wspominałaś też, że to jedno doświadczenie wystraszyło cię na dobre.

– To bardziej skomplikowane – odparłam w akcie obrony.

– Tego typu sytuacje zazwyczaj są skomplikowane. Popatrz na historię Bel i Laurenta. Gdy czytasz te listy, możesz mieć wrażenie, że byli po prostu młodzi i bardzo zakochani.

– Tak zaczęła się również moja historia miłosna, ale skończyła się całkiem inaczej. – Wzruszyłam ramionami, a Floriano sięgnął po kolejnego papierosa. – Mogę się poczęstować?

– Oczywiście – rzucił i podsunął mi paczkę.

Zapaliłam, zaciągnęłam się i spojrzałam na niego.

– Nie paliłam od studiów.

– Chciałbym móc powiedzieć to samo. Valentina ciągle nalega, żebym rzucił. I może pewnego dnia tak zrobię… – Mocno się zaciągnął. – A wracając do miłości, która złamała ci serce… Opowiesz mi o tym?

Przez czternaście lat unikałam sytuacji, w których musiałabym mówić coś na ten temat. A tymczasem siedzę na tarasie w Rio z mężczyzną, którego ledwie znam, i jestem gotowa wyjawić swoją tajemnicę.

– Naprawdę, Maju, nie musisz – powiedział Floriano, widząc strach w moich oczach.

Ja jednak instynktownie wiedziałam, że właśnie po to dzisiaj do niego przyszłam. Historia mojej rodziny, którą poznawałam przez ostatnie kilka dni, połączona ze śmiercią Pa Salta, złagodziła ból i poczucie winy spowodowane tym, co kiedyś zrobiłam. A życiowa historia Floriana była niejako odzwierciedleniem mojego smutnego, samotnego życia.

– Powiem ci – wypaliłam i już nie było odwrotu. – Poznałam kogoś na studiach. Był kilka lat starszy i spotkaliśmy się, kiedy ja byłam pod koniec drugiego roku, a on kończył studia. Zakochałam się, byłam bardzo nieostrożna i głupia. Gdy pojechałam do domu na wakacje, odkryłam, że jestem w ciąży, ale było za późno, żeby coś z tym zrobić. Więc… – Westchnęłam. Wiedziałam, że muszę mu to szybko opowiedzieć, zanim się rozkleję. – Marina, o której ci już opowiadałam, ta, która wychowała mnie i moje pięć sióstr, pomogła mi zorganizować wyjazd, żebym mogła urodzić. A później – zamilkłam, by zebrać się na odwagę i wypowiedzieć najtrudniejsze słowa – kiedy dziecko przyszło na świat, oddałam je do adopcji.

Wzięłam ogromny łyk wina i przycisnęłam pięści do oczu, żeby zatamować potok łez.

– Maju, w porządku, możesz płakać – odezwał się łagodnie. – Ja wszystko rozumiem.

– Po prostu nigdy nikomu o tym nie mówiłam – przyznałam. Czułam, jak serce wali mi w klatce piersiowej. – I jest mi wstyd… tak bardzo wstyd…

Łzy zaczęły płynąć mi z oczu, mimo że bardzo starałam się je powstrzymać. Floriano usiadł obok mnie na kanapie, przytulił i pogłaskał po głowie. Bełkotałam nieskładnie o tym, że powinnam być silniejsza i zatrzymać dziecko niezależnie od konsekwencji. Codziennie wracałam myślami do dnia, kiedy je urodziłam, a po kilku minutach mi je odebrano.

– Nie pozwolili mi nawet zobaczyć jego twarzy – ciągnęłam, łkając. – Powiedzieli, że tak będzie lepiej.

Floriano ani nie okazywał współczucia, ani mnie nie pocieszał. Ostatni strzęp rozpaczy uleciał ze mnie jak podmuch powietrza z pękniętego balona i moje ciało opadło z wyczerpania. Leżałam cicho na jego piersi i zastanawiałam się, co mnie podkusiło, żeby wyjawić mu swój straszny sekret.

Nadal nic nie mówił. W końcu spytałam:

– Jesteś w szoku?

– Nie, oczywiście, że nie. Dlaczego miałbym być w szoku?

– A dlaczego nie?

– Ponieważ – westchnął – zrobiłaś to, co wtedy wydawało ci się najwłaściwszym rozwiązaniem. Nie popełniłaś żadnej zbrodni.

– Być może mordercy także uważają, że to, co robią, jest właściwe – odparłam posępnie.

– Maju, byłaś bardzo młoda i przerażona. Domyślam się, że nie było ojca, który wziąłby za was odpowiedzialność i z tobą się ożenił? A przynajmniej okazał wsparcie?

– Oczywiście, że nie... – Ciarki przeszły mi po plecach na wspomnienie ostatniej rozmowy z Zedem pod koniec letniego semestru. – Traktował to jak przygodę. Kończył właśnie studia i był u progu dorosłego życia. Dla niego związek na odległość nie miał żadnego sensu. Powiedział, że było fajnie, ale lepiej będzie, jak to zakończymy i zostaniemy przyjaciółmi. – Zaśmiałam się ponuro.

– I nie powiedziałaś mu, że jesteś w ciąży?

– Nie byłam tego pewna do czasu powrotu do domu. Marina tylko na mnie spojrzała i zawlokła mnie do lekarza. Ciąża była już na tyle zaawansowana, że nie miałam wyjścia. Musiałam urodzić. Byłam tak naiwna, tak głupia i tak zakochana, że byłam skłonna zrobić wszystko, co mi powie.

– Rozumiem, że nie chciałaś burzyć jego przyjemności antykoncepcją.

– Właśnie... – Skryłam się w jego koszuli, żeby nie widział, jak się czerwienię. – Ale powinnam... mogłam bardziej o siebie zadbać. W gruncie rzeczy nie byłam już dzieckiem, ale nie sądziłam, że może mnie to spotkać.

– Wiele niedoświadczonych kobiet tak uważa. Zwłaszcza gdy po raz pierwszy w życiu są zakochane. Rozmawiałaś o tym z ojcem? – spytał. – Z twoich opowieści wynika, że byliście bardzo zżyci.

– To prawda, ale nie w ten sposób. Nie da się tego wyjaśnić, ale byłam jego dziewczynką, jego pierwszą córką. Miał wobec mnie duże oczekiwania. Świetnie sobie radziłam na Sorbonie i wszyscy oczekiwali, że ukończę ją z wyróżnieniem. Szczerze mówiąc, wolałabym wtedy umrzeć, niż przyznać się, jaka byłam głupia.

– A co z Mariną? Nie próbowała cię przekonać, że powinnaś powiedzieć ojcu?

– Próbowała, ale byłam stanowcza. To by mu złamało serce.

– W związku z tym złamałaś swoje – odparł Floriano.

– W tej sytuacji było to najlepsze wyjście.

– Rozumiem.

Przez chwilę siedzieliśmy w milczeniu, a ja gapiłam się na migoczącą w ciemności świeczkę. Na nowo przeżywałam decyzję, którą kiedyś podjęłam.

– I nie przyszło ci do głowy, że skoro twój ojciec sam adoptował sześć córek – podjął temat Floriano – to prawdopodobnie najlepiej by zrozumiał twoją trudną sytuację?

– Wtedy nie... – Moje ramiona opadły w poczuciu beznadziei. – Ale od jego śmierci myślę o tym przez cały czas. Mimo że do końca nie wiem, kim był, idealizowałam go i pragnęłam jego aprobaty.

– Bardziej niż jego pomocy – rzucił Floriano.

– Nie wierzyłam wystarczająco mocno w niego i jego miłość. Jestem pewna, że gdybym mu powiedziała, wspierałby mnie i... – Mój głos zmienił się w szept, a w oczach znowu pojawiły się łzy. – Patrzę na ciebie i na Valentinę... i widzę, jak mogłoby wyglądać moje życie, gdybym była silniejsza. Cały czas myślę o tym, że jak na razie wszystko zrujnowałam.

– Wszyscy robimy rzeczy, których potem żałujemy, Maju – smętnie odparł Floriano. – Każdego dnia żałuję, że nie byłem bardziej stanowczy wobec lekarzy, którzy kazali mi zabrać żonę ze szpitala do domu, choć wiedziałem, że jest bardzo chora. Gdybym się uparł, być może moja córka nadal miałaby matkę, a ja żonę. Ale dokąd doprowadza nas oskarżanie samych siebie? – Westchnął. – Donikąd.

– Nie ma większej zbrodni niż porzucenie własnego dziecka z samolubnych pobudek, a nie w obliczu biedy lub wojny – powiedziałam.

– Każdy uważa, że jego własny błąd jest najgorszy, dlatego że sam go popełnił. Maju, wszyscy żyjemy z poczuciem winy. Zwłaszcza gdy tłumimy je w sobie tak długo jak ty. Jest mi jedynie bardzo przykro, nie oceniam cię. Naprawdę uważam, że każdy, kto poznałby twoją historię, poczułby to samo. Tylko ty siebie winisz. Nie widzisz tego?

– Masz rację, ale co mogę zrobić?

– Przebacz sobie. To prostsze, niż ci się wydaje. Jeśli tego nie zrobisz, nie będziesz mogła iść naprzód. Uwierz mi, przechodziłem przez to samo.

– Codziennie myślę o swoim synu: gdzie jest, czy jest szczęśliwy i czy ludzie, którzy zostali jego rodzicami, go kochają. Czasami we śnie słyszę, jak woła mnie o pomoc, ale nie mogę go znaleźć...

– Rozumiem, ale pamiętaj, że ty także zostałaś adoptowana, *querida*. Cierpiałaś z tego powodu? – spytał Floriano.

– Nie, bo nie znałam innego życia.

– No właśnie! Sama odpowiedziałaś na swoje pytanie. Kiedyś mówiłaś mi, że nie jest ważne, kto wychowuje dziecko, jeśli jest kochane. To samo dotyczy twojego syna, gdziekolwiek jest. Mogę się założyć, że jedyną osobą cierpiącą z powodu tej sytuacji jesteś ty. Napiłbym się brandy. – Uwolnił się z mojego objęcia, podszedł do wąskiej półki i wziął butelkę. – Masz ochotę? – spytał i nalał sobie odrobinę do szklanki.

– Nie, dziękuję. – Patrzyłam, jak chodzi po tarasie, zatrzymuje się, zapala papierosa i patrzy w ciemność. W końcu poczułam się bezbronna i niepewna, więc dołączyłam do niego.

– Zdajesz sobie pewnie sprawę z tego, że to, co odkryłaś o swojej rodzinie, sprawiło, że zaczęłaś więcej myśleć o synu? – zapytał.

– Tak – przyznałam. – W końcu Pa Salt tak wszystko urządził, by jego córki miały możliwość poznać prawdę o swoim pochodzeniu, gdyby tylko zechciały. Zgodzisz się chyba, że mój syn też ma do tego prawo?

– A przynajmniej prawo wyboru, jeśliby sobie tego życzył – sprostował Floriano. – Sama mówiłaś, że wahałaś się, czy powinnaś grzebać w swojej przeszłości. A poza tym od początku wiedziałaś, że byłaś adoptowana. Być może twój syn o tym nie wie.

– Chciałabym móc go chociaż raz zobaczyć. Sprawdzić, czy jest bezpieczny i szczęśliwy.

– To normalne, że masz takie marzenia. Ale uważam, że na pierwszym miejscu powinnaś postawić jego dobro – powiedział łagodnie. – Jest już po pierwszej, a rano obudzi mnie ta mała senhorita na dole.

– Jasne! – Odwróciłam się szybko, przeszłam przez taras i chwyciłam torebkę, która leżała pod stołem. – Pójdę już.

– Tak naprawdę, Maju, chciałem zaproponować, żebyś została. Myślę, że nie powinnaś dzisiaj być sama.

– Nic mi nie będzie. – Jego propozycja wywołała u mnie panikę, więc ruszyłam w kierunku drzwi.

– Poczekaj. – Dogonił mnie i roześmiał się. – Nie chodziło mi o to, żebyś została ze mną. Mogłabyś spać w pokoju Petry. Wyjechała na tydzień do Salvadoru, żeby zobaczyć się z rodziną. Zostań, proszę. W przeciwnym razie będę się o ciebie martwił.

– W porządku – zgodziłam się. Byłam zbyt zmęczona, żeby dyskutować. – Dziękuję.

Floriano zgasił świeczki i wyłączył komputer. Zeszliśmy na dół i wskazał mi pokój Petry.

– Na pewno ucieszy cię, że po jej wyjeździe zmieniłem pościel i odkurzyłem. Dla odmiany ten pokój jest całkiem reprezentacyjny. Łazienka jest na końcu po prawej stronie. Panie przodem. Dobranoc, Maju. – Podszedł do mnie i delikatnie pocałował w czoło. – Śpij dobrze.

Pomachał mi i zniknął na górze, a ja poszłam do łazienki. Kilka minut później weszłam do pokoju Petry i zobaczyłam ustawione na surowych półkach nad biurkiem podręczniki do biologii, stosy porozrzucanych na toaletce kosmetyków i niedbale rzucone na krzesło dżinsy. Ubrana jedynie w T-shirt położyłam się na wąskim łóżku i przypomniałam sobie czasy, kiedy byłam beztroską studentką, przed którą życie stało otworem. Było niczym nieskazitelne płótno, które czekało, żeby je zamalować. A potem dowiedziałam się, że jestem w ciąży.

I z tą właśnie myślą zasnęłam.

47

Zbudził mnie dźwięk otwieranych drzwi i poczułam, że w pokoju znajduje się ktoś oprócz mnie. Otworzyłam oczy. Przy łóżku stała Valentina i wpatrywała się we mnie z uwagą.

– Jest już dziesiąta. Zrobiliśmy z *papai* babkę na śniadanie. Wstaniesz i pomożesz nam ją zjeść?

– Oczywiście – odpowiedziałam, chociaż nadal dochodziłam do siebie. Musiałam bardzo mocno spać.

Valentina z satysfakcją kiwnęła głową i wyszła z pokoju, a ja wstałam z łóżka i ubrałam się pośpiesznie. Idąc wąskim korytarzem, poczułam smakowity zapach pieczonego ciasta, który przywodził mi na myśl kuchnię Claudii w Atlantis. Podążałam za szczebiotem Valentiny, który doprowadził mnie na taras. Ojciec z córką siedzieli sobie wygodnie i z apetytem pałaszowali ciasto stojące na środku stołu.

– Dzień dobry, Maju. Jak spałaś? – spytał Floriano i wytarł okruszki z ust, odsuwając dla mnie rozklekotane drewniane krzesło.

– Świetnie, dziękuję. – Uśmiechnęłam się.

Ukroił mi kawałek babki i posmarował go masłem.

– Kawy? – spytał.

– Tak, poproszę – odpowiedziałam i ugryzłam jeszcze ciepłe ciasto. – Codziennie jadasz takie śniadania, Valentino? Biją na głowę nudne płatki i tosty, które ja jadam w domu.

– Nie. – Westchnęła z żalem. – Tylko dzisiaj. Tata chciał się chyba przed tobą popisać. – Nonszalancko wzruszyła ramionami.

Floriano bezradnie uniósł brwi, ale nawet odrobinę się nie zaczerwienił.

– Mówiliśmy z Valentiną, że powinnaś się odrobinę rozerwać.

– Tak, Maju – przerwała mu córka. – Gdyby mój tata poszedł do nieba, na pewno byłabym bardzo smutna i chciałabym, żeby ktoś mnie rozweselił.

– Ułożyliśmy zatem pewien plan – odparł Floriano.

– Nie, *papai*, ty ułożyłeś! – Dziewczynka uniosła brwi. – Ja chciałam, żebyś poszła z nami do wesołego miasteczka, a potem do kina na film Disneya, ale tata się nie zgodził, więc będziesz robiła same nudne rzeczy. – Rozłożyła bezradnie swoje drobne ręce i westchnęła. – To nie moja wina.

– Hm... może moglibyśmy połączyć wasze plany – podjęłam negocjacje. – Tak się składa, że uwielbiam filmy Disneya.

– Ja i tak z wami nie pójdę, ponieważ *papai* jutro wyjeżdża służbowo do Paryża i ma jeszcze parę spraw do załatwienia. A ja zostaję z *avô* i *vovó*.

– Jedziesz do Paryża? – spytałam zaskoczona. Ta wiadomość wywołała u mnie nagły i irracjonalny strach.

– Tak. Pamiętasz maila, którego wysłałem ci parę tygodni temu? Nie zapominaj, że ty także jesteś zaproszona. – Uśmiechnął się.

– A tak, oczywiście – przypomniałam sobie jego wiadomość.

– Ja nie jestem – powiedziała nadąsana Valentina. – *Papai* uważa, że przeszkadzałabym wam.

– Nie, *querida*, uważam, że strasznie byś się wynudziła. Przypomnij sobie, jak bardzo nie lubisz chodzić ze mną na spotkania autorskie. Jak tylko docieramy na miejsce, ciągniesz mnie za rękę i pytasz, kiedy wrócimy do domu.

– Ale te spotkania odbywają się tutaj, a nie w Paryżu. Bardzo bym chciała tam pojechać – odparła dziewczynka ze smutkiem w głosie.

– I obiecuję – Floriano się nachylił i pocałował ją w ciemne, błyszczące włosy – że pewnego dnia cię ze sobą zabiorę. A teraz koniec o tym. Dziadkowie będą tu lada chwila. Spakowałaś swoją walizkę?

– Tak, tatusiu – odpowiedziała posłusznie.

– Maju, mogłabyś pójść i sprawdzić, czy ma szczoteczkę do zębów i wystarczająco dużo ubrań na dwa tygodnie? A ja tymczasem sprzątnę po śniadaniu. Jeśli chodzi o pakowanie, Valentina jest trochę niestaranna.

– Oczywiście – zgodziłam się i poszłam za małą na dół do jej maleńkiego pokoju.

Wszystko było tam różowe: ściany, narzuta na łóżko, a nawet niektóre misie siedzące w rządku u szczytu łóżka. Gestem zaprosiła mnie, żebym usiadła, a sama przeciągnęła walizkę w stronę łóżka, bym sprawdziła jej zawartość. Uśmiechnęłam się na myśl o stereotypie związanym z dominującym tu kolorem, a jednocześnie zrobiło mi się miło. Ewidentnie róż stanowi część natury małych dziewczynek. Ja także otaczałam się w tym wieku różem.

– Naprawdę spakowałam wszystko, co mi będzie potrzebne. – Skrzyżowała ramiona na piersi, a ja otworzyłam pokrywę. Zobaczyłam upchnięte w środku lalki Barbie, płyty DVD, kolorowanki i mazaki. Znalazłam także jeden T-shirt, dżinsy i tenisówki.

– Może przydałaby ci się jakaś bielizna? – podjęłam wyzwanie.

– A tak! – zgodziła się ze mną i podeszła do komody. – Zapomniałam.

– I może ta piżama? – zaproponowałam i podniosłam tę, którą najpewniej rzuciła na podłogę, gdy rano się ubierała. – No i trochę więcej ubrań?

Dziesięć minut później zadzwonił domofon i usłyszałam kroki Floriana na schodach.

– Dziadkowie już tu są! – zawołał z korytarza. – Valentino, mam nadzieję, że jesteś gotowa!

– Nie chcę z nimi jechać. – Podniosła wzrok znad kolorowanki, którą mi właśnie pokazywała.

Instynktownie otoczyłam ją ramieniem.

– Jestem przekonana, że będziesz się świetnie bawiła. Mogę się założyć, że dziadkowie bardzo cię rozpieszczają.

– To prawda, ale będę tęskniła za tatą.

– Rozumiem. Ja też nie znosiłam, gdy mój tata wyjeżdżał. A zdarzało się to bardzo często.

– Ale miałaś do towarzystwa tyle sióstr. A ja nie mam nikogo. – Westchnęła zrezygnowana, wstała i zamknęła walizkę.

Zdjęłam walizkę z łóżka, wyjęłam rączkę i pociągnęłam ją w kierunku drzwi.

– Proszę. Myślę, że jesteś gotowa.

– Będziesz tu, kiedy wrócę? – spytała płaczliwym tonem. – Jesteś fajniejsza niż Petra. Ona przez cały czas rozmawia przez telefon ze swoim chłopakiem.

– Naprawdę mam taką nadzieję, *querida*. A teraz – dałam jej całusa – w drogę i baw się dobrze.

– Spróbuję. – Wzięła walizkę i otworzyła drzwi. – Wiesz co? *Papai* cię lubi.

– Naprawdę? – Uśmiechnęłam się.

– Tak, sam mi to powiedział. Do widzenia, Maju.

Patrzyłam, jak wychodzi z pokoju, i pomyślałam, że jej życie przywodzi mi na myśl współczesnych uchodźców. Usiadłam na łóżku, ponieważ nie chciałam przeszkadzać w pożegnaniu ojca i córki ani stawiać Floriana w kłopotliwej sytuacji przed rodzicami jego zmarłej żony. Ponownie pomyślałam o tym, że musiało być im niezwykle ciężko. Podziwiałam go, że tak umiejętnie łączy wychowanie córki z pracą. A poza tym Valentina sprawiła mi niemałą przyjemność, gdy zdradziła, że jej ojciec mnie lubi. I musiałam przyznać sama przed sobą, że ja także darzę go sympatią.

Kilka minut później Floriano zapukał do drzwi i wsunął głowę do pokoju.

– W porządku, już możesz wyjść. Myślałem, że odprowadzisz Valentinę i poznasz Giovane i Lívię, ale się nie zjawiłaś. Tak czy inaczej – wziął mnie za rękę i podniósł z łóżka – czas, żebyś się trochę rozerwała. Wspominałem o tym przy śniadaniu, pamiętasz?

– Oczywiście!

– Świetnie. W takim razie opowiesz mi po drodze, kiedy ostatnio dobrze się bawiłaś.

– Floriano, bardzo cię proszę, przestań tak mną rządzić! – powiedziałam i wyszłam za nim z pokoju.

Zatrzymał się w korytarzu tak gwałtownie, że prawie na niego wpadłam.

– Maju, rozchmurz się, proszę. Przecież tylko się z tobą droczę. Nawet ja, ze swoją skłonnością do skupiania się na własnych kłopotach, nie biorę swoich słów na serio. Zbyt długo byłaś sama. Ja mam przynajmniej córkę, która czasami mnie krytykuje i ustawia do pionu. Mogłabyś przynajmniej dzisiaj zapomnieć o swoim smutku i spróbować żyć?

Spuściłam głowę. Byłam zakłopotana i zawstydzona. Zdałam sobie sprawę, że minęło sporo czasu, od kiedy pozwoliłam komuś zbliżyć się do mnie na tyle, aby mógł dostrzec moje wady.

– Chcę ci pokazać moje Rio. I uwierz mi, potrzebuję oddechu tak samo jak ty – dodał i otworzył przede mną drzwi.

– W porządku – zgodziłam się w końcu.

– Świetnie.

Zeszliśmy na dół i gdy znaleźliśmy się na ulicy, zaproponował, żebym wzięła go pod rękę.

– Idziemy?

– Tak.

Wyprowadził mnie z budynku, a następnie ulicami Ipanemy doszliśmy aż do lokalu, do którego mieszkańcy Rio przychodzili na drinka, najczęściej na piwo.

Przywitał się ze znajomym barmanem i zamówił dla nas caipirinhę. Spojrzałam na niego ze zdziwieniem.

– Jeszcze nie ma południa! – zauważyłam, kiedy podał mi drinka.

– Wiem. Jesteśmy dziś niewiarygodnie nierozważni i zdeprawowani – powiedział całkiem poważnie i wzniósł toast. – A teraz, do dna!

Kwaśny, a jednocześnie okropnie słodki alkohol spłynął po moim gardle aż do żołądka. Dziękowałam Bogu, że wcześniej zjadłam ciasto, które go wchłonie niczym gąbka. Floriano zapłacił i pociągnął mnie ze stołka barowego.

– Ruszamy dalej.

Zatrzymał taksówkę i wsiedliśmy do niej.

– Dokąd jedziemy? – spytałam.

– Zabieram cię do mojego znajomego – odpowiedział tajemniczo. – W miejsce, które koniecznie powinnaś zobaczyć, zanim wyjedziesz z Rio.

Taksówka wywiozła nas z miasta, a dwadzieścia minut później dotarliśmy do miejsca, które okazało się wejściem do faweli.

– Nie martw się – uspokoił mnie, płacąc taksówkarzowi. – Nikt cię tu nie zastrzeli, a żaden diler nie zaproponuje ci nawet grama kokainy.

Otoczył mnie ramieniem i zaczęliśmy się wspinać po stromych schodach.

– Zapewniam cię, że mój znajomy Ramon jest równie kulturalny jak my.

Na górze dało się słyszeć cichy dźwięk bębnów. Weszliśmy do faweli. Uliczka była tak wąska, że gdybym rozłożyła ramiona, dotknęłabym ścian domków z cegieł po obu jej stronach. Panował tam mrok. Spojrzałam w górę i zobaczyłam, że nadbudówki na domach utrudniają dostęp promieniom słońca.

Floriano podążył za moim wzrokiem i pokiwał głową.

– Mieszkańcy najniższych pięter sprzedają powierzchnię nad swoimi domami ludziom, którzy budują sobie nad nimi mieszkania – wyjaśnił, gdy szliśmy cały czas w górę krętymi ulicami.

Wcześniej byłam bardzo dumna z tego, że tak dobrze znoszę upał, ale teraz okropnie się pociłam. W faweli panował klaustrofobiczny, duszny klimat, który przyprawił mnie o zawroty głowy. Floriano szybko to dostrzegł, więc na końcu jednej z uliczek weszliśmy do ciemnego pomieszczenia. Gdy znalazłam się w środku, zobaczyłam, że jest to coś w rodzaju sklepu. W betonowym wnętrzu było kilka półek, na których wystawiono towary w puszkach, a w rogu stała lodówka. Zapłaciliśmy za wodę, wypiłam ją duszkiem i poszliśmy dalej. Wreszcie zatrzymaliśmy się przed drzwiami pomalowanymi na jaskrawy niebieski kolor. Floriano zapukał i po chwili otworzył mu ciemnoskóry mężczyzna. Padli sobie radośnie w objęcia i przyjaźnie klepali po plecach. Kiedy weszliśmy do środka, z zaskoczeniem stwierdziłam, że w rogu wąskiego pokoju stoi migający komputer oraz wielki telewizor. W pomieszczeniu znajdowało się niewiele mebli, ale było nieskazitelnie czysto.

– Maju, to jest Ramon. Od urodzenia mieszka w faweli, ale obecnie pracuje dla rządu jako... – Floriano spojrzał na przyjaciela w poszukiwaniu inspiracji – mediator...

Mężczyzna zaśmiał się gromko, pokazując śnieżnobiałe zęby.

– Przyjacielu – zabrzmiał głęboki, mocny głos – nic dziwnego, że jesteś pisarzem. Senhorito – wyciągnął do mnie dłoń – bardzo mi miło panią poznać.

Przez następne dwie godziny spacerowaliśmy po faweli. Potem usiedliśmy w rozpadającej się knajpce należącej do pewnego przedsiębiorczego tubylca, gdzie zjedliśmy i wypiliśmy piwo, a ja wiele dowiedziałam się o tutejszym życiu.

– Na ulicach faweli w Rio nadal jest mnóstwo biedy i przestępczości – wyjaśniał mi Ramon. – Są miejsca, do których nawet ja nie odważyłbym się pójść, zwłaszcza w nocy. Pragnę jednak wierzyć, że idzie ku lepszemu, choć wolniej, niżbym tego chciał. W dzisiejszych czasach każdy ma szansę zdobyć wykształcenie. Mam nadzieję, że dzięki temu moje wnuki będą miały większe poczucie swojej wartości i szanse na lepsze dzieciństwo niż ja.

– Jak się poznaliście? – spytałam. Z trudem wytrzymywałam panujący w pomieszczeniu upał.

– Ramon zdobył stypendium naukowe na moim uniwersytecie – odparł Floriano. – Studiował nauki społeczne, ale interesował się również historią. Jest znacznie inteligentniejszy ode mnie. Ciągle mu powtarzam, że powinien napisać książkę o swoim życiu.

– Wiesz tak samo dobrze jak ja, że nikt w Brazylii by jej nie wydał. – Ramon mówił całkiem poważnie. – Ale może napiszę ją, kiedy będę już stary i zmieni się sytuacja polityczna. A teraz pokażę wam mój ulubiony projekt.

Poszliśmy za nim przez istny labirynt uliczek. Floriano po cichu wyjaśnił mi, że ojciec Ramona zmuszał jego matkę do prostytucji.

Był znanym baronem narkotykowym, a teraz odsiaduje dożywocie za podwójne morderstwo.

– Gdy ich matka zmarła po przedawkowaniu heroiny, Ramon musiał sam wychowywać szóstkę młodszego rodzeństwa. Jest niesamowitym człowiekiem. Takim, który pozwala uwierzyć w człowieka. Walczy o podstawową opiekę medyczną mieszkańców i lepsze warunki życia dla dzieci. Poświęcił fawelom całe życie – dodał Floriano, wziął mnie pod rękę i poprowadził w dół po nierównych stopniach.

Im niżej schodziliśmy, tym głośniejsza stawała się muzyka grana na bębnach, aż zaczęła pulsować w całym moim ciele. Mieszkańcy z progów domów witali Ramona z szacunkiem i sympatią. Zanim znaleźliśmy się na dole i stanęliśmy przed drewnianymi drzwiami, przez które można było wejść do miejsca otoczonego wysokim murem, nabrałam do Ramona ogromnego szacunku. Był człowiekiem, który potrafił wykorzystać swoje przerażające doświadczenia życiowe do pomocy innym. Z wielką pokorą myślałam o jego oddaniu sprawie mieszkańców faweli i sile jego charakteru.

Weszliśmy na dziedziniec, na którym zobaczyłam z dwadzieścioro dzieci, może nawet więcej. Kilkoro z nich było młodszych od Valentiny i wszystkie tańczyły w rytm mocnych uderzeń w bębny. Ramon dyskretnie poprowadził nas wzdłuż ściany do cienia, który dawała nadbudówka budynku.

– Przygotowują się do karnawału. Wiedziałaś, że ta tradycja narodziła się w fawelach? – wyszeptał i podsunął mi zniszczone plastikowe krzesło, żebym mogła obejrzeć spektakl na siedząco.

Ciała dzieci instynktownie poruszały się w rytm granej na bębnach muzyki. Obserwowałam ich zachwycone twarzyczki. Wiele z nich miało zamknięte oczy i widać było, że naprawdę czują rytm.

– To, czego się uczą, nazywamy *samba no pé*. To mnie uratowało, gdy byłem dzieckiem – szepnął mi Ramon do ucha. – Tańcząc, walczą o przetrwanie.

Później żałowałam, że nie zrobiłam zdjęć, ale prawdopodobnie nie oddałyby one radości malującej się na twarzach tych dzieci.

Wiedziałam, że to, czego doświadczam, zostanie w mojej pamięci na zawsze.

W końcu Ramon dał do zrozumienia, że musimy już iść, więc niechętnie się podniosłam. Pomachaliśmy dzieciom na pożegnanie i wyszliśmy przez drewniane drzwi.

– Wszystko w porządku? – spytał Floriano i troskliwie mnie objął.

– Tak – wydusiłam z siebie. Głos drżał mi pod wpływem emocji. – To najpiękniejsza rzecz, jaką w życiu widziałam.

*

Opuściliśmy fawelę, wzięliśmy taksówkę i wróciliśmy do miasta. Moje serce i zmysły nadal wypełnione były czystą i radosną swobodą tańczących dzieci.

– Na pewno wszystko w porządku, Maju? – spytał Floriano, biorąc mnie za rękę.

– Tak. Naprawdę.

– Podobała ci się samba?

– Nadzwyczajnie.

– To dobrze, bo właśnie taką atrakcję mamy zaplanowaną na wieczór.

Spojrzałam na niego przerażona.

– Ja nie umiem tańczyć!

– Oczywiście, że umiesz. Każdy umie, a już na pewno *carioca*. Masz to we krwi. – Kazał taksówkarzowi zatrzymać się przy wypełnionym straganami rynku w Ipanemie. – Musimy znaleźć dla ciebie odpowiednie ubranie. No i buty do samby.

Szłam za nim przez targowisko pokorna jak owieczka. Przedzierał się między wieszakami z sukienkami i wybierał te, które, jego zdaniem, najlepiej by na mnie leżały.

– Według mnie do koloru twojej skóry idealnie pasuje brzoskwiniowa – orzekł i wręczył mi dopasowaną kopertową sukienkę uszytą z jedwabiście miękkiego materiału.

Uniosłam brwi. Sama nigdy bym takiej nie wybrała. Dla mnie była zbyt skąpa.

– Daj spokój, Maju. Obiecałaś, że dzisiaj trochę poszalejesz! Teraz jesteś ubrana jak moja matka! – Znowu się ze mną droczył.

– Dziękuję – odpowiedziałam, gdy nalegał, że zapłaci sprzedawcy za sukienkę.

– A teraz idziemy szukać butów. – Ponownie złapał mnie za rękę i przemknęliśmy uliczkami Ipanemy aż do malutkiego sklepu podobnego do zakładu szewskiego.

Dziesięć minut później wyszliśmy ze z skórzanymi butami na obcasach kubańskich, z paskiem obejmującym górę stopy nad podbiciem i zapiętym na guziczek.

– Takie buty na pewno włożyłaby Marina – powiedziałam i zaczęłam na niego naciskać, by pozwolił mi zwrócić za nie pieniądze, bo nie były tanie. Odmówił i zatrzymał się przed budką z lodami, oferującą nieskończoną liczbę smaków.

– Na które masz ochotę? – spytał. – Zapewniam cię, że w tym miejscu zjesz najlepsze lody w Rio.

– Wezmę te co ty – odpowiedziałam. Gdy dostaliśmy lody, przeszliśmy przez główną ulicę, usiedliśmy na ławce i patrząc w dół na plażę, jedliśmy w milczeniu, aby się nie rozpuściły. Były pyszne.

– No dobrze – rzucił, kiedy wytarliśmy lepkie usta. – Jest po szóstej, więc ty wrócisz do hotelu, żebyś miała czas się przygotować do swojego tanecznego debiutu. Ja tymczasem pójdę do domu napisać parę maili i spakować się przed wyjazdem do Paryża. Przyjadę po ciebie o ósmej trzydzieści.

– Dziękuję ci za wspaniały dzień! – zawołałam, kiedy już odchodził. Przeszłam przez ulicę i zmierzałam w stronę hotelu, gdy Floriano odkrzyknął z uśmiechem:

– Jeszcze się nie skończył!

Gdy w recepcji hotelowej poprosiłam o klucz do pokoju, przywitała mnie zatroskana twarz.

– Senhorita D'Aplièse, martwiliśmy się o panią. Nie wróciła pani na noc.

– Nocowałam u znajomego.

– Rozumiem. Ktoś do pani dzwonił. Nie odbierała pani telefonu, więc operator zanotował wiadomość. Kobieta, która chciała się z panią skontaktować, mówiła, że to pilne. – Recepcjonistka podała mi kopertę.

– Dziękuję.

– A następnym razem, jeśli to możliwe, proszę nas powiadomić, gdyby planowała pani spać poza hotelem. Rio bywa niebezpieczne, zwłaszcza dla cudzoziemców. Jeszcze chwila i musielibyśmy zadzwonić na policję.

– Rozumiem – odpowiedziałam odrobinę zażenowana. Poszłam w stronę windy i myślałam o tym, co powiedziała recepcjonistka. Rio może i jest niebezpieczne dla turystów, ale ja stąd pochodzę.

W pokoju rozerwałam kopertę. Zastanawiałam się, kto mógł zostawić mi tak niecierpiącą zwłoki wiadomość. Zaczęłam czytać wydrukowane słowa:

Droga senhorito Maju,

senhora Beatriz chciałaby się z panią zobaczyć. Z dnia na dzień jest coraz słabsza, więc koniecznie powinna pani przyjechać najszybciej, jak to możliwe. Najlepiej jutro o dziesiątej rano.

Yara Canterino

Dziś akurat zrobiłam sobie wolne i na kilka godzin udało mi się zapomnieć o mojej nieznanej przeszłości i niepewnej przyszłości. Zajęło mi więc chwilę, zanim mój mózg zrozumiał, co oznacza ta wiadomość. Weszłam pod prysznic, a gdy ciepła woda spływała po moim ciele, postanowiłam, że niezależnie od tego, co przyniesie jutro, dziś nie będę o tym myślała.

Włożyłam sukienkę od Floriana, pewna, że będę wyglądała okropnie. Ale kiedy wsunęłam stopy w buty i stanęłam przed lustrem, finalny efekt bardzo mnie zaskoczył. Krzyżująca się góra sukienki podkreśliła mój pełny biust i wąską talię, a kopertowy dół spływał mi po udach, zaznaczając nogi, których długość podkreślały obcasy kubańskie.

Czas spędzony w Rio sprawił, że moja skóra nabrała koloru.

Wysuszyłam i upięłam włosy, na powiekach zrobiłam kreski eye-linerem, a usta pomalowałam czerwoną szminką, którą kiedyś kupiłam pod wpływem chwili, ale nigdy dotąd jej nie użyłam. Zaśmiałam się na myśl o tym, że siostry nie rozpoznałyby mnie, gdyby mnie teraz zobaczyły. Komentarz Floriana na temat mojego stylu odrobinę mnie zabolał, ale wiedziałam, że jest w nim wiele prawdy. Wszystkie moje ubrania były stonowane i sprawiały, że wtapiałam się w otoczenie. Kobiety w Rio celebrowały swoją zmysłowość i seksualność, podczas gdy ja przez lata ją ukrywałam.

Miałam jeszcze pół godziny do spotkania z Florianem, więc napisałam maile do sióstr. Pisałam im o tym, jak mi tutaj dobrze, i przyznałam, że czuję się już lepiej. Popijając wino z minibaru, z zaskoczeniem stwierdziłam, że wierzę w każde napisane słowo. Czułam się lekka jak piórko, jakby wielki kamień spadł mi z serca. Może dlatego, że zrzuciłam ciężar, zwierzając się Florianowi, ale mój wewnętrzny głos mówił mi, że chodzi o coś więcej. O niego.

Jego energia, optymizm i racjonalne podejście do życia, a także sposób, w jaki wychowywał córkę i sprawnie prowadził dom, były dla mnie z pewnością ważną życiową lekcją. Stał się dla mnie człowiekiem godnym naśladowania; kimś takim zawsze pragnęłam być. Przy nim moje życie wyglądało jak smutna, bura reprodukcja. Dotarło do mnie, że nawet jeśli jego uwagi bywały bolesne, to uświadomił mi, że do tej pory moje życie sprowadzało się tylko do przetrwania.

Połączenie tego miasta i tego mężczyzny rozbiło niewidoczną skorupę, w której się ukrywałam. Roześmiałam się na myśl o tym porównaniu, ponieważ naprawdę czułam się jak świeżo wyklute kurczę.

Przyznałam też przed sobą, że prawdopodobnie zakochałam się w nim. Spojrzałam na zegarek. Musiałam już iść. Nawet jeśli miałabym już go nie spotkać, to dzięki niemu odzyskałam życie. I dzisiaj będę świętowała swoje ponowne narodziny, nie martwiąc się tym, co może przynieść jutro.

*

– Wow! – Gdy zjawiłam się w lobby, Floriano spojrzał na mnie z wyraźnym podziwem. – Ktoś tu się odrodził jak Feniks z popiołów.

Zamiast się zaczerwienić i jakoś zbyć jego komplement, uśmiechnęłam się.

– Dziękuję za sukienkę. Miałeś rację, idealnie na mnie pasuje.

– Maju, wyglądasz olśniewająco i wierz mi – wziął mnie pod rękę i wyszliśmy z hotelu – ja tylko wydobyłem to, co tak skrzętnie starałaś się ukryć. – Spojrzał na mnie pytająco. – Idziemy?

– Tak.

Zatrzymaliśmy taksówkę i Floriano poprosił o zawiezienie nas do dzielnicy Lapa, jednej z najstarszych części miasta, ulubionego miejsca spotkań artystów.

– Nie powinnaś tu przyjeżdżać sama – ostrzegł mnie, gdy wyszliśmy na wyłożoną kostką ulicę otoczoną starymi budynkami z cegły. – Ale dzisiaj jesteś pod moją opieką – dodał, gdy się go przytrzymałam.

Ciężko było mi utrzymać równowagę na obcasach, więc bardzo ostrożnie stawiałam kroki na nierównym podłożu. Uliczne kafejki wypełnione były ucztującymi gośćmi. My zboczyliśmy jednak z głównej drogi i w końcu Floriano poprowadził mnie po schodach do piwnicy.

– To najstarszy klub samby w Rio. Nie ma tu turystów. To miejsce dla prawdziwych *cariocas*, którzy chcą potańczyć w rytm najlepszej muzyki w mieście.

Kelnerka uśmiechnęła się do niego i ucałowała go w oba policzki. Zaprowadziła nas do zniszczonej skórzanej kanapy w rogu sali. Floriano zamówił dwa piwa, a gdy kelnerka wręczyła nam menu, oznajmił, że tutejsze wino nie nadaje się do picia.

– Floriano, proszę, dzisiaj ja stawiam – powiedziałam.

Spojrzałam na parkiet, na którym muzycy rozstawiali już instrumenty.

– Dziękuję. – Kiwnął głową na zgodę. – Jeszcze jedno. Jeśli chcesz coś powiedzieć, zrób to w ciągu najbliższej godziny. Później żadne z nas nie usłyszy ani słowa.

Zamówiliśmy poleconą przez Floriana specjalność lokalu i wznieśliśmy toast, stukając się butelkami z piwem.

– Maju, czas spędzony z tobą był dla mnie prawdziwą przyjemnością. Jest mi przykro, że przerywamy go przez mój wyjazd do Paryża.

– Ja też chcę ci podziękować. Byłeś dla mnie taki dobry.

– Czyli zgodzisz się przetłumaczyć moją kolejną książkę? – zażartował.

– Obraziłabym się, gdybyś mi tego nie zaproponował. A tak w ogóle – na stół wjechało coś w rodzaju potrawki z fasoli – gdy po południu wróciłam do hotelu, czekała na mnie wiadomość od Yary. Jutro rano chce się ze mną spotkać senhora Beatriz – oznajmiłam tak swobodnie, jak tylko potrafiłam.

– Naprawdę? I jak się z tym czujesz?

– Sam powiedziałeś, że dzisiaj mam się bawić – przypomniałam mu. – Więc nawet się nad tym nie zastanawiałam.

– To dobrze. Mimo wszystko żałuję, że mnie z tobą nie będzie, przynajmniej w roli szofera. W ostatnich dniach odbyliśmy prawdziwą podróż w przeszłość, w której z przyjemnością ci towarzyszyłem. Obiecaj, że wszystko mi opowiesz.

– Oczywiście. Wyślę ci mail.

Nagle atmosfera między nami stała się napięta i w milczeniu kończyliśmy znakomitą potrawkę. Floriano zamówił kolejne piwo, a ja zdecydowałam się jednak na kieliszek nienadającego się do picia wina. W tle kapela zaczęła grać zmysłową muzykę i dwie pary ruszyły na parkiet. Skupiłam się na ich tańcu i doszłam do wniosku, że ich powolne ruchy odzwierciedlają napięcie między mną a Florianem.

– A więc… – odezwałam się, kiedy na parkiecie pojawiło się więcej par. – Nauczysz mnie, jak się tańczy sambę? – Przez stół podałam mu rękę, a on przytaknął. Wstaliśmy i bez słów dołączyliśmy do tłumu na parkiecie.

Objął mnie jedną ręką w pasie, a drugą splótł z moją dłonią i wyszeptał:

– Staraj się poczuć rytm, który przechodzi przez twoje ciało, Maju. To wszystko, co masz robić.

Zrobiłam tak, jak mi polecił, i poczułam, jak przepływa przeze mnie muzyka. Nasze biodra kołysały się miarowo, a stopy stawiały kroki. Początkowo robiłam to nieporadnie, chcąc dostosować się do ruchów Floriana i do tancerzy wokół. Wkrótce poddałam się jednak instynktowi, odprężyłam się i pozwoliłam, aby moje ciało poruszało się w jedności z ciałem Floriana.

Nie wiem, jak długo tańczyliśmy tej nocy. W pewnej chwili parkiet był tak zatłoczony, że miałam wrażenie, jakbyśmy stali się jednorodną poruszającą się jako całość masą. Grupą ludzi, która po prostu cieszy się z życia. Z pewnością profesjonalny tancerz uznałby moją sambę za amatorską i niedoskonałą, ale po raz pierwszy w życiu nie interesowało mnie, co myślą inni. Floriano prowadził, obracał mnie i trzymał bardzo blisko siebie, wywołując mój głośny, radosny śmiech.

Zeszliśmy z parkietu okropnie spoceni. Podeszliśmy do naszego stolika, by napić się wody, a potem wyszliśmy po schodach na ulicę, żeby odetchnąć świeżym powietrzem, które Floriano szybko zanieczyścił, zapalając papierosa.

– *Meu Deus*, Maju! Jak na początkującą tańczyłaś niesamowicie! Jesteś prawdziwą *carioca*.

– Poczułam to dzięki tobie. – Sięgnęłam po jego papierosa i też się zaciągnęłam. Czułam, że mnie obserwuje.

– Zdajesz sobie sprawę, jak pięknie teraz wyglądasz? – wyszeptał. – Jesteś dużo piękniejsza niż twoja prababka. Dzisiaj zapaliło się w tobie niezwykłe światło.

– Dzięki tobie.

– Ja nic nie zrobiłem. Sama zdecydowałaś, że chcesz znowu zacząć żyć.

Nagle wziął mnie w ramiona. Zanim zdołałam się spostrzec, całował mnie, a ja ten pocałunek odwzajemniłam z namiętnością.

– Proszę – wyszeptał, gdy rozłączyliśmy się, żeby złapać oddech – chodź ze mną do domu.

*

Wróciliśmy do domu. Ledwo udało nam się wejść na górę do jego mieszkania, natychmiast zdjął mi sukienkę i zaczęliśmy się kochać tam, gdzie staliśmy, na wąskim korytarzu. Nadal grała mi w uszach muzyka z klubu. W końcu weszliśmy do łóżka i kochaliśmy się ponownie, tym razem wolniej, ale równie namiętnie.

Potem wsparł się na ramieniu i spojrzał na moją twarz.

– Ależ się zmieniłaś. Kiedy pierwszy raz cię zobaczyłem, od razu dostrzegłem, że jesteś piękna, pewnie zresztą jak każdy mężczyzna, ale byłaś taka niedostępna, taka spięta. A teraz... – Pocałował wgłębienie w mojej szyi, przesunął się w dół i zaczął pieścić moje piersi. – Teraz jesteś... cudowna. A ja akurat jutro muszę jechać do Paryża. Mam zaledwie parę godzin do wyjazdu i chcę je spędzić tylko z tobą. Uwielbiam cię, Maju. – Niespodziewanie znalazł się na mnie. – Poleć ze mną do Paryża – powiedział kusząco.

– Ta noc jest dla nas – wyszeptałam. – Sam mnie nauczyłeś, żeby czerpać z chwili. Wiesz jednak, że nie mogę lecieć.

– Wiem. Ale kiedy już porozmawiasz z tą starszą panią, wsiądź, proszę, do samolotu i dołącz do mnie. Moglibyśmy spędzić cudowne chwile w Paryżu.

Nie odpowiedziałam. Nie chciałam nawet zastanawiać się nad jutrem. W końcu zasnął, a ja leżałam i mu się przyglądałam. Jego twarz była skąpana w świetle księżyca, które wpadało przez okno. Delikatnie pogłaskałam go po policzku.

– Dziękuję – wyszeptałam. – Dziękuję.

48

Od ponad czternastu lat nie spałam z nikim w jednym łóżku, a mimo to zasnęłam jak kamień i nawet nie drgnęłam, dopóki nie poczułam delikatnego dotknięcia na moim ramieniu. Otworzyłam oczy. Nade mną stał ubrany już Floriano.

– Przyniosłem ci kawę – powiedział i wskazał kubek stojący na szafce nocnej.

– Dziękuję – rzuciłam sennie. – Która jest godzina?

– Ósma trzydzieści. Muszę już jechać na lotnisko, Maju. Za trzy godziny odlatuje mój samolot.

– A ja muszę biec do hotelu i przebrać się. – Wstałam gwałtownie z łóżka. – O dziesiątej mam być w klasztorze.

Floriano położył rękę na moim ramieniu, żeby mnie zatrzymać.

– Nie wiem, jakie masz plany po spotkaniu z Beatriz, ale powtórzę to, co mówiłem wczoraj. Przyleć do Paryża, *querida*. Chciałbym, żebyś tam ze mną była. Obiecaj, że to przemyślisz.

– Obiecuję.

– To dobrze – odpowiedział z niedowierzaniem, a na jego ustach pojawił się drwiący uśmieszek. – Wolałbym tego nie mówić, ale nasza rozmowa przypomina mi historię Bel i Laurenta. Mam jednak nadzieję, że czeka nas szczęśliwsze zakończenie. – Odgarnął mi z czoła niesforne kosmyki włosów i pocałował mnie. – *A bientôt* i powodzenia. Naprawdę muszę już iść.

– Szczęśliwej podróży.

– Dziękuję. Zatrzaśnij za sobą drzwi, kiedy będziesz wychodziła. Za parę dni wraca Petra. Do widzenia, *querida*.

Kilka sekund później, gdy usłyszałam odgłos zamykanych drzwi, wyskoczyłam z łóżka i ubrałam się. Wyszłam z mieszkania i ruszyłam ulicami Ipanemy do hotelu. Wkroczyłam do lobby z wysoko podniesioną głową, poprosiłam o klucz do pokoju i zignorowałam to, że recepcjonistka obrzuciła wzrokiem mój strój. Spytałam, czy za dwadzieścia minut Pietro będzie mógł zawieźć mnie do klasztoru.

Wzięłam szybki prysznic. Nie chciałam, by woda zmyła z mojego ciała zapach Floriana. Narzuciłam na siebie coś bardziej odpowiedniego i piętnaście minut później byłam z powrotem na dole. Pietro czekał już na zewnątrz i uśmiechnął się, gdy mnie zobaczył. Wsiadłam do samochodu.

– Senhorita D'Aplièse, jak się pani czuje? Nie widziałem pani od kilku dni. Jedziemy do przyklasztornego szpitala, tak?

– Tak – odpowiedziałam i ruszyliśmy. Przed spotkaniem musiałam poukładać sobie wszystko w głowie.

Gdy dojechaliśmy na miejsce, zobaczyłam stojącą na zewnątrz Yarę, która nerwowo przestępowała z nogi na nogę.

– Dzień dobry, senhorita. Dziękuję, że pani przyjechała.

– To ja dziękuję za zorganizowanie tego spotkania.

– Tak naprawdę nie jest ono moją zasługą. Senhora Beatriz sama zapytała, czy mogę się z panią skontaktować. Zdaje sobie sprawę, że nie zostało jej wiele czasu. Jest pani gotowa? – W oczach Yary dostrzegłam troskę.

Byłam gotowa. Poprowadziła mnie szerokimi, ciemnymi korytarzami w kierunku jednego ze skrzydeł budynku. Przeszłyśmy przez podwójne drzwi i poczułam woń środków dezynfekujących wymieszaną z innym bliżej nieokreślonym zapachem, typowym dla wszystkich szpitali, w których kiedykolwiek byłam. Ostatnio byłam w szpitalu, gdy rodziłam syna.

– Senhora Beatriz jest tutaj. – Yara wskazała drzwi na końcu korytarza. – Wejdę i sprawdzę, czy jest gotowa.

Usiadłam na ławce na zewnątrz i postanowiłam, że niezależnie od tego, co usłyszę, nie pozwolę, aby mnie to załamało. Przeszłość to przeszłość, a wczoraj wreszcie poczułam, że mam przed sobą jakąś przyszłość.

Drzwi do pokoju otworzyły się i Yara skinieniem głowy dała mi znać, że mogę wejść.

– Pani jest dzisiaj w pełni świadoma. Odmówiła pielęgniarce przyjęcia leków, póki z panią nie porozmawia. Twierdzi, że dzięki temu będzie miała jasny umysł. Macie jakieś pół godziny. Później ból stanie się dla niej nie do zniesienia. – Wprowadziła mnie do przestronnego pokoju z pięknym widokiem na góry i morze. Gdyby nie szpitalne łóżko, można by sądzić, że jesteśmy w najzwyklejszym pokoju.

– Dzień dobry, Maju.

Beatriz siedziała na krześle przy oknie i przywitała mnie zaskakująco ciepło.

– Dziękuję, że zechciałaś się ze mną zobaczyć. Usiądź, proszę. – Wskazała na drewniane krzesło naprzeciwko niej. – Yaro, zostaw nas same.

– Oczywiście, senhora. Proszę zadzwonić, gdyby pani czegoś potrzebowała – powiedziała Yara i opuściła pokój.

Miałam chwilę, aby przypatrzeć się Beatriz. Po tym, co opowiedziała mi jej służąca, zobaczyłam ją w zupełnie innym świetle. Fizycznie nie była podobna do swojej matki Izabeli. Niewątpliwie miała bardziej europejskie cechy swojego ojca. Pierwszy raz dostrzegłam jej – nadal błyszczące – zielone oczy, które wyglądały na wielkie w zestawieniu z wychudzoną twarzą.

– Maju, najpierw chciałabym cię bardzo przeprosić. Byłam zszokowana, gdy weszłaś do mojego ogrodu i zobaczyłam, że wyglądasz… jak żywy obraz mojej matki. I naszyjnik, który nosisz… Podobnie jak Yara, od razu go rozpoznałam. Odziedziczyłam go po matce, Izabeli, a potem podarowałam go mojej córce na osiemnaste urodziny. – Nagle w oczach Beatriz pojawił się ból, a może emocje, nie byłam pewna. – Wybacz mi, ale potrzebowałam czasu, żeby zdecydować, co powinnam zrobić w związku z twoim nagłym pojawieniem się. W obliczu mojego… bliskiego odejścia.

– Senhora Beatriz, jak już mówiłam, nie przyjechałam tu po pieniądze ani spadek, ani...

Uniosła drżącą rękę, żeby mnie uciszyć.

– Po pierwsze, mów do mnie Beatriz. Myślę, że na „babcię" jest już za późno, prawda? A po drugie, to prawda: pomyślałam, że twoja wizyta dziwnie zbiegła się w czasie i nie może być przypadkowa. Ale tym przesadnie się nie martwiłam. Są przecież testy genetyczne, a poza tym wystarczy na ciebie spojrzeć, by poznać twoje korzenie. – Westchnęła. – Wahałam się z innego powodu.

– Z jakiego?

– Maju, każde dziecko, które zostało adoptowane lub w dzieciństwie straciło rodzica, stawia swego biologicznego ojca czy matkę na piedestale. Tak jak ja swoją matkę. W mojej wyobraźni Izabela stała się madonną, kobietą idealną. Mimo że na pewno miała wiele wad, jak my wszyscy.

– Na pewno masz rację.

Zamilkła na moment i przyglądała mi się życzliwie.

– No więc, gdy zobaczyłam, że pragniesz dowiedzieć się, dlaczego twoja matka oddała cię do adopcji, wiedziałam, że jeśli zgodzę się odpowiedzieć na twoje pytania, nie będę potrafiła skłamać. A kiedy wyjawię ci prawdę, niestety zburzę jej obraz, który stworzyłaś w swojej głowie.

– Zaczynam rozumieć, z jakim dylematem musiałaś się zmagać. Ale powinnaś wiedzieć, że zanim zmarł mój adopcyjny ojciec, rzadko zastanawiałam się, kim była moja matka. A tym bardziej ojciec. Miałam szczęśliwe dzieciństwo. Uwielbiałam ojca, a Marina, kobieta, która wychowywała mnie i moje siostry, była niezwykle opiekuńcza. I nadal jest – dodałam.

– Trochę mnie to uspokoiło – przyznała Beatriz. – Bo widzisz, historia sprzed twojej adopcji nie jest przyjemna. Żadna matka nie chce się przyznać, że trudno jej polubić własną córkę. A, niestety, tak właśnie było z twoją matką, Cristiną. Wybacz mi, Maju. Ostatnią rzeczą, jakiej pragnę, to sprawić ci jeszcze większy ból. Jesteś jednak mądrą kobietą i nie potrafiłabym opowiadać ci o niej jakichś banałów i kłamać w żywe oczy. Z pewnością byś się na tym poznała. Ale musisz pamiętać, że tak samo, jak rodzice nie wybierają sobie dzieci, tak dzieci nie wybierają rodziców.

Zrozumiałam, co chciała mi przekazać, i przez moment zastanawiałam się, czy nie byłoby dla mnie lepiej, gdybym nie poznała prawdy. Ale zaszłam tak daleko, że przez wzgląd na Beatriz powinnam dać jej możliwość opowiedzenia mi o mojej matce. Wzięłam głęboki oddech.

– Opowiedz mi o niej – wyszeptałam.

Beatriz zrozumiała, że podjęłam decyzję.

– W porządku. Yara wspomniała mi, że opowiedziała ci o moim życiu, więc wiesz, że ja i mój mąż, a twój dziadek, byliśmy szczęśliwym małżeństwem. A ciąża była dopełnieniem tego szczęścia. Nasz pierwszy syn zmarł kilka tygodni po narodzinach, więc gdy kilka lat później urodziła się Cristina, była dla nas tym cenniejsza.

Wzięłam głęboki oddech. Myśli natychmiast powędrowały mi w kierunku mojego utraconego syna.

– Po doświadczeniach z dzieciństwa chciałam zapewnić swojemu dziecku wychowanie w atmosferze miłości ojca i matki. Ale szczerze mówiąc, Cristina od dnia narodzin była trudnym dzieckiem. W nocy nie chciała spać, a gdy trochę podrosła, miała straszne napady złości, które potrafiły trwać godzinami. W szkole bez przerwy wpadała w tarapaty. Ciągle otrzymywaliśmy listy od nauczycieli, w których skarżyli się, że Cristina znęca się nad tą czy inną dziewczynką i doprowadza ją do łez. Wstyd powiedzieć, ale – głos Beatriz zadrżał – kiedy Cristina krzywdziła innych, nie miała wyrzutów sumienia ani nie okazywała skruchy. – Jej oczy były pełne cierpienia. – Maju, powiedz, jeśli zechcesz, żebym przerwała.

– Nie. Mów dalej.

– Najgorsze lata nastąpiły, kiedy Cristina była nastolatką. Byliśmy z mężem załamani, że już nikt nie jest dla niej autorytetem. Ani my, ani nikt inny, kto miał z nią do czynienia. Była przy tym piekielnie inteligentna, co bezustannie podkreślali jej nauczyciele. Zbadano jej iloraz inteligencji i był znacznie ponad przeciętną. W ostatnich paru latach, kiedy nauka o zdrowiu psychicznym bardzo się rozwinęła, przeczytałam sporo artykułów na temat zespołu Aspergera. Słyszałaś o tym? – spytała.

– Tak.

– Wszystko wskazuje na to, że osoby z zespołem Aspergera prawie zawsze obdarzone są wysokim ilorazem inteligencji, a z drugiej strony brakuje im wrażliwości i empatii. Tak najlepiej można opisać twoją matkę. Co prawda Loen, matka Yary, zawsze mówiła, że Cristina przypomina jej moją babkę, Luizę, której nie pamiętam. Zmarła, gdy miałam dwa lata. Dokładnie wtedy, kiedy moja mama.

– Yara wspomniała mi o tym.

– Może zawiniły geny, może w dzisiejszych czasach zostałby u niej zdiagnozowany zespół Aspergera, tak czy inaczej osobowość Cristiny sprawiała, że nie dało się z nią wytrzymać. A żaden z ekspertów, z którymi próbowaliśmy się konsultować, nie potrafił nam pomóc. – Beatriz pokiwała ze smutkiem głową. – Kiedy skończyła szesnaście lat, zaczęła coraz częściej sypiać poza domem, chadzała do obskurnych barów w mieście i zadawała się z niewłaściwymi ludźmi. A to, zwłaszcza trzydzieści pięć lat temu, było szalenie niebezpieczne. Kilka razy policja przyprowadziła ją do domu pijaną. Grozili jej wniesieniem oskarżenia i to na chwilę ją uspokajało. Ale później dowiadywaliśmy się, że nie chodzi do szkoły i całe dnie spędza ze swoimi znajomymi, z których większość mieszkała w fawelach.

Beatriz zamilkła i patrzyła przez okno na odległe szczyty górskie.

– Ostatecznie szkoła nie miała innego wyjścia – podjęła po chwili. – Musieli ją wydalić. Złapali ją, gdy częstowała inne dziewczęta przemyconą w plecaku butelką rumu. W rezultacie wszystkie przyszły pijane na popołudniowe zajęcia. Zatrudniliśmy prywatnego nauczyciela, żeby mogła podejść do egzaminów, i dzięki temu mieliśmy ją na oku. Czasami musieliśmy ją nawet zamykać w pokoju, kiedy chciała wyjść na noc, ale zawsze wywoływało to katastrofalne w skutkach awantury. No i zawsze znajdowała sposób, żeby uciec. Nie mieliśmy nad nią żadnej kontroli. Moja droga, czy mogłabyś mi podać wodę z szafki nocnej? Strasznie zaschło mi w gardle.

– Oczywiście. – Chwyciłam kubek ze słomką. Gdy starała się go utrzymać, trzęsły jej się ręce, więc przyłożyłam słomkę do jej ust, żeby mogła się napić.

– Dziękuję. – Patrzyła na mnie zielonymi, pełnymi cierpienia oczami. – Maju, czy jesteś pewna, że chcesz słuchać dalej?

– Tak. – Odstawiłam kubek i wróciłam na swoje krzesło.

– Pewnego dnia odkryłam, że warte fortunę szmaragdy mojej matki, naszyjnik i kolczyki, które dostała od rodziców na swoje osiemnaste urodziny, zniknęły z mojej szkatułki na biżuterię. Nic więcej nie zginęło, więc włamanie do domu nie wchodziło w grę. Cristina cały czas spędzała w fawelach. Podejrzewaliśmy z mężem, że w jej życiu pojawił się jakiś mężczyzna. Zauważyłam, że miała szkliste oczy i powiększone źrenice. Skonsultowałam się ze znajomym lekarzem, który stwierdził, że prawdopodobnie zażywa narkotyki. – Beatriz zadrżała. – Powiedział mi także, że tego typu substancje nie są tanie, co wyjaśniło zagadkę zaginionych szmaragdów. Dotarło do nas, że je ukradła, aby mieć pieniądze na zaspokojenie nałogu. Byliśmy bliscy rozwodu. Evandro miał już tego dosyć i coś musiało się zmienić. Kilka miesięcy wcześniej Cristina skończyła osiemnaście lat. Pamiętam jej smutną twarz, gdy uświadomiła sobie, że naszyjnik z kamieniem księżycowym, który jej podarowałam, był bezwartościowy. To zachowanie – oczy Beatriz po raz pierwszy wypełniły się łzami – było prawdopodobnie najgorszym z jej dotychczasowych. Naszyjnik był najbardziej drogocenną rzeczą, jaką posiadałam, ponieważ wiedziałam, że kiedyś podarował go mamie mój ojciec. A po jej śmierci przekazał go mnie. Dałam go mojej córce, którą interesowało jedynie to, ile za niego dostanie w lombardzie pieniędzy na narkotyki. Wybacz, Maju. – Sięgnęła do kieszeni szlafroka po chusteczkę.

– Proszę, Beatriz, nie przepraszaj. Wiem, że ta historia jest dla ciebie bolesna. Ale pamiętaj, że dla mnie jest to zupełnie obca osoba – starałam się ją uspokoić. – Nie potrafię jej kochać, ponieważ jej nie znam.

– Mój mąż i ja postanowiliśmy postawić Cristinę pod ścianą. Zagroziliśmy jej, że jeśli nie przestanie kraść i brać narkotyków, nie pozostawi nam wyboru i będzie musiała się wyprowadzić. Równocześnie zaproponowaliśmy jej wsparcie, jeśli pozwoli sobie pomóc. Ale była już uzależniona, a jej życie toczyło się z przyjaciółmi w fawelach. Spakowaliśmy jej rzeczy do walizki i poprosiliśmy, aby opuściła nasz dom.

– Beatriz, tak mi przykro. To musiało być dla ciebie niewyobrażalnie trudne. – Delikatnie ścisnęłam jej dłoń.

– Rzeczywiście, było ciężko – przyznała i westchnęła. – Daliśmy jej do zrozumienia, że jeśli pewnego dnia zerwie z nałogiem i postanowi wrócić, przyjmiemy ją z otwartymi ramionami. Pamiętam, jak szła po schodach z walizką, a ja stałam przy drzwiach. Minęła mnie i na moment się odwróciła. Nienawiść w jej oczach prześladuje mnie do dzisiaj. – Beatriz płakała już rzewnymi łzami. – Wtedy po raz ostatni widziałam córkę.

Przez chwilę siedziałyśmy w milczeniu, pochłonięte swoimi myślami. Chociaż zarzekałam się, że historia Beatriz mnie nie zasmuci, myliłam się. W moich żyłach płynęła bowiem krew Cristiny. Czy miałam jej wady?

– Maju, wiem, o czym myślisz – odezwała się Beatriz po tym, jak otarła łzy. Bacznie mi się przyglądała. – Mogę cię zapewnić, że z tego, na ile zdążyłam cię poznać i co opowiadała mi o tobie Yara, żadna z cech twojego charakteru nie przypomina mi Cristiny. Jesteś chodzącą kopią mojej mamy, Izabeli. A z tego, co o niej wiem z różnych opowieści, masz także podobną osobowość.

Zdawałam sobie sprawę, że Beatriz chce być miła. Ale rzeczywiście od samego początku, od momentu, kiedy usłyszałam o swojej prababce i zobaczyłam, że jestem do niej bardzo podobna, czułam do niej sympatię. Co nie zmienia faktu, że moja biologiczna matka była, jaka była.

– Skoro nigdy później nie spotkałaś córki, to skąd wiedziałaś, że mnie urodziła? – spytałam w nadziei, że zaszła jakaś pomyłka i tak naprawdę nie jestem spokrewniona ani z tą rodziną, ani z Cristiną.

– Nigdy bym się tego nie dowiedziała, gdyby nie znajoma, która była wolontariuszką w sierocińcu. W tym czasie było ich w Rio wiele. Większość dzieci pochodziło z faweli. Moja znajoma była akurat w pracy, gdy Cristina cię przyniosła. Nie podała imienia, tylko zostawiła dziecko i uciekła jak wiele innych matek. Ta znajoma kilka dni zastanawiała się, skąd zna Cristinę, która była bardzo wychudzona i straciła kilka zębów... – Głos Beatriz załamał się pod wpływem emocji. – Ale w końcu skojarzyła sobie tę zaniedbaną dziewczynę z moją córką. Odwiedziła mnie i powiedziała, że porzucono dziecko, przy którym jest naszyjnik z kamieniem księżycowym. Kiedy go opisała, wiedziałam, że to ten sam, który podarowałam córce. Natychmiast poszliśmy z Evandrem do sierocińca, żeby zabrać cię do domu i zaopiekować się tobą. Ale chociaż nie minął nawet tydzień od momentu, gdy Cristina cię zostawiła, ciebie już tam nie było. Moja znajoma była zaskoczona. Twierdziła, że w tym czasie przebywało w sierocińcu wiele porzuconych noworodków i nikt całymi tygodniami ich nie adoptował, jeśli w ogóle znajdowali się dla nich rodzice. Ale ty szybko znalazłaś nowy dom, bo byłaś pięknym dzieckiem. – Uśmiechnęła się.

– Czy... – Zadrżał mi głos. Wiedziałam, że muszę zadać pytanie, które cisnęło mi się na usta – Czy to oznacza, że twoja znajoma widziała mojego adopcyjnego ojca?

– Tak. I kobietę, która z nim przyszła. Moja znajoma zapewniała, że oboje wyglądali na miłych ludzi. Oczywiście nalegaliśmy z Evandrem, aby nam powiedziała, dokąd zostałaś zabrana, ale ona, jako wolontariuszka, nie była upoważniona do udzielania takich informacji.

– Rozumiem.

– Ale coś nam jednak przekazała. W tej szufladzie – Beatriz wskazała palcem – znajdziesz kopertę. W sierocińcu każdemu przywiezionemu dziecku robiono zdjęcie do archiwum. Kiedy zamknięto dokumentację dotyczącą twojej sprawy, moja znajoma zapytała dyrektorkę ośrodka, czy może nam je przekazać na pamiątkę. Obejrzyj je sobie.

Podeszłam do komody i wzięłam kopertę z szuflady. Wyjęłam nieostre czarno-białe zdjęcie, które przedstawiało dziecko z ciemnymi, gęstymi włosami i dużymi, przestraszonymi oczami. Wielokrotnie widziałam swoje zdjęcia z dzieciństwa, które przedstawiały uśmiechniętą dziewczynkę w ramionach Mariny albo Pa Salta. Nie miałam wątpliwości, że dziecko na fotografii, którą właśnie trzymałam w ręce, to ja.

– Nigdy się nie dowiedziałaś, kto mnie adoptował? – spytałam.

– Nie, chociaż bardzo się staraliśmy. Tłumaczyliśmy dyrektorce, że jesteśmy twoimi dziadkami, że pragniemy cię adoptować i wychować jak własne dziecko. Spytała, jaki mamy dowód na pokrewieństwo, ale, niestety, nie mieliśmy żadnego – Beatriz westchnęła – ponieważ w twoich dokumentach wpisano „matka nieznana". A kiedy pokazałam jej zdjęcie, na którym mam na sobie naszyjnik, powiedziała, że w świetle prawa nie stanowi ono żadnego dowodu. Prosiłam ją, a właściwie błagałam, żeby pomogła mi się skontaktować z rodziną, która cię adoptowała. Odmówiła. Twierdziła, że kontakty biologicznej rodziny z adopcyjną zakłócają spokój dzieci i ich nowych rodziców. Zasady ośrodka były sztywne i nigdy od nich nie odstępowali. Poruszyliśmy niebo i ziemię, żeby cię odnaleźć, ale nic to nie dało.

– Dziękuję – wyszeptałam.

– Maju, uwierz mi, że gdyby twój adopcyjny ojciec nie przyjechał tak szybko, zarówno twoje, jak i moje życie wyglądałoby zupełnie inaczej.

Chciałam się czymś zająć, więc włożyłam zdjęcie z powrotem do koperty. Wstałam i schowałam ją do szuflady.

– Nie, kochana, zatrzymaj je. Mnie nie jest już potrzebne. Przede mną stoi przecież moja prawdziwa, żywa i oddychająca wnuczka.

Beatriz wykrzywiła się z bólu i wiedziałam, że mój czas się kończy.

– A więc nigdy nie dowiedziałaś się, kim był mój prawdziwy ojciec? – zapytałam.

– Nie.

494

– A Cristina? Wiesz, co się z nią stało?

– Niestety, tak jak mówiłam, nigdy więcej się nie odezwała. Nie wiem nawet, czy żyje. Oddała cię do sierocińca, a potem rozpłynęła się w powietrzu. W tamtych czasach wiele osób w Rio przepadało bez śladu. Być może będziesz miała więcej szczęścia, jeśli zechcesz drążyć ten temat. W dzisiejszych czasach łatwiej jest o pomoc przy szukaniu zaginionych bliskich. Jednak instynkt matki, jeśli w ogóle jest coś takiego, podpowiada mi, że Cristina nie żyje. Osoby, które mają skłonności autodestrukcyjne, zazwyczaj osiągają swój cel. Mimo wszystko pęka mi serce, gdy o niej myślę.

– To zrozumiałe – powiedziałam łagodnie. Wiedziałam, co czuje. – To, że zabrała naszyjnik, gdy wyprowadzała się z domu, a potem przekazała go mnie, dobrze o niej świadczy. Niezależnie od tego, co było przedtem i potem. Być może gdzieś głęboko w sercu cię kochała.

– Może. – Beatriz wolno pokiwała głową, a na jej ustach pojawił się cień uśmiechu. – Moja droga, mogłabyś zadzwonić już po pielęgniarkę? Obawiam się, że muszę się poddać i wziąć tę koszmarną pigułkę, która zwala mnie z nóg. Ale przynajmniej łagodzi ból.

– Oczywiście. – Nacisnęłam dzwonek.

Beatriz wyciągnęła do mnie swoją słabą dłoń.

– Maju, obiecaj mi, że ta historia nie wpłynie negatywnie na twoją przyszłość. Matka i ojciec może cię zawiedli, ale pamiętaj, że ja i twój dziadek nigdy nie przestaliśmy o tobie myśleć i cię kochać. A twój powrót oznacza, że mogę już odpocząć.

Przytuliłam się do niej. Pierwszy raz obejmowałam osobę, która była ze mną spokrewniona. Żałowałam, że nie mamy więcej czasu.

– Dziękuję, że chciałaś się ze mną spotkać – powiedziałam. – Mimo że nie znalazłam matki, spotkałam ciebie. I to wystarczy.

Do pokoju weszła pielęgniarka.

– Czy jesteś jeszcze jutro w Rio? – spytała niespodziewanie Beatriz.

– Mogę być.

– To odwiedź mnie jeszcze raz. Opowiedziałam ci o przykrych rzeczach, ale jeśli możesz, wykorzystajmy czas, który nam został, żeby się poznać. Nawet nie wiesz, jak długo czekałam, żeby się o tobie czegoś dowiedzieć.

Posłusznie otworzyła usta i przyjęła od pielęgniarki lekarstwo.

– Do zobaczenia jutro o tej samej porze – powiedziałam.

Gdy wychodziłam z pokoju, moja babcia słabiutko pomachała ręką na do widzenia.

49

Po powrocie do hotelu położyłam się do łóżka, skuliłam się i mocno zasnęłam. Kiedy się przebudziłam, leżałam, rozmyślając o Beatriz i o wszystkim, co mi powiedziała. Analizowałam swoją nowo przebudzoną samoświadomość i reakcję emocjonalną na to, czego się dowiedziałam. Ku własnemu zdziwieniu stwierdziłam, że nie czuję specjalnego bólu, chociaż opowieść babci była wstrząsająca.

Zastanawiałam się nad głębokim poruszeniem, jakie zaledwie wczoraj poczułam w faweli, kiedy zauważyłam, że tamtejsze dzieci tańczą, jakby od tego zależało ich życie. Zdałam sobie sprawę, że być może wynikało to z podświadomych więzi, jakie mnie z nimi łączą, choć wtedy jeszcze tego nie rozumiałam. Teraz prawie na pewno wiedziałam, że ja także urodziłam się w faweli. To, co zrobiła moja matka – nieważne, z jakich pobudek – niewątpliwie uratowało mnie od rozpaczliwie niepewnej egzystencji. W każdym razie, niezależnie od tego, kim byli moja matka czy mój ojciec, znalazłam prawdziwą krewną – babcię, której autentycznie na mnie zależało.

Rozważałam, czy podjąć wysiłki odnalezienia matki, i w końcu postanowiłam tego nie robić. Z opowieści Beatriz jasno wynikało, że byłam tylko czysto biologiczną konsekwencją jej stylu życia i Cristina wcale mnie nie chciała. Te myśli nieuchronnie doprowadziły mnie do konstatacji, że ja zrobiłam właściwie to samo ze swoim dzieckiem. Jakie miałam więc prawo surowo oceniać matkę i uważać, że nigdy mnie nie kochała, skoro nie znam dokładnych okoliczności, w jakich oddała mnie do sierocińca?

Z dzisiejszych wydarzeń jasno zrozumiałam jedno – bardzo chciałam zostawić swojemu synowi coś, co wyjaśniłoby mu moją decyzję. Nie miał ani naszyjnika z kamieniem księżycowym, ani dziadków, którzy bardzo chcieli go adoptować – żadnych wskazówek, skąd naprawdę pochodzi. Floriano słusznie zauważył: było bardzo prawdopodobne, że adopcyjni rodzice nie opowiedzieli mojemu synowi prawdziwej historii jego narodzin. A nawet jeśli to zrobili albo jeśli zrobią to w przyszłości i kiedyś zechce szukać swoich korzeni, chciałam mieć pewność, że znajdzie ślady, po których będzie mógł podążać.

Takie, jak Pa Salt przekazał swoim sześciu córkom.

Teraz zrozumiałam, dlaczego współrzędne, które mi zostawił, doprowadziły mnie do Casa das Orquídeas, a nie do sierocińca. Chociaż nie tam się urodziłam, być może wiedział, że odnajdę tam Beatriz, jedyną krewną, dla której byłam na tyle ważna, że usilnie mnie szukała.

Zaintrygowało mnie, dlaczego Pa Salt znalazł się w Rio akurat wtedy, kiedy się urodziłam, i ze wszystkich dzieci, które można było adoptować, wybrał mnie. Beatriz nic nie wspomniała o tym, aby oddając mnie do sierocińca, matka zostawiła przy mnie steatytową płytkę. A więc jakim sposobem trafiła ona w ręce Pa Salta?

Oto następna zagadka, której nigdy nie rozwiążę. Postanowiłam skończyć z tym ciągłym zadawaniem pytań i po prostu dziękować za błogosławieństwo, jakim okazał się dla mnie Pa Salt – cudowny mentor i kochający ojciec, który był przy mnie zawsze, gdy go potrzebowałam. Muszę nauczyć się wierzyć w dobroć ludzi. Taka myśl naturalnie doprowadziła mnie do Floriana.

Instynktownie wyjrzałam przez okno i sięgnęłam wzrokiem do nieba. Był już pewnie gdzieś nad Atlantykiem. To dziwne, przemknęło mi przez głowę, że po czternastu latach życia w próżni, kiedy nie było się nad czym zastanawiać, a jeśliby nawet coś takiego się znalazło, usilnie to wypierałam, nagle musiałam się zmierzyć z takim bogactwem emocji. Uczucie do Floriana objawiło

mi się nagle, jak mocno stulony pąk róży, który w ciągu nocy roz-
kwita w cudownie kolorowy kwiat, a choć było wszechogarniające,
wydało mi się także czymś w pełni naturalnym.

Przyznałam, że brakuje mi Floriana, i nie chodziło o przelotną
namiętność, ale o dziwne poczucie, że stał się częścią mnie. W dodatku jakimś cudem wiedziałam, że ja także stałam się częścią niego. Nie było w tym żadnego szaleństwa, tylko spokojna akceptacja
czegoś, co się między nami rozpoczęło i o co trzeba dbać, aby nie
zwiędło i nie umarło.

Chwyciłam laptop, otworzyłam go i zgodnie z obietnicą napisałam do Floriana mail. Jak najzwięźlej opisałam mu, co powiedziała
mi Beatriz, i poinformowałam go, że jutro znowu idę do niej w odwiedziny.

Zamiast jak zwykle wahać się pod koniec listu, posłuchałam in-
stynktu i nacisnęłam „Wyślij", nie czytając nawet, co napisałam.
Potem wyszłam z hotelu, aby popływać w ożywczych falach, które
rozbijały się na plaży Ipanema.

*

Następnego ranka Yara czekała na mnie w holu wejściowym
klasztoru, podobnie jak poprzedniego dnia. Tym razem przywitała mnie jednak promiennym uśmiechem i nieśmiało uścisnęła
mi dłoń.

– Dziękuję, senhorita.

– Za co? – zapytałam.

– Za to, że przywróciła pani światło oczom senhory Beatriz.
Choćby i na krótko. Dobrze się pani czuje po tym, co pani powiedziała?

– Szczerze mówiąc, nie tego się spodziewałam, ale jakoś daję
sobie radę.

– Nie zasłużyła na taką córkę, a pani na taką matkę – mruknęła
w napięciu Yara.

– Często otrzymujemy coś, na co nie zasłużyliśmy. Ale może
w przyszłości dostaniemy też coś, na co zasłużymy – bąknęłam
prawie do siebie i ruszyłam za nią korytarzem.

- Senhora Beatriz musi leżeć, ale koniecznie chciała się z panią zobaczyć. Wejdziemy do środka? – zapytała.

- Tak.

Dzisiaj weszłyśmy do pokoju razem. Yara nie musiała już sprawdzać, czy jej pani przygotowała się, aby mnie przyjąć. Beatriz leżała w łóżku i wyglądała na bardzo słabą, ale kiedy mnie ujrzała, jej twarz rozświetlił uśmiech.

- Maju... – Gestem wskazała służącej, by przysunęła krzesło do jej łóżka. – Chodź tu, proszę, i usiądź. Jak się czujesz, kochana? Całą noc martwiłam się o ciebie. Moja opowieść na pewno była dla ciebie ogromnym szokiem.

- Czuję się dobrze, Beatriz. Naprawdę – zapewniłam ją. Usiadłam przy niej i niepewnie poklepałam ją po dłoni.

- W takim razie bardzo się cieszę. Jesteś silna i podziwiam cię za to. Powiedz mi, Maju, gdzie mieszkasz. Jesteś mężatką? Masz już dzieci? I jakiś zawód?

Przez następne pół godziny opowiadałam babci o sobie wszystko, co mi tylko przyszło do głowy. O Pa Salcie, siostrach i naszym pięknym domu na brzegu Jeziora Genewskiego. Powiedziałam jej o swojej pracy tłumaczki, a nawet kusiło mnie, by wyznać jej wszystko o Zedzie, ciąży i adopcji mojego maleństwa. Instynktownie zrozumiałam jednak, że tak naprawdę chciała usłyszeć, że jestem szczęśliwa, więc nie poruszyłam tego tematu.

- A twoja przyszłość? Opowiedz mi o tym przystojnym mężczyźnie, który przyszedł z tobą, kiedy odwiedziłaś mnie w Casa das Orquídeas. Jest tu w Rio dosyć sławny. Czy to tylko znajomy? – Popatrzyła na mnie przebiegle. – Miałam wrażenie, że jest dla ciebie kimś więcej.

- To prawda, jest mi bliski – wyznałam.

- W takim razie, co dalej zrobisz, Maju? Wrócisz do Genewy czy zostaniesz w Rio z twoim chłopakiem?

- Tak naprawdę, to on właśnie wczoraj poleciał do Paryża – wyjaśniłam jej.

- Do Paryża! – Beatriz splotła palce dłoni. – Spędziłam tam jeden z najszczęśliwszych okresów mojego życia. A jak już wiesz, twoja prababcia też tam była jako panna. Chyba widziałaś w ogrodzie rzeźbę mojej mamy, którą ojciec sprowadził dla niej z Paryża w prezencie ślubnym?

– Tak, zauważyłam ją – potwierdziłam beztrosko, zastanawiając się, dokąd zaprowadzi nas ta rozmowa.

– Kiedy byłam w Paryżu i studiowałam w szkole Beaux-Arts, rzeźbiarz, który ją wykonał, był jednym z moich profesorów. Pewnego dnia po zajęciach przedstawiłam mu się i powiedziałam, że jestem córką Izabeli. Ku mojemu zdziwieniu profesor Brouilly odparł, że dobrze ją pamięta. A kiedy powiedziałam mu o jej śmierci, wyglądał na szczerze przejętego. Objął mnie potem szczególną opieką, a przynajmniej bardzo się mną interesował. Zaprosił mnie do swojego pięknego domu w Montparnassie i na obiad do La Closerie des Lilas. Wspomniał, że kiedyś był tam na wspaniałym obiedzie z moją mamą. Zabrał mnie nawet do atelier profesora Paula Landowskiego i przedstawił samemu mistrzowi. W tym czasie Landowski był już stary i rzadko coś rzeźbił, ale pokazał mi zdjęcia z czasów, gdy w jego atelier powstawały odlewy Cristo. Podobno moja mama była tam, kiedy Landowski i profesor Brouilly nad nimi pracowali. W swoim magazynie znalazł nawet odlewy jej dłoni, które miały służyć jako prototypy dla Cristo. – Beatriz uśmiechnęła się na myśl o tych miłych wspomnieniach. – Profesor Brouilly zachowywał się wobec mnie niezwykle wspaniałomyślnie. Poświęcił mi wiele czasu i był bardzo miły. Potem całymi latami pisaliśmy do siebie listy, aż do jego śmierci w tysiąc dziewięćset sześćdziesiątym piątym roku. Obcy ludzie potrafią czasem być tacy życzliwi… – Beatriz się zadumała. – A więc, kochanie, pójdziesz w ślady swojej prababci i babci i wybierzesz się w podróż z Rio do Paryża? Teraz jest to oczywiście znacznie łatwiejsze. Mnie i mojej mamie taka wyprawa zajęła kilka tygodni. A ty jutro o tej porze możesz sobie siedzieć w La Closerie des Lilas i popijać absynt! To co, kochanie? Słyszałaś, co mówiłam?

Po tym, co Beatriz właśnie mi opowiedziała, nie mogłam wydobyć z siebie słowa. Nic dziwnego, że Yara tak ostrożnie podeszła do wyjawienia przede mną historii mojej przeszłości. Moja babcia najwyraźniej nie wiedziała, który mężczyzna naprawdę dał jej życie.

– Tak. Może polecę do Paryża – odezwałam się wreszcie, usiłując odzyskać równowagę.

– To dobrze. – Beatriz wyglądała na zadowoloną z mojej odpowiedzi.

– A teraz, kochanie, musimy, niestety, przejść do spraw poważniejszych. Po południu przychodzi do mnie *notário*. Mam zamiar przerobić swój testament i większość mojego majątku zostawić tobie, mojej wnuczce. Nie mam wiele, tylko dom, który popada w ruinę, a jego remont wymaga setki tysięcy reali. Jestem pewna, że nie masz takich pieniędzy, więc być może zechcesz go sprzedać. Nie mam absolutnie nic przeciwko temu. Chcę jednak postawić pewien warunek: żebyś pozwoliła mieszkać tam Yarze, aż do jej śmierci. Wiem, że bardzo obawia się przyszłości, więc chciałabym ją zapewnić, że o nią zadbamy. Casa das Orquídeas jest jej domem tak samo jak moim. Dostanie też spadek: pieniądze, które powinny jej wystarczyć na resztę życia. Gdyby jednak nie wystarczyły i żyłaby dłużej, ufam, że się nią zajmiesz. No bo widzisz, Yara jest moją najbliższą przyjaciółką. Wychowywałyśmy się razem jak siostry.

– Oczywiście, że tak zrobię – zapewniłam ją, z trudem powstrzymując łzy.

– Mam także nieco biżuterii, która należała do mnie i do twojej prababci. A także hacjendę Santa Tereza, gdzie moja matka spędziła dzieciństwo. Założyłam małą fundację dobroczynną, która pomaga kobietom z faweli. Hacjenda jest dla nich miejscem schronienia. Byłabym niezmiernie szczęśliwa, gdybyś mogła kontynuować tę pracę.

– Oczywiście, że tak zrobię, Beatriz – szepnęłam z zaciśniętym gardłem. – Ale ja naprawdę nie zasługuję na to wszystko. Na pewno masz przyjaciół...

– Maju! Jak możesz mówić, że na to nie zasługujesz? – W głosie Beatriz usłyszałam głębokie uczucie. – Matka oddała cię po urodzeniu, pozbawiła cię dziedzictwa, które przecież kiedyś miało w Rio niemałe znaczenie. W prostej linii pochodzisz z rodziny Aires Cabralów i choć pieniądze nigdy nie wynagrodzą ci tego, co straciłaś, to przynajmniej tyle mogę i powinnam dla ciebie zrobić.

– Dziękuję, Beatriz. – Widziałam, że jest coraz bardziej poruszona, więc nie chciałam już jej denerwować.

– Wierzę, że mądrze skorzystasz z tej spuścizny – powiedziała.

Zobaczyłam na jej twarzy dobrze mi już znany grymas bólu.

– Zawołać pielęgniarkę? – spytałam.

– Tak, za chwilkę. Ale najpierw, zanim zaproponujesz, że zostaniesz ze mną aż do końca, muszę bardzo stanowczo ci powiedzieć, że nie chcę, abyś po dzisiejszej wizycie więcej do mnie przychodziła. Wiem, co mnie czeka, i nie chcę, żebyś była świadkiem mojego końca, zwłaszcza że nadal jesteś w żałobie po ojcu. Będzie ze mną Yara i to mi wystarczy.

– Ale, Beatriz...

– Żadnych ale, Maju. Ból robi się tak straszny, że chociaż do tej pory się temu opierałam, po południu poproszę pielęgniarkę o morfinę. A potem szybko nastąpi koniec. A więc – zmusiła się do uśmiechu – jestem szczęśliwa, że udało mi się spędzić ostatnie chwile przytomności z moją piękną wnuczką. Naprawdę jesteś piękna, Maju. Życzę ci na przyszłość wszystkiego najlepszego. Ale najbardziej życzę ci, byś odnalazła miłość. Tylko ona sprawia, że życie staje się znośne. Pamiętaj o tym, proszę. No... możesz już zawołać pielęgniarkę.

Przytuliłam ją i na zawsze się pożegnałyśmy. Kiedy wychodziłam z pokoju, zauważyłam, że opadają jej już powieki, ale gdy zamykałam za sobą drzwi, udało jej się leciutko pomachać mi ręką. Opadłam na ławkę, oparłam głowę na dłoniach i cichutko załkałam. Nagle poczułam, że obejmuje mnie czyjeś ramię, a kiedy podniosłam wzrok, zobaczyłam, że obok mnie siedzi Yara.

– Nigdy nie dowiedziała się, że Laurent Brouilly był jej ojcem, prawda?

– Nie, senhorita, nigdy.

Wzięła mnie za rękę i siedziałyśmy tak dłuższą chwilę.

Potem podała mi karteczkę, a ja zapisałam jej swój adres, numer telefonu i adres mailowy. Odprowadziła mnie do czekającego samochodu.

– Teraz wszystko jest na twojej głowie, Yaro. Beatriz ma wielkie szczęście, że z nią jesteś i że zawsze miała cię za towarzyszkę.

– A ja mam szczęście, że ona była ze mną – odparła, gdy wsiadałam do samochodu.

– Proszę, obiecaj, że dasz mi znać, kiedy... – Nie byłam w stanie wymówić tych słów.

– Oczywiście. A teraz niech pani jedzie i cieszy się życiem, senhorita. Jak zapewne nauczyła się pani z historii swojej rodziny, każda chwila jest cenna.

*

Wzięłam sobie słowa Yary do serca i kiedy znalazłam się w hotelu, z większą ciekawością niż kiedykolwiek dotąd zajrzałam do skrzynki mailowej. Gdy zobaczyłam, że Floriano mi odpowiedział, na ustach pojawił mi się uśmiech. Pisał, że Paryż jest cudowny, ale kiepsko radzi sobie z francuskim, więc koniecznie potrzebuje tłumaczki.

Odkryłem też coś, co koniecznie powinnaś zobaczyć, Maju.
Proszę, napisz mi, kiedy przyjedziesz.

Roześmiałam się, gdy to zobaczyłam, bo nie pytał, czy przyjadę, tylko kiedy. Zadzwoniłam do recepcji i poprosiłam o rezerwację w samolocie z Rio do Paryża. Dziesięć minut później poinformowano mnie, że jest miejsce, ale tylko w pierwszej klasie. Cena prawie zwaliła mnie z nóg, ale po chwili przystałam na nią. Poczułam, jak dopingują mnie przy tym Pa Salt, Beatriz i Bel.

Wyszłam z hotelu i zagłębiłam się w dzielnicy Ipanema. Wróciłam na bazar i kupiłam kilka „nieodpowiednich" sukienek. Poprzednią Maję na pewno by przeraziły, ale byłam już nową Mają, która pomyślała, że być może kocha ją mężczyzna, więc chce jak najładniej wyglądać, by zrobić mu przyjemność.

Dość zabawy w chowanego, powiedziałam sobie stanowczo i kupiłam także dwie pary butów na obcasach, a potem poszłam do drogerii, by znaleźć dla siebie jakieś nowe perfumy. Czegoś takiego nie robiłam już od wielu lat. Kupiłam też nową czerwoną szminkę.

Wieczorem wyszłam na hotelowy taras, by przy zachodzącym słońcu popatrzeć na posąg Cristo. Sącząc białe wino, dziękowałam jemu i niebiosom, że pozwolili mi znowu żyć.

Następnego dnia rano, kiedy wyjeżdżałam z Rio samochodem prowadzonym przez Pietra, znów popatrzyłam na posąg Cristo, który stał wysoko na górze Corcovado, i ogarnęła mnie dziwna pewność, że wkrótce znowu znajdę się w jego objęciach.

50

– Halo – odezwał się znajomy głos po drugiej stronie linii telefonicznej.

– To ja, mamo, Maja.

– Maja? Jak się masz, *chérie*? Całe wieki się nie odzywałaś. – Marina zaprawiła swój komentarz leciutką wymówką.

– Tak. Przepraszam, słabo się starałam, mamo. Byłam bardzo... zajęta – wyjaśniłam, powstrzymując się od śmiechu, bo po moim nagim brzuchu pełzła dłoń. – Chciałam tylko dać ci znać, że jutro, mniej więcej w porze kolacji, będę w domu. I że – przed tą wiadomością mocno przełknęłam ślinę – przywiozę ze sobą gościa.

– Przygotować pokój w zameczku czy będzie u ciebie w pawilonie?

– Będzie ze mną w pawilonie. – Z uśmiechem odwróciłam się do Floriana.

– Świetnie – odpowiedziała wesoło Marina. – Czekać na was z kolacją?

– Nie. Nie zawracajcie sobie tym głowy. Jutro zadzwonię i powiem dokładniej, o której godzinie Christian ma czekać na nas na przystani.

– Dobrze. Do widzenia, *chérie*.

– Do widzenia.

Odłożyłam słuchawkę na widełki telefonu, który stał na stoliku nocnym, i wróciłam w ramiona Floriana. Zastanawiałam się, co pomyśli o domu mojego dzieciństwa.

– Tylko nie bądź zszokowany i nie myśl, że jestem jakąś wielką panią czy coś w tym stylu. Tak po prostu wyglądało dotąd moje życie – wyjaśniłam.

– *Querida*, fascynuje mnie to, jak żyjesz teraz. I pamiętaj, że wiem, skąd pochodzisz – odparł. – I wiesz co? Dzisiaj, ostatniego dnia naszego pobytu w Paryżu, pokażę ci coś niezwykłego.

– Musimy iść? – zapytałam leniwie, wtulając się w jego ciało.

– Chyba w końcu powinniśmy.

*

Dwie godziny później ubraliśmy się i wyszliśmy z hotelu, a Floriano zawołał taksówkę. Udało mu się nawet podać kierowcy adres w całkiem zrozumiałej francuszczyźnie.

– Jedziemy w okolice Pól Elizejskich? – upewniłam się.

– Tak. Nie ufasz mi i nie wierzysz, że daję sobie radę z moim od niedawna ulubionym językiem obcym? – Uśmiechnął się.

– Ależ skąd, oczywiście, że ufam – zapewniłam go. – Ale jesteś pewny, że chodzi ci o park?

– Cicho, Maju. – Floriano położył mi palec na ustach. – Uwierz we mnie.

Zatrzymaliśmy się przy żelaznej balustradzie zielonego skwerku niedaleko avenue de Marigny. Floriano zapłacił kierowcy, a potem poprowadził mnie przez bramę i dalej ścieżką wiodącą do centrum parku. Pluskała tam śliczna fontanna, a Floriano wskazał posąg z brązu na jej szczycie, przedstawiający półleżącą nagą kobietę. Byłam przyzwyczajona, że w Paryżu aż roi się od erotycznych dzieł sztuki, więc spojrzałam na Floriana ze zdziwieniem.

– Przyjrzyj jej się i powiedz, kto to jest.

I nagle zobaczyłam, że to moja prababcia, Izabela. Była naga i zmysłowa. Głowę miała rozkosznie przechyloną do tyłu, ręce rozrzucone na boki, a otwarte dłonie skierowane do nieba.

– Teraz widzisz?

– Tak – szepnęłam.

– W takim razie nie zdziwi cię, że twórcą tej rzeźby jest nie kto inny jak profesor Laurent Brouilly, twój pradziadek. Nie ulega dla mnie wątpliwości, że to hołd jego miłości do twojej prababci. A teraz, Maju, przyjrzyj się jej dłoniom.

Spojrzałam na nie, na delikatne opuszki palców. Tak, było podobieństwo.

– Oczywiście są dużo mniejsze, odpowiednio do rozmiaru rzeźby, ale porównywałem je z rękami Cristo i jestem przekonany, że są identyczne. Później pokażę ci dowody na zdjęciach, ale nie mam co do tego najmniejszych wątpliwości. Zwłaszcza że rzeźba znajduje się na skwerku, gdzie, jak wynika z listów Izabeli do Loen, po raz ostatni spotkała się z Laurentem w Paryżu.

Podniosłam wzrok i zastanowiłam się, jak czułaby się moja prababcia, gdyby zobaczyła, w jaki sposób została ponownie uwieczniona – tu nie była już niewinną dziewicą z pierwszej rzeźby, ale subtelnie zmysłową kobietą przedstawioną przez mężczyznę, który ją kochał. A także przez ojca, któremu los pozwolił poznać i pokochać ich córkę.

Floriano objął mnie i w końcu odeszliśmy od fontanny.

– My nie żegnamy się tutaj, tak jak kiedyś musieli to zrobić Bel i Laurent. I uwierz, że nigdy tego nie zrobimy. Rozumiesz?

– Tak.

– To dobrze. No to możemy już wyjechać z Paryża. A kiedyś – szepnął mi do ucha – napiszę piękną książkę, która będzie moim hołdem dla ciebie.

*

Kiedy płynęliśmy przez Jezioro Genewskie do mojego domu, przyglądałam się twarzy Floriana. Miałam wrażenie, że nie było mnie tu od wielu miesięcy, ale tak naprawdę minęły zaledwie trzy tygodnie. Na jeziorze pływało mnóstwo maleńkich łódek i stateczków, których żagle furkotały na wietrze jak skrzydła aniołów. Nadal było ciepło, choć zrobiło się już wpół do siódmej wieczorem, a nad nami, na bezchmurnym niebie, jaśniało złote słońce. Gdy z oddali zobaczyłam dobrze znajomą ścianę drzew, miałam wrażenie, że od wyjazdu z Atlantis przeżyłam całe nowe życie.

Christian dopłynął do mola, przycumował łódź, a potem pomógł nam obojgu wysiąść. Floriano sięgnął po nasz bagaż, ale Christian go powstrzymał.

– Nie, monsieur, zaraz przyniosę to do domu.

– *Meu Deus!* – zawołał Floriano, idąc trawnikiem. – Naprawdę jesteś księżniczką, która wraca do swojego zamku – drażnił się ze mną.

Na górze, w naszym głównym domu, przedstawiłam go Marinie, która, jak mogła, starała się ukryć zdziwienie, że mój gość jest mężczyzną, a nie kobietą. Potem oprowadziłam go po zameczku i ogrodach. Jego oczami na nowo zobaczyłam piękno mojego domu.

Kiedy słońce zaczęło chować się za górami po drugiej stronie jeziora, wzięliśmy kieliszek białego wina dla mnie i piwo dla Floriana i zaprowadziłam go do tajemnego ogrodu Pa Salta nad brzegiem jeziora. Akurat mienił się wszystkimi kolorami w całej swej lipcowej świetności; każda roślinka i każdy kwiatek osiągnęły szczyt swojego piękna. Przypomniał mi się ogród, który kiedyś widziałam na południu Anglii. Zwiedzałam go z Jenny i jej rodzicami: wszystko było w nim perfekcyjnie rozplanowane. Zapamiętałam zwłaszcza misterne kwietniki przy idealnie przystrzyżonych żywopłotach.

Usiedliśmy razem na ławce w cudownej, pachnącej różanej altance z widokiem na wodę, gdzie wiele razy spotykałam zatopionego w głębokiej kontemplacji ojca, i wznieśliśmy toast.

– Za twoją ostatnią noc w Europie – powiedziałam nieco załamującym się głosem. – I za sukces twojej książki. Po pierwszym tygodniu sprzedaży we Francji jest już na szóstym miejscu listy bestsellerów. Ma szansę dojść do pierwszego.

– Nigdy nic nie wiadomo. – Floriano wzruszył ramionami, choć wiedziałam, że oszołomiła go pozytywna reakcja francuskich mediów i czytelników. – To wszystko oczywiście dzięki wspaniałemu tłumaczeniu. A co to jest?

– Sfera armilarna. Chyba ci mówiłam, że pojawiła się w ogrodzie po śmierci Pa Salta. Na obręczach wyryte są wszystkie nasze imiona i współrzędne dla każdej z sióstr. A do tego napisy po grecku – wyjaśniłam.

Floriano wstał i podszedł, aby ją obejrzeć.

– To ty. – Wskazał na jedną z obręczy. – Co oznacza twój napis?

– *Nigdy nie pozwól, aby twoim losem rządził strach* – powiedziałam z ironicznym uśmieszkiem.

– Ojciec dobrze cię znał – powiedział i z powrotem skupił się na sferze armilarnej. – A ta obręcz? Nic na niej nie ma.

– Tak. Ojciec nadał nam imiona Siedmiu Sióstr z Plejad, ale chociaż spodziewałyśmy się jeszcze jednej siostry, niestety jej nie przywiózł. Więc było nas tylko sześć. A teraz – zasępiłam się – już nigdy nie będzie siódmej.

– Zrobił córkom piękny prezent pożegnalny. Twój ojciec był ciekawym człowiekiem. – Floriano znowu przy mnie usiadł.

– To prawda, chociaż po jego śmierci zdałam sobie sprawę, jak niewiele o nim wiedziałyśmy. Był zagadką. – Wzruszyłam ramionami. – Przyznaję, że wciąż chodzi mi po głowie pytanie, co robił w Brazylii, kiedy się urodziłam. I dlaczego wybrał właśnie mnie.

– To trochę, jakbyś się zastanawiała, jak dusza wybiera sobie rodziców albo dlaczego właśnie ciebie wybrano na tłumaczkę mojej książki… bo od tego zaczęła się nasza historia. Życie rządzi się przypadkiem, Maju, jest loterią.

– Może i tak, ale wierzysz w los? – zapytałam.

– Miesiąc temu prawie na pewno odpowiedziałbym ci, że nie. Ale wyznam ci pewną tajemnicę. – Wziął mnie za rękę. – Tuż zanim cię poznałem, obchodziłem rocznicę śmierci żony i było mi bardzo smutno. Pamiętaj, że podobnie jak ty, bardzo długo byłem sam. Stanąłem na tarasie i patrzyłem na Cristo i na gwiazdy nad Corcovado. Potem zawołałem Andreę i poprosiłem, żeby przysłała mi kogoś, kto sprawi, że będę miał powód, aby dalej żyć. Dzień później mój wydawca przesłał mi twój mail i poprosił, żebym zajął się tobą, kiedy będziesz w Rio. Więc wierzę, że zostałaś mi przysłana. A ja tobie. – Ścisnął mi dłoń, a potem, jak zawsze, kiedy atmosfera robiła się zbyt poważna, natychmiast ją rozładował, mówiąc: – Chociaż kiedy zobaczyłem, jak żyjesz, nie spodziewam się ciebie zbyt szybko w moim małym mieszkanku.

W końcu wróciliśmy do Mariny. Chociaż powiedziałam jej, żeby nie kłopotały się z Claudią kolacją, zatrzymała nas w drodze do pawilonu.

– Claudia zrobiła pyszne *bouillabaisse*. Jeśli jesteście głodni, to jest w kuchni na podgrzewaczu – zaproponowała.

– Ja tam jestem głodny – ochoczo zgłosił się Floriano. – Dziękuję, Marino. Zjesz z nami? – zapytał ją swoją słabą francuszczyzną.

– Nie, dziękuję, Floriano. Już jadłam.

Usiedliśmy w kuchni i jedliśmy pyszną, gęstą zupę rybną. Nagle oboje zdaliśmy sobie sprawę, że to nasza ostatnia wspólna kolacja. Wiedziałam, że Floriano musi wrócić do córki, ponieważ i tak przedłużył już pobyt w Europie, a dziadkowie Valentiny byli tak uprzejmi, że zgodzili się, by u nich jeszcze pobyła. A ja... no nie wiem.

Po kolacji zabrałam go do gabinetu taty, żeby mu pokazać najlepsze, moim zdaniem, zdjęcie ojca z naszą szóstką. Powiedziałam mu, jak ma na imię każda z moich sióstr.

– Bardzo się między sobą różnicie – skomentował. – Twój ojciec był przystojnym mężczyzną, prawda? – dodał, odstawiając zdjęcie na półkę. Przy okazji zauważył coś, co go zaintrygowało. Kilka sekund intensywnie się w to wpatrywał. – Widziałaś, Maju? – Przywołał mnie gestem i wskazał statuetkę, która stała na półce z największymi osobistymi skarbami taty. Wlepiłam w nią wzrok i zdałam sobie sprawę, dlaczego zadał mi to pytanie.

– Tak, wiele razy. To tylko kopia Cristo.

– Tego nie jestem taki pewny. Mogę ją zdjąć?

– Oczywiście – powiedziałam, zastanawiając się, dlaczego zainteresował się czymś, co sprzedawano w milionach egzemplarzy w każdym sklepie dla turystów w Rio.

– Popatrz, jak jest precyzyjnie wyrzeźbiona – powiedział, dotykając zagłębień w szacie Cristo. – A tu, spójrz.

Wskazał podstawkę, na której widniał napis:

Landowski

– Maju. – Zobaczyłam w jego oczach szczery podziw. – To nie jest jakaś masowo wyprodukowana kopia. Podpisał ją sam rzeźbiarz! A pamiętasz, że w swoich listach do Loen Bel wspominała o miniaturowych wersjach, które Heitor da Silva Costa zamówił u Landowskiego, zanim zdecydował się na ostateczną wersję rzeźby? Proszę. – Podał mi ją, a ja wzięłam statuetkę do ręki, dziwiąc się, że jest taka ciężka.

Teraz ja przejechałam palcami po wyrzeźbionych rysach twarzy i dłoniach Cristo. Zrozumiałam, że Floriano ma rację: to była praca samego mistrza.

– Ale jakim cudem trafiła w ręce taty? Może kupił ją na aukcji? A może to prezent od jakiegoś przyjaciela? Albo... naprawdę nie mam pojęcia... – Poddałam się i zamilkłam sfrustrowana.

– To kilka możliwości. W każdym razie oprócz miniatur, które ma rodzina Landowskiego, wiadomo o przetrwaniu jeszcze dwóch. Należą do krewnych Heitora da Silva Costy. Oczywiście trzeba by udowodnić, że statuetka jest autentyczna. Ale co za odkrycie!

Floriano był niesamowicie podekscytowany. Zrozumiałam, że patrzy na swoje odkrycie oczami historyka, podczas gdy ja interesowałam się głównie tym, jak ojciec zdobył miniaturkę.

– Przepraszam cię, Maju. Trochę mnie ponosi. Jestem pewny, że tak czy inaczej zechcesz ją zachować. Ale myślisz, że ktoś miałby coś przeciwko temu, żebyśmy na noc zabrali ją do pawilonu? Chciałbym mieć przywilej jeszcze chociaż trochę na nią popatrzeć.

– Oczywiście, że możesz ją zabrać. Wszystko w tym domu należy teraz do mnie i moich sióstr, a wątpię, żeby one miały coś przeciwko temu.

– No to chodźmy spać – szepnął i delikatnie pogładził mój policzek.

*

Tej nocy, zasmucona jutrzejszym wyjazdem Floriana, nie mogłam zasnąć. Chociaż twardo nakazałam sobie żyć w naszym związku chwilą, to w miarę jak z tykaniem zegara mijały kolejne godziny i zbliżał się poranek, stwierdziłam, że to ponad moje siły. Odwróciłam się i patrzyłam na Floriana, który spokojnie spał obok mnie. Pomyślałam, że po jego wyjeździe z Atlantis moje życie znów będzie dokładnie takie samo jak przed wyjazdem do Rio.

Prawie nie rozmawialiśmy o przyszłości, a już na pewno nie robiliśmy konkretnych planów. Byłam przekonana, że coś do mnie czuje, i wielokrotnie mi to mówił, kiedy się kochaliśmy, ale nasz związek dopiero się zaczynał. Na dodatek mieszkaliśmy na dwóch różnych krańcach świata, więc musiałam się liczyć z tym, że po rozstaniu nasze uczucie pewnie stopniowo wygaśnie i po pewnym czasie zostanie nam po sobie tylko miłe wspomnienie.

Podziękowałam Bogu, kiedy zadzwonił budzik i nareszcie skończyła się ta długa noc. Wyskoczyłam z łóżka i poszłam pod prysznic, a Floriano nadal drzemał. Bałam się jakiegoś podsumowania naszego romansu albo przeprosin, że między nami już koniec, czegoś ostatecznego, co Floriano może powiedzieć w ostatniej chwili przed odjazdem. Ubrałam się szybko i oznajmiłam, że idę do kuchni zrobić śniadanie i lepiej, żeby się pospieszył, bo za dwadzieścia minut Christian będzie na niego czekał w motorówce. Kilka minut później pojawił się w kuchni, ale ja wyszłam w pośpiechu, mówiąc, że muszę iść do zameczku, a za dziesięć minut spotkam się z nim przy molu.

– Maju, proszę…

Usłyszałam jego wołanie, ale wyszłam już za drzwi i ruszyłam szybko ścieżką. Kiedy dotarłam do zameczku, nie byłam w stanie zmierzyć się z Mariną albo z Claudią, więc zamknęłam się na dole w garderobie, siłą woli poganiając minuty na moim zegarku, żeby jak najszybciej minęła chwila jego odjazdu. Gdy zostało już tylko kilka minut, wychynęłam z ukrycia, otworzyłam drzwi wejściowe i wyszłam na trawnik. Zobaczyłam, że Floriano rozmawia z Mariną.

– Gdzie się podziewałaś, *chérie*? Twój przyjaciel musi natychmiast wsiadać do motorówki, bo inaczej spóźni się na samolot. – Marina spojrzała na mnie pytająco, a potem skupiła uwagę na Flo-

513

rianie. – Cieszę się, że pana poznałam i mam nadzieję, że wkrótce znowu przyjedzie pan do Atlantis. A teraz zostawię was samych, żebyście mogli się pożegnać.

– Maju – zaczął Floriano, kiedy Marina odeszła. – O co chodzi? Co się stało?

– Nic takiego… Ale Christian już na ciebie czeka. Lepiej idź.

Otworzył usta, żeby coś powiedzieć, lecz ruszyłam przed nim ścieżką tak, że nie miał innego wyboru, niż iść za mną. Christian pomógł mu wsiąść do łodzi i uruchomił silnik.

– *Adeus*, Maju – powiedział Floriano z oczami pełnymi smutku. Motorówka z warkotem odbiła od mola.

– Napiszę do ciebie! – zawołał, przekrzykując ryk silnika. Potem jeszcze coś powiedział, ale tego już nie usłyszałam, ponieważ oddalał się od Atlantis. I ode mnie.

Wróciłam do domu załamana, ganiąc się w myślach za swoje dziecinne zachowanie. Przecież, na miłość boską, jestem dorosłą kobietą i powinnam sobie poradzić z rozstaniem, przecież cały czas wiedziałam, że jest nieuchronne. Rozsądek podpowiadał mi, że moja reakcja była echem przeżyć związanych z rozstaniem z Zedem, które nawet po tylu latach zostawiły we mnie coś na kształt wypalonej laserem dziury.

Przed pawilonem czekała na mnie Marina. Miała skrzyżowane na piersi ręce i zachmurzoną twarz.

– Co to było, Maju? Pokłóciliście się? Sprawia wrażenie bardzo miłego człowieka. A ty prawie się z nim nie pożegnałaś. Nie wiedzieliśmy, gdzie się podziewasz.

– Musiałam… coś zrobić. Przepraszam. – Wzruszyłam ramionami. Czułam się jak rozkapryszona nastolatka, która musi wysłuchać reprymendy za nieuprzejme zachowanie. – A tak w ogóle, to jadę do Genewy na spotkanie z Georgiem Hoffmanem. Może czegoś potrzebujesz? – Zmieniając temat, dałam jej znać, że nie chcę o tym dłużej mówić.

Marina popatrzyła na mnie z czymś w rodzaju rozpaczy w oczach.

– Nie, dziękuję ci, kochanie. Niczego nie potrzebuję.

Odeszła ode mnie, a ja poczułam się tak głupio, jak sobie na to zasłużyłam.

*

Biuro Georga Hoffmana znajdowało się w biznesowej dzielnicy Genewy, niedaleko rue Jean-Petitot. Było eleganckie i nowoczesne, a z jego ogromnych, sięgających podłogi okien jak z lotu ptaka rozciągała się rozległa panorama miasta z widocznym w oddali portem.

– Maja! – Georg wstał zza biurka, by mnie przywitać. – Co za niespodziewana przyjemność. – Uśmiechnął się, zaprowadził mnie na czarną skórzaną kanapę i oboje usiedliśmy. – Słyszałem, że wyjeżdżałaś.

– Tak. Kto panu o tym powiedział?

– Marina. W czym mogę ci pomóc? – zapytał.

– No więc... – Odchrząknęłam. – Tak naprawdę chodzi mi o dwie rzeczy.

– Słucham. – Połączył palce tak, że utworzyły wieżyczkę.

– Czy wie pan, jak do tego doszło, że Pa Salt właśnie mnie wybrał na swoją pierwszą adoptowaną córkę?

– Ojej... – Jego twarz wyrażała zdziwienie. – Niestety, byłem prawnikiem twojego ojca, a nie kimś, komu się zwierzał.

– Myślałam, że byliście przyjaciółmi?

– Pewnie tak, przynajmniej z mojego punktu widzenia. Ale jak wiesz, twój ojciec był człowiekiem bardzo skrytym. I choć pochlebiam sobie, że mi ufał, to przede wszystkim byłem jego pracownikiem i nigdy nie uważałem za stosowne o cokolwiek go wypytywać. O tobie dowiedziałem się, kiedy skontaktował się ze mną, żeby zarejestrować adopcję w szwajcarskich urzędach i wypełnić wszelkie konieczne formularze do twojego pierwszego paszportu.

– A więc nie wie pan, co go łączyło z Brazylią? – nie ustępowałam.

– Jeśli chodzi o sprawy osobiste, nie mam najmniejszego pojęcia. Chociaż utrzymywał tam oczywiście kilka kontaktów biznesowych. Podobnie zresztą jak na całym świecie – wyjaśnił Georg. – A zatem w tej sprawie nie mogę ci pomóc.

Odpowiedź Georga rozczarowała mnie, choć nie do końca zdziwiła.

– Dzięki wskazówkom, które zostawił mi tata, w Brazylii poznałam moją babcię. Niestety, kilka dni temu zmarła. Powiedziała mi, że kiedy ojciec przyjechał, żeby mnie adoptować, towarzyszyła mu jakaś kobieta. W sierocińcu uznano, że to jego żona. Czy był kiedyś żonaty?

– O ile wiem, to nie.

– Czy mogła to być jego dziewczyna?

– Wybacz mi, Maju, ale naprawdę nic nie wiem o prywatnym życiu twojego ojca. Przykro mi, że nie mogę ci bardziej pomóc. A jaka jest ta druga sprawa, którą chciałaś ze mną omówić?

Stało się oczywiste, że nic więcej nie wskóram, więc poddałam się i postanowiłam pogodzić się z faktem, że nigdy do końca się nie dowiem, jakie były okoliczności mojej adopcji. Głęboko odetchnęłam i odważnie rozpoczęłam trudną dla mnie rozmowę.

– Przed chwilą powiedziałam panu, że niedawno zmarła moja babcia ze strony matki. Zostawiła mi w testamencie dwie nieruchomości w Brazylii i niewielkie dochody.

– Rozumiem. I chciałabyś, żebym występował w twoim imieniu podczas uwierzytelniania testamentu?

– Tak. Ale, co ważniejsze, sama chciałabym sporządzić testament. I zostawić te nieruchomości… krewnemu.

– Rozumiem. To żaden kłopot. Właściwie zalecałbym coś takiego wszystkim klientom, niezależnie od wieku. Jeśli zrobisz listę, komu dokładnie chciałabyś zostawić to, co posiadasz, to sporządzę odpowiedni dokument.

– Dziękuję. – Zawahałam się, usiłując odpowiednio wyrazić to, co dalej chciałam powiedzieć. – Chciałabym też zapytać, czy rodzicom, którzy oddali swoje dzieci do adopcji, trudno jest je odnaleźć.

Georg przyjrzał mi się z namysłem, ale nie wyglądał na ani trochę zdziwionego moim pytaniem.

– Niezwykle trudno, to znaczy, jeśli szukają ich rodzice – wyjaśnił. – Rozumie pani chyba, że dziecko, które zostało adoptowane, zwłaszcza w bardzo młodym wieku, ma potrzebę stabilizacji i bezpieczeństwa. Ośrodki adopcyjne nie podejmują ryzyka, że biologiczni rodzice pożałują swojej decyzji i nagle pojawią się u dziecka. Może pani sobie wyobrazić, jak bardzo zakłóciłoby to jego równowagę. Takie wtargnięcie biologicznej matki lub ojca byłoby też niezwykle bolesne dla rodziców adopcyjnych, którzy pokochali dziecko jak własne, chyba żeby przed adopcją wyrazili na coś takiego zgodę. Jeśli jednak po osiągnięciu pełnoletniości adoptowane dziecko chce odszukać biologicznych rodziców, to już całkiem inna sprawa.

W skupieniu słuchałam słów Georga.

– Dokąd może się zwrócić adoptowane dziecko, jeśli chce odnaleźć swoją biologiczną matkę lub ojca?

– Do władz odpowiedzialnych za adopcję. W naszych czasach, przynajmniej w Szwajcarii, prowadzi się bardzo dokładną dokumentację takich spraw. Trzeba by iść do nich. To znaczy – Georg natychmiast się poprawił – od tego trzeba by zacząć.

Zauważyłam, że na jego bladych policzkach pojawił się delikatny rumieniec. Teraz byłam już pewna, że o wszystkim wie.

– Więc jeśli biologiczny rodzic, tylko dla przykładu, chciałby sporządzić testament i zostawić spadek dziecku, które oddał do adopcji, co by się działo?

Georg chwilę się zastanawiał, by odpowiednio dobrać słowa.

– Prawnik mógłby skorzystać z tej samej ścieżki co adoptowane dziecko – odparł w końcu. – Zwróciłby się do władz odpowiedzialnych za adopcję i wyjaśnił sytuację. Potem, jeśli dziecko miałoby powyżej szesnastu lat, skontaktowano by się z tym dzieckiem czy raczej młodym człowiekiem.

– A jeśli dziecko nie miałoby jeszcze szesnastu lat?

– Władze skontaktowałyby się z rodzicami adopcyjnymi, którzy mieliby prawo podjąć decyzję, czy byłoby korzystne, aby dziecko dowiedziało się o spadku w młodszym wieku.

– Rozumiem. – Kiwnęłam głową i nagle ogarnęło mnie dziwne poczucie, że nareszcie opanowałam swoją trudną sytuację. – A gdyby władze adopcyjne nie mogły znaleźć dziecka, a prawnik musiałby użyć mniej... konwencjonalnych sposobów, aby je odnaleźć... Czy to byłoby łatwe?

Georg popatrzył mi w oczy i w tej chwili wyczytałam w nich wszystko, czego nie mógł mi powiedzieć.

– Kompetentny prawnik nie miałby z tym najmniejszego kłopotu.

*

Powiedziałam Georgowi, że zrobię tak, jak mówiliśmy, i napiszę testament. Że wyślę do niego list i chciałabym, aby go miał, na wypadek gdyby jakiś ośrodek adopcyjny albo chłopiec urodzony w dniu, który mu podam, kiedykolwiek się z nim skontaktował. Potem wyszłam z biura.

Gdy znalazłam się na zewnątrz, przed powrotem do domu chciałam spokojnie przetrawić wszystko, czego się właśnie dowiedziałam, więc usiadłam przy stoliku w kafejce z widokiem na jezioro i zamówiłam piwo. Zazwyczaj nie znoszę piwa, ale kiedy przyłożyłam butelkę do ust (odmówiłam skorzystania ze szklanki, którą przyniosła kelnerka), jego smak przywrócił mi kojące wspomnienie Rio.

Jeśli Georg wiedział o moim synu, wiedział o nim także Pa Salt. Przypomniałam sobie słowa z jego listu pożegnalnego, które tak mnie zdenerwowały i wyprowadziły z równowagi.

...proszę, uwierz mi, kiedy mówię, że rodzina jest wszystkim. A miłość rodzica do dziecka to najpotężniejsza siła na ziemi.

Siedziałam na słońcu, popijając piwo, i stopniowo nabierałam coraz głębszego przekonania, że już w tym momencie mogłabym skonfrontować się z Georgiem i poprosić go, by mi powiedział, kto adoptował mojego syna i gdzie on jest. Wiedziałam jednak także, jak głęboki sens miało to, co powiedział mi Floriano. Choćbym nie wiem jak bardzo chciała wyjaśnić ukochanemu synowi, dlaczego go oddałam, i uzyskać dla siebie rodzaj odkupienia, w tej chwili moja potrzeba była czysto samolubna.

Nagle ogarnęła mnie straszna złość. Pomyślałam o niewidzialnej i wszechmogącej ręce Pa Salta, który nawet zza grobu panował nad moim życiem. A być może, jak mnie olśniło, także nad życiem mojego syna.

Jakie prawo miał wiedzieć o mnie nawet to, czego ja sama nie wiedziałam?

A jednak, podobnie jak ludzi, którzy idą się modlić przed ołtarzem niewidzialnej siły, której bezgranicznie ufają – i to wyłącznie instynktownie, nie mając dowodów – także i mnie ukoiła wszechmoc taty. Jeśli wiedział – a zdradziły mi to oczy Georga, który zwyczajnie, po ludzku potwierdził, że zna moją sprawę – miałam pewność, że mój syn znalazł miejsce, gdzie ktoś dobrze się o niego troszczy.

W naszej relacji to nie ojcu brakowało zaufania, tylko mnie. Teraz jasno widziałam, że rozumiał także i powód, dla którego postanowiłam mu się nie zwierzyć, i zaakceptował moją decyzję. Pozwolił mi dokonać własnego wyboru, który, przyznałam brutalnie, nie wynikał tylko z lęku przed jego ojcowską reakcją. Chodziło również o mnie. Miałam dziewiętnaście lat i po raz pierwszy zakosztowałam wolności. Widziałam przed sobą świetlaną przyszłość i ostatnią rzeczą, na jaką miałam ochotę, było samotne wychowanie dziecka. Być może gdybym wtedy poszła do ojca, wyznała mu prawdę i omówiła wszystkie możliwości, i tak doszłabym do tego samego wniosku.

Teraz pomyślałam o swojej matce. Była w podobnym wieku, miała podobny dylemat, chociaż działo się to w innym czasie.

– Wybaczam ci – powiedziałam nagle. – I dziękuję – dodałam, wiedząc, że niezależnie od jej motywacji podjęła decyzję, która okazała się korzystna dla mnie, jej córki.

Ponownie wróciłam myślami do Pa Salta. Zachichotałam na myśl o tym, że wcale bym się nie zdziwiła, gdyby osobiście przeprowadził wywiad z przyszłymi rodzicami adopcyjnymi mojego syna.

Może tak było, a może nie, ale w tej chwili, kiedy piłam piwo, po raz pierwszy od urodzin syna, trzynaście lat temu, poczułam się pogodzona ze sobą.

I nagle zrozumiałam, że dając mi moją przeszłość, Pa Salt prawdopodobnie ofiarował mi także przyszłość. Struchlałam na myśl o swoim porannym zachowaniu wobec Floriana.

Coś ty narobiła, Maju?

Zadzwoniłam z komórki do Christiana i poprosiłam go, żeby za piętnaście minut czekał na mnie przy pomoście. Kiedy szłam ruchliwymi ulicami Genewy, tęskniłam za spokojną atmosferą Rio. Tamtejsi ludzie pracowali, bawili się i akceptowali to, czego nie mogli zmienić ani zrozumieć. Jeśli przez to, że dałam się opanować lękom z przeszłości, popsułam sobie przyszłość, brałam za to pełną odpowiedzialność.

Gdy wsiadałam do motorówki, wiedziałam już, że choć moje życie zostało ukształtowane przez wydarzenia, na które nie miałam wpływu, to decyzję, żeby zareagować na nie tak, a nie inaczej, podjęłam ja.

*

Kiedy Christian dopływał motorówką do Atlantis, na molu zobaczyłam bardzo bliską osobę, której ani trochę się nie spodziewałam.

– Niespodzianka! – krzyknęła, rozkładając ramiona, aby objąć mnie, gdy wyjdę z łodzi.

– Ally! Co ty tutaj robisz?

– Tak się dziwnie składa, że to także mój dom – odpowiedziała z uśmiechem. Wzięłyśmy się pod ręce i ruszyłyśmy w stronę zameczku. – Miałam kilka dni wolnego, więc pomyślałam, że skoro wyjechałaś, wpadnę tu i zobaczę, jak sobie radzi mama. Jej też jest na pewno trudno pogodzić się ze śmiercią taty.

Natychmiast poczułam wyrzuty sumienia z powodu swojego egoizmu. Ani razu nie zadzwoniłam z Rio do Mariny. A po wczorajszym powrocie nie odezwałam się do niej poza zdawkowym „cześć”.

– Wspaniale wyglądasz, Maju! Podobno byłaś bardzo zajęta. – Ally wymierzyła mi serdecznego kuksańca w bok. – Mama mówi, że wczoraj wieczorem miałaś tutaj gościa. Kto to był?

– Ktoś, kogo poznałam w Rio.

– Zróbmy sobie coś chłodnego do picia i wszystko mi o nim opowiesz.

Usiadłyśmy przy stole na tarasie i rozkoszowałyśmy się słońcem. Jak zwykle pewna nieufność wobec mojej „idealnej" siostry ustąpiła pod wpływem jej miłego towarzystwa. Rozluźniłam się i opowiedziałam jej o tym, co wydarzyło się w Brazylii.

– Ojej! – rzuciła, kiedy przerwałam dla zaczerpnięcia oddechu i łyknięcia domowej lemoniady, którą zrobiła dla nas Claudia, wiedząc, że to nasz ulubiony napój. – Ale miałaś przygody! Byłaś bardzo odważna, żeby tam jechać i odkryć swoją przeszłość. Nie jestem pewna, czy ja poradziłabym sobie z szukaniem powodu, dla którego oddano mnie do adopcji, chociaż miałam szczęście, bo znalazłam się u Pa Salta i miałam tyle wspaniałych sióstr. Nie było ci przykro, kiedy babcia opowiedziała ci o twojej matce? – zapytała.

– Oczywiście, że było, ale ją rozumiem. No i chciałabym ci jeszcze coś powiedzieć, Ally. Być może powinnam ci to była wyznać dawno temu…

Opowiedziałam jej o moim synu i o strasznej decyzji, aby go oddać do adopcji. Wyglądała na autentycznie zszokowaną i zobaczyłam w jej oczach łzy.

– Maju, to straszne, że musiałaś przez to przechodzić w samotności. Dlaczego nic mi nie powiedziałaś? Byłam twoją młodszą siostrą! Zawsze myślałam, że jesteśmy sobie bliskie. Zrobiłabym wszystko, żeby cię wesprzeć. Naprawdę.

– Wiem, Ally, ale miałaś wtedy zaledwie szesnaście lat. A poza tym strasznie się wstydziłam.

– Musiałaś dźwigać sama taki ciężar… À propos, mogłabyś mi powiedzieć, kto był ojcem dziecka?

– Nie znasz go. Spotkaliśmy się na studiach. Nazywa się Zed.

– Zed Eszu?

– Tak. Może słyszałaś o nim w wiadomościach. Jego ojciec to ten miliarder, który popełnił samobójstwo.

– A jego jacht widziałam niedaleko jachtu taty tego dnia, kiedy dowiedziałam się, że Pa Salt umarł. Pamiętasz? – Ally się wzdrygnęła.

– Tak – przyznałam, chociaż w nawale wydarzeń ostatnich

trzech tygodni zapomniałam o tym szczególe. – Zakrawa to na ironię, ale to przez Zeda poleciałam do Rio, bo przedtem wahałam się, czy to zrobić. Po czternastu latach milczenia ni z tego, ni z owego zostawił mi wiadomość głosową, że musi jechać do Szwajcarii i proponuje, żebyśmy się spotkali.

Ally dziwnie na mnie spojrzała.

– Chciał się z tobą spotkać?

– Tak. Powiedział, że słyszał o śmierci naszego taty, i zaproponował, żebyśmy się razem wypłakali. Jeśli cokolwiek mogło mnie wypędzić ze Szwajcarii, to na pewno taka wiadomość.

– Czy on wie, że jest ojcem twojego dziecka?

– Nie. A gdyby wiedział, pewnie i tak byłoby mu wszystko jedno.

– Dobrze, że się go pozbyłaś – ponuro rzuciła Ally.

– Znasz go?

– Osobiście nie. Mam… znajomego, który go zna. W każdym razie – nieco się rozchmurzyła – wygląda na to, że lot do Rio był najlepszą decyzją, jaką kiedykolwiek w życiu podjęłaś. Ale nic mi jeszcze nie powiedziałaś o tym przystojnym Brazylijczyku, którego tu wczoraj gościłaś. Mamie bardzo się spodobał. O niczym innym nie mówiła, kiedy przyjechałam. Podobno jest pisarzem?

– Tak. Przetłumaczyłam jego pierwszą powieść. Tydzień temu wydano ją w Paryżu i ma odlotowe recenzje.

– Byłaś z nim w Paryżu?

– Tak.

– I co?

– Bardzo go lubię.

– Marina mówiła, że on też bardzo cię lubi. Bardzo, bardzo – podkreśliła Ally. – Jakie macie dalsze plany?

– Nie wiem. Tak naprawdę nie robiliśmy żadnych planów. No bo widzisz, on ma sześcioletnią córkę i mieszka w Rio, a ja jestem tutaj… A co u ciebie, Ally? – zapytałam, nie chcąc dłużej rozmawiać o Florianie.

– Żeglarstwo idzie mi dobrze. Dostałam propozycję, żeby w przyszłym miesiącu dołączyć do załogi regat Fastnet. Poza tym trener szwajcarskiej drużyny narodowej zaprosił mnie na ostatni etap sprawdzianów i jeśli dobrze mi pójdzie, od jesieni razem z resztą jego zawodników będę trenować do przyszłorocznej olimpiady w Pekinie.

– Fantastycznie, Ally! Będziesz mnie informować na bieżąco, jak ci idzie, dobrze?

– Jasne.

Chciałam jeszcze trochę ją powypytywać, ale na taras wyszła Marina.

– Maja, *chérie*, nie wiedziałam, że już wróciłaś do domu. Dopiero przed chwilą powiedziała mi o tym Claudia. Zobacz, co jeszcze przed twoim wyjazdem dostałam od Christiana. – Marina podała mi kopertę.

Popatrzyłam na widniejący na niej napis i po charakterze pisma natychmiast poznałam, że to list od Floriana.

– Dziękuję.

– Będziecie jadły kolację, dziewczęta? – zapytała.

– Jeśli jest co, to oczywiście – odparła Ally. – A ty, Maju? Zjesz ze mną? Ostatnio nieczęsto mamy okazję sobie pogadać.

– Oczywiście – powiedziałam, wstając. – Ale nie pogniewacie się, jeżeli na chwilę pójdę do pawilonu?

Obie spojrzały na mnie i na list i od razu było widać, że rozumieją, o co chodzi.

– Do zobaczenia, *chérie* – rzuciła Marina.

Kiedy znalazłam się w pawilonie, drżącym palcami otworzyłam kopertę. Wyjęłam z niej poszarpaną kartkę papieru, która wyglądała na wyrwaną z notesu.

Na łodzi
Jezioro Genewskie
13 lipca 2007

Mon amour *Maja,*

piszę do Ciebie w mojej słabej francuszczyźnie i choć w tym języku nie potrafię pisać równie poetycko jak Laurent Brouilly, kiedy zwierzał się Izabeli, to ukryte

pod moimi słowami uczucie jest takie samo. (Wybacz,
że tak nierówno piszę, ale trochę rzuca motorówką).
Chérie, rano zrozumiałem Twoją rozterkę i chciałem Cię
pocieszyć, ale chyba jeszcze nie bardzo umiesz mi zaufać.
A zatem wyznam Ci na piśmie, że Cię kocham. I chociaż
jak na razie spędziliśmy ze sobą niewiele czasu, wierzę, że
nasza wspólna historia dopiero się zaczyna. Gdybyś rano
przed moim wyjazdem została ze mną dostatecznie długo,
powiedziałbym Ci, że moim największym marzeniem
jest, abyś wyjechała ze mną do Rio. Przyjedź, żebyśmy
razem mogli jeść spalony makaron, pić nienadające się
do picia wino i do końca życia co noc razem tańczyć
sambę. Wiem, że wiele od Ciebie oczekuję, prosząc, abyś
zrezygnowała ze swojego życia w Genewie, ale tak jak
Izabela, muszę myśleć o swoim dziecku. Valentina musi
być blisko rodziny. Przynajmniej na razie.
   Wyjeżdżam i daję Ci czas do namysłu, bo to bardzo
poważna decyzja. Proszę Cię jednak, nie męcz mnie zbyt
długim oczekiwaniem i daj znać, co postanowiłaś. I choć
każdy dzień niepewności będzie mi się strasznie dłużył,
muszę to jakoś wytrzymać.
   Załączam steatytowy kafelek. Mojemu przyjacielowi
z muzeum w końcu udało się odczytać cytat, który
Izabela przepisała dla Laurenta:

   Miłości nie ogranicza odległość
   Ani żaden kontynent,
   Oczyma sięga gwiazd.

   Na razie do widzenia. Będę czekał na odpowiedź.
                              Ucałowania,
                              Floriano

Ally
Lipiec 2007

Nów
12:04:53

51

Obie z Mariną przyglądałyśmy się, jak Maja odpływa z Atlantis. Machałyśmy jej i posyłałyśmy pocałunki. Miała ze sobą dwie walizki, które po brzegi wypełniła swoimi najcenniejszymi rzeczami i dopchała trzystoma torebkami herbaty English Breakfast, tłumacząc nam, że w Rio są nieosiągalne. Zapewniała nas, że wkrótce wróci, ale jakoś w to nie wierzyłyśmy. Obie bardzo się wzruszyłyśmy, kiedy najstarsza z sióstr powoli znikała z pola naszego widzenia w drodze do nowego życia.

– Jestem taka szczęśliwa, że jest szczęśliwa – odezwała się Marina w drodze powrotnej do domu i skrycie otarła łzy z oczu. – Floriano to cudowny człowiek, a według Mai jego córka też jest wspaniała.

– Znalazła sobie gotową rodzinę. Może zastąpi jej to, co straciła.

Marina obrzuciła mnie badawczym wzrokiem. Właśnie wchodziłyśmy do zameczku.

– Powiedziała ci?

– Tak, wczoraj. Przyznam, że byłam zszokowana. Nie tyle tym, co się stało, ile tym, że przez tyle lat trzymała to w ukryciu. Właściwie – dodałam – samolubnie poczułam się urażona, że nie potrafiła mi na tyle zaufać, żeby podzielić się ze mną tą tajemnicą. A ty pewnie o wszystkim wiedziałaś? – zapytałam Marinę, wchodząc za nią do kuchni.

– Tak, *chérie*. To ja jej pomogłam. Hm… co się stało, to się nie odstanie. Ale Maja nareszcie znalazła sobie miejsce w życiu. Szczerze mówiąc – Marina włączyła czajnik – czasem martwiłam się, że to nigdy nie nastąpi.

– Wszystkie się martwiłyśmy. Pamiętam, że jako bardzo młoda dziewczyna była wesoła i pozytywnie nastawiona do świata. A potem z dnia na dzień się zmieniła. Pojechałam ją odwiedzić, kiedy była na trzecim roku Sorbony. Była taka cicha i… zamknięta… – Westchnęłam. – Spędziłam u niej bardzo nudny weekend, bo nie chciała nigdzie iść, a ja miałam szesnaście lat i po raz pierwszy wybrałam się do Paryża. Teraz rozumiem, dlaczego tak się zachowywała. Wiesz, że kiedyś Maja była moją idolką? Bardzo ciężko przeżyłam, gdy nagle się ode mnie odgrodziła.

– Zamknęła się przed nami wszystkimi – pocieszyła mnie Marina. – Jeśli ktokolwiek przywróci ją do życia i na nowo nauczy ufać ludziom, to ten młody człowiek, którego sobie znalazła. Chcesz herbaty czy może czegoś zimnego?

– Dziękuję, wystarczy mi woda. Chyba sama zakochałaś się w tym Florianie! – zażartowałam, kiedy podawała mi szklankę z wodą.

– Nie da się ukryć, że jest bardzo przystojny – przyznała Marina prostolinijnie.

– Nie mogę się doczekać, kiedy go poznam. Ale co tu będziesz teraz robić bez Mai?

– Nie martw się, mam mnóstwo roboty. Zdziwiłabyś się, jak często dziewczęta wracają do gniazda, i to przeważnie bez uprzedzenia. – Uśmiechnęła się do mnie. – W zeszłym tygodniu przyjechała Star.

– Naprawdę? Bez CeCe?

– Tak. – Marina taktownie powstrzymała się od komentarza. – Ale wiesz, że uwielbiam, kiedy któraś przyjeżdża.

– Bez taty jest tu całkiem inaczej.

– Oczywiście. Ale wyobrażasz sobie, jaki byłby dumny, gdyby wiedział, co jutro robisz? Wiesz, jak kochał żeglarstwo.

– Tak. – Uśmiechnęłam się smutno. – A zmieniając temat, czy wiedziałaś, że ojcem dziecka Mai był syn Kreega Eszu, Zed?

– Tak. – Marina nagle zmieniła temat. – Poproszę Claudię, żeby kolacja była dzisiaj o siódmej. Wiem, że rano musisz wcześnie wyjechać.

– Dobrze. Powinnam sprawdzić maile. Mogę skorzystać z gabinetu taty?

– Oczywiście. Pamiętaj, że teraz dom należy do ciebie i twoich sióstr – cierpliwie przypomniała mi Marina.

Wzięłam laptop ze swojej sypialni, zeszłam na parter, otworzyłam drzwi do gabinetu ojca i po raz pierwszy w życiu nieśmiało usiadłam w krześle Pa Salta. Laptop powoli się włączał, a ja bezmyślnie patrzyłam na bogactwo drobiazgów, które ojciec trzymał na półkach.

Po chwili laptop postanowił mi powiedzieć, że skoro właśnie się włączył, chce się wyłączyć, więc w oczekiwaniu, aż się zresetuje, wstałam i podeszłam do odtwarzacza CD. Wszystkie namawiałyśmy ojca, żeby przestawił się na iPoda, ale chociaż w gabinecie miał mnóstwo skomplikowanych komputerów i wszelkiej elektroniki, powiedział, że jest za stary na zmiany i woli dokładnie widzieć sprzęt, z którego odtwarza się muzyka. Zafascynowało mnie to, czego ostatnio słuchał; pokój nagle wypełnił się pięknymi dźwiękami otwierającymi *Poranek* Griega z suity *Peer Gynt*.

Stanęłam jak wryta, oszołomiona falą wspomnień. Był to ulubiony utwór orkiestrowy taty. Często prosił mnie, bym zagrała mu jego początek na flecie. Stał się motywem przewodnim mojego dzieciństwa i przypominał mi wszystkie nasze wspólne cudowne wschody słońca, kiedy Pa Salt brał mnie na jezioro i cierpliwie uczył żeglarstwa.

Bardzo za nim tęskniłam.

Ale tęskniłam jeszcze za kimś. Przepełniona nostalgią, w pokoju, w którym rozbrzmiewały z ukrytych głośników wspaniałe dźwięki muzyki, instynktownie podniosłam słuchawkę telefonu, który stał na biurku ojca.

Przyłożyłam ją do ucha i już chciałam wybrać numer, gdy zdałam sobie sprawę, że linia jest zajęta; ktoś rozmawiał przez telefon z innego miejsca w domu. Kiedy usłyszałam dobrze mi znany, donośny głos człowieka, który od dzieciństwa był moją podporą, byłam tak zszokowana, że przerwałam rozmowę.

– Halo? – powiedziałam i sięgnęłam w stronę odtwarzacza CD, aby ściszyć muzykę i upewnić się, że to on.

Ale głos po drugiej stronie zmienił się w monotonny sygnał i już go nie było.

Od autorki

Do napisania tego cyklu powieści zainspirowały mnie greckie mity o konstelacji Siedem Sióstr, nazywanej również Plejadami. To duże przedsięwzięcie: siedem książek; każda z sześciu opowiada o jednaj z dziewcząt adoptowanych przez Pa Salta w różnych częściach świata i przywiezionych do jego bajkowego zamku Atlantis na prywatnym półwyspie Jeziora Genewskiego.

Wielu Czytelników przysyła mi pytania na temat tego cyklu, a także propozycje rozwiązania zagadek z pierwszej części. Postanowiłam więc każdą książkę zaopatrzyć w aneks z pytaniami i odpowiedziami.

Dla mnie ten cykl jest jedną bardzo długą opowieścią, którą podzieliłam na siedem części. Niemniej jednak każda książka stanowi też odrębną całość, a historie niezwykłych sióstr można czytać w dowolnej kolejności, ponieważ akcja wszystkich zaczyna się w tym samym momencie. Są ze sobą połączone ukrytym wątkiem niczym delikatną nitką. Siódma część uzupełnia pozostałe. Ale nie tylko...

Zgłębianie wiedzy na temat czasów i miejsc, w których rozgrywa się akcja powieści, było dla mnie dużym wyzwaniem. Mam nadzieję, że zawarte poniżej pytania i odpowiedzi przybliżą Czytelnikom tło cyklu i moją opowieść o pięknej Mai. Starałam się zapanować nad kompozycją książki i przekazać niezafałszowane fakty historyczne tak, żeby wszystko tworzyło nierozerwalną całość. W trakcie pisania podążam za swoimi bohaterami; sama często wzruszam się i dziwię. Mam nadzieję, że podobne przeżycia staną się również udziałem Czytelników.

Na stronie internetowej www.thesevensistersseries.com znajdziecie więcej informacji na temat mitologii i astronomii związanej z gwiazdozbiorem Siedem Sióstr. Są tam także dane na temat budowy pomnika Chrystusa Odkupiciela w Rio de Janeiro i autora projektu, Paula Landowskiego, który tworzył w hedonistycznym Paryżu lat dwudziestych ubiegłego wieku.

Na koniec pragnę podziękować Wam za czas, jaki poświęciliście na przeczytanie historii Mai. Wiem, że jest długa – ale kończę swoje powieści dopiero wtedy, gdy tworzone przeze mnie postaci mówią mi, że to na razie wszystko.

Lucinda

Pytania i odpowiedzi

1. Co zainspirowało mnie do napisania siedmioczęściowego cyklu powieści *Siedem Sióstr*?

W styczniu 2013 roku szukałam pomysłu na następną książkę. Chciałam znaleźć szerszy kontekst dla mojej dotychczasowej twórczości, w której próbowałam odpowiedzieć na pytanie, jaki wpływ na teraźniejszość ma przeszłość. Szukałam czegoś, co stanowiłoby frapujące wyzwanie zarówno dla mnie, jak i dla Czytelników. Jak daleko sięgam pamięcią, zawsze lubiłam przyglądać się gwiazdom, a moją ulubioną konstelacją było Siedem Sióstr. Pewnej mroźnej nocy w Norflolk popatrzyłam na niebo, pomyślałam o siódemce naszych dzieci i wymyśliłam serię książek alegorycznie opartych na legendach o Siedmiu Siostrach.

2. Dlaczego na miejsce akcji wybrałam Rio i Chrystusa Odkupiciela?

Kiedyś pojechałam do Brazylii, by promować swoją książkę, i zakochałam się w tym kraju i jego mieszkańcach. Uświadomiłam sobie, że jeszcze nie czytałam książki, której akcja jest osadzona w tamtejszych realiach. Wjechałam na górę Corcovado, by zobaczyć pomnik Chrystusa Odkupiciela, a kiedy przed nim stanęłam, całkiem mnie zauroczył. Nie mogłam uwierzyć w cud, jakim było dla mnie skonstruowanie go w latach dwudziestych XX wieku, i zaintrygowała mnie historia jego powstawania. Gdy zaczęłam zgłębiać ten temat, natrafiłam na zagadkę związaną z osobą, której dłonie posłużyły za modele dla dłoni Chrystusa...

3. Jak długo byłam w Brazylii, by zebrać materiały do książki?

Po swoim pierwszym pobycie w tym kraju pojechałam tam ponownie i na miesiąc wynajęłam mieszkanie w Rio de Janeiro. Przypadkiem dowiedziałam się, że w sąsiedztwie mieszka Bel Noronha, prawnuczka architekta Heitora da Silva Costy, który skonstruował pomnik Chrystusa Odkupiciela. Udostępniła mi jego pamiętniki i mnóstwo dokumentów z czasu budowy posągu. Potem wyjechałam w góry, do hacjendy Santa Tereza, gdzie dawniej była plantacja kawy. To miejsce posłużyło mi za wzorzec domu, w którym w książce Bel spędziła dzieciństwo. Przedstawiając historię Mai, starałam się również pokazać, jakim nadzwyczajnym, pełnym życia miastem jest Rio de Janeiro, choć jak każda metropolia ma swoje dobre i złe strony. Część książki osadzona jest w faweli. Podobna dzielnica znajdowała się tuż obok miejsca, gdzie mieszkałam. Dzięki temu miałam możliwość przyglądać się unoszącym się nad fawelą latawcom i słuchać dochodzących stamtąd co noc dźwięków samby. Maja dowiaduje się w końcu, że początki jej życia są związane z fawelą. Kiedy przygląda się dzieciom, które uczą się samby, by wziąć udział w karnawale, rodzi się w niej myśl, że te dzieci tańczą tak, jakby od tego zależało ich życie. Napisanie tego rozdziału kosztowało mnie mnóstwo łez, bo widziałam to na własne oczy.

4. Perspektywa napisania cyklu siedmiu książek pewnie jest przerażająca. Czy zanim zaczęłam, musiałam opracować fabułę ostatniej części?

O dziwo, to, że wiem, co będę robiła przez następne sześć lat, postrzegam w jasnych barwach, nie w ponurych. Chociaż historia każdej z sióstr jest odrębną powieścią, razem stanowią dla mnie jedną epicką całość. Dzięki temu w najbliższej przyszłości nie będę przeżywała okropnego momentu, w którym trzeba się zastanawiać, o czym pisać. Najlepsze zaś jest to, że przez kilka lat nie będę musiała się żegnać ze swoimi bohaterami. Po zakończeniu każdej książki pogrążam się w żałobie po moich wyimaginowanych przyjaciołach. To najbardziej inspirujący z moich projektów, ponieważ ma tak wiele warstw. Opracowuję alegoryczne wersje mitów i legend o Siedmiu Siostrach i wplatam je w ogólny wątek, który spaja całość. Odsłaniam go dopiero w ostatniej książce. Jego elementy ukryte są w poszczególnych częściach, a ja jestem jedyną osobą, która wie o wszystkim.

5. W opowiadaniu przewijają się wątki z mitologii. Jakie mity wybrałam i co mnie zainspirowało, aby oprzeć na nich cykl?

Powiązania z astrologią i mitologią nadają serii głębszy wymiar, co sprawia mi ogromną frajdę. Wokół konstelacji Siedmiu Sióstr narosły mity wśród ludów różnych części świata: Majów, Greków czy Aborygenów. Jako wzorce dla bohaterów i pewnych elementów tego cyklu powieści postanowiłam wykorzystać mity greckie. Bardzo się ubawiłam, tworząc anagramy i aluzje oparte na mitach. Moja najmłodsza córka, Leonora, wymyśliła imię adopcyjnego ojca sióstr, postaci częściowo nawiązującej do Atlasa, czyli Tytana, który podtrzymywał na barkach niebo i ziemię. Do liter z jego imienia dodała P ze słowa Plejone, czyli matki sióstr, i utworzyła imię Pa Salt, co znakomicie pasuje do wielkiego miłośnika morza. Jeśli ktoś chce szukać anagramów, jest ich w książce więcej.

Nie chciałam jednak, by znajomość mitów była konieczna dla zrozumienia powieści. Starałam się, żeby moje siostry były współczesnymi kobietami. Tak więc najstarsza z nich, Maja, ma cechy swojej imienniczki z greckiej legendy, ale jest na wskroś dziewczyną XXI wieku.

6. Czy trudno było dostosować historię Mai do jej mitycznego pierwowzoru? Jak można scharakteryzować tę postać?

Zgodnie z mitologią grecką, Maja jest piękną pustelniczką, nieśmiałą, zabiedzoną kobietą, która wybrała samotne życie w jaskini. Znana jest też jako „matka" czy „opiekunka". Wszystkie te cechy wykorzystałam do zbudowania fikcyjnej postaci Mai. Moja Maja pochodzi z uprzywilejowanego środowiska, ale nie miała łatwego życia. Jako najstarsza czuje się obarczona odpowiedzialnością za rodzinę. Jest jedyną z sióstr, która nadal mieszka w Atlantis, rodzinnej posiadłości na brzegu Jeziora Genewskiego. Śmierć ojca dogłębnie nią wstrząsa i zmusza do stawienia czoła przeżyciom z przeszłości, przed którymi od lat uciekała. Jej wyprawa do Brazylii zmienia wszystko i sprawia, że Maja na nowo odkrywa miłość i wraca do życia.

W mitologii greckiej jest wiele legend o siostrach, a także o gwałtach i przemocy, jakich dopuszczali się wobec nich nadmiernie pobudzeni

535

seksualnie greccy bogowie! Szczególną rolę odegrał w tej mierze król bogów, Zeus, który romansował z trzema z sióstr. Doszłam jednak do wniosku, że muszę rozłożyć Zeusa na dwie osoby – ojca i syna. Inaczej współczesne kobiety nie byłyby w stanie tego strawić.

7. Wiele postaci w książce to ludzie, którzy naprawdę żyli. Czy dzięki temu mi łatwiej je opisać, czy też stanowiło to wyzwanie?

Ożywienie tych niezwykłych ludzi zdecydowanie stanowiło dla mnie wyzwanie, ale takie, które bardzo mi odpowiadało. Musiałam przeprowadzić niezwykle dokładną kwerendę – przeczytałam wszystko, co mogłam, o Landowskim i zwiedziłam poświęcone mu muzeum w podparyskim Boulogne-Billancourt. Bel Noronha udostępniła mi prywatne dzienniki Heitora da Silva Costy, co było bardzo pomocne. Osobowość wielkich ludzi można bowiem odtworzyć najlepiej, sięgając do zapisów ich myśli.

8. W Paryżu lat dwudziestych XX wieku buzowało życie artystyczne, kwitł hedonizm. Z czyich wpływów korzystałam, aby uchwycić atmosferę tamtych czasów?

Mam w sobie francuską krew i lato zawsze spędzam we Francji, więc czuję głęboką więź z tym krajem. Najbardziej podobają mi się lata dwudzieste ubiegłego wieku w Paryżu, kiedy sztuka i filozofia były tam wszystkim i spychały na plan dalszy materialistyczne podejście do życia. Jednym z moich ulubionych pisarzy jest Scott Fitzgerald, który w tym czasie często mieszkał we Francji. Razem z żoną Zeldą należeli do paryskiej bohemy: całymi dniami pili, a noce spędzali na tańcach. Gdyby pozwolono mi wybierać w sprawie daty moich urodzin, wybrałabym tamte czasy – takie życie bardzo by mi pasowało.

9. Jakie fakty historyczne najbardziej zafascynowały mnie, gdy zbierałam materiały o Rio de Janeiro i pomniku Chrystusa Odkupiciela?

Posąg Chrystusa Odkupiciela jest prawdziwym cudem. Heitor da Silva Costa musiał być geniuszem, skoro udało mu się sprawić, że pomnik o takich rozmiarach i tak ogromnej wadze bezpiecznie utrzymuje się w ryzykownym miejscu, jakim jest szczyt góry Corcovado. Odkryłam, że statua pokryta jest tysiącami steatytowych trójkącików. Ówczesne kobiety z towarzystwa zapisywały na nich swoje modlitwy (tak jak w książce robi to Bel), a potem naklejały je na siatki o kształcie dużych kwadratów. Zafrapowała mnie również historia modelki, której dłonie odwzorowano w pomniku. Całe lata uważano, że są to ręce słynnej, utalentowanej artystycznie Brazylijki, Margaridy Lopes de Almeidy. Na łożu śmierci wyjawiła jednak, że nie są to jej dłonie. Tożsamość modelki pozostała tajemnicą, co dało mi świetny pomysł do fabuły.

10. Niektóre związki między kobietami i mężczyznami w książce pełne są miłości, ale także napięcia i smutku. Czy pisanie powieści było dla mnie trudne pod względem emocjonalnym?

Kiedy się pisze, człowiek żyje swoimi postaciami dwadzieścia cztery godziny na dobę i niewiarygodnie się do nich przywiązuje. Przypuszczam, że w moim przypadku ma to związek z aktorską przeszłością. Kiedy piszę o tragediach bohaterów, bywam emocjonalnie wyczerpana. Są mi tak bliscy, że bardzo się denerwuję, kiedy nie mogę zapewnić im szczęśliwego zakończenia. Na etapie redakcji często płaczę, kiedy czytam bolesne sceny. Mam specyficzną metodę pisania. Zamiast siedzieć przy komputerze i pisać na klawiaturze, całą pierwszą wersję nagrywam na dyktafon. Dzięki temu mogę chodzić po świeżym powietrzu. Ponadto bardziej wczuwam się w swoje postaci, a ich historie swobodnie ze mnie wypływają.

11. Czy mogę coś powiedzieć o następnej książce z serii? Która z sióstr jest jej bohaterką?

Siostra Burzy opowiada o Ally, czyli Alkione. Ta dziewczyna w ogóle nie przypomina Mai. W mitologii greckiej jest przywódczynią, opiekuje się Morzem Śródziemnym i pilnuje, by było spokojne i bezpieczne dla marynarzy. Moja Ally to profesjonalna żeglarka obdarzona talentem muzycznym. Jest dzielna i silna. Po prostu ją uwielbiam.

Historia Ally zaczyna się w tym samym czasie co opowieść o Mai - kiedy dowiaduje się o śmierci Pa Salta. Tak jak najstarsza siostra, dostaje wskazówki na temat swoich przodków. Prowadzą one do Norwegii. Ally dowiaduje się o Annie Landvik, dziewczynie z małej wioski w górach, która otrzymuje szansę wyjazdu do Christianii, aby śpiewać na premierze poematu Henrika Ibsena *Peer Gynt*. Muzyka, skomponowana przez Edvarda Griega, składa się z dwóch suit, a części pierwszej z nich, *Poranek* oraz *W grocie króla gór*, należą do najbardziej znanych kawałków muzyki klasycznej. Nawet jeśli się Wam wydaje, że ich nigdy nie słyszeliście, zapewniam, że natychmiast byście je rozpoznali.

W pewnym sensie *Siostra Burzy* jest ambitniejsza niż pierwsza powieść z cyklu, bo chcąc poznać historię swojej rodziny, Ally musi się cofnąć bardzo daleko w przeszłość – aż do roku 1875, czyli o sto czterdzieści lat. Inspiracją dla powieści była moja wielka miłość do Norwegii i jej życzliwych, pięknych mieszkańców, no i oczywiście muzyka Griega. Pieczołowicie zbierałam materiały na temat Ibsena i Griega, dwóch wielkich Norwegów. Mam nadzieję, że dobrze uchwyciłam magiczną atmosferę tamtych czasów i uduchowionej muzyki Griega. Naturalnie i w tej części poruszana jest zagadka śmierci Pa Salta i tego, kim właściwie był.

Zajrzyjcie, proszę, na stronę siedemsiostr.pl, aby dowiedzieć się więcej na temat powstawania cyklu i odniesień do mitologii i historii.

Podziękowania

Po pierwsze, na podziękowania zasługują Milla i Fernando Baracchini oraz ich syn Gui – to przy stole w ich jadalni w Ribeirão Preto po raz pierwszy przyszedł mi do głowy pomysł napisania książki, której akcja będzie się rozgrywała w Brazylii. Ogromnie pomogła mi cudowna Maria Izabel Seabra de Noronha, prawnuczka Heitora da Silva Costy, architekta i inżyniera Chrystusa Odkupiciela, która nie szczędziła mi czasu i hojnie podzieliła się ze mną swoją wiedzą, a także udostępniła mi nakręcony przez nią film dokumentalny *De Braços Abertos* (Szeroko otwarte ramiona). Następnie poświęciła czas na przeczytanie mojego manuskryptu i sprawdziła poprawność informacji historycznych, które zawarłam w książce. Mimo to moja powieść jest fikcją literacką oplecioną wokół prawdziwych postaci historycznych. Tak więc przedstawiony tu opis zarówno Paula Landowskiego, jak i rodziny Heitora da Silva Costy i jego pracowników to głównie dzieło mojej wyobraźni, a nie opis faktów. Jestem bardzo wdzięczna, że Valeria i Luiz Augusto Ribeirowie zaproponowali, bym w trakcie pisania korzystała z ich hacjendy w górach wznoszących się nad Rio. Najchętniej nigdy bym stamtąd nie wyjeżdżała, zwłaszcza że Vania i Ivonne Silva wciąż mnie rozpieszczały i to nie tylko przepyszną babką piaskową. Wielkie zasługi mają także: Suzanna Perl, moja bardzo cierpliwa przewodniczka po Rio i jego historii, Pietro i Eduardo, nasi przemili kierowcy, cudowna organizatorka Carla Ortelli, dla której nic nie było za trudne do załatwienia, i Andrea Ferreira, zawsze dostępna pod telefonem, kiedykolwiek potrzebowałam jakiegoś tłumaczenia.

Chciałabym też podziękować wszystkim moim wydawcom na całym świecie za ich wsparcie i zachętę, kiedy oznajmiłam, że będę pisać serię siedmiu książek związanych z legendą o siedmiu siostrach, czyli Plejadach. Szczególnie pomogli mi Jez Trevathan i Catherine Richards, Georg Reuchlein i Claudia Negele, Peter Borland i Judith Curr, Knut Gørvell, Jorid Mathiassen i Pip Hallén.

Valérie Brochand, moja sąsiadka z południowej Francji, była tak miła, że pojechała do muzeum Landowskiego w Boulogne-Billancourt i zrobiła dla mnie setki zdjęć, a Adriana Hunter przetłumaczyła ogromną biografię Landowskiego i uporządkowała ważne fakty. David Harber i jego zespół pomogli mi zrozumieć funkcjonowanie sfery armilarnej.

A oto kolejne osoby, którym należą się podziękowania: moja jak zawsze pozytywnie nastawiona i wspierająca mnie mama Janet, siostra Georgia i jej syn Rafe, który w wieku dziewięciu lat wybrał *Różę północy* na swoją lekturę szkolną! Rita Kalagate za to, że mi przepowiedziała, że na pewno pojadę do Brazylii, w wieczór poprzedzający tę propozycję złożoną przez mojego wydawcę, i Izabel Latter za dopingowanie mnie do pracy w Norfolk i wysłuchiwanie mojego gadania w czasie, kiedy delikatnie doprowadzała do porządku moje zbolałe ciało, cierpiące po tysiącach mil przelecianych w samolotach i bezustannym pochylaniu się nad komputerem, aby mogła powstać ta książka.

Ponadto bardzo pomogły mi: Susan Moss, która razem ze mną opracowywała szczegóły manuskryptu i na zawsze pozostanie moją najlepszą przyjaciółką; Jacquelyn Heslop, która w innym życiu była moją siostrzyczką i osobistą asystentką, oraz Olivia Riley, która jakimś cudem odczytuje moje bazgroły i pierwsza powiedziała mi o sferach armilarnych.

Pewnej rozgwieżdżonej styczniowej nocy w roku 2013 wpadłam na pomysł alegorycznej powieści o siedmiu mitycznych siostrach. Zwołałam całą rodzinę, usiedliśmy razem przy ogniu, a ja w podnieceniu tłumaczyłam, co chcę zrobić. Ku ich chwale muszę przyznać, że nikt nie zarzucił mi, że oszalałam, choć kiedy wykluwały się moje pomysły, na pewno odnieśli takie wrażenie. Tak więc to właśnie mojej rodzinie należą się największe podziękowania za wszystko, co się od tamtej pory zdarzyło. Niezwykle ważną rolę odgrywa tu mój ukochany mąż i agent, Stephen (w zeszłym roku odbyliśmy zapierającą dech w piersiach podróż i wiele się nauczyliśmy), a także moje fantastyczne dzieci: Harry, który nakręca wszystkie moje wspaniałe filmy; Leonora, która wymyśliła pierwszy anagram – Pa Salt; młodszy syn, Kit, który zawsze mnie rozśmiesza, i oczywiście Isabella Rose, czyli niezwykle energiczne osiemnastoletnie maleństwo, któremu zadedykowałam tę książkę.

Bibliografia

Siedem Sióstr to fikcja osadzona w realiach historycznych i mitologicznych. Oto źródła, którymi posłużyłam się, by zdobyć informacje na temat czasu akcji i szczegółów życia moich bohaterów:

Munya Andrews, *The Seven Sisters of the Pleiades*, Spinifex Press, 2004.

Dan Franck, *Bohemian Paris*, Grove Press, 2001.

Robert Graves, *The Greek Myths*, Penguin, 2011.

Robert Graves, *The White Goddess, a Historical Grammar of Poetic Myth*, Faber and Faber, 1975.

Michèle Lefrançois, *Paul Landowski: L'œuvre sculpté*, Crèaphis editions, 2009.

Jeffrey D. Needell, *A Tropical Belle Époque*, Cambridge, 2009.

Maria Izabel Noronha, *De Braços Abertos* (film dokumentalny), 2008.

Maria Izabel Noronha, *Redentor: De Braços Abertos*, Reptil Editora, 2011.

Peter Robb, *A Death in Brazil*, Bloomsbury, 2005.

Nigel Spivey, *Songs of Bronze*, Faber and Faber, 2005.

Nastrojowa, Pełna magii Saga rodzinna

Sześć sióstr. Choć urodziły się na różnych kontynentach, wychowały się w bajecznej posiadłości Atlantis na prywatnym półwyspie Jeziora Genewskiego. Adopcyjny ojciec, nazywany przez nie Pa Saltem, nadał im imiona mitycznych Plejad.

Każda ułożyła sobie życie po swojemu i rzadko mają okazję spotkać się wszystkie razem. Do domu ściąga je niespodziewana śmierć ojca, który zostawił każdej list i wskazówki mogące im pomóc w odkryciu własnych korzeni. I w znalezieniu odpowiedzi na pytanie, co się stało z siódmą siostrą.

Poznaj szczegóły historii
Siedmiu Sióstr na stronie
s i e d e m s i o s t r . p l

Kolejne książki z serii Siedem Sióstr

SIEDEM SIÓSTR

Maja. Tropy wiodą ją do zrujnowanej willi w Rio de Janeiro, gdzie poznaje historię swojej prababki, pełnej pasji Izabeli Bonifacio. Osiemdziesiąt lat wcześniej ojciec Izabeli postanowił wydać ją za arystokratę, którego nie kochała. Przed ślubem jednak dziewczyna wyjeżdża do Paryża i przekonuje się, że po tej podróży już nic nigdy nie będzie takie samo…

SIOSTRA BURZY

Ally. Nie od razu podąża za wskazówkami pozostawionymi jej przez ojca. W końcu wyjeżdża jednak do Norwegii, gdzie poznaje historię Anny Landvik – dziewczyny o niebiańskim głosie, która wiek wcześniej odbyła podróż do Christianii, aby śpiewać na premierze dramatu Henrika Ibsena *Peer Gynt*.

SIOSTRA CIENIA

Star trafia do świata angielskiej arystokracji i w antykwariacie znajduje ślady kobiety, której młodość przypadała na czasy edwardiańskie. Flora MacNichol zatrudniła się jako guwernantka w domu, który często odwiedzał król Edward VII. Jej historia pomoże Star odkryć własną przeszłość i wyjść z cienia siostry. A może nawet otworzyć się na miłość.

SIOSTRA PERŁY

CeCe opuszcza Szkocję i podąża do Australii śladami Kitty McBride, która ponad sto lat temu odbyła tę samą podróż. Kiedy Kitty dociera do celu, spotyka dwóch braci – dziedziców fortuny zbudowanej na poławianiu pereł. A CeCe, poznając jej historię, zaczyna wierzyć, że ten dziki kontynent może zaoferować jej coś, o czym nigdy nie śmiała marzyć: poczucie przynależności i prawdziwy dom.

SIOSTRA KSIĘŻYCA

Gdyby nie pewien stary człowiek, Tiggy, która zaszyła się w szkockiej posiadłości, by opiekować się dzikimi zwierzętami, być może nigdy nie podążyłaby za wskazówkami pozostawionymi jej przez Pa Salta. Trafia jednak do gorącej Grenady i w cieniu Alhambry poznaje dzieje swojej babki, wielkiej La Candeli, słynnej tancerki flamenco, zmuszonej do opuszczenia kraju i podróży przez Atlantyk.

Dowiedz się więcej na SIEDEMSIOSTR.PL